LA BROCHE BLEUE

CAROLINE VON KROCKOW

LA BROCHE BLEUE

Traduit de l'anglais
par Marion McGuinness

ÉDITIONS | PRISMA

Titre de l'édition originale :
The Blue Brooch

ISBN : 978-2-8104-3239-4

Pour Maman, qui me protège depuis l'au-delà.

Prologue

La mort et les cimetières ont quelque chose d'indéniablement atroce et attirant à la fois. Ces lieux ne laissent pas grand monde indifférent.

« L'impossibilité physique de la mort dans l'esprit d'un vivant. »

À quoi servent-ils ? Certaines personnes ne souhaitent pas être enterrées dans un cimetière, d'autres s'y rendent chaque année pour se recueillir, et d'autres encore en profitent comme un lieu de retraite.

Ainsi, l'héroïne de *La Broche bleue*, Francesca Danet, a décidé dès son plus jeune âge que le cimetière Hietzing de Vienne serait son jardin secret, son repaire caché. Elle connaissait des gens enterrés là, mais personne dont la présence la rendait alors triste. Ce cimetière se trouve dans le 13e arrondissement de la ville, et de magnifiques tombes abandonnées surgissent au milieu des fleurs et des herbes folles. Francesca était la reine de ce jardin intime et en adorait ses habitants souterrains. Elle dissimulait partout des petits mots confidentiels. La chasse au trésor était son passe-temps préféré, et qui de mieux pour y jouer avec elle que son ami et artiste Gustav Klimt ?

Gustav Klimt avait été un ami très proche de Marie Anne, l'une des deux héroïnes de mon premier roman, *La Rose blanche*. Elle vivait à Vienne lorsque son affreuse mère la fit interner dans un asile, sous prétexte qu'elle souffrait « d'hystérie ». Le médecin de Marie Anne la mit enceinte, mais son premier fils, Peter, fut longtemps considéré comme mort, caché par sa méchante mère. Le premier époux de Marie Anne, Thomas, prince de Lacquise, l'emmena à Paris en 1889, mais leur union fut malheureuse. Après son divorce, Marie Anne parvint à récupérer son fils Peter et tomba amoureuse de l'artiste impressionniste Maurice Danet, qui peignit *La Rose blanche*, un portrait de Marie Anne et de son fils Peter. Quelques années plus tard, le couple accueillit une adorable petite fille, Francesca.

Mon héroïne Vivian découvrit toute cette histoire dans le journal intime de Marie Anne. Elle avait par ailleurs ses propres épreuves à endurer : sa mère était décédée dans d'étranges circonstances alors qu'elle était encore petite, et elle fut envoyée en pensionnat. Son père se remaria rapidement, mais malheureusement pour Vivian, sa nouvelle épouse, Sybille, n'était qu'une avare manipulatrice. Son père entretint aussi une liaison avec Kirsten, à New York, dont naquit Sophie, la demi-sœur de Vivian. Sophie et Kirsten mijotaient un sale coup avec leur commerce d'art douteux et à cause de Vivian, elles atterrirent en prison.

Sophie est folle de rage et ne rêve que de vengeance. Vivian avait épousé Jérôme, en fait déjà marié à Chloé et qui tenta de tuer Vivian pour mettre la main sur *La Rose blanche*. Enfin, le professeur Mhost ne cesse de mettre des bâtons dans les roues de Vivian, avide de devenir un expert de Maurice Danet et de récupérer *La Rose blanche*. Heureusement, Vivian a une tante merveilleuse, Margot, la sœur de son père, son ange gardien depuis toujours.

Chapitre 1

« Se connaître soi-même est le début de toute sagesse. » – Aristote

Vienne, 15 mai 1988, 11 h 30.

– Je suis tellement fière de toi, s'exclama Tante Margot en nous servant le thé dans le salon. Regarde-toi : professeur d'art, propriétaire du magnifique palais Weissenberg, et tu as même réussi à récupérer *La Rose blanche* !

– Merci, lui répondis-je en souriant, tout en repensant aux terribles épreuves que j'avais dû traverser ces dernières années.

Entre mon escroc de mari qui avait bien manqué de me tuer, le professeur Mhost qui avait lui tenté de saboter ma carrière académique et ma méchante demi-sœur Sophie qui avait fait du monde de l'art un lieu de non-droit – et qui en subissait aujourd'hui les conséquences en prison. Tante Margot et le journal de Marie Anne m'avaient soutenue au pire de la tempête, et *La Rose blanche* m'avait toujours encouragée à persévérer. Je jetai un coup d'œil vers le bouquet de roses blanches, le Sachertorte posé sous *La Rose blanche,* ce portrait de mon arrière-grand-mère Marie Anne peint par mon arrière-grand-père, l'impressionniste Maurice Danet. Je me plongeai dans la splendeur de ce portrait créé quatre-vingt-seize ans plus tôt, dans leur appartement du 71, rue Lepic au cœur du quartier de Montmartre, à Paris. Marie Anne y resplendissait tout particulièrement dans sa robe de satin bleu clair ornée de rubans de velours, une broche bleue sur la poitrine, ses cheveux bruns tombant en boucles souples, et son fils Peter, âgé de cinq ans, habillé d'un manteau bleu marine, assis sur ses genoux. Des roses blanches, telles des pierres précieuses étincelantes, étaient éparpillées autour d'eux. Le tableau dominait le salon de sa présence lumineuse.

– Marie Anne est vraiment magnifique, reprit Margot. Dommage que sa broche bleue ait été volée.

– Margot, j'ai tout tenté. J'ai épluché les dossiers de la police, mais ils n'avaient absolument aucune piste...

– Je vais refaire du thé, annonça Margot en se dirigeant vers la cuisine, tandis que la sonnette d'entrée tintait.

La boîte – dont le cachet indiquait Paris et adressée au docteur Vivian Aigner, palais Weissenberg, Metternichgasse 15, Vienne – était plus large et plus légère que je ne m'y attendais. Enveloppé d'un papier brun, le colis était si minutieusement scotché que je dus prendre un couteau pointu dans la cuisine pour l'ouvrir. Je retournai vers le salon et m'assis sur le canapé vert. Zola, mon nouvel ami, remuait la queue à mes pieds, peut-être persuadé que je lui avais commandé de nouveaux jouets. Il sauta sur le sofa à côté de moi.

– J'attends ce colis depuis des années, Zola, lui confiai-je en le serrant fort. Marie Anne et Maurice sont enfin réunis chez eux.

Avant d'enterrer leurs reliques, je trouvais opportun de les veiller d'abord ici, au palais Weissenberg, où Marie Anne avait grandi. J'y avais aussi passé mon enfance. Et pour moi comme pour elle, cette demeure renfermait des souvenirs douloureux.

Mes arrière-grands-parents avaient été abattus par un anarchiste fou sur le quai des Nations à Paris, le 28 mai 1900. Leurs enfants, Francesca, deux ans, et Peter, douze ans, se tenaient alors juste devant eux. J'avais enfin réussi à récupérer leurs restes dans l'ossuaire de Paris.

– Oh, les ossements sont arrivés, remarqua Tante Margot en entrant dans la pièce, avant de déposer le thé sur la table basse, d'allumer une bougie sous le portrait, et de s'asseoir près de nous. Vas-tu ouvrir la boîte ?

J'entrepris de retirer le papier d'emballage, ce qui ne fut pas un mince effort. Mais quand enfin, j'ouvris le carton, il était vide ! Je baissai de nouveau les yeux à l'intérieur, confuse.

– Margot, où sont donc les ossements de Marie Anne et Maurice ?

Je retournai la boîte et la secouai vigoureusement. Une feuille de papier recouverte d'une écriture ample et anguleuse glissa sur le sol.

TES JOURS SONT COMPTÉS. DES BALLES TRANSPERCERONT BIENTÔT TON CORPS DÉCHARNÉ.

Mon cœur battait encore la chamade quand je sentis l'air frais caresser délicatement mes joues. Je m'étais évanouie sur le canapé.

Margot était assise à côté de moi, une main posée sur mon poignet, l'autre brandissant un éventail. La brise me ramena à la réalité.

Je dévisageai Margot, avec ses joues roses, son visage rond et ses bras robustes, ses manches retroussées et une ride austère entre les sourcils.

– Dieu merci, tu reviens à toi ! s'écria Margot. Est-ce que tout va bien ? Rien ne saurait te mettre dans un tel état, Vivian.

Je tentai de me lever, mais fus prise de vertige et me rassis aussitôt.

– Mais le message...

– Ce n'est rien de plus qu'un bout de papier écrit par une personne méchante et malade. Oublions ça, dit-elle en ramassant la lettre et en se dirigeant vers mon bureau d'acajou brun, devant la fenêtre du salon.

– Non, laisse-moi d'abord y jeter un autre coup d'œil.

À contrecœur, elle revint sur ses pas, le papier à la main.

– Margot, je me demande qui peut bien me haïr à ce point ?

– Ce qui m'inquiète, c'est que cette personne sait où tu habites.

Margot posa soigneusement le mot sur la table basse ovale en granit et nous l'examinâmes ensemble. Le papier était grand, de format A4, les quatre bords brûlés comme pour lui donner un aspect ancien, et il était sale et déchiré, apparemment froissé à plusieurs reprises. Curieusement, il dégageait une odeur agréable, semblable à celle du parfum Chanel n° 5.

– As-tu une idée de qui aurait pu faire ça ? demanda Margot. Nous devrions peut-être appeler la police.

Je me creusai la tête, me demandant qui pouvait bien se cacher derrière tout ça. Peut-être un inconnu, quelqu'un qui détestait *Le Pinceau et la Plume : L'histoire de Danet et Zola*, le livre que j'avais écrit sur mes arrière-grands-parents et l'écrivain Émile Zola, sorti cinq ans auparavant. J'avais reçu beaucoup de courriers d'admirateurs, mais aussi quelques lettres de mécontents, même si les lecteurs envoyaient généralement leurs missives à mon éditeur, et non à mon domicile.

Et puis, j'avais espéré recevoir les ossements de Maurice et de Marie Anne – au lieu de cela, je me retrouvais avec une menace de mort. Peut-être que tout était lié, l'acte maléfique d'un fan obsédé de Danet.

– Et ce professeur de Londres ? demanda Margot. Tu t'es sacrément brouillée avec lui.

– Mon Dieu, le professeur Mhost, mon affreux directeur de thèse à l'Académie royale des Beaux-Arts en Angleterre... Oui, il était sûrement jaloux de ma réussite et de ma reconnaissance acquise dans le monde universitaire.

Je suis encore toute chamboulée quand je repense à ses efforts pour me décourager d'écrire ma thèse sur Danet, s'esclaffant même quand je lui avais parlé du journal intime de Marie Anne et de *La Rose blanche.* En classe, il avait affirmé que « Maurice Danet était le moins intéressant des peintres impressionnistes », tout en collectionnant secrètement les tableaux de mon grand-père sur lesquels il réussissait à mettre la main. Il avait été furieux que je refuse d'être la coautrice de son livre sur Maurice Danet, et j'avais été horrifiée de le surprendre sur le point de violer une de ses étudiantes dans une ruelle sombre du Strand à Londres.

– Je suppose que c'est une possibilité, soupirai-je.

– Eh bien, Dieu merci, ça ne peut pas être Jérôme puisqu'il est derrière les barreaux, remarqua Margot.

Jérôme. Mon ex-mari et la plus grosse erreur de ma vie. Il avait tenté de me tuer lentement en me droguant, mais visiblement, ça ne lui avait pas suffi. Chaque fois que je me remémorais cette nuit, quand il m'avait enfermée dans la cave, cherchant à me tuer pour obtenir *La Rose blanche*, je frissonnais. *C'est fini*, me répétai-je intérieurement. *Je suis forte maintenant.* Comment avais-je pu l'épouser ?

– En fait, Tante Margot, ça pourrait bien être Jérôme : la police m'a informée de son évasion il y a quelques semaines.

– Il est sorti de prison ? Oh, ma chère Vivian ! Pourquoi ne m'as-tu rien dit ?

– Je ne voulais pas t'inquiéter.

Et je ne voulais pas savoir ce qu'elle pensait de leur proposition de protection vingt-quatre heures sur vingt-quatre, que j'avais déclinée. Vienne était un village, et je ne voulais pas attirer inutilement l'attention.

– Sophie, poursuivis-je, est une autre possibilité. Elle doit être libérée ces jours-ci.

– Tu crois vraiment que ta demi-sœur serait aussi sournoise ? lança Margot.

– Je pense qu'elle me déteste, puisqu'elle me reproche de l'avoir fait tomber pour escroquerie artistique. Mais non, je ne crois pas qu'elle aurait envoyé cette lettre. Margot, je ne comprends pas pourquoi les ossements n'étaient pas dans la boîte. À ton avis, que s'est-il passé ?

– Et cette Chloé ? s'enquit Margot. Je ne me suis jamais intéressée à elle.

Exact. Chloé, que j'avais autrefois considérée comme ma meilleure amie ! Je l'avais vue presque tous les jours à Londres. Comme j'avais été naïve de l'amener au palais Weissenberg, où elle avait rencontré mon père, découvert mon sang bleu et la valeur de *La Rose blanche*... La manière dont elle avait arrangé ma rencontre avec Jérôme, que j'allais épouser, sans savoir qu'elle était sa femme, me troublait toujours. Comme Jérôme, elle avait été condamnée à une peine de prison pour avoir tenté de me tuer et de voler *La Rose blanche*.

– Oui, Chloé est aussi à prendre en compte.

Bon, j'avais déjà bien assez d'ennemis. Je savais qu'il fallait avertir la police. Je me sentais menacée, comme si on m'épiait par les vitres du palais Weissenberg. Zola s'approcha et je me sentis chanceuse d'avoir un compagnon protecteur maintenant, même s'il n'était pas exactement du genre féroce. Je le pris dans mes bras et jetai un coup d'œil par la fenêtre, mais ne remarquai rien de suspect.

– Tante Margot, que penses-tu qu'il soit arrivé aux ossements de Marie Anne et Maurice ? Est-ce que l'Ossuaire a fait une erreur au moment de l'expédition ? Mais ça n'expliquerait en rien la lettre de menace, à moins qu'un employé de l'ossuaire ne me déteste... Il semble plus probable que les reliques aient été interceptées *en route**. Mais qui s'intéresserait aux ossements de Marie Anne et Maurice à part toi et moi ? C'est grotesque !

– Oui, très étrange en effet, ma chère.

– Je suppose que le mieux, c'est de commencer par appeler l'Ossuaire de Paris au Père-Lachaise pour savoir ce qui s'est passé !

* En français dans le texte.

Margot inspectait la feuille sale tandis que je faisais les cent pas dans le salon. Je croisai mon reflet dans le miroir. Si ma robe noire tombait bien, mon visage encadré d'un chignon strict était d'une pâleur fantomatique. Je me mis à mordiller la peau fine autour de mes ongles, mais quand je me rappelai ma parfaite manucure, je retins mon geste. Pas question de laisser cet incident me démoraliser. Mais qui donc me torturait ? Qui menaçait de me tuer ?

– ... Je crois que ce dont nous avons besoin, c'est d'une autre tasse de thé.

Je me levai et Zola, mon compagnon poilu, sauta du canapé et nous suivit jusqu'à la cuisine.

Nous traversâmes le vestibule et mon regard tomba sur la *Vénus aux Deux Putti* de François Boucher, qui avait appartenu à Marie Anne. J'avais réussi à racheter la toile lors d'une vente aux enchères chez *Christie's* deux ans auparavant, après une enchère effrénée.

– Je me souviens parfaitement à quel point le palais Weissenberg était devenu froid et vide avant que tu n'y emménages, dit Margot. Tu as merveilleusement réussi à le faire revivre. Regarde toutes les couleurs que tu lui as redonnées.

Depuis cinq ans, le palais Weissenberg, situé non loin de l'ambassade d'Italie, était mon chez-moi. Dans mon enfance, après la mort de ma mère, il avait été à mes yeux un sinistre symbole d'oppression, en grande partie à cause de mon père autoritaire. Depuis sa mort et mon retour ici, je l'avais rempli de fleurs, de couleurs et de peintures, modernes et impressionnistes. J'aimais ce mariage, ce dialogue entre le passé et le présent. Je ne l'avais jamais avoué à Tante Margot, la sœur de mon père et mon ange gardien depuis mon arrivée à Londres, mais le palais me donnait toujours des frissons.

Margot aurait été inquiète si elle avait su que mon père me hantait encore entre ces murs froids et que le sommeil tardait à venir le soir. Il me semblait que Markus errait dans la maison. Ma chère mère, Greta, que j'aurais préféré retrouver, ne m'apparaissait qu'en prière. J'avais souvent proposé à Margot d'emménager et j'espérais qu'elle accepte bientôt, mais elle ne voulait pas quitter son appartement près du Stefansdom, à une demi-heure à pied du palais. Si elle ne changeait pas d'avis rapidement, je serais contrainte de partir.

Dans la cuisine, Margot me fit asseoir à la table ronde en marbre de la cuisine et prépara du thé pendant que j'étudiais la lettre.

Avant de déclarer cette menace de mort à la police, je voulais faire le point avec l'Ossuaire. Ma conversation avec le directeur du Père-Lachaise, à Paris, fut si longue que je fis maintes fois les cent pas, emmêlant sans cesse le fil du téléphone. L'homme me confirma qu'ils avaient bien envoyé un colis de cinq kilos dans lequel étaient soigneusement placées deux boîtes, l'une contenant les ossements de Marie Anne et l'autre ceux de Maurice.

– L'Ossuaire a proposé de m'aider à découvrir ce qui s'est passé. Ils vérifient si un de leurs employés a pu placer le mot dans la boîte, expliquai-je, les yeux baissés vers les pierres tombales posées à côté de mon bureau. Je les avais fait graver quelques semaines plus tôt, et relus distraitement les épitaphes inscrites sur le granit bleu perle.

Marie Anne Danet 1872-1900

Maurice Danet 1870-1900

« Doux soleil d'été, darde tes rayons ici

Riches de Créativité et d'Inspiration
Doux vent d'ouest, souffle gentiment ici
L'amour, la Pratique et l'Art
Colline verdoyante au-delà, reposez en paix,
Unis pour l'éternité
Bonne nuit, Marie Anne et Maurice ! »

Posséder les reliques de Marie Anne et Maurice était aussi précieux pour moi que de posséder *La Rose blanche* : comme l'encre et le papier, aucune des deux possessions ne valait rien sans l'autre.

J'avais prévu de déposer les ossements dans les deux grandes urnes rouges, et après une semaine ici, au palais, de les enterrer dans le caveau familial au cimetière Hietzing, à côté de la tombe de Gustav Klimt, l'artiste autrichien qui avait été si proche de mon arrière-grand-mère.

– Bon, ce sont de bonnes nouvelles. Au moins essaient-ils de t'aider. Qu'ont-ils dit d'autre ?

– Eh bien, comme nous, ils ont évoqué l'idée que la boîte ait été interceptée en chemin, et ils m'ont vivement conseillé de déposer plainte.

– Oui, il faut que tu le fasses, confirma Tante Margot.

– Ou peut-être devrai-je prendre les choses en main et embaucher un détective privé ?

– Va voir la police d'abord, ma chérie.

– Margot, tu penses que c'est Jérôme qui a écrit cette note ? Ou le professeur Mhost ?

– De toute évidence, ton professeur a toujours été extrêmement jaloux et voit probablement ta réussite d'un œil envieux, puisqu'il est obsédé par Marie Anne et Maurice. Ce serait mon premier suspect, mais est-il réellement dangereux ? Espérons que non. Jérôme est probablement derrière tout ça.

– Jérôme est un meurtrier en puissance, rappelai-je à Margot. Et comme c'est toi qui m'as sauvée dans la cave cette épouvantable nuit, il doit t'en vouloir à toi aussi ! Pourquoi n'emménages-tu pas ici, avec moi ?

– Tu as raison, ma chérie, tout ceci me fait terriblement peur. Je vais m'installer dès ce soir. Il faut juste que je récupère mes affaires...

Elle marqua une pause, réfléchissant visiblement encore à des suspects :

– Et tes étudiants à l'Académie ? Tu as des ennemis là-bas ?

Je secouai la tête. Les cours d'histoire de l'art que je donnais à l'Académie des Beaux-Arts de Vienne étaient réputés pour leur difficulté, mais j'encourageais les étudiants qui n'avaient pas de bons résultats à se réorienter. Je n'avais pas recalé un seul élève depuis le début de ma carrière.

– C'est un groupe enthousiaste. Je n'ai jamais eu de problèmes avec eux. Mais je dois assister à une grande conférence sur Henri de Toulouse-Lautrec cet été en France, dans sa ville natale d'Albi, et je viens de recevoir une menace de mort ! Je dois alerter la doyenne, quel cauchemar. Elle est tellement pénible qu'elle pourrait refuser que j'y aille maintenant. Mais j'ai vraiment besoin de m'y rendre pour finir d'écrire mon livre sur Toulouse-Lautrec. Il faut que je revoie les tableaux de Francesca, ceux que mon père a vendus au musée Toulouse-Lautrec : *La Clownesse assise*, *L'Amazone* et *Carmen la rousse*.

Je levai les yeux vers le mur où ces tableaux avaient été autrefois accrochés. Je m'étais résolue à suspendre un immense miroir pour combler le vide.

– *La Clownesse assise* a toujours été ma peinture préférée, dis-je. Cette femme à peine vêtue, avec son boa jaune et ses jambes écartées, me faisait toujours rire quand j'étais enfant.

– Oui, je suis d'accord. De tous les tableaux que Markus a vendus, c'est le départ de celui-là qui m'a le plus peinée. Ta mère Greta répétait toujours qu'il avait une valeur particulière pour sa mère Francesca, qui lui avait fait promettre de ne jamais le céder. Mais ton père n'en a fait qu'à sa tête ; après la mort de ta mère, il a fait disparaître des dizaines de toiles à elles. Dieu merci, tu as réussi à en récupérer un grand nombre.

– Tu penses qu'il y a un lien entre les tableaux de Toulouse-Lautrec et la lettre ? Peut-être quelqu'un qui croit que je les ai ? demandai-je, en avançant vers mon tableau préféré de toute la collection, *La Rose blanche*. Regarde, Margot : il n'est pas parfaitement droit.

Je m'approchai du tableau, le saisis entre mes mains et observai la silhouette gracile de Marie Anne et la manière dont le corsage et le décolleté soulignaient sa poitrine. À quelques centimètres de là, mes yeux se posèrent sur la broche bleue ouvragée juste au-dessus de son sein droit. Je l'avais déjà remarquée, mais comme ma mère m'avait confié qu'elle avait été volée il y a longtemps et que les rapports de police étaient définitifs, je n'avais jamais étudié son origine. Aujourd'hui cependant, je voyais la broche sous un jour nouveau. Peut-être était-ce à cause de la lettre ? Le bijou semblait dominer le tableau. Qui pouvait en être le joaillier ? Qui la lui avait offerte ? J'étudiai de plus près la broche qui ressemblait à un papillon composé de précieux diamants sculptés. Quatre pierres étaient serties dans les ailes et une plus grosse brillait à la base. Au centre, un saphir étincelant scintillait, et semblait même presque tressaillir.

– Regarde, Margot, répétai-je tout en redressant le portrait. Sais-tu quoi que ce soit au sujet de cette broche ?

Elle chaussa ses lunettes de lecture et scruta la broche.

– Elle paraît splendide, et différente aujourd'hui. Serait-ce à cause de la manière dont la lumière la caresse ? Elle a l'air très précieuse... Les diamants sculptés, ça ne se fait plus beaucoup. Peut-être est-elle signée d'un célèbre joaillier ? Frédéric Boucheron ? Il était très demandé à la Belle Époque à Paris. Sa première boutique se trouvait sous les arcades du Palais-Royal en 1858, et en 1893, il fut le premier joaillier à oser ouvrir une boutique place Vendôme. Il était passionné par les animaux. Ce bijou me rappelle sa série de papillons.

– Le style me rappelle davantage Chanel avec son gros saphir au milieu et les gravures entrelacées sur les ailes, qui imitent la nature. Il y a tellement de détails, d'observation et d'élégance dans cette pièce – très Coco Chanel.

– C'est vrai, mais je crois que Chanel ne s'est intéressée à la haute joaillerie que plus tard.

Margot m'expliqua que ce n'était qu'en 1932 que Gabrielle Chanel avait présenté sa toute première collection, *Bijoux de Diamants*, cassant alors les codes de la joaillerie traditionnelle.

– Margot, tu en sais tant sur Chanel ! lui répondis-je.

Je n'avais pas imaginé Margot fine connaisseuse de la mode et des pierres précieuses.

– Eh bien, c'est la seule créatrice de bijoux qui me fait toujours rêver, admit Margot en souriant.

– Pourquoi n'ai-je jamais fait plus attention à la broche avant ? Elle aurait pu faire partie de la succession de ma mère. En plus, Marie Anne n'en parle nulle part dans son journal, mais sa fille Francesca en a hérité, car les rapports de police montrent qu'elle lui a été volée.

– C'est bien étrange en effet. Et à ton avis, qui l'avait offerte à Marie Anne ?

– Difficile à dire… Peut-être son premier époux, Thomas, le marquis de Lacquise ? Et s'il en avait organisé le vol, furieux que Marie Anne se soit enfuie avec Maurice Danet ?

– Mais alors, le bijou n'apparaîtrait pas sur le tableau et Francesca n'aurait jamais pu en hériter. Peut-être a-t-elle eu des liaisons avant de quitter Thomas ? Peut-être avec d'autres artistes impressionnistes ? Qui pourraient avoir été ses prétendants, Vivian ?

– Je ne suis pas sûre… Elle était proche de tant d'artistes, peut-être Eugène Boudin, Henri de Toulouse-Lautrec ou bien Maurice Danet lui-même…

Je me trouvais à présent incapable de détacher mes yeux de la broche, et me demandai si la lettre de menace avait un lien avec le tableau. Combien de fois arrive-t-il d'avoir une réponse juste devant le nez, incompréhensible, ou pire, invisible ? J'étais convaincue de passer à côté d'un élément essentiel.

Bien que le tableau fût maintenant redressé, je remarquai qu'il semblait saillir du mur. Quand je tentai de le repousser, je perçus une étrange résistance. Je soulevai donc le cadre, mais ne découvris rien derrière. Je le décrochai et le posai sur le sol. Au dos, les bords étaient cloutés, et je décidai de sortir ma boîte à outils.

Avec un pied de biche, je parvins à desceller une trentaine de clous et aperçus une boîte blanche glissée derrière la toile. Une fois le dernier clou tombé par terre, j'extirpai la boîte, m'enfonçant au passage quelques échardes dans les doigts, mais à cet instant, je m'en moquais bien.

– Margot, regarde ce que j'ai trouvé ! m'écriai-je.

– Qu'est-ce que c'est ?

– Je pense que c'est un autre carnet ! Il a l'air fragile, et ressemble beaucoup à celui de Marie Anne que j'ai : le même cuir noir et cette odeur de moisissure désormais familière.

J'ouvris le cahier et lus la première ligne, la date du 10 mars 1909. L'écriture me rappelait celle de Marie Anne.

– Mais Marie Anne est morte en 1900, rétorqua Margot.

– Exactement ! Il doit s'agir du journal de sa fille, Francesca !

Chapitre 2

« Le meurtre est toujours une faute. On ne devrait jamais rien faire dont on ne puisse parler après le dîner. » – Oscar Wilde

Londres, quelques jours plus tôt

Dans le parc où une mère poussait son bambin en poussette, un écureuil dévala un arbre et se précipita vers l'enfant, qui pointa l'animal du doigt, ravi, et lui lança un morceau de pain. L'écureuil se précipita alors vers le professeur Harold Mhost, espérant probablement qu'il le gâterait aussi. Mhost ramassa une pierre et la jeta sur la créature.

La mère adressa à Mhost un regard horrifié.

– C'est une petite chose mignonne et sans défense ! protesta-t-elle.

– C'est un rat avec une queue touffue, murmura Mhost, s'éloignant vers le marché de Portobello de Londres.

Ces cinq dernières années, le professeur avait perdu encore plus de poids, toujours plus exténué, à mesure que le ressentiment et la soif de vengeance le rongeaient comme de l'acide caustique.

La journée était belle, le ciel dégagé, et il continua sa promenade à travers Kensington Gardens, en direction de Notting Hill. La marche était à ses yeux le meilleur moyen de réfléchir et de planifier les jours à venir. Il pensa à ses étudiants de l'Académie royale des Beaux-Arts, à son prochain congé sabbatique à Vienne, à son livre sur Henri de Toulouse-Lautrec et à la prochaine conférence internationale des professeurs dédiée à l'artiste de la Belle Époque à Albi, en France, où se trouvait le musée Toulouse-Lautrec. Il avait vu le nom de Vivian Aigner sur la liste des participants, précédé de « Dr », un titre qui l'agaçait beaucoup. Elle avait sans nul doute couché avec un professeur pour l'obtenir.

Cette fille avait été une épine dans son pied depuis le jour où il avait posé les yeux sur elle. Au début, son physique maladroit, son allure de punk et son attitude de mademoiselle je-sais-tout l'avaient irrité au plus haut point, tout comme son incapacité à suivre les règles et ses tentatives pour le ridiculiser dans sa propre classe. Il se souvenait encore avec jubilation d'avoir réussi à la faire virer du prestigieux Artnewspaper sept ans auparavant, grâce à sa relation étroite avec le rédacteur en chef du magazine. Il avait également contrecarré son projet de thèse sur l'artiste impressionniste Maurice Danet, alors inconnu.

Peu importait que Danet soit son arrière-grand-père, c'était Mhost le véritable expert de l'art de Danet. Et ses recherches l'avaient amené à comprendre que la pièce maîtresse de

Danet, *La Rose blanche*, était extrêmement précieuse bien avant que cette vérité ne soit découverte par quiconque.

Il fulminait encore en se rappelant que cette petite garce avait non seulement fini par mettre la main sur *La Rose blanche* – le tableau qu'il avait passé des années à essayer d'acquérir – mais aussi ensuite écrit un livre sur Danet, qui lui avait valu une renommée internationale.

Il avait été encore plus excédé de lire récemment qu'elle rédigeait un ouvrage sur Toulouse-Lautrec et avait rapidement décidé d'écrire son propre livre. Mais sa motivation allait au-delà de la compétition académique. Les nombreux entretiens qu'il avait menés au fil des ans avec des historiens de la Belle Époque et la lecture d'ouvrages d'art hermétiques lui avaient permis de glaner une information qu'elle n'avait pas, espérait-il : l'un des tableaux de Toulouse-Lautrec que possédait la famille de Vivian Aigner renfermait un précieux trésor.

Il ne raffolait pas d'Henri de Toulouse-Lautrec, mais ce livre lui donnait un bon alibi pour poursuivre ses recherches. Cette année, il allait régler ses vieux comptes et résoudre le mystère Toulouse-Lautrec qui l'obsédait. Sans oublier qu'une fois qu'elle aurait disparu, il serait le seul expert de Maurice Danet au monde.

Le marché de Portobello au cœur du quartier londonien de Notting Hill était réputé pour ses stands d'antiquaires, et le samedi matin, il battait son plein, plus de mille cinq cents étals rivalisant pour capter l'attention des visiteurs. Le professeur Mhost se rendait au marché le mardi pour éviter la foule. Le propriétaire de l'armurerie était un homme obèse, un beignet à la main, de petites lunettes rondes sur le nez. Il lui posa peu de questions et étala une sélection de revolvers et d'armes à feu à un coup. Mhost les essaya, un par un, tirant des balles invisibles par la fenêtre avant de prendre sa décision.

Le revolver noir était parfait, car les chambres rotatives lui permettaient de tirer plusieurs fois avant de devoir recharger l'arme, contrairement aux armes à feu à un seul coup qui devaient l'être après chaque tir.

Les jours de cette petite vermine sont comptés, pensa-t-il en repassant par Kensington Gardens, devant le même arbre, où il visa, tira et tua l'écureuil qui l'avait tant agacé un peu plus tôt.

Chapitre 3

« L'œuvre qu'on fait est une façon de tenir son journal. » – Pablo Picasso

Vienne, 15 mai 1988, 18 h

Il était trop tard pour informer la police de la menace de mort. Et puis, il me tardait de plonger dans le journal de ma grand-mère. Tante Margot venait de partir chercher ses affaires en me promettant de revenir rapidement, mais je savais qu'il lui faudrait bien deux heures. J'étais tellement soulagée qu'elle ait enfin décidé d'emménager ici.

Seule dans le palais Weissenberg, je m'emparai du carnet en cuir noir de Francesca, montai dans ma chambre, calai ma tête contre plusieurs oreillers et couvris mes jambes d'une couverture de cachemire beige.

Je l'ouvris à la première page – 10 mars 1909. Francesca avait probablement appris cette écriture cursive à l'ancienne à l'école. Le tracé était sublime.

Mercredi 10 mars 1909, 8 h

Aujourd'hui, c'est mon onzième anniversaire, et je n'ai pas réussi à fermer l'œil. Je ne parviens jamais à dormir la nuit précédant mon anniversaire. Il faisait sombre, très sombre, puis lentement le ciel a rosi, annonçant une journée parfaite. Charlotte, la cousine de ma mère et sa meilleure amie, et ma tutrice depuis la mort de mes parents, m'a offert un carnet au petit déjeuner. J'étais en train de manger mon pain au chocolat, la pâte d'abord, le chocolat ensuite, en trempant chaque bouchée dans mon lait froid. La dernière bouchée est la meilleure. J'aime quand on me donne un pain au chocolat*, d'habitude j'ai juste du pain avec du miel pour le petit déjeuner.*

Il est magnifique, mais ce n'est pas exactement ce à quoi je m'attendais. Charlotte m'a aussi offert un stylo plume et m'a dit d'en prendre soin. Hummmm j'ai pensé. Qu'est-ce que je vais bien pouvoir en faire ?

– Merci, ai-je répondu en étudiant le cahier en cuir noir et le stylo brillant.

J'aurais préféré recevoir la maison de poupée que j'avais demandée, mais je n'ai rien osé dire. Charlotte peut se montrer extrêmement stricte. Mais j'ai pensé NON ! Je n'avais jamais pensé à écrire un journal intime. Ma meilleure amie Loulou en a un et même si elle ne me laisse pas le lire, elle me dit que c'est très amusant d'écrire tout ce qui se passe – les pensées, secrets et souhaits. Elle dit que certains de ses souhaits se sont réalisés depuis qu'elle a commencé à les consigner il y a un an. J'ai donc décidé de commencer aujourd'hui avant l'école.

La première chose, c'est que je suis triste que Maman et Papa soient au ciel et me protègent de là-haut. Charlotte m'a raconté l'histoire et chaque jour je pense à leur mort. Ils ont été abattus sur le quai des Nations par un anarchiste fou et méchant le 28 mai 1900 devant le pavillon autrichien. Que je déteste les anarchistes ! L'image ne sortira jamais de ma tête et même si je n'avais que deux ans lorsque cela s'est produit, je crois me souvenir de chaque seconde de ce jour terrible. Je me tenais juste à côté d'eux avec mon frère tant-aimé Peter.

Au moins, nous vivons toujours dans leur bel appartement avec toutes les œuvres d'art que Maman adorait. Boulevard Montmartre, Effet de nuit *de Camille Pissarro, avec ses lumières jaunes étincelantes ; les tableaux du port du Havre d'Eugène Boudin, près de Honfleur, où elle avait l'habitude de fêter Noël et où nous perpétuons cette tradition ; les Nymphéas de Claude Monet,* Avenue des Marronniers *d'Alfred Sisley et les* Maisons de paysans *de Pissarro couvrent tous les murs. J'aime chacune d'entre elles. Les robes de Maman sont toujours là, comme ses bijoux qui seront bientôt les miens, et ce soir je pourrai même mettre un peu de son parfum et de son rouge à lèvres, m'a dit Charlotte.*

Mais je veux quand même profiter de mon anniversaire. Je crois que notre institutrice, Mademoiselle Planchais, a même prévu un gâteau au chocolat pour toute la classe. Maman et Papa vont fêter ça avec moi depuis le ciel. J'ai hâte de parler à Loulou de mon nouveau journal intime. Je me demande si elle écrit aussi avec un stylo plume. J'espère pouvoir me faufiler dans l'escalier… Peut-être devrais-je dire à Charlotte que je l'attends en bas ?

17 h

Peter, mon grand frère qui a déjà vingt et un ans, a rejoint son ami Picasso pour boire un verre et Charlotte se repose. C'est le bon moment pour continuer avant que Charlotte ne nous emmène dîner dans notre restaurant préféré. À l'école, pendant la pause, Loulou m'a donné plein de conseils pour mieux écrire dans mon journal et m'a dit qu'elle aussi avait de meilleures notes à l'école depuis qu'elle avait commencé, parce que son écriture s'améliore.

Après l'école, Charlotte, Peter et moi avons déjeuné et mangé un gâteau sur la terrasse de notre appartement rue Lepic. Il faisait beau et mon gâteau d'anniversaire était au citron, surmonté de onze bougies et de quelques framboises, mon fruit préféré. J'avais deux grosses parts et il y avait même un arc-en-ciel dans le ciel, j'avais donc deux raisons de faire un vœu – ou peut-être avais-je le droit de faire deux vœux ? J'ai soufflé les bougies d'un seul coup et souhaité pouvoir peindre aussi bien que mon frère aîné Peter et mon père, Maurice Danet. Je peins si mal que j'ose à peine tenir un pinceau. Après avoir soufflé les bougies, Peter m'a offert une de ses plus récentes peintures – un portrait de ma meilleure amie Loulou – dans le style coloré à la Henri de Toulouse-Lautrec. Sur le tableau, Loulou est une acrobate de cirque, sautant sur un cheval, une jambe levée. Les couleurs sont vives et expressives : les yeux bleus, les fossettes, les longs cheveux blonds et le corps mince correspondent exactement à Loulou. Il faudra qu'elle vienne à la maison après l'école demain pour le voir. Et le style de Peter est si beau.

– Je suis très heureux qu'il te plaise, m'a-t-il dit.

– Peter, il est superbe.

– Un peu inspiré par Toulouse-Lautrec.

– Je vois ça, ai-je répondu en souriant.

Peter était très proche de Toulouse-Lautrec et il avait commencé à étudier auprès de lui quand il n'avait que cinq ans. Lorsque Toulouse-Lautrec est mort en 1901, il a été dévasté.

Charlotte a dit que Peter s'accrochait aux journaux intimes, aux caricatures et aux peintures d'Henri de Toulouse-Lautrec comme un naufragé s'accroche à tout ce qui flotte à la surface de l'eau. Nous avons perdu tant d'êtres chers en si peu de temps, un autre bouleversement était tout simplement insupportable. Charlotte a donc inscrit Peter à l'académie de la Grande Chaumière et maintenant il sait vraiment peindre et même faire des sculptures. Il m'a dit que son école était bien meilleure que l'École des beaux-arts.

J'ai accroché le portrait de Loulou dans ma chambre au-dessus de mon lit, juste à côté de La Rose blanche *que Papa a peinte. Maman est si jolie sur ce tableau, avec Peter sur les genoux et des roses blanches tout autour. Je suis heureuse que Peter m'ait autorisée à le garder, car c'est la seule image que j'ai de Maman. Maurice l'a peint sur notre terrasse. Mon regard est toujours attiré par la broche bleue brillante qu'elle porte. J'aimerais l'avoir un jour. Je me demande où elle se trouve.*

11 mars 1909

Pour mon dîner d'anniversaire, Charlotte avait réservé depuis des semaines notre table préférée près de la fenêtre chez Maxim's. *Le décor* est tellement chic, et je découvre toujours quelque chose de nouveau là-bas. C'était plein et il n'y avait presque pas d'enfants, je me sentais très adulte. Le propriétaire, Eugène Cornuche, était là et m'a offert un jus d'orange pour mon anniversaire dans un verre à champagne ouvragé.*

– Le verre aussi est pour vous, princesse, il aura de la valeur un jour, ajouta-t-il en nous tendant les grands menus imprimés sur du lin.

Charlotte a félicité M. Cornuche pour son succès et il s'est contenté de rire.

– C'est grâce à Maxime Gaillard, il est juste là. Ce n'était pas si facile de lui faire accepter de vendre et maintenant je ne suis qu'une seule devise : une salle vide... jamais ! J'ai toujours une beauté comme toi, Francesca, assise près de la fenêtre.

Lorsqu'il est parti faire sa tournée des convives, Charlotte a souri et murmuré :

– Vous voyez, Peter et Francesca, c'est ainsi que M. Cornuche se retrouve à recevoir la fine fleur de l'élite française, il suffit de regarder autour de soi ! Croyez-moi, cet endroit est légendaire.

Elle désigna Marcel Proust, qui nous salua et s'approcha. Il m'a dit que j'étais très belle et qu'il espérait me revoir à Cabourg cet été. Charlotte lui a dit combien elle avait aimé son livre Les Plaisirs et les Jours.

– Votre portrait de la vicomtesse de Styrie est absolument charmant, a-t-elle ajouté.

– Je suis heureux que vous ayez apprécié ma petite compilation d'histoires. Je travaille actuellement à une œuvre plus conséquente qui, je pense, pourrait vous plaire. Une grande partie se déroule à Cabourg.

Il y avait aussi Frédéric Boucheron, qui a baisé la main de Charlotte en entrant dans le restaurant et lui a dit que c'était toujours un plaisir de l'accueillir dans sa boutique. Jean Cocteau, le romancier et dramaturge, était aussi là, ainsi que la chanteuse Mistinguett qui m'a chanté « Bon anniversaire ». Elle a les jambes les plus longues que j'ai jamais vues et les expressions les plus drôles que j'ai jamais entendues. Je veux être comme elle quand je serai grande. Quand elle m'a embrassé sur le front et m'a tendu une rose rouge, j'ai rougi et je me suis sentie très spéciale, comme une jeune femme dans ma longue robe bleu clair qui, aux dires de

Charlotte, va bien avec mes yeux, et plus comme une petite fille. Je garderai cette rose pour toujours. Juste après ma chanson, le pianiste a joué une marche turque et l'atmosphère était joyeuse et mon cœur s'est mis à battre un peu moins vite. Il était très tard quand nous sommes rentrés, 1 h du matin, je crois. Maintenant, je suis très fatiguée et je vais sûrement dormir profondément.

12 mars 1909

J'étais très fatiguée à l'école aujourd'hui, et Mademoiselle Planchais a dû me réveiller. J'ai rougi, vraiment embarrassée.

– Vous êtes-vous couchée tard hier soir ? m'a-t-elle demandé, et la classe entière riait.

– Non, ai-je menti.

Je ne voulais pas que Charlotte ait des problèmes, elle était parfois difficile à vivre.

L'après-midi, Charlotte m'a emmenée à mon cours de danse classique et c'était chouette, même si j'étais encore un peu endormie. Mademoiselle Roucher a une grande admiration pour Sergei Diaghilev et veut que nous fassions un récital du Pavillon d'Armide *pour nos parents. Elle me fait rire à être fascinée par tout ce qui est russe. Mais parfois elle est triste et nous dit que la situation est épouvantable là-bas. Quand nous posons plus de questions, elle nous dit que nous sommes trop jeunes pour comprendre. Quoi qu'il en soit, nous devons porter des costumes russes pour le spectacle. J'ai hâte d'y être. J'espère que le mien est joli.*

Quand nous sommes rentrées rue Lepic, Picasso était là, il rendait visite à Peter. Ils parlaient beaucoup d'art et buvaient sur la terrasse, en riant bruyamment, ce qui agaçait Charlotte, je l'ai bien vu.

– Il a six ans de plus que ton frère et il n'a pas une bonne influence sur lui, m'a-t-elle dit.

J'aimais bien ce drôle de bonhomme et je suis sortie sur la terrasse pour me joindre à eux. Il parlait de son ami Georges Braque, de comment ils aimaient utiliser des couleurs brunes et neutres. Il a recommandé à Peter d'analyser ses objets en termes de forme, en les regardant d'un point de vue géométrique. Il a également invité Peter à se joindre à son amie Fernande Olivier et à lui lors de leur prochain voyage en Espagne. Charlotte s'y oppose farouchement.

Samedi 13 mars 1909

Après l'école, Charlotte nous a emmenées, Loulou et moi, déguster des macarons et du thé à l'hôtel de Crillon, qui vient d'ouvrir aujourd'hui. Je n'ai jamais vu un bâtiment aussi grandiose. Charlotte connaît même l'architecte. Il s'appelle Walter-André Destailleur et il s'est assis à notre table. Il connaissait aussi mes parents. J'aime entendre des histoires sur Maman et Papa.*

Loulou et moi avons eu le droit de choisir trois macarons chacune sur le plateau d'argent. Mon macaron au chocolat était le meilleur. Ensuite, nous avons pu jouer dans le jardin pendant que Charlotte lisait l'histoire de Marcel Proust, « L'affaire Lemoine », dans Le Figaro. *Nous avons joué à cache-cache et Loulou a bel et bien disparu. Je suis une très bonne investigatrice, mais j'ai eu très peur, et finalement je l'ai retrouvée sur la terrasse du premier étage !*

– C'est contraire aux règles et ce tour ne compte pas, ai-je vociféré.

À notre retour, Charlotte nous a dit à quel point l'écriture de Marcel Proust était captivante et que, même lorsqu'elle n'était pas d'accord avec lui, elle était toujours happée par sa prose.

– Il décrit tout simplement les diamants, les châteaux et la haute société avec un talent inégalé ! J'espère que son asthme ne l'empêchera pas d'avoir une longue vie et je me réjouis déjà de passer du temps avec lui cet été.

14 mars 1909

Comme tous les dimanches, nous nous sommes rendues à la basilique du Sacré-Cœur pour la messe. J'aime toujours aller à l'église, ce lieu me donne envie de parler à Maman, et comme le temps s'adoucit, c'est agréable de sortir. J'ai mis ma robe rose et Charlotte a tressé mes longs cheveux pour y nouer de jolis rubans. Je m'observe dans le miroir et avec mes yeux bleus et mes cheveux bruns, je me trouve très jolie.

Cet après-midi, Peter m'a emmenée faire une promenade dans le cimetière du Père-Lachaise. Nous y allons souvent ensemble et j'adore ça. Peter trouve une tombe à peindre et moi, je cherche des petits mots que j'ai cachés lors de notre visite précédente ou je grimpe aux arbres et je contemple les pierres d'en haut. Je sens que je peux parler à Maman comme ça. Aujourd'hui, j'ai décidé d'apporter mon journal intime aussi, pour pouvoir écrire un peu. Peter peint la tombe du peintre Théodore Géricault. Elle est énorme et sa statue en bronze est allongée dessus, peinture et pinceau à la main. Peter dit que l'ancêtre de Toulouse-Lautrec a rencontré Géricault, lorsqu'il faisait partie de la Compagnie des Mousquetaires gris du Roy qui ont escorté Louis XVIII jusqu'en Belgique, où il voulait s'exiler. Géricault est revenu en France en

1815, caché par son oncle Bonnesoeur-Bouguinière, et il a peint de nombreux portraits de lui. Peter les adore.

15 mars 1909, 5 h du matin

Quand je suis rentrée de l'école, le tableau d'Eugène Boudin avait disparu. Il y avait un grand vide sur le mur. Quand j'ai demandé à Peter où il était, il m'a dit que Charlotte l'avait vendu.

– Si on ne fait pas attention, elle va tout vendre, a-t-il ajouté, furieux.

16 mars 1909

Je suis toujours très fâchée que Charlotte ait vendu le magnifique tableau du port du Havre ! Il me rappelait nos vacances de Noël à Honfleur, ce charmant village portuaire avec vue sur Le Havre. Nous logions toujours dans notre auberge préférée, la « Ferme Saint-Siméon », une ferme entourée de vergers de pommiers.

Elle porte aussi les robes de Maman, aujourd'hui elle a même porté celle du tableau La Rose blanche. *Peter s'est mis dans une colère rouge et lui a dit qu'elle n'était qu'une avide impostrice.*

Puis il m'a invitée à faire un tour avec lui, prétextant qu'il y avait quelqu'un qu'il voulait que je rencontre.

Nous sommes allés dans un café à Montmartre et avons rejoint Marcel Duchamp. C'est un bel homme aux cheveux noirs, au visage ovale et au costume gris. Il a l'âge de Peter et avait entendu parler de mon anniversaire. Il m'a offert un magazine de bandes dessinées pour lequel il a réalisé tous les dessins ! J'adore, c'est assez canaille avec des gros mots, un homme qui pisse sur un escalier et beaucoup de jeux de mots. Je l'ai terminé bien trop vite, alors que nous étions encore au café.

20 mars 1909

Quand je suis rentrée de l'école, Duchamp était là et jouait aux échecs avec Peter sur la terrasse ombragée. Il avait apporté une autre bande dessinée et celle-ci est encore meilleure que la première. Il m'a dit qu'il était originaire de Normandie et qu'il viendrait passer du temps avec nous à Cabourg cet été aussi.

21 mars 1909

Quand je suis rentrée à la maison aujourd'hui, un autre tableau avait disparu. Je trouve la situation assez pénible, Charlotte et Peter se disputent beaucoup.

Il me semble qu'elle crie souvent après Peter ces jours-ci et je pense qu'elle essaie aussi de se trouver un mari. Il y a toujours beaucoup de prétendants autour d'elle. Aujourd'hui, un policier appelé Alphonse Bertillon est venu prendre le thé. Il m'a impressionnée, car il nous a raconté qu'il avait inventé un système d'identification basé sur des mesures physiques. Il se frottait les mains en nous disant qu'il serait capable d'attraper encore plus de criminels grâce à cela. J'étais suspendue à chacune de ses paroles, c'est un homme tellement impressionnant, mais je ne suis pas sûre de vouloir que Charlotte se marie un jour. Hier, quand je lui ai demandé, elle m'a répondu qu'elle avait déjà vingt-huit ans et que c'était de toute façon beaucoup trop tard pour se marier.

– J'ai aussi beaucoup à faire avec toi, non ? a-t-elle lancé en me serrant dans ses bras.

Puis je lui ai demandé des nouvelles d'Alphonse et elle m'a prise par les épaules en me disant qu'il était très important pour tout le monde d'être ami avec au moins un policier au cas où on aurait des ennuis.

22 mars 1909

– À vingt et un ans, c'est normal, m'a dit Charlotte. Tu devrais être heureuse que ton frère soit amoureux.

Eh bien, si c'est ça l'amour, alors je ne veux jamais tomber amoureuse. Je pense que Peter agit très bizarrement quand sa petite amie Béatrice est là. Brusquement, je n'existe plus – c'est toujours « Béatrice ceci », « Béatrice cela ». Il avait l'habitude de jouer avec moi, de m'emmener rencontrer ses amis artistes ou visiter le cimetière, et maintenant il ne veut plus rien faire avec moi. À cause de Béatrice.

Aujourd'hui, Béatrice est entrée dans ma chambre et a parcouru la pièce du regard. Ses yeux se sont posés sur la peinture au-dessus de mon lit.

– Est-ce que Peter a peint ce tableau ? m'a-t-elle demandé.

– Oui.

– Chéri, il faut que tu me peignes ! s'est-elle exclamée gaiement en ressortant.

Après le départ de Peter et Béatrice pour le Moulin Rouge, *Charlotte a confirmé que Peter était tout à Béatrice et que je ne devais pas en être bouleversée.*

19 avril 1909

Aujourd'hui, Charlotte nous a emmenées, Loulou, Marguerite et moi, au bois de Boulogne. Nous sommes montées sur notre arbre préféré au bord du lac, où j'avais caché du chocolat voilà une semaine. Personne ne l'avait encore trouvé, alors nous l'avons partagé et avons caché un mot pour la prochaine fois.

20 mai 1909

Charlotte nous a emmenés, Peter et moi, voir Le Pavillon d'Armide *au théâtre du Châtelet hier. Je portais une robe rouge et Charlotte la robe blanche avec la broche bleue de Maman, que j'ai vue de près pour la première fois.*

J'entendis la porte d'entrée s'ouvrir.

– Margot, c'est toi ? criai-je en direction du couloir.

– Oui, ma chérie, je vais faire du thé, il fait horriblement froid dehors.

– Je te rejoins dans quelques minutes, je suis en train de découvrir des éléments fascinants au sujet de la broche bleue dans le journal de Francesca.

– Prends ton temps, pas de problème ! s'écria-t-elle en retour.

Je me replongeai aussitôt dans ma lecture.

– C'est celle de Maman ? demandai-je à Charlotte, les yeux rivés sur la broche.

– Oh, oui, répondit-elle. En fait, c'est plutôt la tienne, mais tu es encore un peu jeune pour la porter. Je l'ai retirée du coffre-fort de Marie Anne hier, à la banque, car je commence à trier

ses affaires. Ça ne t'embête pas que la porte ce soir, n'est-ce pas Francesca ?

En vérité, ça m'embêtait. C'était déjà assez difficile de savoir qu'elle s'était mise à vendre les tableaux de ma mère. La broche bleue était à moi. Comment osait-elle prendre la broche de Maman ? Et si Charlotte la perdait ou la cassait ?

– Puis-je la tenir, s'il te plaît ?

– Bien sûr, approuva Charlotte en la détachant de son décolleté. Mais fais attention à ne pas la faire tomber, elle est très précieuse.

Elle était bien plus grosse que je ne l'avais imaginé. Un papillon avec des ailes en diamant et une grosse pierre bleue au milieu. Je l'ai épinglée sur ma robe et grâce aux reflets de la lumière sur les pierres, la broche semblait bouger. C'était la plus belle chose que j'avais jamais portée, et je voulais la garder.

Le rideau se leva, l'orchestre se lança, et Charlotte me fixa.

– Rends-la-moi maintenant, ordonna-t-elle sèchement en la dégrafant sans douceur.

J'en eus les larmes aux yeux. Charlotte n'était peut-être pas si gentille après tout. Je devais récupérer la broche bleue.

Puis, heureusement, la musique commença et j'en fus apaisée. Le spectacle était intime, joyeux et audacieux. Les costumes étaient colorés dans des tons bleus, rouges, violets et dorés, et le vicomte sautait si haut dans le ciel qu'il semblait voler comme un oiseau.

– Les Russes sont phénoménaux, déclara Charlotte, reprenant sa voix normale, les yeux brillants.

Pendant l'entracte, j'étais très nerveuse car Charlotte m'a présentée à certains des danseurs et à Michel Fokine, qui m'a parlé directement. Il s'est assis sur une chaise à côté de moi et m'a offert un jus de pomme. Il buvait une coupe de champagne et a trinqué avec moi. Mes joues sont devenues toutes chaudes quand il m'a demandé si j'aimais l'histoire du ballet. Quelle question ! Charlotte m'avait lu le livre de Gauthier la veille et j'avais rêvé d'Armide. Je lui ai dit que j'avais adoré l'histoire, qui raconte comment le vicomte de Beaugency se réfugie dans un mystérieux pavillon au cours d'une tempête. Il est subjugué par une tapisserie représentant la belle Armide et rêve qu'il en tombe amoureux.

Michel m'a embrassé sur le front et m'a félicitée. Mais maintenant que j'ai vu les compétences de ces danseurs, je redoute de me rendre à mon cours de danse classique. Je ne saurai jamais danser comme eux. Notre récital a lieu le mois prochain.

Chapitre 4

« Si vous êtes en prison, un bon ami essaiera de vous faire sortir. Un meilleur ami se trouvera dans la cellule d'à côté, et vous dira "Bon sang, c'était super." » – Groucho Marx

Prison de Rikers Island, 1er juin 1988

Sophie tira une bouffée sur sa pipe à crack et jeta un œil par la petite fenêtre grillagée de sa sombre cellule de prison, observant un jet décollant de l'aéroport de Laguardia. Elle arracha un pou de ses longs cheveux blonds, écrasant la créature griffue dégoûtante entre son index et son pouce, en pensant à sa demi-sœur Vivian. C'était sa faute si Sophie avait été enfermée dans cette prison pourrie depuis cinq ans, après avoir été condamnée pour trafic d'œuvres d'art volées. Cette foutue Vivian allait payer.

Sophie inspecta l'horrible cellule, ses murs griffés par les ongles, son sol humide et crasseux – sur lequel cinq femmes dormaient – grouillant de cafards. La vendeuse de crack portoricaine en chassa distraitement un sur son visage et se remit à ronfler. Depuis que le maire de New York, Ed Koch, avait lancé des opérations massives de lutte contre le trafic de drogue, les cellules étaient surchargées, avec un manque de lits chronique.

Elle cachait la pipe sous la couverture de la Portoricaine – un cadeau d'adieu – lorsqu'elle entendit une gardienne s'approcher. Rien qu'au son, elle devina qu'il s'agissait de Rita Clark, une femme corpulente, et la plus lascive et maltraitante de toute l'équipe de sécurité.

– Aigner, viens avec moi ! aboya Rita Clark. T'es libérée. Tu vas me manquer, petite salope.

– Ça ne sera pas réciproque, marmonna Sophie tandis qu'on l'escortait dans le couloir, trois gros rats croisant leur chemin avant que les deux femmes n'atteignent la première porte métallique.

Rita Clark passa son badge pour valider sa sortie.

– À bientôt, Aigner, lui lança-t-elle avec un regard lubrique.

Une autre surveillante la guida dans le couloir sombre et répugnant, réservé à la sécurité maximale. À gauche et à droite, toujours plus de cellules. Sophie jeta un coup d'œil aux femmes suicidaires, au visage morne et sordide. L'odeur de la saleté, des rats morts et du désespoir humain était nauséabonde, et Sophie trébucha à cause du manque de lumière. Au poste de contrôle, une fois la paperasse remplie, on lui tendit une boîte contenant ses affaires. Elle enfila le pull bleu et le jean foncé qu'elle portait le dernier jour au tribunal – ce jour odieux où sa mère, autrefois reine du monde de l'art car propriétaire de la galerie Caroll-Hill, et elle-même, furent condamnées à cinq ans de prison. Sophie aurait espéré que sa mère tienne le coup un peu plus longtemps. Un an à peine après sa condamnation, Kirsten Summercove avait été retrouvée pendue dans sa cellule. Sophie était dorénavant une orpheline et une ex-détenue. Et grâce à Rikers, où la gardienne Rita Clark lui avait apporté chaque matin sa dose dans une boîte de céréales miniature, une accro au crack.

À la sortie du bâtiment, elle attendit qu'on la laisse franchir le portique de sécurité avant de lever un doigt d'honneur.

– Va te faire foutre, Rikers ! cria-t-elle. Va te faire foutre, Rita Clark ! Va te faire foutre, Vivian !

Dimitri avait pris des dispositions pour qu'un chauffeur vienne la chercher. De tous ses amis, de tous ceux avec qui elle avait travaillé avant d'être enfermée à Rikers, Dimitri était le seul qui lui avait rendu visite. Son amitié et sa loyauté étaient assurées puisqu'elle ne l'avait pas impliqué du tout dans le déplacement des œuvres d'art volées. Et il avait suivi Vivian de près pendant l'incarcération de Sophie, organisant même le vol des cendres des grands-parents de Vivian, que cette dernière avait prévu d'inhumer à Vienne. Dimitri avait remplacé les ossements par la menace de mort, selon les souhaits de Sophie.

– Bordel, sortez-moi d'ici, supplia-t-elle l'homme derrière le volant.

Ils ne roulaient que depuis quelques minutes quand Sophie demanda au chauffeur de s'arrêter, sortit à toute vitesse du véhicule et vomit, assaillie par les souvenirs de toutes les atrocités qui s'étaient déroulées à Rikers. En retournant vers la voiture, elle se promit de ne plus jamais penser à ces cinq années.

* * *

– Elle est libre ! s'écria Dimitri à l'instant où elle pénétrait dans son loft de Soho, aux immenses plafonds.

– Ne me touche pas tout de suite, répondit-elle en brandissant une bouteille de shampoing anti-poux à la main.

– Ouais, je m'en suis douté. Un cadeau de bienvenue t'attend dans la salle de bains. Et d'autres sont à venir.

En fait, il y avait plusieurs cadeaux. En entrant dans la salle de bains, elle découvrit une robe noire Prada, une paire de chaussures rouges Manolo Blahnik et trois épais rails de cocaïne étalés sur un miroir.

Une heure plus tard, elle ressortit, ses cheveux blonds tombant en vagues douces, bouclées et sans poux, pour la première fois depuis des années. Elle réajusta sa robe noire, passa au salon, et se sentit redevenir elle-même.

– Ah, la plus belle ! s'exclama Dimitri. Tu es éblouissante. Bon, maintenant, au boulot.

Ils s'installèrent sur les chaises vertes près de la table en granit noir lisse. Dimitri saisit sa pince à épiler et retira habilement la photo pour la remplacer par celle de Sophie. Dimitri expliqua qu'il avait réussi pas mal de vols de bijoux avec sa nouvelle équipe – Bulgari, Cartier, Boucheron, Chanel – mais que le marché n'était pas très favorable aux bijoux et qu'ils prévoyaient un braquage d'art.

– Et voilà*, Lucy Morton : ton nouveau passeport.

Chapitre 5

22 mai 1909

Aujourd'hui, Charlotte est venue me chercher à l'école et m'a dit :

– Allons faire les boutiques.

Je me suis fait une nouvelle amie charmante. Elle est adorable, jeune, très timide, mais suprêmement talentueuse. Nous sommes allées au 160, boulevard Malesherbes et un homme élégant, Étienne Balsan, nous a ouvert la porte de sa garçonnière. Il avait un journal à la main, un cigare à la bouche et marmonnait dans sa barbe quelque chose sur une certaine Typhoid Mary. Charlotte a expliqué que c'était une cuisinière qui travaillait pour de nombreuses familles riches de New York. Partout où elle travaillait, les gens attrapaient la typhoïde, en mouraient parfois, et elle démissionnait et trouvait un autre emploi de cuisinière dans un autre foyer. Après avoir rendu malade des dizaines de personnes, le département de la santé l'a embarquée et l'a isolée de force dans un hôpital.

– Comme vous êtes jolie, avec des yeux pareils, a dit Étienne, et j'ai rougi. Gabrielle Chanel vous attend déjà.

Je n'avais jamais vu autant de chapeaux auparavant et ils étaient vraiment différents de ceux que les femmes portent à Paris : plus petits, sans plumes ni oiseaux, si simples, élégants et classes. Nous en avons essayé beaucoup, car nous en avons besoin pour l'été. Charlotte m'a offert deux magnifiques chapeaux de paille avec des décorations. J'étais ravie, je l'ai embrassée trois fois sur les joues et je l'ai serrée dans mes bras ! Elle s'est aussi offert deux canotiers et un chapeau de paille. Gabrielle Chanel n'a que dix-sept ans et elle est si gentille. Quand je lui ai parlé de mon spectacle de ballet, elle m'a dit qu'elle chantait et dansait beaucoup dans les cabarets. Elle s'est cachée derrière ses chapeaux et je l'ai entendu chanter « Qui a vu Coco ? ». Elle m'a expliqué que c'était la phrase qu'elle chantait quand elle montait sur scène.

– Après le spectacle, mes amis m'ont d'ailleurs surnommée Coco Chanel.

Elle est si drôle et a insisté pour confectionner mon costume.

– C'est moi qui régale et ça me fait plaisir, a-t-elle répété pendant le thé.

Il y avait aussi beaucoup de madeleines et M. Balsan nous a rejointes, toujours furieux de la condamnation de Typhoid Mary.

– Ils n'auraient pas dû l'enfermer, a-t-il dit en secouant la tête. Les femmes doivent être soutenues, a-t-il ajouté en se tournant vers Coco Chanel et en lui donnant un baiser sur le front.

J'adore mon nouveau chapeau. Il sera parfait pour Cabourg cet été et je suis tellement heureuse au sujet de mon costume. Je me demande à quoi il ressemblera.

25 mai 1909

Peter m'a emmenée à la galerie de Paul Durand-Ruel pour voir la première exposition des Nymphéas de Claude Monet. Et là, je l'ai vu : le Monet de ma mère ! Peter soupçonne Charlotte de le lui avoir vendu !

5 juin 1909

J'étais si nerveuse pour ma représentation de ballet aujourd'hui. Je devais être au théâtre tôt pour me préparer et Charlotte est venue avec notre nouvelle amie Coco Chanel. Elle a confectionné mon costume d'Armistide avec du tulle blanc, de la soie abricot et verte et des broderies dorées. Il arrivait juste au-dessus du genou et virevoltait quand je tournais sur moi-même. Mon chapeau était garni de plumes et de perles.

– Très russe, a-t-elle dit en me le tendant. J'espérais être une artiste à succès quand j'étais à Vichy. Ce n'était pas mon destin, mais c'est peut-être le tien. Je le sens. Tu as ça en toi.

– Merci beaucoup, Madame Chanel, ai-je dit.

– Chérie, appelle-moi Coco !

Le théâtre était bondé, ce qui m'a rendue encore plus anxieuse.

Coco et Charlotte étaient assises au premier rang. Coco était élégante et Charlotte si jolie avec la broche bleue. Je commence à m'énerver contre elle cependant, puisqu'elle la porte à toutes les grandes occasions. Je me demande quand elle finira par la rendre. La broche est à moi, chose qu'elle ne semble pas comprendre.

Charlotte porte aussi tous les vêtements de maman et Peter m'a dit aujourd'hui qu'elle porte même son parfum...

6 juin 1909

Nous passions un agréable brunch dominical sur la terrasse aujourd'hui avec des croissants, des œufs, du bacon et mes macarons préférés quand un des clients de Charlotte a appelé. Il voulait acheter une autre des peintures de Maurice. Charlotte s'apprête à vendre presque toutes les peintures de mon père ! Peter est très contrarié à ce sujet et moi aussi. Dernièrement, je les ai entendus se disputer à ce sujet. À chaque fois, ils fermaient la porte et Charlotte disait à Peter :

*– Pas devant les enfants !**

Il me paraît pourtant évident qu'elle gagne beaucoup d'argent en vendant des œuvres d'art, et les amis de ma mère, comme Camille Pissarro, font également appel à ses services. Il semble que ce soit son travail et cela me rend parfois triste et furieuse.

8 juin 1909

Aujourd'hui, Peter m'a emmenée en promenade au cimetière du Père-Lachaise. Nous avons marché un moment, jusqu'aux lisières, où je n'étais jamais allée avant. Cette fois, il ne s'est pas assis pour peindre. Je n'ai pas non plus eu le droit de jouer. Nous avons juste continué à marcher devant toutes les tombes et ce n'était pas amusant.

– Qu'est-ce qui se passe, Peter ? ai-je demandé, effrayée.

– Aimerais-tu vois les tombes de nos parents ?

J'ai hoché la tête, incapable de dire un seul mot. Je ne m'étais jamais rendue de ce côté du cimetière avec lui, ça avait l'air épouvantable.

– Où sont-elles ? Pas ici, n'est-ce pas ? ai-je demandé en frissonnant et attrapant sa main.

La mort et la saleté étaient partout alentour. Des silhouettes sombres erraient, les larmes aux yeux.

– Regarde, ces âmes en peine cherchent peut-être aussi leurs parents.

– Que veux-tu donc dire par là, Peter ?

– Nous sommes à peu près à l'endroit où nos parents ont été enterrés, je crois. Notre chère Charlotte n'a même pas pris la peine de continuer de payer leurs concessions après cinq ans, le minimum légal. Sans compter qu'elle avait même refusé de leur acheter une pierre tombale. Une fois les cinq ans écoulés, leurs ossements ont été déterrés et stockés dans un ossuaire. Pendant ce temps, elle se consacre à la vente de leurs œuvres d'art et porte les vêtements et les bijoux de notre mère. Elle essaie même de sentir comme maman, mais tout ce qu'elle fait, c'est empester jusqu'au ciel.

9 juin 1909

Je n'ai pas eu le courage d'affronter Charlotte, mais j'ai eu la nausée de savoir ce qu'elle trafiquait. Elle faisait juste ses mots croisés, cherchant le bon mot. J'ai vomi toute la journée et je n'ai pas pu aller à l'école.

– Les vacances commencent bientôt, a-t-elle dit pour m'encourager.

– Je me sens mal, je dois rester au lit, ai-je répondu, furieuse.

20 juin 1909

Aujourd'hui, c'était la kermesse à l'école et je commence à me sentir mieux. J'ai essayé de ne plus penser aux ossements de mes parents simplement enfermés dans un ossuaire et j'ai voulu jouer avec tous mes amis avant le début des vacances d'été. La fête de fin d'année a toujours été mon jour préféré.

Il faisait beau et la cour de l'école était aménagée avec plein de jeux dans tous les coins. Avec Loulou, j'ai fait plusieurs parties de pêche aux canards et je me suis bien mouillée. J'ai réussi à pêcher plus de canards en plastique qu'elle et j'ai reçu un sucre d'orge en récompense. Ensuite, mon amie Marguerite a voulu faire le parcours d'échasses. Oh la la, c'était très dur, et je suis tombée et me suis blessée à la jambe, mais pas trop mal. Le parcours à l'aveugle était hilarant : j'avais les yeux bandés et je devais attraper mes amis. Mais le jeu de la pomme suspendue au-dessus de nous, et dans laquelle nous devions mordre, était mon préféré. À la fin, chacun a reçu plein de petits jouets et de bonbons. J'ai choisi une poupée. Quelle magnifique journée !

10 juillet 1909

Nous sommes arrivés à Cabourg. Comme chaque été, nous logeons au Grand Hôtel *pendant deux semaines. C'est de loin le plus bel hôtel du monde avec son toit gris foncé, sa façade beige et ses immenses fenêtres donnant sur la mer. Nous avons toujours les deux mêmes chambres. J'en partage une avec Charlotte, et Peter est juste à côté. Marcel Proust nous a accueillis dans le hall. Il m'a souri en me disant qu'il était occupé à travailler sur son prochain roman,* À la recherche du temps perdu. *Charlotte m'a dit qu'il avait des espions, notamment des majordomes et des serveurs, qui lui racontent tous les scandales des soirées, et qu'il reprend ensuite dans ses livres.*

11 juillet 1909

Nous avons fait une longue promenade le long de la plage, ce qui n'est pas très agréable, mais Charlotte a insisté.

– Nous commençons toujours nos vacances par une balade en bord de mer, c'est notre tradition.

– En ce qui me concerne, je préfèrerais jouer dans le sable, ai-je rétorqué.

De toute façon, c'est plutôt une tradition qu'elle a inventée, car elle aime bien savoir qui séjourne à l'hôtel et à Cabourg. Elle scrute presque tous les visages, c'est assez gênant.

Nous avons flâné le long de la promenade et ne nous sommes pas rendues bien loin avant que Charlotte ne salue déjà son amie américaine Anna Gould, accompagnée de son second mari, Hélie de Talleyrand. Charlotte était extrêmement pétillante, leur a parlé de l'exposition de Peter dans deux jours et les a pratiquement obligés à dîner avec nous un de ces soirs. Elle a également demandé si les enfants d'Anna étaient là, car elle voudrait qu'ils assistent à l'exposition de Peter. Je ne connais même pas ces enfants et je ne comprends pas pourquoi Charlotte aime tant Anna Gould. Elle n'est assurément pas très jolie.

Une fois sur la plage, enfin installées dans notre cabine de plage, j'ai commencé à construire un château de sable.

– Pourquoi devons-nous dîner avec Anna ?

Charlotte a éclaté de rire.

– Anna Gould est très intéressante et c'est une excellente personne à connaître. Quand je me remémore son bal au palais Rose *en 1905, j'en ai encore la chair de poule. Même le roi d'Espagne était là ! Elle a organisé cette soirée avec son premier mari, le marquis Boni de Castellane, un homme très beau, issu d'une famille ancienne et extrêmement charmant. Malheureusement, il était sans le sou lorsqu'il a épousé la milliardaire américaine Anna et s'est beaucoup endetté. Ironiquement, Anna a ensuite épousé son cousin, que tu viens de rencontrer. Anna et le marquis ont eu trois enfants, qui doivent avoir à peu près ton âge maintenant. Tu devrais devenir amie avec eux.*

– Pourquoi a-t-elle divorcé de son premier époux ? ai-je demandé, de plus en plus curieuse de l'histoire de ce vilain petit canard. Je me suis demandé comment c'était, l'Amérique. L'accent d'Anna était clairement amusant.

– Grâce à son immense fortune, ils auraient dû vivre très heureux, mais il n'y avait pas d'amour entre eux, en tout cas, pas de son côté à lui. Il regardait les autres femmes et dépensait l'argent d'Anna. Leurs pauvres enfants… ils ont sûrement beaucoup souffert du divorce de leurs parents.

– Elle portait de jolies perles, ai-je remarqué.

– Oh oui, Anna Gould est probablement la meilleure cliente de Frédéric Boucheron. Je me souviens que ta mère m'a dit un jour que sa corbeille de mariage, en 1895, contenait des diamants de tiare, des émeraudes, des rubis, des broches et un collier ras-du-cou en perles.

– Une corbeille de mariage ? Qu'est-ce que c'est ?

– Tu n'as pas à t'en soucier, la famille de ton futur mari s'occupera, je l'espère, de ta corbeille de mariage remplie de trésors. Nous devons juste choisir le bon mari pour toi. Grand Dieu,

Francesca, ton château de sable est merveilleux, digne d'une vraie princesse !

J'aime bien les histoires de Charlotte, on dirait qu'elle en a une sur tout le monde, de Cabourg à Paris.

13 juillet 1909

Cette journée a été palpitante, Peter s'y prépare depuis des mois et je l'ai très peu vu. Il n'a fait que peindre et n'a même pas voulu me montrer ses dernières œuvres. Son exposition aujourd'hui a été très bien accueillie. Même les amis de Maman de Honfleur sont venus : Claude Monet, Alfred Sisley, Camille Pissarro et Pierre-Auguste Renoir.

Le style de Peter a changé. Il y a plus de contraste, plus de lumière et d'ombre, et ces derniers jours, il a même réussi à capturer le lever du soleil au-dessus de la mer. Il utilise aussi davantage de formes géométriques, des carrés et des cubes représentant le ciel.

Il semble ravi de cette réussite et a vendu toutes ses toiles. Marcel Proust a acheté son portrait de la comtesse Greffuhle et Anna Gould un de Picasso et deux de la mer. En fait, sa série abstraite sur la mer a suscité beaucoup d'enthousiasme. Coco Chanel est venue et s'est offert une peinture de moi dans mon costume de ballet. Quel culot, Peter, je ne savais même pas qu'il m'avait peinte. Il a dû piquer le costume dans mon armoire. Il a été d'humeur très joyeuse toute la journée. Les enfants d'Anna sont aussi venus et ils sont sympas. Nous avons joué à chat sur la plage, car avec tout le monde buvant du champagne, l'exposition est vite devenue ennuyeuse pour nous.

À la fin, Charlotte m'a quand même énervée : elle a pris en charge toute l'exposition et portait encore une fois la broche bleue de Maman ! Lorsque je lui en ai parlé, elle m'a simplement répondu qu'elle devait se mettre au niveau d'Anna, qui portait un collier composé de vingt et une perles naturelles.

– Ce collier vaut cinq cent cinquante mille francs, ma chérie, et c'est probablement l'une des plus grandes créations de Frédéric Boucheron, mais la broche bleue est encore plus sublime et bien plus facile à porter.

Je n'arrive pas à croire au culot de Charlotte, je veux récupérer ma broche !

Elle ne s'intéresse qu'à l'argent et au pouvoir, c'est très superficiel. J'aimerais pouvoir le dire à Anna.

30 août 1909

C'est notre dernier jour à Cabourg aujourd'hui et Charlotte est allée faire les boutiques juste après le déjeuner.

À cet instant, Peter est entré dans ma chambre.

– Allons marcher en bord de mer, m'a-t-il dit.

La marée était basse, et la plage bondée. D'élégantes dames se promenaient avec des ombrelles légères et de larges chapeaux ornés. J'étais très fière de porter le chapeau créé par Coco Chanel et avec mon petit parapluie, je me sentais adulte. J'aimais marcher à côté de Peter, mais je sentais qu'il était mal à l'aise.

– Ton exposition a été un véritable succès, ai-je lancé.

– Oui, Dieu merci, mais Charlotte m'a volé la vedette et conserve mon argent pour le moment.

– Mais il est à toi.

– Oui, et je vais le récupérer, mais Charlotte réclame un pourcentage.

– Qu'est-ce que ça veut dire ?

– Une partie de l'argent. Charlotte n'est pas toujours aussi gentille qu'elle en a l'air, m'a glissé Peter avec un air grave.

Il a annoncé qu'il avait d'autres mauvaises nouvelles, une chose bouleversante à me confier.

La brise soufflait doucement, et l'océan semblait infini.

– De quoi parles-tu ?

– C'est une longue histoire. Quand nous serons de retour à Paris, j'aurai quelque chose pour toi, et je t'aiderai à récupérer la broche aussi. Mais tu dois me promettre de garder le secret.

– Pourquoi ? Que se passe-t-il ?

Il s'est détourné, et je crois que c'est la première fois de ma vie que j'ai vu Peter pleurer.

Chapitre 6

« Le talent atteint une cible que personne ne peut atteindre. Le génie atteint une cible que personne ne peut voir. » – Arthur Schopenhauer

16 mai 1988

Je m'étais endormie, le journal de Francesca posé à côté de moi sur l'oreiller. Dans celui de Marie Anne, que je gardais toujours dans ma chambre, sa cousine Charlotte était toujours représentée comme une sauveuse angélique, toujours présente. Mais les pages de Francesca montraient son versant le plus sombre. Elle semblait avoir usurpé l'identité de Marie Anne et cédé ses peintures. Je priais pour qu'elle n'ait pas également vendu la broche bleue.

Ce qui me révoltait le plus, c'était qu'elle ne s'était même pas donné la peine d'organiser des funérailles dignes pour Marie Anne et Maurice. Était-ce parce qu'elle voulait devenir Marie Anne, sans laisser de traces de la vraie Marie Anne ? En tout cas, cela expliquait pourquoi il avait été si difficile pour moi de retrouver leurs cendres, une démarche qui avait pris des années.

Charlotte ne s'était jamais mariée ni n'avait eu d'enfants, ça, je le savais. Avait-elle fini par rendre la broche bleue à Francesca ?

Je m'étirai et baillai, consciente que je devais affronter la journée et chasser de mon esprit les images du journal de Francesca et de Cabourg.

Il était 8 h du matin quand je pénétrai dans le commissariat. Lorsque j'avais appelé la veille au soir, les policiers m'avaient pressée de venir le plus tôt possible pour examiner les preuves, car ces dernières semaines, ils avaient reçu d'autres informations concernant des lettres anonymes de menaces de mort.

J'avançai jusqu'au bureau d'accueil et tentai d'attirer leur attention, mais les agents étaient en pleine discussion au sujet de Johann Kastenberger, le marathonien autrichien devenu braqueur de banque et meurtrier, qui exécutait ses casses le visage dissimulé derrière un masque du président américain Ronald Reagan. Deux mois auparavant, le 21 mars 1988, il avait volé deux millions de schillings à la Landesbank de Vienne, avant de s'attaquer à deux autres banques, dérobant un autre million.

Il se trouvait toujours dans la nature, alors même que quatre cent cinquante policiers autrichiens étaient à ses trousses.

– Et il portait encore son masque, dit l'officier maigre, qui mesurait bien deux mètres, à l'homme corpulent assis à côté de lui.

– Terminator et son masque de Ronald Reagan. On dirait qu'il s'est inspiré d'un film de braquage de série B pour commettre ses crimes, ajouta en riant l'homme aux cheveux bruns.

– Y a rien de drôle là-dedans. Il transforme Vienne en paradis du crime.

– Excusez-moi, répétai-je.

– Ah oui, désolé, comment puis-je vous aider ? demanda le grand policier sur un ton beaucoup plus sérieux.

– J'ai appelé hier et parlé à l'agent Schneider. J'ai reçu une lettre de menace de mort, répondis-je en retenant mes larmes.

– Oh la la, souffla-t-il avec compassion. Venez avec moi, s'il vous plaît. Je vais vous conduire à l'officier Schneider.

Je le suivis jusqu'à un petit bureau, remarquant au passage le revolver argenté qu'il portait à sa hanche droite. Était-ce si facile de tuer quelqu'un ? Juste un ou deux coups de feu ? J'étais terrifiée.

– Bonjour. Professeur Aigner, c'est bien ça ?

– Oui.

– Alors, qu'est-ce qui s'est passé exactement ? s'enquit-il en allumant une cigarette et en me regardant droit dans les yeux.

– J'ai reçu cette lettre.

Je sortis le papier sale du sachet en plastique hermétique.

TES JOURS SONT COMPTÉS. DES BALLES TRANSPERCERONT BIENTÔT TON CORPS DÉCHARNÉ.

– Une idée sur l'identité de l'auteur ? Vous êtes mariée ? Des soucis avec votre petit copain ? La plupart des menaces de mort ne sont pas très sérieuses, mais visent en réalité à intimider les victimes afin de les manipuler.

– Pour me forcer à faire quelque chose ?

– Oui, c'est une forme de coercition. Mais pour pouvoir porter plainte, nous devons savoir qui est l'auteur du délit. Pour l'instant, vous le signalez, ce qui est essentiel pour que nous puissions ouvrir notre enquête. Je vous assure que vous n'êtes pas seule. C'est la dixième qui arrive sur mon bureau depuis deux semaines. Johann Kastenberger a donné aux Autrichiens des idées stupides, les gens se comportent comme Bonnie et Clyde !

Une averse estivale éclaboussa mon visage et mon chignon lorsque je quittai le poste de police. Je me sentais beaucoup mieux, car l'officier Schneider avait pris la lettre anonyme avec le plus grand sérieux. Je lui avais parlé de Jérôme, du professeur Mhost, et même de Sophie. Il m'avait demandé de lui rapporter également le colis avec le cachet de la poste, et m'avait assurée que l'enquête allait débuter immédiatement. Comme j'avais à nouveau refusé la surveillance vingt-quatre heures sur vingt-quatre, il avait insisté pour qu'un agent patrouille désormais tous les jours près du palais Weissenberg. J'avais aussi mentionné ma conférence prochaine à Albi, mais il pensait que ce n'était pas une bonne idée d'y assister.

Vêtue d'un chemisier blanc sous une veste grise, de mon jean noir moulant et de mes chaussures bleu marine, je prenais le chemin de l'Académie des beaux-arts de Vienne, et si le soleil illuminait le bâtiment rouge et arqué, mon humeur était bien sombre.

L'Académie, sur la Schillerplatz, est un splendide bâtiment de quatre étages de style Renaissance, signé Theophil Hansen. Edmund Hofmann avait conçu les deux majestueux centaures en bronze de part et d'autre de l'escalier d'entrée, et Alois Düll les reliefs au-dessus de l'arcade. Parmi les œuvres présentes à l'intérieur, des fresques comme *La Chute des Titans* d'Anselm Feuerbach, qui était également professeur à l'Académie. Beaucoup des plus célèbres artistes européens y avaient étudié, parmi lesquels Egon Schiele, Otto Wagner, Josef Hoffmann et Friedensreich Hundertwasser. L'Académie est également célèbre pour avoir refusé Adolf Hitler à deux reprises (en 1907 et 1908), en raison de son « inaptitude à la peinture ».

Je songeais toujours à la page du journal que j'avais lue la veille, à propos de la concession de cinq ans au cimetière pour Marie Anne et Maurice, et aux paroles de l'officier Schneider. Je passais la matinée dans une brume hébétée, travaillant en pilotage automatique. Je passais à la cuisine des professeurs, un bien grand nom pour un évier, une machine à café et un minuscule réfrigérateur. J'y remplis ma tasse préférée, le tic-tac de l'horloge en fond. J'avais déjà cinq minutes de retard. Je tenais ma tasse bien serrée en avançant dans le long couloir où mes pas résonnaient. J'entrais ensuite dans la salle de classe vieillotte avec son grand bureau en chêne, son tableau noir encadré de bois et son odeur d'humidité. Les élèves faisaient du bruit et malgré l'heure, tous n'étaient pas encore arrivés. J'étais tout simplement trop gentille. Ils discutaient du concert de Michael Jackson, certains en posture de fans, d'autres critiquant la pop star afro-américaine qui essayait tant bien que mal de devenir blanche à coups de chirurgie esthétique. La chaleur me monta aux joues tandis que je finissais mon café en une seule gorgée. Je saisis mon verre d'eau, la main tremblante, espérant que mes étudiants ne remarqueraient pas mon agitation. Je levai les yeux vers Claudia et dus me répéter que j'étais dans ma salle de classe, que je représentais l'autorité, et que j'étais donc censée faire cesser les bruits et enseigner.

– Bien. Claudia, aimeriez-vous commencer par votre exposé sur la vie et les heures les plus sombres d'Henri de Toulouse-Lautrec ?

Ma question fit rougir la jeune femme et je voyais bien qu'elle était plus nerveuse que moi lorsqu'elle s'avança vers le tableau noir, prête à partager ses connaissances. Elle posa d'abord sa dissertation sur mon bureau et son parfum Carolina Herrera dégagea une bouffée agréable. Je parcourus les pages rapidement, impressionnée par son écriture soignée, proche de la perfection.

J'admirais le style de Claudia, avec ses cheveux blonds permanentés, ses yeux marron foncé et son pull rose clair qu'elle avait rentré dans son jean ample, orné d'une large ceinture mettant en valeur sa taille de guêpe. Elle avait l'air d'une star lorsqu'elle se tourna vers la classe et prit la parole :

– Le comte Henri Marie Raymond de Toulouse-Lautrec-Monfa est un vrai noble de naissance, fils du comte Alphonse de Toulouse-Lautrec-Monfa et d'Adèle Tapié de Celeyran, dont le sang bleu remonte à un millénaire. Durant sa petite enfance, il a partagé son temps en France, entre le château hôtel du Bosc à Albi et le château de Celeyran dans l'Aude.

Je décrochai, légèrement lassée par tous ces détails que je connaissais. Puis Claudia lança son diaporama et j'observais les images du village rouge d'Albi, les châteaux majestueux, les parents et leur petit Henri, si heureux sur les genoux de sa mère. Et si la disgrâce physique ne l'avait pas constamment gêné, dirigeant sa vie et ses efforts artistiques ?

Claudia releva la tête et deux élèves lui sourirent, mais certains regardaient par la fenêtre, esquissaient ou rêvassaient.

Elle eut le bon réflexe de poursuivre son diaporama et des chevaux apparurent sous toutes les formes : chevaux de trait, de bât, de chasse et de course. Des images qui resteraient forcément dans l'esprit des étudiants, et même Gregor leva les yeux au ciel et posa son crayon.

– Parmi les chefs-d'œuvre de Toulouse-Lautrec figurent *Au Moulin Rouge, Jane Avril, La Goulue*. Mais d'où vient sa maladie ?

Tandis qu'elle évoquait la maladie héréditaire de Toulouse-Lautrec, qui lui avait provoqué deux fractures l'empêchant de grandir, elle projeta d'autres images. Tout cela était déjà dans mon livre et je n'avais pas grand espoir que Claudia me révèle aujourd'hui un détail que je ne connaissais pas déjà. Elle poursuivit :

– Mais ce n'était pas seulement sa petite taille qui lui causait des problèmes. Il avait des dents en très mauvais état, était alcoolique et souffrait également de la syphilis. En 1899, après avoir fait une scène violente dans une maison close, Toulouse-Lautrec a été traîné par les hommes de main de sa mère dans un asile de fous privé pendant trois mois. Le 9 septembre 1901, à trente-six ans, une ultime attaque lui ôte la vie.

Claudia montra des images de Toulouse-Lautrec à l'hôpital et je me disais que ce choc drastique avait dû être extrêmement pénible pour lui. Sa créativité était sa force quotidienne, mais comme Schopenhauer, les Grecs anciens et tant d'autres l'ont souligné, tout changement radical, bon ou mauvais, est toujours difficile à supporter pour un être humain.

– Merci beaucoup, Claudia, conclus-je.

Je pris sa dissertation, suivant des yeux la jeune femme qui reprenait sa place. Après le départ des élèves, je prenais le chemin du bureau de la doyenne.

Mon cœur se serra à l'instant où j'entrai dans la salle de réunions des professeurs. J'étais en retard et au lieu d'arriver au beau milieu d'une discussion sur le voyage imminent à Albi et les autres conférences prévues pour l'année, je tombais sur une discussion animée au sujet de la convention des Nations Unies contre le trafic illicite de stupéfiants. Les quinze professeurs étaient réunis, assis autour de la longue table. Je m'assis, me servis un café et sortis mon cahier de notes. La doyenne n'était pas une femme indulgente et plus les sanctions contre les drogues étaient sévères, plus elle était heureuse. J'entendis une voix familière, qui abondait dans son sens, une voix que je n'étais pas ravie de reconnaître.

– Bonjour Docteur Aigner, m'accueillit la doyenne, d'un air satisfait.

– Que pensez-vous de la convention ?

– C'est très intéressant, répondis-je en espérant que personne ne se rende compte du tressaillement de ma voix.

En fait, je n'avais pas lu la convention et je n'étais pas sûre de savoir en quoi consistait la conférence à laquelle elle envoyait certains membres de notre équipe à Washington. Je ne voulais surtout pas qu'elle découvre mon ignorance.

– Voici le programme pour les prochains mois, annonça-t-elle. Nous allons commencer par parler d'Albi, où vous n'irez pas seule, Vivian. Quelle chance : un professeur renommé de Londres va se joindre à vous. Je voudrais présenter à tout le monde ici le professeur Mhost, que nous sommes ravis de compter parmi nous pour un an. Il est en congé sabbatique de l'Académie royale des arts de Londres.

– Merci beaucoup, madame la doyenne, dit-il.

Devant nous se tenait le professeur Mhost, qui, hélas, avait aussi été mon directeur de thèse. Grand, mince et chauve, avec des yeux noirs perçants, il me rappelait Raspoutine, les cheveux en moins. Je repensais à l'époque, sept ans plus tôt, où j'étais son étudiante à Londres. Il avait essayé de faire capoter ma thèse sur Maurice Danet, m'avait fait renvoyer de ma seule source de revenus à l'époque – mon emploi au *Artnewspaper* – et pendant tout ce temps, avait amassé les tableaux de Maurice Danet dans son garage. C'était un monstre. Ma tête tambourinait – il était de retour, et j'aurais voulu disparaître sous terre.

Le professeur Mhost me fixa en souriant.

– Quelle surprise de vous revoir, Vivian.

– Vous vous connaissez tous les deux ? demanda la doyenne.

Je hochai la tête, cherchant quelque chose à répondre, mais mon corps restait complètement figé. Je ressentais de l'horreur mêlée à de la peur. Que préparait-il maintenant ? Sa présence était toujours un mauvais présage, et jamais une coïncidence. Peut-être était-il toujours à la recherche de *La Rose blanche* ? Je devrais prévenir la police et peut-être installer un système d'alarme pour protéger ma peinture. De plus, il pourrait essayer de mettre en danger ma position de professeur comme il l'avait fait dans le passé à Londres lorsque je travaillais pour le *Artnewspaper*... Il faudrait que je sois sur mes gardes en permanence. La lettre devait venir de lui.

– Vous connaissez le professeur Aigner, alors laissez-moi vous présenter officiellement le reste de l'équipe de Vienne.

Elle nomma les treize professeurs, qui accueillirent tous poliment et chaleureusement Harold Mhost.

– Donc, il y aura vingt-cinq professeurs internationaux qui iront à Albi, et pour notre équipe, il s'agira de Vivian Aigner et Harold Mhost.

Le professeur Mhost se vanta d'être un véritable expert de Toulouse-Lautrec. Les autres écoutèrent avec admiration, puis la doyenne se tourna vers le professeur Kist, qui emmenait trois confrères à Washington pour la conférence sur les drogues et l'art et sur la nécessité pour les esprits criminels d'être plus créatifs maintenant que la convention avait été adoptée.

Je rentrai chez moi furieuse : ce voyage à Albi représentait tout pour moi et il fallait désormais que je m'y rende avec le professeur Mhost. Une seule chose pouvait chasser ce monstre de mon esprit. Je me préparai un chocolat chaud, allumai trois bougies parfumées et me blottis sous ma couverture en cachemire beige sur le canapé, face à *La Rose blanche*. En ouvrant le journal de Francesca, je me sentis transportée dans un monde étrangement familier et inconnu à la fois.

Chapitre 7

25 septembre 1909

Impossible de fermer l'œil de la nuit tellement j'étais surexcitée ! Aujourd'hui, nous sommes allées voir le premier spectacle aérien au Grand Palais, sous son majestueux dôme. C'était tout simplement époustouflant. Ça m'a donné envie de m'envoler. Je suis tellement heureuse !

Charlotte avait même invité mes amies Loulou, Joséphine, Brigitte et Marguerite, et nous nous sommes beaucoup amusées, mais il était difficile de rester ensemble ! Charlotte était très belle dans sa tenue bleu pâle et son chapeau Chanel beige avec un ruban noir, mais j'ai été contrariée qu'elle porte à nouveau ma broche bleue. Elle semble la porter tout le temps maintenant ! J'espère qu'elle ne s'y habituera pas trop et qu'elle se souviendra qu'elle m'appartient.

Au salon de l'aviation, Charlotte nous a présentées aux organisateurs André Granet et Robert Esnault-Pelterie, qui se tenaient juste devant leur monoplan tracteur R.E.P., un des premiers que nous ayons vus en y arrivant. Il ressemblait à un oiseau blanc avec une hélice et des roues.

Monsieur Esnaut-Pelterie a expliqué à Charlotte comment il avait d'abord commencé à tester le R.E.P. en volant en planeur avant de tenter des vols motorisés. J'étais perplexe, mais il s'est ensuite adressé à moi.

– Regarde, dit-il en me prenant la main et en me guidant vers l'avion. Nous sommes parmi les premiers à utiliser un joystick comme principale commande de vol.

Ensuite, il y avait beaucoup de stands où on lisait « Nilmelior », « Delaye », « Fiat », « Gnome », « Renault », autant de constructeurs se disputant l'attention des visiteurs. Nous avons fait un grand tour et, dissimulé dans un coin, se trouvait le Wright Flyer.

– Regardez ça, a dit Charlotte, il est caché au fond, alors que c'est le premier avion motorisé à avoir volé avec un pilote à bord.

Un homme élégant est apparu à côté de Charlotte, il semblait la connaître et l'a saluée en allemand. C'était Simon Alfred von Oppenheim. Je me suis immédiatement attachée à cet homme distingué. Avec son costume bien taillé et sa moustache soignée, il se démarquait des autres. J'espère que nous le verrons plus souvent. Il s'est adressé à moi en allemand, et il a été très impressionné que je lui réponde dans la même langue, même si j'ai encore beaucoup à apprendre. Simon Alfred von Oppenheim a continué à nous raconter des histoires merveilleuses sur ses voyages autour du monde. Il a voyagé dans tant de pays exotiques et lointains, y compris Bombay, la Birmanie, Saigon, Shanghai, et même le Japon !

– J'ai dû prendre tant de bateaux, dit-il en riant. Mes voyages auraient été beaucoup plus rapides dans l'un de ces merveilleux avions ; j'aurais aimé être pilote, mais je suis condamné à être banquier.

Puis il nous a lancé un défi :

– *Le* Blériot Type XI *vient de traverser la Manche de Londres à la France – c'est le premier avion à le faire. Maintenant, laquelle d'entre vous saura le trouver au milieu de toutes ces machines volantes ?*

C'était une mission vraiment difficile tellement il y avait de monde ! Il y avait des policiers partout, formant des cordons devant les stands pour maintenir l'ordre. Mais finalement, je l'ai repéré et j'ai réussi à me faufiler pour le toucher, gagnant ainsi le jeu. Pour me récompenser, Simon Alfred nous a offert à toutes une glace et j'ai eu droit à des madeleines.

– *Jeunes filles, a-t-il dit, souvenez-vous du* Wright Flyer, *il est tout aussi spécial que le* Blériot Type XI *et, à mon avis, il aurait dû se trouver juste à côté sous ce vaste dôme.*

Je n'ai jamais vu de cages à oiseaux aussi raffinées et j'ai dit que j'aimerais bien m'envoler très loin dans l'une d'elles.

Simon Alfred von Oppenheim a caressé ma joue.

– *Francesca, je parierais que tu vas beaucoup voler au cours de ta vie ! Quand tu seras grande, l'avion sera sûrement un moyen de transport courant.*

Je lui ai dit que j'avais très envie de m'asseoir dans une montgolfière, mais que c'était impossible avec la foule. Simon Alfred a ri et a dit qu'il m'emmènerait faire un tour en montgolfière un de ces jours.

Quand nous sommes rentrées à la maison, j'étais si fatiguée que je tenais à peine debout. J'avais mal aux pieds, mais ça en avait valu la peine et lorsque Peter a proposé que nous y retournions le lendemain, j'étais tout simplement aux anges. C'était vraiment exceptionnel de rencontrer Simon Alfred aussi. J'espère qu'il tiendra sa promesse de m'emmener voler.

26 septembre 1909

Je suis retournée au Grand Palais avec Peter, qui s'y connaît en coucous. Il a apporté son carnet de croquis, car il veut créer ce qu'il appelle « la série bleue aérienne ». Toute une série sur les montgolfières et les avions dans différentes nuances de bleu, la couleur du ciel, de l'océan, de la liberté et du vol ! Nous nous sommes assis devant la montgolfière à rayures blanches et bleues et il a commencé à dessiner. Je lui ai parlé de Simon Alfred von Oppenheim, et de son intention de m'emmener voler dans une montgolfière exactement comme celle-là.

– Oui, dit Peter, il doit être riche ou influent, idéalement les deux. Charlotte aime ça.

– Qu'est-ce que tu veux dire ? j'ai demandé.

Ces derniers temps, Peter fait de plus en plus de commentaires critiques sur Charlotte. Il n'aime pas non plus qu'elle porte les bijoux de notre mère, comme il lui a dit, et surtout pas ma broche bleue.

Peter a dessiné sa montgolfière dans toutes les nuances de bleu, elle était très belle et il a même voulu m'inclure dans son œuvre. Je me suis placée devant la montgolfière et il a travaillé rapidement. Quand j'ai vu le résultat, j'étais ravie : c'était moi qui pilotais la montgolfière !

28 septembre 1909

Dieu merci, il n'a pas plu aujourd'hui. Il a tellement plu ces derniers temps.

Simon Alfred von Oppenheim a tenu sa promesse et m'a emmenée faire un tour en montgolfière. C'est l'expérience la plus exaltante que j'aie jamais vécue.

Nous sommes entrés dans le panier rond en osier attaché au ballon par une corde, qui s'est soulevé du sol peu après. Alors que nous nous élevions vers le ciel, les gens ressemblaient à des fourmis et la tour Eiffel a rétréci jusqu'à ne plus faire que la taille d'une épingle. C'était enivrant ! Alors que nous flottions vers le haut, toujours plus haut, il m'a parlé de son tour du monde, de sa famille et de sa femme américaine. C'est un banquier juif de Cologne et il aime aussi les chevaux de course. Il en élève même. C'était sa dernière nuit à Paris, car il était en route pour Deauville pour acheter d'autres chevaux.

– Tu ressembles beaucoup à ta mère, m'a-t-il dit, haut dans le ciel.

– Vous la connaissiez ?

– Oui, répondit-il, j'ai rencontré Marie Anne au Grand Palais. C'était en 1889, à l'Exposition universelle. Quelle exposition ! Encore plus impressionnante que celle des avions. Pour l'occasion, on venait d'ériger la tour Eiffel. C'est drôle comme les opinions changent. À l'époque, les gens la considéraient comme une affreuse girafe. Quand j'ai raconté mes voyages à ta mère, elle a eu une étincelle dans les yeux, comme toi. C'était une très belle femme. Je me souviens encore de ce qu'elle portait, une ravissante création Charles Worth rose pastel avec une précieuse broche bleue, tout comme celle que Charlotte portait il y a quelques jours.

Mon cœur s'est serré et j'ai eu les larmes aux yeux. Ma mère me manque tellement et j'ai du mal à me souvenir d'elle. Je me fie aux histoires racontées par les autres : celles de Charlotte, de Peter, des amis de Maman et maintenant de Simon Alfred. Chaque jour, je regarde La Rose blanche *et je parle à Maman. Grâce aux mots de Simon Alfred, elle est revenue à la vie.*

À l'atterrissage, Simon Alfred a proposé de prendre un goûter à l'hôtel de Crillon. J'étais ravie à cette idée et, alors que nous traversions le pont Alexandre III, il a ajouté qu'il avait souvent à faire à Paris et qu'il reviendrait me voir. Je crois que j'ai gagné un nouvel ami merveilleusement intéressant et gentil.

1er octobre 1909

Il pleut depuis des jours. Peter m'a offert un livre pour passer le temps. Il s'appelle La Rose bleue *et je l'ai terminé en un rien de temps. J'adore lire quand il pleut à verse. L'histoire était si belle que j'en ai collé quelques pages dans mon journal.*

C'est l'histoire d'un empereur chinois qui voulait trouver le mari parfait pour sa magnifique fille. Personne ne semblait digne d'elle avec ses longs yeux bridés, brillants comme des onyx bruns. De nombreux prétendants se sont présentés au palais, mais lorsqu'ils y arrivaient, ils étaient accueillis par le Lord Chamberlain, qui leur annonçait que l'empereur avait décidé que seul l'homme qui trouverait et rapporterait une rose bleue épouserait sa fille.

Les prétendants ont tous cherché la rose bleue, chacun à sa manière. Certains ont voyagé dans le monde entier pour la trouver.

Le lendemain matin, le ménestrel s'est rendu au palais, et en chemin, il a cueilli une vulgaire rose blanche dans un jardin au bord de la route. On l'a amené à l'empereur, qui a fait venir sa fille pour lui dire :

– Ce ménestrel sans le sou vous a apporté ce qu'il prétend être la rose bleue. A-t-il accompli sa quête ?

La princesse a pris la rose dans ses mains et a dit :

– Oui, c'est sans aucun doute la rose bleue.

L'empereur, à qui revenait la décision, a décidé que si la princesse pensait que la rose était bleue, alors elle était bleue, et tous les deux se sont mariés.

Je me demande qui je vais épouser quand je serai grande. Peut-être que Peter me trouvera la bonne personne ? C'est tellement dommage qu'il soit impossible d'épouser Peter, mais il m'aidera sûrement à trouver l'homme parfait.

3 octobre 1909

Je profite de chaque jour à Paris et j'espère que Charlotte va changer d'avis. Elle m'a annoncé hier soir qu'elle avait fait des efforts pendant plus de huit ans pour ne pas perturber notre vie.

– Francesca, maintenant que tu es une jeune fille de onze ans, il est temps que nous rentrions à Vienne, là où est notre place, et que je puisse être une vraie mère pour toi. Mais ne t'inquiète pas, tu finiras l'année ici. Nous partirons à la fin du mois de janvier.

J'ai essayé d'ignorer cette nouvelle. Bien sûr, je vois bien qu'elle n'aime pas trop notre maison de Montmartre. Peter et elle se disputent beaucoup, mais elle est devenue amie avec tous les proches de Maman : Eugène Boudin, Alfred Sisley, Camille Pissaro et Claude Monet l'ont même acceptée dans leur cercle, et à Noël l'année dernière à Honfleur, c'était exactement comme quand mes parents étaient vivants. C'est du moins ce qu'Eugène m'a chuchoté à l'oreille. Émile Zola ne cesse aussi de me dire que Charlotte ressemble beaucoup à Marie Anne.

Il est très tôt ce matin et Peter et Charlotte dorment encore profondément. J'ai pris une feuille de papier, j'ai fait une peinture de la tour Eiffel et j'ai écrit :

Chère Charlotte,

Vous êtes merveilleuse et je vous aime vraiment beaucoup. S'il vous plaît, pouvons-nous ne pas aller vivre à Vienne ? Paris a besoin de nous.

Avec mes pensées affectueuses,

Francesca

16 octobre 1909

Charlotte est inflexible au sujet de Vienne, même après ma petite lettre. Elle m'a dit qu'il était également temps que je rencontre mes grands-parents et que je célèbre mes racines autrichiennes.

– Tu es à moitié autrichienne après tout, ne l'oublie jamais. Et puis, j'en ai marre de Paris, de cette pluie incessante !

Elle n'arrête pas de comparer Vienne à Paris en me disant combien Vienne est plus agréable. Je dois trouver une autre idée. Peut-être que Peter peut m'aider ?

20 octobre 1909

La situation s'aggrave. Quand j'ai demandé à Peter de m'aider, il a dit qu'il ne nous accompagnerait même pas à Vienne ! Je vais perdre non seulement ma meilleure amie, Loulou, mais aussi mon frère !

Chapitre 8

« Les cafés m'ennuient : descendre les escaliers est un désagrément. Peindre et dormir, c'est tout ce qui compte. » – Henri de Toulouse-Lautrec

New York, 10 juin 1988

Les tours jumelles : scintillantes d'or, baignées de soleil, elles se dressaient majestueusement dans le ciel du soir, symbolisant la richesse, le pouvoir et leurs dernières transactions artistiques. Le taxi jaune de Sophie, alias Lucy, et de Dimitri passa devant les gratte-ciel alors qu'ils se dirigeaient vers Brighton Beach, Brooklyn.

– Prête à rencontrer le reste de l'équipe ? demanda Dimitri en ouvrant la portière.

– Oui, dit-elle en claquant ses talons aiguilles rouges sur le trottoir.

Il était 22 h lorsqu'ils pénétrèrent dans le restaurant familial baptisé *Skovorodka* (*« Poêle à frire »*). Dès l'entrée, Sophie se retrouva en Russie : d'épais rideaux bordeaux habillant des murs jaune moutarde, des tables avec des verres à eau bleu céruléen et des serviettes pliées jaune vif, et, d'où le nom, des poêles à frire suspendues dans toute la pièce, ainsi que, dans le coin derrière le bar, des rangées de vodka. En suivant Dimitri vers la table, elle n'en croyait pas ses yeux.

Et il était là, fidèle à lui-même, exactement comme dans son souvenir du dîner de Chloé, ses yeux topaze intenses tels ceux d'un chat, ses abondantes boucles blondes ramenées en arrière, révélant la cicatrice qu'elle savait être celle laissée par Chloé.

– Jérôme ? Que diable fais-tu ici ? demanda Sophie. Je pensais que tu étais en prison.

– Vous vous connaissez ? interrompit Dimitri, perplexe.

– Oui, répondit Sophie. On peut dire que nous avons une ennemie en commun. Jérôme était plus ou moins marié à Vivian...

– Oh, waouh. Laissez-moi vous présenter Lucy, ma nouvelle recrue, et un ajout très précieux à notre équipe, interrompit Dimitri.

Ils saisirent la bouteille de vodka déposée sur la table, remplirent leurs verres et la saluèrent.

Sophie se tourna alors à nouveau vers Jérôme et lui dit :

– Quelle surprise et quel plaisir de te revoir !

– Oui, moi aussi je suis ravi de te voir. Mais je suis confus. Alors, c'est Lucy ? Ou Sophie ? Je te croyais en prison, à Rickers Island, non ? J'ai entendu dire que c'était l'enfer. J'étais dans une prison de merde à Paris, pas beaucoup mieux.

Sophie aurait aimé savoir ce qu'il était devenu, quand Dimitri la coupa :

– Sophie, asseyons-nous et parlons affaires. Nous préparons ce coup depuis un an, alors écoute bien. Je suppose que tu connais bien Jérôme. Comme tu dois le savoir, c'est un formidable photographe et une ressource très précieuse. Voici Aleksei, notre psychologue, Sergei qui s'occupe des systèmes d'alarme, le Chimiste et Ivan, notre impitoyable conducteur de cavale.

Ils hochèrent tous la tête et, d'après leur regard, il était clair qu'ils avaient de la sympathie pour elle, mais l'atmosphère était encore assez macho. Elle avait eu des clients russes à la galerie Caroll-Hill, en particulier Oleg, son oligarque russe préféré. Avec la décision de Gorbatchev de desserrer le joug soviétique sur les pays d'Europe de l'Est, un élan démocratique indépendant avait grandi. L'amitié entre Ronald Reagan et Gorbatchev avait contribué à mettre fin à la guerre froide et les États-Unis accueillaient de plus en plus de Russes.

Tandis qu'une jolie serveuse blonde à la taille fine et aux pommettes hautes servait les blinis, les pelmenis, le bœuf Stroganoff et le bortsch à table, Dimitri informa Sophie du projet. Il lui expliqua que le plan consistait à voler les dix œuvres d'art les plus importantes du musée d'Albi à minuit le 13 juillet 1988. Jérôme avait pris des photos là-bas pendant des mois et constaté la faiblesse du système de sécurité. Il parla de Mary Toss, sur le terrain à Albi depuis deux ans et qui se rendait quotidiennement au musée, faxant des informations sur les tours de garde, le système de ventilation et le directeur. Elle peignait aussi des faux tableaux de Toulouse-Lautrec et Dimitri lui avait expliqué qu'ils cherchaient des acheteurs pour les premiers.

– Mais la marque d'un vrai chat cambrioleur est son habileté à déplacer les trésors volés. Et c'est précisément là que tu interviens, ma chère Sophie. Après t'avoir vu vendre les Toulouse-Lautrec volés en 1982, j'ai été très impressionné. Maintenant, nous allons en avoir d'encore plus beaux.

– Je suis flattée, merci, souffla Sophie. Mais quel rôle joue Mary ?

– Nous essayons déjà de vendre certains de ses tableaux, intervint Jérôme.

Dimitri précisa qu'après avoir observé comment la célèbre galerie Knoedler avait réussi à vendre de faux Rothko, Pollock, etc., ils avaient pensé qu'ils pourraient faire de même, mais trouver des acheteurs s'avérait plus difficile qu'ils ne l'avaient prévu. Mary était apparemment très douée, se plongeant de manière obsessionnelle dans le style de Toulouse-Lautrec.

– Impossible de voir la différence avec un vrai, glissa Serge.

– Eh bien, si c'est vrai, alors je peux vous trouver les acheteurs.

– Je te montrerai à la maison. Elle nous en a déjà envoyé trois, que nous devons vendre avant notre départ. Nous pouvons espérer gagner jusqu'à un million. Mais nous n'avons encore rien vendu.

– Comment payez-vous Mary ? demanda Sophie.

– Elle touche des clopinettes et j'ai dû lui promettre de faire une exposition de ses propres œuvres pourries à Paris cet automne. Je continue à lui dire qu'elle doit trouver son style, avec un peu de chance elle abandonnera ce rêve, lâcha Dimitri en riant et en sniffant discrètement une ligne de cocaïne sur la table avant d'allumer une cigarette.

Sophie l'imita, il lui tendit le briquet et elle souffla la fumée en cercles délicats, avant de demander :

– Et la provenance ?

Aleksei se redressa, c'était son domaine.

– Personne n'aime être trompé, mais c'est impressionnant de voir combien de personnes se laissent berner par l'art. Les tableaux ont l'air authentiques et nous vendons les œuvres à des galeries ou à des acheteurs privés avec tout ce qu'il faut : la signature au dos, la date et la provenance, qui peuvent facilement être fabriquées. Les archives ne sont jamais parfaites, presque personne ne peut retracer l'histoire complète de la propriété d'une œuvre, du propriétaire actuel jusqu'à l'atelier de l'artiste. Tu serais surprise de constater à quel point la provenance est un mystère. Nous essayons même de faire inscrire l'un des faux de Mary Toss dans le catalogue officiel de Toulouse-Lautrec.

– Vraiment ? sourit Sophie, les yeux rivés sur ceux d'Aleksei, couleur aigue-marine. Ils doivent être bons. Faire entrer une œuvre dans le catalogue complet de ses œuvres authentiques, c'est quelque chose. C'est la bible. J'adorerais les voir.

– Le plus drôle, c'est la psychologie qui se cache derrière, l'état d'esprit des gens, ajouta Aleksei en fixant Sophie.

Il faudrait qu'elle fasse venir les acheteurs, des oligarques russes. Ensuite, elle devrait peut-être repérer les meilleurs Toulouse-Lautrec à voler.

– Jérôme, je peux voir tes photos ?

– Bien sûr, je te ferai savoir quels sont les dix tableaux que nous avons repérés.

– Super, je vous dirai si ce sont les meilleurs à emporter.

Sophie était dans son élément, elle avait déjà vendu tellement d'œuvres d'art. Elle pouvait aussi aider avec les faux de Mary Toss et avait de l'expérience avec les acheteurs qui souhaitent oublier les défauts. Lorsque les tableaux disposent d'une garantie d'authenticité fournie par un expert professionnel réputé pour ses compétences dans le domaine de l'art, ils s'en contentent. Le marché de l'art est notoirement non réglementé, ce qui lui a toujours plu. Heureusement, il n'existe pas de fondation internationale sérieuse pour la recherche en art, se disait-elle souvent.

– Eh bien, reprit Dimitri en se servant de la salade russe, nous n'attendons pas de toi que tu entres par effraction habillée en flic ou que tu conduises la voiture pour fuir, ça, les gars s'en chargeront. Mais nous avons besoin de tes acheteurs et de ton œil avisé.

Sophie prit une autre ligne de cocaïne et un shot de vodka, ce qui lui donna la confiance nécessaire pour poser la question la plus importante pour elle.

– Et comment on piège Vivian ?

– On en parlera plus tard, chérie. Les garçons s'en fichent.

– Moi, ça m'intéresse, dit Jérôme en prenant Sophie à part et en lui chuchotant à l'oreille.

– Génial, répondit Sophie. C'est un monstre, c'est exactement ce qu'elle mérite !

Chapitre 9

« Aller au café est bon pour le génie, et le café viennois est un classique. Freud avait son café préféré, tout comme Gustav Klimt. » – Eric Weiner

Vienne, 10 juin 1988

Je franchis le seuil du *Café Korb*, au cœur du 1er arrondissement, la vieille ville de Vienne délimitée par le grand boulevard de la Ringstrasse. De belles boutiques et des restaurants comme le *Schwarze Kameel* se trouvaient à deux pas et j'entendis la cathédrale Saint-Étienne sonner midi, alors que je cherchais une place pour travailler. Le *Café Korb*, de loin mon café préféré, était une institution viennoise depuis que Sigmund Freud y avait tenu ses réunions du mercredi au premier étage, et c'était le premier café avec une salle pour les dames, où les femmes pouvaient savourer une part de gâteau et un café sans être accompagnées d'un homme. Le décor rappelle les années 1960 mouvementées, très coloré, avec des lustres en verre Art déco et beaucoup de patine. Tapissé de photos de célébrités, tous d'anciens clients depuis l'ouverture du café en 1904, comme Sigmund Freud, Andy Warhol et Arthur Miller, il ne pouvait que m'inspirer. Je m'installai sur une chaise en bois et étalai mes papiers sur la table en marbre blanc. Des journaux étaient empilés sur une table voisine et l'ambiance animée. Les artistes et les intellectuels affluaient ici pour discuter, déguster du goulasch et du strudel aux pommes, mais surtout pour assister à des conférences ou des spectacles passionnants. Le salon d'art au rez-de-chaussée était le lieu où se déroulaient les représentations et les lectures de livres.

Je devais terminer mon chapitre sur l'attirance de Toulouse-Lautrec pour les marginaux, depuis les prostituées jusqu'aux phénomènes de cirque. D'abord, il y avait eu Jane Avril, battue par sa mère et souffrant de la danse de Saint-Guy, une maladie entraînant des tics faciaux. Peu après, alors que j'écrivais sur le séjour de Toulouse-Lautrec dans le studio de Fernand Cormon à Montmartre et sur son amitié avec Vincent Van Gogh, je sentis une main se poser sur mon épaule.

– Vivian Aigner ?

– Oui, pourquoi ? demandai-je en sursautant.

L'homme avait l'air effrayant.

– Je suis un grand fan de vos livres et je me demandais si vous accepteriez de me signer un autographe.

Je griffonnai mon nom en frissonnant légèrement et fus soulagée de voir l'homme repartir. Comment connaissait-il mon nom ?

Je me replongeai dans l'écriture : la date limite approchait. La doyenne avait accepté de publier mon livre aux Presses universitaires, mais je devais avoir terminé avant la fin de l'année.

Au bout d'une heure environ, la Grande Dame, Susanne Widl, entra. Elle était vêtue d'une robe colorée, de hauts talons rouges, et sentait divinement bon.

– J'ai adoré votre dernier livre, dit-elle en le brandissant devant moi. Ce que je préfère, c'est votre élaboration autour de la lettre *J'accuse* d'Émile Zola. Ont-ils trouvé le tableau de Maurice Danet le représentant en prison ?

– Dieu merci, ils cherchent toujours. Les voleurs n'ont pas encore été attrapés, mais une piste conduit l'équipe de recherche à New York, ai-je dit en jetant un coup d'œil à ma montre.

J'étais déjà en retard et m'excusai poliment.

Je quittai le *Café Korb* à vive allure, passant devant l'école d'équitation espagnole, songeant au magnifique spectacle d'équitation classique de la Renaissance que j'avais pu y admirer le mois dernier ; puis la bibliothèque nationale autrichienne, mon lieu de retraite privilégié, le palais de l'empereur situé dans le magnifique jardin où j'admirais la statue historique en hommage à Mozart, et traversai l'Opernring, tournant dans la Elisabethstrasse. Peu après, mes pas débouchèrent sur la Schillerplatz, un rappel constant du pouvoir des écrivains. Pour la première fois, ce n'était pas un Habsbourg, un souverain ou un monarque, mais un artiste qui dominait une place publique. L'étonnante statue en bronze de l'écrivain Schiller se dressait sur un piédestal en granit. N'importe lequel de ses livres ou pièces de théâtre, comme *Les Voleurs*, aurait pu être choisi, mais les quatre âges du poème de Schiller « Le chant de la cloche » ornaient la statue à chaque coin.

Les couloirs de l'Académie des beaux-arts de Vienne étaient vides, mais je fus surprise d'entendre des voix animées sortant de la salle de réunion de la doyenne. Je frappai et entrai alors que la doyenne et le professeur Mhost riaient tous les deux avec un sourire complice et vicieux.

– La police est venue ici pour enquêter, professeur Aigner. Ils m'ont parlé de la lettre. Je ne pense vraiment pas que ce soit une bonne idée que vous alliez à Albi.

Mon cœur se serra dans ma poitrine. Le visage du professeur Mhost traduisait une impression de *Schadenfreude*. Qu'est-ce que ce connard pouvait bien faire ici ? Il me hanterait pour toujours. Je ne m'étais vraiment pas attendue à le voir.

– Madame la doyenne, m'exclamai-je aussi poliment que possible, Professeur Mhost. Quelle surprise ! Oui, il est vrai que j'ai reçu une lettre, mais la police m'a rassurée en me disant qu'elle était simplement destinée à m'intimider et qu'il n'y avait pas de réel danger.

Il devait être possible de mettre de la distance entre lui et moi, de l'empêcher de m'énerver dès qu'il ouvrait la bouche. Comme une souris devant un chat, je cherchais un trou pour me dérober.

Il ne me quittait pas des yeux et me regardait de haut. Cet homme grand, mince et chauve avec ses yeux de Raspoutine. Impossible qu'il restât un seul cheveu sur sa tête, il devait être tonsuré maintenant.

– Professeur Aigner, ce n'est pas une discussion. Vous n'irez pas.

– Mais c'est essentiel pour mon livre, rétorquai-je. Il y a là-bas les tableaux de ma grand-mère que je dois analyser, et Guillaume de Toulouse-Lautrec va parler aussi.

– Je peux la chaperonner, madame la doyenne, veiller à ce qu'elle soit en sécurité.

Il rit un peu trop fort ; les autres professeurs entendaient tout dans la salle d'à côté et les étudiants affluaient.

– Vous feriez cela ? demanda-t-elle.

La nervosité m'envahit quand la doyenne me dévisagea.

– D'accord, reprit-elle, c'est important pour votre livre, je suppose. Alors, Professeur Aigner, où en êtes-vous ? La date limite de remise est fixée à Noël.

Je lui annonçai qu'elle l'aurait en novembre et quittai son bureau, furieuse. Au moins, je pourrais aller à Albi. Mais accompagnée du professeur Mhost, l'auteur probable de la menace de mort, en guise de chaperon ? Cela ressemblait à une mauvaise blague. Je rentrai chez moi en courant pour me défouler.

Pendant le dîner avec Tante Margot, je réfléchissais toujours à l'horrible perspective de ce voyage avec le professeur Mhost.

– Je n'arrive pas à croire que ce type me harcèle !

– Ne sois pas si dramatique, ma chérie. Tu peux l'ignorer un peu pendant que tu fais des recherches pour ton livre.

– Il va probablement essayer de me dissuader de continuer ce projet, comme il l'a fait avec ma thèse sur Maurice Danet, répondis-je en buvant une gorgée de vin rouge et en me rappelant mes journées londoniennes.

– Alors, tu dois simplement protéger ton processus de travail, conclut-elle fermement en avalant une bouchée de son steak saignant.

– Ce type, c'est vraiment la pire chose qui me soit arrivé dans la vie. Il ne sait même pas parler correctement l'allemand et aux dernières nouvelles, il serait apparemment devenu un expert en art. En tant que professeur, il fournit des certificats d'authenticité pour les peintures de Toulouse-Lautrec. La doyenne est très impressionnée. La maison de vente aux enchères *Dorotheum* n'était pas sûre de l'authenticité du tableau *La Danse* et il a dit qu'elle était solide. Curieusement, ils en ont exposé deux autres pour leur prochaine vente aux enchères, que le professeur Mhost pense être des faux.

– Vraiment ? Et vérifie-t-il aussi la provenance des toiles pour d'autres artistes ?

– Pas sûr, mais il est en contact avec toutes les grandes galeries de Vienne et on le voit à tous les cocktails. C'est un vrai papillon social, les Autrichiens semblent l'adorer. Il s'est fait en un rien de temps de nombreux amis haut placés. Personne ne semble connaître son vrai visage.

Tout en faisant les cent pas dans la cuisine, j'expliquai à Margot qu'il semblait travailler avec une Mexicaine, une certaine Gloria Gonzales qui lui fournissait de vrais Toulouse-Lautrec…

– Il est incroyable, ajoutai-je, les larmes aux yeux.

– Ne t'inquiète pas Vivian, essaie de ne pas trop lui parler et concentre-toi sur ton travail. Il veut sûrement te soutirer des informations à toi aussi. Et puis, évite de t'attirer des ennuis.

Le voyage arrivait bientôt, je devais me préparer. Je décidai de commencer à organiser mes affaires et d'emporter mon Walkman – pas question de discuter avec le professeur Mhost sur le trajet.

Chapitre 10

10 novembre 1909

Il pleut sans cesse et Peter travaille la plupart du temps à la maison. Chaque jour, quand je rentre de l'école, un ou deux de ses amis artistes sont là et peignent avec lui. Heureusement, les trous béants sur les murs dus à la vente des œuvres de mon père et d'autres impressionnistes par Charlotte commencent à se combler grâce aux toiles de Peter et de ses copains. Aujourd'hui, Picasso était ici pour peindre avec Peter, et il m'a vu écrire dans mon journal. Il m'a dit que je devrais y glisser des histoires sur lui, car il va forcément devenir célèbre. Il m'a demandé si j'aimais le bleu, en me disant qu'après la mort de son ami Carles Casagemas, il était si triste qu'il ne peignait qu'en bleu et bleu vert. Il veut que j'aille visiter son atelier, pour me montrer ses peintures, mais Peter m'a dit plus tard que je ne pouvais pas y aller seule.

11 novembre 1909

Aujourd'hui, Peter nous a emmenées, Loulou et moi, au Jardin des Plantes. C'est mon parc favori. Je ne sais pas ce que je préfère : l'entrée avec la fontaine au centre, la galerie de l'évolution où des centaines de spécimens sont exposés, comme d'énormes squelettes de dinosaures, ou le magnifique labyrinthe juste devant, suivi du zoo avec tous ses animaux exotiques. J'adore le puma. Loulou avait mis un manteau de fourrure sombre et un chapeau. Peter l'a complimentée et lui a dit qu'elle ressemblait à un petit chérubin avec ses boucles blondes qui dépassaient de son couvre-chef. Peter a apporté son chevalet et était enchanté de rencontrer Raoul Dufy, qui peignait Martin, l'ours polaire. Raoul Dufy, avec sa moustache et son complet, avait l'air d'un homme d'affaires et c'était amusant de le voir peindre Martin dans des nuances de rose vif. Martin est l'animal du zoo que Loulou et moi préférons, à l'exception du puma.

Dimanche 14 novembre 1909

– Je savais qu'elle était innocente, s'est écriée Charlotte en refermant le journal. Et de fait, elle vient d'être acquittée !

– Qui ? ai-je demandé.

– Ma chère amie Marguerite Steinheil, qui avait été accusée du meurtre de son mari Adolphe Steinheil, et de sa mère, Madame Édouard Japy – tous les deux étranglés à mort. Comment Marguerite aurait-elle pu le faire, alors qu'elle a été retrouvée bâillonnée et attachée à son lit ? C'est absurde !

– Les gens ont le don de mourir dans son entourage, est intervenu Peter. Par exemple, le président Félix Faure…

– C'était il y a dix ans, et de toute façon Marguerite n'a rien à voir avec cette histoire !

– Tu la défends parce que c'est une riche mondaine, a ajouté Peter.

Leur échange devenait si hostile que je suis allée dans ma chambre.

10 décembre 1909

Je suis allée au Louvre avec Peter aujourd'hui, car il veut peindre la Vénus de Milo. *Pendant qu'il étudiait la sculpture grecque blanche dépourvue de bras, je me suis promenée dans le musée en préparant une chasse au trésor pour Peter. Je suis passée devant* Les Noces de Cana *de Paolo Veronese. Le regard de Marie déborde d'une sagesse inquiète, comme si elle savait ce qui allait arriver à son fils. J'ai caché un indice derrière elle, c'était facile pour Peter de le trouver. Puis je me suis dirigée vers la* Mona Lisa. *Je suis toujours attirée par cette femme mystérieuse, qui semble me suivre du regard, où que je me trouve dans la pièce. Ce sourire imperceptible, un simple haussement des commissures des lèvres – Leonardo da Vinci l'a si bien saisi. Comme elle va me manquer lorsque je vivrai à Vienne.*

23 décembre 1909

Nous sommes arrivés à la « Ferme Saint-Siméon » hier et je suis heureuse qu'au moins, nous passions ce dernier Noël tous ensemble. Peter, Eugène Boudin, Alfred Sisley, Camille Pissaro et Claude Monet sont tous venus à la ferme à colombages entourée de vergers de pommiers. Pendant la journée, ils ont tous leurs chevalets alignés comme des arbres afin de saisir la vue du port. Sauf Monet, qui m'a peinte aujourd'hui. J'ai hâte de voir mon portrait lorsqu'il sera achevé. Le soir, nous nous asseyons au coin du feu et jouons aux cartes.

Le dîner de Noël était exquis ; le soir du Réveillon, nous nous sommes régalés pendant des heures d'huîtres, de homards, de dinde et de bûche. J'ai envie de fêter Noël ainsi pour toujours et je n'ai pas envie d'aller à Vienne.

19 janvier 1910

Aujourd'hui, il a encore plu des cordes. Malgré le mauvais temps, Charlotte a insisté pour que j'aille chez mon professeur d'allemand au quai d'Orsay. Quand elle est venue me chercher après, il pleuvait encore plus fort. Elle a regardé la Seine, qui montait à une vitesse incroyable.

– Mais que se passe-t-il ? a-t-elle demandé en regardant l'horloge de Notre-Dame qui indiquait 10 h 50 alors qu'il était déjà 16 h.

22 janvier 1910

Toutes les écoles sont closes, tous les magasins ont baissé leur rideau, tous les restaurants, bars et cafés sont fermés. Heureusement, nous sommes sur les hauteurs de Paris, à Montmartre, mais ceux qui vivent plus près du fleuve et sur des terrains plats ont dû monter sur leur toit et implorer de l'aide. Une grande partie de la ville est sous l'eau, et les gens fuient leurs maisons dans des bateaux. Les vivres sont rares et, aux dires de Charlotte, les prix s'envolent. Elle redoute que nous ne devions reporter notre déménagement à Vienne. Je suis folle de joie. La Seine est montée de plus de huit mètres et les berges sont submergées.

23 janvier 1910

Peter dit que c'est un épisode important de l'histoire et a voulu aller enquêter. Nous nous sommes faufilés dehors pendant que Charlotte faisait la sieste. Mais quand nous sommes arrivés au métro, il était fermé. Des tuyaux d'égout ont éclaté et les tunnels du métro se sont remplis d'eau sale et puante. Nous sommes partis à pied vers l'Opéra, mais nous n'avons pas pu y accéder, car les trottoirs et les rues sont en train de s'effondrer.

Peter a expliqué que l'inondation ne venait pas de la Seine, où les ouvriers se sont empressés de tapisser les berges avec des sacs de sable, mais que la majorité de l'eau s'est engouffrée dans les canalisations souterraines, qui ont éclaté. Maintenant, les maisons se remplissent d'eau et risquent de couler. Paris est privé d'électricité, de télégraphe et de téléphone, et la Seine est jaune et chargée de débris. L'île Saint-Louis est submergée.

27 janvier 1910

Aujourd'hui, Peter et moi sommes à nouveau descendus à pied de Montmartre pour voir les inondations. Nous ne sommes toutefois pas allés bien loin, car de nombreuses rues sont envahies par les eaux. Pour traverser, il faut avancer sur d'étroites planches de bois. Des policiers patrouillent en bateau et nous ont dit de repartir. Charlotte était furieuse quand nous sommes rentrés. Elle dit que les gens pillent, et que l'armée a été envoyée avec l'ordre de tirer sur ceux qui tentent de pénétrer dans les maisons et les magasins inondés.

Peter pense qu'elle est surtout furieuse parce que nous ne pouvons pas déménager à Vienne pour l'instant, car tous les rails sont sous l'eau, et les gares inondées. Youpi, j'espère que les inondations vont continuer ! Je ne veux pas quitter Paris.

28 janvier 1910

Aujourd'hui, dans le journal, j'ai vu une photo de Martin, l'ours polaire. Son enclos du Jardin botanique est recouvert de plus d'un mètre d'eau. On aurait dit qu'il essayait de s'en extirper ! J'aimerais pouvoir l'amener ici à Montmartre, mais Charlotte ne le permettrait sûrement pas.

Charlotte dit qu'il y a tellement de bateaux flottant partout que Paris ressemble à Venise, sauf que ça sent encore plus mauvais.

30 janvier 1910

Aujourd'hui, Peter et moi avons rendu visite à Rodin dans son atelier près des Invalides. Camille Claudel était là, et elle nous a raconté qu'elle avait été secourue en bateau dans son atelier du 19, quai Bourbon.

– Incroyable ! me suis-je exclamée.

– Non, ma chère, a-t-elle dit. C'était horrible.

1er février 1910

Charlotte fait et défait valises et cartons depuis des jours et elle est de très mauvaise humeur. J'essaie de cacher ma joie, mais j'espère secrètement que cette inondation ne s'arrêtera jamais et que nous pourrons rester vivre ici. Ce serait vraiment parfait pour moi. Je n'ai même plus à aller à l'école !

5 mars 1910

Aujourd'hui, il n'a presque pas plu et Peter m'a emmenée faire une promenade au bois de Boulogne, qui reste encore assez boueux. Mon frère était bien solennel, ce qui ne lui ressemble pas, il y avait quelque chose de différent chez lui. Il m'a demandé si j'avais aimé l'histoire de l'impératrice chinoise et je lui ai répondu que j'avais adoré. Nous avons ensuite beaucoup parlé de nos parents et il m'a expliqué que nous n'avions pas le même père.

Son père était un certain docteur Weller qui avait offert à Maman le même livre et d'autres cadeaux encore. Apparemment, notre mère avait passé du temps dans une sorte d'hôpital. Il m'a ensuite tendu un journal intime qui ressemble au mien.

– Maman avait aussi un journal intime, mais Francesca, s'il te plaît, lis-le en secret. Tu vas découvrir beaucoup de choses sur Maman dans ces pages. Tu dois me promettre de ne jamais le montrer à Charlotte !

Peter m'a fixée gravement et j'ai compris qu'il était très sérieux.

– Bien sûr, je le promets, ai-je répondu.

Charlotte était partie dîner avec un prétendant et Peter était en train de peindre. Je suis donc allée dans ma chambre, folle d'impatience.

Je me suis mise au lit et j'ai commencé à lire le journal. Déjà, dans les premières pages datées du 19 décembre 1887, j'ai découvert que Maman avait eu un frère jumeau appelé Peter qui s'était noyé dans le lac de Fuschl à seulement cinq ans. Ils avaient embarqué sur un bateau avec leur nourrice et leur maman était juste à côté de lui. Au lieu de la réconforter, sa mère l'avait tenue responsable et enfermée dans un hôpital où elle avait été hypnotisée et violée par son médecin. C'est ce même médecin qui lui avait offert la broche bleue.

À ce moment-là, j'ai entendu la porte s'ouvrir et j'ai vite refermé le journal de ma mère.

– Tu ne dors toujours pas ? a demandé Peter. Il est 3 h du matin.

– Je vais me coucher maintenant, mais je suis fascinée par le journal de Maman. Je ne savais pas qu'elle avait eu une vie si difficile.

Je me suis assoupie en pensant à l'hypnotisme et à la broche bleue.

Chapitre 11

« C'est ainsi que nous nous débattons, comme des barques contre le courant, sans cesse repoussés vers le passé. » – Francis Scott Fitzgerald

New York, 8 juillet 1988

La lettre avait dû bien faire flipper Vivian, se dit Sophie, un rictus sournois sur le visage. Elle était toujours impressionnée par la manière dont Dimitri avait volé les ossements et adressé la menace de mort. Même si ce braquage à Albi lui inspirait parfois des craintes, elle se sentait à jamais redevable envers Dimitri, comme obligée d'aller jusqu'au bout. Elle n'était pas sûre du déroulement prévu des opérations, ce qui lui occasionnait des insomnies. La dernière chose qu'elle voulait, c'était de finir encore en prison.

Elle se tenait près de la fenêtre, admirant le coucher du soleil entre les gratte-ciel, une coupe de champagne à la main.

– Le caviar arrive dans une minute. James est en train de préparer l'apéritif et le dîner, dit Dimitri.

– Rien ne presse, répondit Sophie.

La vie n'offrait que peu de certitudes, sinon celle d'avoir une durée limitée. Nous mourrons tous un jour et pour la plupart d'entre nous, la vie est une bataille quotidienne pour essayer de ne pas y penser, d'ignorer cette fatalité ou de vivre comme on roule à tombeau ouvert sur l'autoroute, en l'abordant à toute vitesse. Le dernier jour sur Terre de Vivian ne saurait tarder, mais Sophie allait s'amuser avec elle d'abord. Elle avait encore quelques tortures à lui faire endurer.

– Bien joué, Sophie, la vente a été rapide. Aleksei, Sergei et Jérôme seront impressionnés, dit Dimitri. Et quand je pense au Chimiste !

– D'où il sort, lui ?

– Il est bulgare. Un type calme, étrange, mais c'est notre homme clé, je te parlerai de lui une autre fois. Pour l'instant, nous méritons de célébrer cette victoire.

Le fax de confirmation arrivé une heure plus tôt trônait sur la table de la salle à manger entre leurs assiettes. Sophie avait surpassé les attentes de Dimitri en vendant un faux tableau de Toulouse-Lautrec peint par Mary : une belle acrobate posant sur un cheval blanc au galop, dans la série du Cirque.

– Nous recevons d'autres tableaux de Mary la semaine prochaine, reprit Dimitri.

– Super, je pense que nous pouvons les faire entrer dans le catalogue raisonné de Toulouse-Lautrec et aussi les proposer à quelques galeries et musées.

– Vraiment, tu crois qu'on peut duper les experts ?

– Laisse-moi faire, rétorqua Sophie en se frottant les mains.

– Tu es merveilleuse.

Il se pencha en avant et embrassa Sophie, le cœur battant la chamade.

– Calme-toi ! lança Sophie au moment où James, leur cuisinier, servait le ceviche d'oursins. Je dois dire que Mary est vraiment douée. Il faudrait des analyses médico-légales pour montrer que les tableaux sont faux et peut-être qu'ils pourraient même réussir cette épreuve. Sais-tu quel genre de peinture et de toiles elle utilise ?

– Je lui laisserai le soin de te répondre, tu la rencontreras bientôt. Et oui, elle est formidable et incroyablement productive. Elle travaille jour et nuit. Tu crois que nous pourrons vendre les Henri de Toulouse-Lautrec de Mary chez *Christie's* ?

– Oui, une fois qu'ils seront dans le catalogue raisonné, c'est sûr. Pour l'instant, je pense qu'il vaut mieux passer par des clients privés, voire des galeries, répondit Sophie en finissant son ceviche.

James se tenait déjà à côté d'elle, un steak saignant sur un plateau.

– D'accord, dit Dimitri en prenant une gorgée de vin rouge.

– Pourquoi Toulouse-Lautrec ? Parmi tous les artistes ? Mary est une spécialiste de lui en particulier ? C'est le seul peintre qu'elle aime ?

– Non, pas vraiment, mais ça fait longtemps que j'envisage un casse à l'étranger. Je voulais éviter les grandes capitales, comme Londres, Paris, Madrid, Vienne… alors j'ai cherché autour de moi de l'art haut de gamme. Je suis tombé par hasard sur ce petit musée à Albi qui expose des œuvres de Toulouse-Lautrec, dont certaines valent plusieurs millions.

– Comment en as-tu entendu parler ?

– C'est une histoire amusante, que le musée a voulu étouffer. Dans les années 1970, le responsable du musée a vendu des Edgar Degas volés et d'autres pièces par l'intermédiaire de l'institution. J'ai mis la main sur la marchandise.

Sophie éclata de rire – elle n'arrivait pas à croire qu'elle n'avait jamais entendu cette anecdote auparavant.

– Il y a mieux encore, poursuivit Dimitri en prenant une gorgée de vodka et en s'adossant à sa chaise. Sa femme était aussi impliquée.

– À la manière de Bonnie et Clyde... Mais qu'a dit l'État français ? Pour autant que je sache, le musée d'Albi est un musée municipal et national.

– En fait, il n'a jamais été officiellement au courant. Le conseil d'administration a étouffé l'affaire, probablement par peur que l'État estime cette petite ville de province incapable de gérer un musée. En tout cas, je me suis dit que c'était une bien belle cible et cet escroc s'est probablement assuré que le système de sécurité soit minimal.

– Ou suffisamment facile à craquer pour lui, intervint Sophie.

Dimitri ajouta que, même avant de connaître le directeur-escroc, il avait toujours été fasciné par ce petit homme au sang bleu, qui buvait, fumait et couchait à droite à gauche.

– Il est si différent de tous les autres. Il avait aussi une relation très spéciale avec son père et aujourd'hui : bam ! On vient de gagner cinq cent mille dollars ! C'est une chance que ton oligarque russe Oleg soit un tel amateur.

– Tu devrais faire sa connaissance un jour. Il a une collection remarquable et c'est loin d'être un amateur.

– Quelle chance ! Encore plus de ventes en perspective ! s'exclama Dimitri en prenant une bouchée de sa viande bien rouge.

– Oui, Mary est très productive ! Et si elle savait, elle voudrait avoir plus d'argent, dit Sophie en souriant.

– Elle peindra plus que le petit homme de son vivant. Quel dommage qu'il soit mort. Comment est-il mort déjà, Sophie ? J'oublie toujours…

– Eh bien, il a eu une attaque au château le 9 septembre 1901 à l'âge de trente-six ans et a été enterré dans le cimetière de Verdelais. C'est un cimetière sur le flanc d'une colline qui surplombe la basilique, avec la magnifique campagne en arrière-plan.

– Imagine les sublimes tableaux inédits que Mary va créer. Notre marché ! Tu la rencontreras sous peu.

– Oui, mais je garde un œil sur Vivian. Quand allons-nous à Albi ?

– Très bientôt, dès que j'aurai quelqu'un pour nous aider à dénicher un avion privé. Je veux qu'on puisse réfléchir et organiser tout ça en privé et aller directement à Toulouse.

– Je peux peut-être te filer un coup de main, j'ai juste besoin d'utiliser ton portable, conclut Sophie en savourant une gorgée de champagne.

Chapitre 12

1er mars 1910

Les découvertes que j'ai faites dans le journal de Maman ne m'ont pas du tout donné envie d'aller en Autriche. Je déteste la mère de Maman avant même de l'avoir rencontrée. Ce n'est peut-être pas gentil, mais je ne peux pas lui pardonner d'avoir envoyé ma mère dans un asile psychiatrique et de l'avoir rendue responsable de la mort de son frère. Je ne sais pas comment je vais réussir à continuer ma lecture dans le train ou à Vienne avec Charlotte qui me surveille tout le temps. Elle ne cesse de parler de mes grands-parents, je ne savais même pas qu'ils étaient encore en vie.

2 mars 1910

J'étais tellement triste de quitter Peter, Loulou, Marguerite et toutes mes amies.

Le dernier jour d'école, je n'ai pas du tout réussi à me concentrer. J'avais les larmes aux yeux. Loulou m'a offert une très jolie poupée russe et Marguerite un cheval en peluche. Je n'ai aucune amie à Vienne et je parle à peine l'allemand. Ça va être horrible.

Le pire, c'est de quitter mon frère Peter. Même si c'est dans ma chambre qu'elle était accrochée, j'ai aussi dû laisser derrière moi La Rose blanche. Charlotte a dit qu'il n'y avait pas de place pour la transporter dans le train et que comme Peter était maintenant seul, ce serait bien qu'il la garde.

– Penses-y, Francesca, c'est la meilleure chose à faire. Et c'est lui aussi qui est peint sur le tableau avec ta mère et il va devoir rester tout seul ici, rue Lepic.

Peter nous a accompagnées en calèche jusqu'à la gare de l'Est, car il a insisté pour me voir partir. Nous avons joué dans la gare et j'y ai caché quelques notes pour mon retour. L'Orient-Express était à l'heure et Peter est monté à bord pour m'installer. Il a admiré le luxe de la locomotive avec ses wagons-lits, son restaurant, son salon et ses compartiments à bagages, tous bleus.

– Regarde-moi ce salon, plus beau encore que notre séjour, un endroit idéal pour une petite chasse au trésor, Francesca, dit-il avec un sourire.

Quand le sifflet a retenti, j'ai su que le moment était venu.

J'avais tellement prié pour qu'il vienne avec nous. Nos adieux ont été déchirants, de nombreuses larmes ont coulé. Peter m'a dit à quel point il m'aimait.

– Je viendrai dès que je pourrai, m'a-t-il dit. Écris-moi dès que tu arrives à Vienne.

– S'il te plaît, viens maintenant ! l'ai-je supplié.

– Je ne peux pas, mais fais attention à Charlotte, et assure-toi qu'elle ne voit jamais le journal.

– Oui, lui ai-je promis.

Je l'ai vu courir à côté de la locomotive bleue aussi longtemps que ses jambes le lui ont permis. Que vais-je faire sans lui ?

C'est encore un cauchemar dont j'espère me réveiller ; contrainte de quitter Paris et de rouler vers l'inconnu le plus complet.

2 mars 1910

Le voyage était en fait très amusant, et je n'ai presque pas dormi. Il y avait tant à faire ! Le paysage changeait constamment et dans le salon avec banquettes et canapés, nous avons de nouveau croisé Simon Alfred von Oppenheim. Il a des affaires à Vienne, semble-t-il, et m'a appris à jouer au backgammon. Nous avons enchaîné les parties pendant des heures et j'ai gagné deux fois. Il m'a ensuite parlé des chaînes de montagnes et des pics quand nous avons franchi la frontière autrichienne. La nourriture était délicieuse et j'ai fini par dormir et quand je me suis réveillée, nous étions déjà arrivées.

12 mars 1910

Charlotte possède une élégante maison dans la Belvederegasse. 2, qui mène aux jardins du Belvédère. Elle m'a expliqué qu'au parc du Belvédère, il y a des cascades d'eau, des sculptures en marbre, un grand étang et des sphinx monumentaux. J'ai hâte de jouer là-bas ! J'espère qu'il y a une aire de jeux où je pourrai me suspendre à des barres, un énorme toboggan et des balançoires. J'adore me balancer en hauteur !

Nous prenons alors un chocolat chaud, qui a un goût différent ici, il est moins épais. Ça m'a donné le mal du pays et j'ai pensé à Peter, mais les biscuits au chocolat étaient délicieux. Deux biscuits avec une couche de chocolat au milieu. J'ai d'abord mangé le biscuit du dessus, puis j'ai léché le chocolat du milieu et enfin j'ai mangé le biscuit du dessous pendant que Charlotte me regardait et continuait à parler. Elle m'a expliqué que le mot « belvédère » signifie « belle vue », et c'est exactement ce qu'il offre, la plus belle vue de Vienne.

Charlotte m'a ensuite dit qu'en traversant le parc, on arrivait chez mes grands-parents qui possèdent le magnifique palais Weissenberg dans la Metternichgasse, près de l'ambassade d'Italie. En entrant chez Charlotte, j'ai été surprise par un immense tableau représentant un homme de grande taille avec des favoris en forme de côtelettes de mouton, debout à côté d'une superbe femme mince, aux épais cheveux châtains, portés en tresses enroulées autour de sa tête, et qui avait la plus petite taille que je n'aie jamais vue. Charlotte m'a expliqué que c'était l'empereur d'Autriche François-Joseph avec la défunte impératrice Sissi. J'ai été surprise d'entendre le nom « Sissi ». On aurait dit un nom de cheval. Quel drôle de prénom ! Apparemment, son vrai nom était Élisabeth et Charlotte a dit qu'elle était encore plus éblouissante en personne, mais qu'elle avait eu une vie franchement tragique.

J'ai dévoré un autre biscuit en écoutant Charlotte raconter que lorsque Sissi a épousé l'empereur, elle a vécu dans le château impérial avec la mère de l'empereur, qui la haïssait. Sa belle-mère lui a retiré ses enfants, convaincue qu'elle saurait mieux les éduquer. Sissi s'est donc réfugiée dans les voyages et a eu des admirateurs dans le monde entier, a expliqué Charlotte. Je ne suis très sûre de ce que ça veut dire et j'observe le grand escalier qui me donne des envies de glissades, mais Charlotte continue et dit qu'après le suicide de son fils unique Rudolph, Sissi n'a plus jamais été la même. Elle est devenue encore plus agitée et ne s'arrêtait plus de voyager. Lors de son dernier voyage fatal à Genève, elle a été poignardée par un anarchiste fou, en plein jour, le 10 septembre 1898. Maintenant, François-Joseph est seul sur le trône depuis plus de soixante ans. Apparemment, il voulait que l'une de ses filles lui succède et il est dévasté à l'idée que son neveu François-Ferdinand soit maintenant le plus proche héritier du trône. Après un autre biscuit, elle m'a dit que l'histoire était riche ici à Vienne. J'ai voulu prendre un autre biscuit, mais elle ne m'a pas laissé le prendre et m'a emmenée dans ma chambre où j'ai été surprise. Elle est si différente de ma chambre à Paris. Tout est rose : le tapis est rose, les rideaux sont blancs avec des roses partout et le lit à baldaquin est recouvert d'une couette rose. Comme ma couleur préférée, c'est le bleu, comme Charlotte le sait parfaitement, les larmes me sont montées aux yeux. Il y a des livres allemands, des jouets en bois et des poupées dans tous les placards et des vêtements neufs dans l'armoire. Sur le lit, une jolie robe avec un chapeau de paille que j'avais vu des Autrichiennes porter lorsque nous avons traversé Vienne en calèche en sortant de la gare. Je n'aime pas vraiment tout ça. Le pire, c'est que Charlotte m'a acheté beaucoup de vêtements autrichiens, car elle va donner mes affaires parisiennes. J'en ai pleuré, mais elle s'en fiche et m'a dit qu'elle ne voulait pas que je ressemble à un arlequin à l'école et qu'il valait mieux que je m'intègre.

– Je veux garder mes vêtements et retourner à Paris ! ai-je crié.

– Eh bien, c'est très ingrat de ta part. Je crois qu'il vaut mieux que tu te reposes maintenant jusqu'à ce que le dîner soit prêt.

Puis elle a quitté la pièce et je me suis laissée tomber sur le lit. Comme Peter me manque !

14 mars 1910

Nous avons rencontré mes grands-parents au Stefansdom, quand l'horloge a sonné midi de ses douze coups de cloche. Le marché était bondé d'étals de nourriture, des chiens couraient partout et il y avait plein de figurines à acheter à chaque coin de rue. Ils étaient déjà là à nous attendre, l'air très élégants. Ma grand-mère portait une grande broche en rubis sur son long manteau de soie et des boucles d'oreilles scintillantes. Mon grand-père était en costume.

Ils m'ont saluée froidement et j'ai été assez décontenancée. Comme Charlotte me l'avait demandé, j'ai embrassé la main de ma grand-mère et nous avons commencé à marcher. Mon grand-père avait les yeux plus pétillants et voulait me faire un cadeau immédiatement.

– Qu'est-ce qui te ferait plaisir ? a-t-il demandé.

– Rien, merci, ai-je répondu.

– Tu es bien comme ta mère, a observé ma grand-mère. Le portrait craché de Marie Anne, et la même ingratitude désagréable. Ton grand-père a juste voulu te faire un cadeau, tu devrais être heureuse.

J'ai fixé mes chaussures et lutté à nouveau contre les larmes quand Charlotte est intervenue :

– Elle a en fait une merveilleuse personnalité, notre petite Francesca. Il faut juste qu'elle s'habitue à Vienne.

– Et comment comptes-tu faire disparaître son horrible accent français, Charlotte ?

– Je m'en occupe, on va voir quelqu'un la semaine prochaine pour ça.

– Qui ? ai-je demandé, terrifiée.

Mes grands-parents sont tous les deux tellement effrayants. Je suis sûre que Maman a dû avoir une enfance malheureuse, même avant qu'ils ne l'envoient à l'hôpital psychiatrique.

15 mars 1910

Aujourd'hui, nous sommes allées au café préféré de Charlotte, le Café Korb. *J'adore cet endroit aussi, avec ses rideaux douillets, ses miroirs aux murs et ses belles dames qui prennent le thé avec de grands chapeaux à plumes.*

*La propriétaire, Amalie Korb, nous a accueillies et nous a dit que nous devrions acheter des billets pour la prochaine représentation d'*Aïda *de sa fille Jenny à l'Opéra de Vienne. Charlotte a accepté et a dit à Amalie combien elle était chanceuse d'avoir une progéniture à la voix divine. Nous avons monté les escaliers jusqu'aux toilettes pour dames, où Sabine, l'amie de Charlotte, nous attendait déjà. Nous avons commandé une part de* Sachertorte *et un chocolat chaud. La* Sachertorte *est l'un de mes plats préférés à Vienne. C'est un gâteau au chocolat si délicieux avec une fine couche de confiture d'abricots au milieu. Il est recouvert d'un glaçage au chocolat noir sur le dessus et les côtés, avec un cercle supplémentaire de chocolat pur sur le dessus, que j'aime manger en premier. Il est presque toujours servi avec de la crème fouettée. Alors que Sabine me regardait manger le cercle, elle m'a expliqué qu'il avait été inventé par Franz Sacher en 1832 pour le prince Metternich de Vienne. Puis elle s'est tournée vers la porte et a dit :*

– Comme j'aimerais être une petite souris et me faufiler dans la pièce d'à côté.

– Sigmund Freud parle très fort lors de ses réunions du mercredi, il suffit de tendre un peu l'oreille, a dit Charlotte en posant un doigt sur ses lèvres.

Charlotte m'a expliqué que Sigmund Freud était le fondateur de la psychanalyse, qui traite l'esprit de ses patients plutôt que le corps. Elle avait entendu dire que lors des réunions, l'un des membres présentait un exposé. Ensuite, on servait du café et des gâteaux et on fumait beaucoup de cigarettes et de cigares. Ensuite, une discussion animée s'engageait, mais Sigmund Freud avait toujours le dernier mot. Il se voyait comme un prophète.

Et en effet, Sigmund Freud était clairement audible, et j'ai frémi en repensant à Maman quand je l'ai entendu parler des remèdes contre l'hystérie, de l'hypnose et de sa théorie à ce sujet, de l'ego et du super ego. Il a vraiment l'air d'un monstre !

20 mars 1910

Charlotte et moi sommes allées déjeuner dimanche au palais Weissenberg, où vivent aujourd'hui mes grands-parents. Avant d'entrer, j'ai observé le portail surmonté d'une gargouille représentant un serpent ailé. Un majordome a ouvert la porte et nous a dit d'attendre dans le salon. Les murs étaient recouverts de peintures de Venise et des paysages. Deux chaises dorées, un grand canapé et un bureau en acajou. Je n'ai pas vu une seule photo ou portrait de mère, Peter ou moi-même.

Nous avons déjeuné dans la salle à manger, et ça a duré longtemps, car il y avait deux entrées, le plat principal, le fromage et le dessert. Ma grand-mère m'a dit que je devrais prendre des cours de danse classique pour améliorer ma posture et travailler mon allemand.

– Peut-être que des cours de chant pourraient aider ? Elle doit entraîner son oreille, elle s'améliorera peut-être plus vite, a-t-elle dit à Charlotte.

Une fois que nous sommes parties, j'étais soulagée, mais à ma grande horreur, Charlotte a annoncé que nous irions désormais déjeuner chez eux tous les dimanches.

25 mars 1910

Aujourd'hui, c'est le Vendredi saint et nous sommes depuis le début de la semaine chez Charlotte, au bord du lac de Fushl, où nous allons passer Pâques. J'aime encore moins Fushl que Vienne. Il n'y a absolument rien à faire et beaucoup de vent. Charlotte refuse que j'aille à l'école afin que j'apprenne l'allemand. Ma préceptrice d'allemand, Getrude Trappen, est venue ces deux derniers jours et elle est très sévère. C'est une langue tellement difficile.

En septembre, je commencerai l'école et j'espère vraiment que je me ferai des amis.

La seule chose que j'aime, c'est peindre. J'ai fait beaucoup de tableaux du lac,

qui semble receler tant de secrets. Je sais que je n'ai pas le talent de Peter, mais la peinture me détend et je me sens attirée par le lac. Charlotte m'a dit que lorsque nous serons de retour à Vienne, elle demandera à Gustav Klimt de me donner des cours de peinture, car il était proche de Maman.

10 avril 1910

Encore un déjeuner dominical chez mes grands-parents. Pour le dessert, il y avait aussi du chocolat chaud, que j'ai renversé par maladresse. Ma grand-mère s'est fâchée et m'a crié dessus.

Chaque fois que nous leur rendons visite, j'en ai froid dans le dos.

12 avril 1910

L'atelier de Klimt est en désordre, et il est tout à fait extravagant. Il passe beaucoup de temps à la campagne sur les rives de l'Attersee et aime aussi peindre les lacs. Il peint aussi des jardins, des arbres fruitiers et des champs plutôt que des personnes. Je trouve cela vraiment dommage, quand je pense à ses œuvres antérieures comme Le Baiser *et sa représentation d'Emilie Louise Flöge. Il m'a dit qu'il avait très bien connu ma mère et m'a tendu une grande boîte, qui contenait une collection de lettres qu'elle lui avait écrites, ainsi que des extraits de journaux intimes, des cartes postales et des croquis d'elle. J'en ai eu des frissons. Lorsque j'ai touché la boîte, je me suis demandé ce que j'allais découvrir sur mon incroyable mère. Enfin des souvenirs pour me rapprocher d'elle et me prouver à quel point elle était fantastique.*

18 avril 1910

Au petit déjeuner, Charlotte lisait le journal, comme tous les matins.

– Les émeutes de Champagne se poursuivent à Paris, a-t-elle soupiré.

– Qu'est-ce que tu veux dire ? ai-je demandé en prenant une bouchée de mon Brötchen, *un délicieux petit pain à la confiture de framboises.*

– C'est compliqué, ma chère, et ces événements ne surviennent pas sans prévenir, du jour au lendemain. Il y a eu des pertes de récoltes stupéfiantes, une invasion de phylloxéras, un puceron répugnant, tout ça a participé à la destruction des vignes. Au lieu d'aider les pauvres viticulteurs champenois, les Français ont commencé à importer du vin moins cher, et il semble que des viticulteurs champenois pourraient perdre leur gagne-pain. Je me demande comment le Gouvernement français va gérer ce dilemme et je suis bien contente que nous soyons ici en Autriche.

11 septembre 1910

Mon école, le Theresanium ou Académie de la reine Thérèse, est très majestueuse de l'extérieur, mais mes premiers jours là-bas ont été horribles. Je me suis rarement sentie aussi seule. Mes copines Loulou et Marguerite me manquent et les professeurs sont vraiment sévères. Ils n'arrêtent pas de taper leur règle en bois contre le bureau, exigeant du respect et de la discipline.

Très peu de gens parlent bien le français, et mon allemand n'est pas très bon. Tous les groupes d'amis sont déjà formés, et je redoute chaque pause. En classe, j'ai du mal à suivre. Pendant la récréation, je reste seule dans la cour. Un des professeurs m'a grondée parce que je pleurais. Quand j'ai expliqué que j'avais le mal du pays, j'ai été punie et on m'a dit de me mettre dans un coin.

Je vais écrire à nouveau à Peter, je me demande s'il va mieux. Dans sa dernière lettre, il me donnait d'horribles nouvelles : il a des problèmes d'argent et m'a dit que Charlotte ne lui a pas laissé grand-chose, si ce n'est notre appartement de la rue Lepic.

20 janvier 1911

J'ai essayé de parler à Charlotte de ce que j'endurais à l'école et j'ai même proposé de rester à la maison, avec un tuteur, mais elle était trop occupée avec ses robes. Elle est encore plus superficielle depuis que nous sommes à Vienne et a même glissé qu'elle cherchait un mari.

30 janvier 1911

Dix nouvelles robes de bal sont arrivées, dans toutes les variétés de tissus luxueux et toutes les couleurs, et elle ne cesse d'en changer, d'acheter sans cesse. J'ai l'impression qu'elle a gagné beaucoup d'argent en vendant les tableaux de Maman, ce qui ne me remplit pas de joie. C'était de l'argent destiné à Peter et à moi. Mais qu'est-ce que je peux y faire, moi ?

– La saison d'hiver est la plus merveilleuse à Vienne, s'est-elle écriée en prenant la robe rose clair sur le lit, et sa femme de chambre l'a aidée à l'enfiler. Il y a plus de quatre cents bals, avec des codes vestimentaires, une fanfare d'ouverture et l'arrivée des débutants. Mon moment préféré, c'est « Alles Walzer *», quand tout le monde est sur la piste et danse en symbiose.*

Une fois sa robe bien ajustée, elle s'est pavanée jusqu'au salon, a placé la Walzer *de Strauss sur le gramophone et s'est mise à danser.*

– Un, deux, trois, allez Francecsa. Courage, c'est Walzer *!*

Elle m'a pris les mains pour essayer de m'apprendre les pas, mais je n'étais pas d'humeur à me concentrer. Charlotte a complètement ignoré ce que je ressentais, elle est devenue très douée à cet exercice.

– J'ai hâte que tu sois une débutante, a-t-elle dit. Je vais t'acheter la plus belle robe. Tu seras la plus belle femme du monde. *

Je n'en pouvais plus et je suis allée dans ma chambre. Et quand on a sonné à la porte, elle m'a rappelée.

Une femme corpulente, tout de noir vêtue, venait d'entrer.

– Je te présente Petra, elle s'occupera de toi le soir, car je dois sortir souvent. Elle commence aujourd'hui. Je vais lui faire visiter les lieux, l'installer, et elle te rejoindra dans ta chambre dans une heure environ. Petra t'aidera aussi à faire tes devoirs et essaiera de corriger ton accent.

Ça a été la goutte d'eau qui a fait déborder le vase, j'ai acquiescé et me suis précipitée dans ma chambre. La situation ne pouvait plus être pire.

Je me sentais si seule et j'avais hâte de découvrir quelle était la véritable relation entre Charlotte et ma mère. Elles étaient cousines germaines et partageaient le même grand-père, mais la cousine Charlotte avait-elle été une véritable amie pour Maman ? J'ai fouillé dans la boîte que Klimt m'avait donnée. Mère semblait sensuelle et haute en couleur sur les croquis. L'un d'eux était couvert de pétales d'or. Et il y avait de nombreuses lettres. Peut-être pourrais-je en apprendre davantage sur mère grâce à ses lettres à Klimt.

16 octobre 1988

Cher Gustav,

J'aime vraiment passer du temps avec vous, mais je traverse une période traumatisante. Mon petit Peter est mort juste après mon accouchement, c'est du moins ce que dit ma mère. Tout ce qu'il me reste pour me souvenir de lui, c'est un berceau vide et une chaussette bleue. Je ressens un immense vide à l'intérieur de moi.

Je sens aussi que ma cousine Charlotte devient jalouse de notre relation. Avant de peindre un autre portrait de moi, pourriez-vous en faire un d'elle ?

Je vous prie d'agréer, cher Gustav, mes salutations distinguées,

Marie Anne

Chapitre 13

« Plus vous saurez regarder loin dans le passé, plus vous verrez loin dans l'avenir. » – Winston Churchill

Vienne, le 10 juillet 1988

Dans le taxi qui m'emmenait à la gare, je ne songeais qu'à cette menace de mort. Peut-être n'avait-il pas été sage de refuser la protection offerte par la police ? Était-ce fou de ma part d'aller à Albi ?

Le taxi s'arrêta devant la gare de Vienne Sud, dans le quartier de Favoriten, au sud-est de Vienne.

J'avais toutefois hâte de me replonger dans le journal de Francesca glissé au fond de mon sac, et j'avais pris soin de choisir un siège éloigné de celui du professeur Mhost.

J'entrai dans le bâtiment moderne et cubique et parcourus les alentours du regard, anxieuse.

Je me dirigeai vers le café quand quelqu'un me tapota l'épaule. Je tressaillis.

– Alors, vous aimez aussi prendre de l'avance ? me lança le professeur Mhost. Je suis là depuis un moment, je voulais m'assurer que nous serions assis ensemble. Par chance, j'ai réussi à obtenir un siège juste en face de vous.

Cet homme est une sangsue, songeai-je.

Peu de temps après, nous montâmes dans le train. Puisque Mhost était maintenant installé juste en face de moi, je ne pouvais pas lire le journal de Francesca. Pour éviter toute conversation avec lui, je sortis mon Walkman et optai pour *Les Quatre Saisons* de Vivaldi. Le train se mit en branle et j'admirais le paysage, les chaînes de montagnes couvertes de pins et les lacs clairs.

Je savais que je courais un grave danger. Le voyage aurait été plus agréable avec Tante Margot, mais je n'avais pas réussi à la convaincre de m'accompagner.

À notre arrêt à Francfort, le train se remplit. Je sortis mes biscuits au chocolat et un bel homme brun à l'allure d'artiste entra et s'assit dans notre carré à quatre sièges, au milieu de la voiture. L'homme était à peine installé que le professeur Mhost lui demanda :

– Vous êtes de Francfort ?

– À l'origine oui, mais je vis à Berlin, dit l'homme avant de se présenter – il s'appelait Steven. C'est fou ce qui se passe là-bas avec la division de la ville. Je suis allé à un concert de David Bowie l'année dernière, et plusieurs personnes de Berlin-Est y ont aussi assisté. C'est comme ça que les émeutes ont commencé et depuis, les Allemands de l'Est ne cessent de se faufiler pour profiter de l'air libre. L'Union soviétique s'effondre enfin. Je pense que nous pourrons bientôt abattre ce mur. L'art exprimé sur cette frontière sera très précieux un jour. Tout le monde voudra avoir un morceau du mur de Berlin !

– Mais les communistes ne montent pas la garde ? demandai-je, pensant que Steven aurait pu aussi bien être grec – il avait un air méditerranéen.

– Si, bien sûr, il y a le couloir de la mort avant qu'ils ne puissent sortir. Des mines antipersonnelles, des chiens d'attaque, des fils barbelés et des policiers prêts à tirer et à tuer tous ceux qui veulent s'échapper... Mais vous ne pouvez pas imaginer à quel point les gens sont devenus créatifs. Ils creusent des tunnels, traversent à la nage le canal glacé de Teltow, volent dans des avions ultralégers ou dérobent des Panzers et foncent directement à travers le mur ! Une fois de l'autre côté, ils découvrent pour la première fois le chocolat et les bananes, qu'ils n'ont jamais vus auparavant.

– C'est incroyable. Comme ça doit être étrange de vivre dans une ville coupée en deux, intervint le professeur Mhost.

– Oui, je suis tellement impatient que Berlin soit à nouveau unie. Bonn n'est pas la meilleure capitale. Mais si vous écoutez Honecker, il vient d'annoncer que le mur existera encore dans cinquante et même cent ans. Je ne suis pas d'accord, notre chancelier Helmut Kohl fait tout pour le démolir. La réunification de l'Allemagne, c'est l'héritage qu'il veut laisser. J'ai travaillé sur une série de murs dernièrement, pour faire écho à ce moment historique.

– Vous êtes un artiste ? m'enquis-je.

– Oui, j'aime beaucoup le style de Jean-Michel Basquiat et le street art. Je suis à fond sur les contemporains. J'ai tagué certaines de mes œuvres sur le mur. Berlin a une super scène artistique *underground*. Les artistes aiment aussi transformer leurs studios en bars.

– Et les impressionnistes ? Vous aimez Toulouse-Lautrec ? demanda le professeur Mhost.

– Oui, il était tellement excentrique. Vous en savez beaucoup sur lui ?

– Oui, en effet.

– Parlez-moi donc de lui.

Le professeur Mhost se redressa, ravi de partager toutes ses connaissances.

– Un véritable excentrique, tout comme son père. C'est votre jour de chance, Steven, posez-moi n'importe quelle question, je connais tout du petit homme. Nous nous rendons à une conférence à Albi avec tous les experts internationaux de Toulouse-Lautrec. Une bien belle réunion, si vous voulez mon avis.

– Intéressant, mon amie Mary est elle-même passionnée par Toulouse-Lautrec. Est-ce que c'est ouvert au public ? Je suis sûr qu'elle aimerait y assister.

– Pas vraiment, c'est réservé aux professionnels et à ceux qui prétendre l'être, dit-il en me désignant.

Je fulminais. Même si je trouvais Steven tout à fait à mon goût, je préférais rallumer mon Walkman, faire semblant de ne rien entendre, tout en nous imaginant coucher ensemble, juste ici.

Ils bavardèrent pendant des heures et je m'assoupis en pensant à *La Clownesse assise* et aux autres tableaux qui avaient appartenu à Francesca et que je pourrais enfin revoir au musée Toulouse-Lautrec. Maman aussi avait aimé ces tableaux et aurait été dévastée d'apprendre que Markus les avait vendus. Ça avait été tout simplement horrible de le voir continuer à vendre des œuvres d'art pour acheter à Kirsten des vêtements et des bijoux de marque onéreux. Ironie du sort, Kirsten s'était ensuite lancée dans l'art et avait créé la galerie Caroll-Hill, qui vendait des œuvres volées et contrefaites. Mais Markus n'avait pas appris sa leçon et sa seconde ex-femme Sybille avait eu des goûts encore plus dispendieux. Finalement, Markus avait même dû vendre le palais Weissenberg pour répondre aux exigences folles de Sybille – tout ceci avait probablement provoqué sa crise cardiaque.

Puis je repensais à mon livre et à la conférence. Il serait intéressant d'écouter le descendant de l'artiste, Guillaume de Toulouse-Lautrec : il apporterait sûrement de nouvelles idées que je pourrais exploiter. C'était vraiment curieux que le professeur Mhost soit aussi en pleine écriture d'un livre sur Toulouse-Lautrec, songeai-je en le dévisageant. Était-ce lui qui avait rédigé la lettre ?

Le train fit un arrêt à Lyon et de nouveau des voyageurs montèrent, tandis que d'autres descendaient.

Une mère entra avec son bébé en pleurs. Comme je trouvais les bébés agaçants. Les chiens étaient faciles à satisfaire et beaucoup moins pénibles. Je priais sans cesse pour qu'elle sorte à la prochaine station et je me tournais vers la fenêtre.

– Pourriez-vous le tenir une seconde, s'il vous plaît ? demanda la jeune mère.

Je fis semblant de ne pas entendre ; est-ce qu'il y avait écrit « baby-sitter » sur mon front ? Aussitôt, j'entendis les reproches de ma tante Margot dans mon oreille.

– Bien sûr, dis-je en prenant le diablotin.

Le professeur Mhost éclata de rire et même Steven se sentit obligé de sourire.

– Ça vous va bien, lança Steven.

Comment pouvais-je avoir aussi peu de chance ? J'aurais pu être en train de flirter avec Steven et me retrouvais là avec un petit morveux sur mes genoux – au moins avait-il arrêté de pleurer. Il devait y avoir un moyen de sortir !

– Où allez-vous ? demandai-je

– Albi. Je rends visite à ma tante.

– Oh, mais quel hasard ! nous interrompit le professeur Mhost. Nous aussi nous allons à Albi.

Puis Steven se tourna vers moi et nous discutâmes de son art. Il avait étudié à Londres avant de s'installer à Berlin et s'intéressait plus particulièrement à l'art contemporain ; outre Basquiat, il admirait Kenny Sharf, Andy Warhol et Jackson Pollock. Il me raconta combien il avait été dévasté par la mort d'Andy Warhol l'année précédente. Il baissa les yeux vers le sol, et j'en profitai pour lui demander si nous ne pourrions pas manger un morceau ensemble dans la voiture-bar à côté. Steven acheta des tonnes de frites et une bouteille de rosé, nous nous assîmes pour parler d'art et il me fit beaucoup trop de compliments. Je ne sais pas si c'était le stress de la présence du professeur Mhost, mais Steven débordait de charme, ce qui me poussa à faire un truc que je n'aurais jamais fait habituellement – nous nous retrouvâmes dans les toilettes pour la meilleure partie de jambes en l'air de ma vie.

Peut-être les artistes cités plus tôt me firent-ils penser à l'ex-femme de Markus, Kirsten, dont la galerie Carol-Hill avait vendu des œuvres. Margot m'avait dit qu'elle s'était suicidée en prison. Je pensais alors à Sophie, qui devait probablement sortir de prison bientôt.

Lorsque nous revînmes à nos sièges, le professeur Mhost nous fixa d'un regard soupçonneux. J'avais l'intention de faire comme si de rien n'était et demandai à Steven en passant* :

– Vous connaissez la galerie Caroll-Hill ?

– Oui. En fait, j'ai rencontré la fille, Sophie, à Londres et je rêvais d'être représenté par eux, mais ensuite j'ai entendu parler de leur commerce d'art douteux. Elles ont fini en prison, non ? Tu la connais ?

– Vaguement, répondis-je.

Une voix annonça l'arrivée imminente du train à Toulouse. Là, nous devions changer de train pour rejoindre Albi, à une heure de là.

– Je dois retrouver mon amie Mary Toss à Albi, expliqua Steven. Elle te plairait, elle est comme toi, folle de Toulouse-Lautrec. Où est-ce que vous logez ? Je vais vous présenter.

– Excellente idée, interrompit le professeur Mhost. Nous logeons à l'*Hôtel du Vigan*, au centre de la plus charmante place d'Albi, mais Vivian sera terriblement occupée, et vous semblez avoir déjà une petite amie.

Steven s'esclaffa.

– Mary et moi ne sommes pas en couple, répondit-il en me regardant droit dans les yeux, et je sentis une vague de chaleur envahir mon corps.

Je souris et griffonnai les coordonnées de l'hôtel sur une serviette en papier : *16, place du Vigan, 05 63 43 31 31.*

– Je t'appelle, conclut Steven en descendant du train.

Chapitre 14

« Je vois constamment de nouvelles choses. Je suis toujours enthousiaste. Je suis une tornade à moi tout seul. » – Kenny Scharf

New York, 10 juillet 1988

Il faisait humide et chaud quand Sophie descendit l'avenue A, consciente de sa tenue lorsque les sans-abri, les dealers et les punks se mirent à reluquer son sac Chanel. Elle regarda droit devant elle et passa devant Tompkins Square, pratiquement envahi par des squatters. Plusieurs voitures de police approchaient, et Sophie accéléra le pas en voyant l'escalade de la violence. Le major Ed Koch était un souverain coriace et les autorités se sentaient investies de pouvoirs exceptionnels. Un policier frappa au visage un homme manifestement drogué qui tomba au sol, du sang coulant de la bouche. Satan était à l'œuvre. La scène la fit penser à Vivian et à la façon dont elle allait mourir : trois balles, une dans le cœur, une dans la tête et une dans l'estomac. *La Rose blanche* et le palais Weissenberg seraient enfin à elle.

Ce n'était pas la première fois que Sophie assistait à une telle altercation ; elle ne ressentait aucune pitié pour le gars et sourit même au policier. Elle ne voulait simplement pas être une victime collatérale. Certains policiers paniquaient et s'en prenaient également aux passants qui n'avaient rien fait de mal et se contentaient d'observer. Sophie était pressée d'arriver à sa destination. Quelle idée stupide d'être venue à pied, elle aurait dû prendre un taxi. *Courage, plus que quelques rues.*

Sophie franchit le seuil d'un bâtiment quelconque de la rue Lafayette, aussitôt transportée dans un monde tropical à mille lieues de Manhattan. Le décor joyeux et élégant et la douce anticipation de qui pourrait être là ce soir lui remontèrent le moral. Elle attira de nombreux regards avec sa minijupe en cuir et son étole en renard argenté, qu'elle chérissait désormais. Le rythme lent de ses longues jambes l'incita à prolonger ce moment, mais il lui fallait aussi identifier les artistes en vogue de la ville, ce qui n'était pas une mince affaire dans une telle pénombre.

Summer of '69 passait sur les enceintes et Sophie chercha du regard Bryan Adams. Elle avait flirté avec lui la dernière fois et avait envie de rendre Dimitri jaloux.

Lui était déjà assis près du bar d'où il observait la scène et son cocktail en train d'être préparé. Il fumait une cigarette, lèvres entrouvertes, et soufflait des cercles blancs pour attirer Sophie vers lui. Une autre forme est sortie de sa bouche et la fumée grise a pris la forme d'une licorne, l'une de ses marottes préférées. Magicien dans l'âme, il avait de nombreux tours dans son sac.

– Notre table sera prête dans quelques minutes. Un Dry Martini ? demanda-t-il avant d'embrasser Sophie à pleine bouche, tout en sensualité.

– Oui, secoué, pas à la cuillère. Tu n'as pas idée du désordre qui règne à Tompkins Square ce soir, et la police perd les pédales.

– Qu'as-tu manigancé avec les flics ? Tu les as charmés ?

Sophie acquiesça en pensant à son vol…

Puis elle sourit – la musique se fit plus douce et la tendre voix de Whitney Houston demandait qui voulait danser.

– Eh bien, tu es vraiment ma James Bond girl. Soph, Indochine fait un tabac ce soir, regarde par là-bas. Tu veux un peu de coke ?

– Est-ce que le pape est catholique ? répliqua-t-elle avant d'entonner « *I wanna dance with somebody, somebody who loves me* ».

Sophie prit la fiole dorée des mains de Dimitri, se rendit aux toilettes, porta la petite cuillère à son nez et renifla la poudre blanche ; tout cela en un clin d'œil. Sa vision se clarifia instantanément et, en revenant vers Dimitri, elle repéra la table des célébrités avec Julian Schnabel, Jean-Michel Basquiat et Kenny Scharf.

– C'est notre nuit de chance, allons donc les voir un peu plus tard. Nous avons déjà représenté Kenny Scharf, il me facilitera l'entremise, dit Sophie en établissant un contact visuel avec le bel amoureux de *Quand les Jetson rencontrent les Pierrafeu.*

Kenny la salua de la main en regardant Dimitri et lui fit signe de les rejoindre.

– C'est une bonne nouvelle. Je veux que Mary imite son travail par la suite, quand on en aura fini avec Toulouse-Lautrec. Tu as des nouvelles concernant l'avion ?

– Eh bien oui, c'est faisable dans deux jours. Mais j'ai dû parler à Oleg de notre braquage et j'ai promis de lui garder les meilleurs tableaux. Mais tout est prêt, c'est l'heure de s'envoler en jet privé. Tu as raison, c'est le seul moyen de rejoindre Albi directement.

– Dis donc, parle-moi de Kenny. Il semble avoir un œil sur toi. Il n'arrête pas de te mater, dit Dimitri, agacé.

Sophie sourit à son tour à Kenny, le salua, mais attrapa les mains de Dimitri.

– Il serait probablement encore plus heureux de te parler à toi !

– Qu'est-ce que tu veux dire ?

Sophie baissa la voix, se pencha vers Dimitri et lui expliqua :

– Il est homosexuel, il préfère les hommes. J'espère vraiment qu'il ne tombera pas malade comme Andy Warhol. Cette nouvelle maladie terrible, le sida, est fatale et entraîne la mort prématurée de tant de talents. Je crois que Kenny est toujours dévasté par la mort d'Andy, on dirait même que son esprit est parmi nous ce soir. Il aurait fait partie de cette équipe. Allons le saluer.

Ils se frayèrent un chemin vers la table des artistes où Kenny monologuait :

– J'ai toujours pensé que ce serait bien de faire un lavage de voiture artistique. Le concept, ce serait d'aller faire laver sa voiture, mais pendant qu'on attend, on aurait le droit de déambuler dans le couloir et regarder les voitures qui passent par la fenêtre, et les expositions pourraient être régulièrement renouvelées.

– Excellente idée, dit Dimitri, j'achète !

Toute la table éclata de rire. *Invisible Touch* de Phil Collins retentit dans les haut-parleurs et les artistes se serrèrent pour leur faire une place.

Sophie laissa Dimitri s'asseoir, pensant que ce serait lui qui mènerait le mieux cette danse, et se rendit aux toilettes. Un couple faisait l'amour contre le lavabo. La blonde avait soulevé sa jupe et Sophie fut amusée de les surprendre en flagrant délit. Elle les observa et repensa à son Dimitri et elle sur la table de la cuisine juste après le petit déjeuner.

Puis son esprit se tourna vers cette frigide Vivian, qui n'avait sûrement jamais fait l'amour dans des toilettes ou même ailleurs que dans un lit, et à la meilleure façon de la tuer. D'abord, elle allait la torturer. Récupérer *La Rose blanche* était un bon début, puis la tuer lentement à Albi, avant de transformer le poussiéreux palais Weissenberg en une galerie ultramoderne Caroll-Hill en mémoire de sa mère. Vivian avait tout gâché, mais le pire, c'était que sa mère s'était suicidée à cause d'elle !

Quand Sophie revint à la table, Dimitri était le centre d'attention et Kenny pratiquement assis sur ses genoux. Il fut soulagé de voir Sophie, l'attrapa, et ils rejoignirent leur table. Puis l'alcool se mit à couler à flots.

– *Lyubov Moya*, trinqua Dimitri.

– Quoi ?

– *Lyubov Moya*, ça veut dire « mon amour » en russe. Il est temps de pratiquer le russe, avant que tu ne te retrouves coincée avec nous tous dans l'avion. Oleg ne t'a rien appris ?

– À propos du marché de l'art oui, du russe ? Non. Oh mon Dieu, Roman a vraiment perfectionné sa recette du Martini ! dit Sophie en commandant une autre tournée.

– Oui, *Krasota*, c'est bien vrai. « *Krasota* » signifie « beauté », et bien joué ma *Krasota* d'avoir trouvé l'avion. Plus que deux jours.

Ils enchaînèrent quelques Martinis de plus avant de passer à des shots de vodka. Peu de temps après, Sophie dansait sur la table, Dimitri regardant sous sa jupe courte. Elle ne portait pas de sous-vêtements.

Chapitre 15

10 février 1911

Charlotte a demandé à Petra de me lever tôt ce matin, précisant que je devais me dépêcher, car elle avait une surprise pour moi. Je me suis aspergé le visage d'eau et me suis habillée à la hâte, avant de descendre les escaliers en courant. Charlotte était debout devant la porte d'entrée, rayonnante. Elle m'a dit de fermer les yeux, puis m'a fait sortir. Lorsque j'ai ouvert les yeux, j'étais submergée de joie. Devant moi se tenait un magnifique poney de race noire aux pieds blancs.

– Il s'appelle Lustig, m'a-t-elle dit.

– Charlotte, il est magnifique.

– Tu te plains toujours de ne pas avoir assez d'amis à Vienne, alors voilà.

– Lustig sera mon meilleur ami, ai-je dit.

– C'est le plus merveilleux poney d'obstacle du monde. Si tu t'entraînes beaucoup, tu pourras même participer à des concours.

Puis elle m'a dit de rentrer à la maison et m'a tendu plusieurs boîtes emballées. À l'intérieur, un pantalon d'équitation, une redingote et une casquette d'équitation. Après avoir enfilé ma nouvelle tenue, j'ai monté Lustig pendant une heure, tellement fière et heureuse. Il est très doux et bon et a fait tout ce que je lui ai demandé, sauf une fois quand un oiseau l'a effrayé. J'ai failli tomber. Charlotte, très inquiète, m'a dit qu'elle s'était arrangée pour trouver un moniteur, qui commencerait à me donner des leçons la semaine prochaine.

J'ai tout de suite écrit une lettre à Peter pour lui annoncer la bonne nouvelle.

13 mars 1911

J'ai passé des heures à monter Lustig avec mon maître d'équitation Herr Kuntz. Il dit que j'ai un talent naturel et espère que nous pourrons bientôt passer au dressage et au saut d'obstacles. Je lui ai dit qu'un jour, j'aimerais monter les majestueux chevaux Lipizzaner de la célèbre école d'équitation espagnole de Vienne. Il a ri et m'a dit que ce serait impossible, car seuls les hommes sont autorisés à monter les chevaux là-bas.

1 avril 1911

Une lettre de Peter est arrivée. Il est ravi que j'aie un poney, m'a dit de m'entraîner et m'a promis qu'il viendrait assurément à mon premier concours.

Il travaille énormément et s'est fait de nouveaux amis comme Jean Metzinger, Robert Delaunay et Fernand Léger. Ils se réunissent dans des cafés comme La Closerie des Lilas *et discutent à bâtons rompus d'un nouveau style de peinture qui, selon lui, met davantage l'accent sur les formes abstraites que sur la couleur. Il dit que ce nouveau style, qu'il appelle « cubisme », est très radical et il est convaincu que ce sera le prochain mouvement majeur dans le monde de l'art. Il a joint une peinture de moi, mais avec des cônes, des cubes et des sphères en guise de corps et de visage. J'y ai des traits nets et géométriques, tout comme mon poney Lustig. Il écrit qu'il nous représente tous les deux sous tous les angles possibles.*

J'adore cette toile et je l'ai accrochée au-dessus de mon lit. Peter a dit qu'il était très impatient, car, de fin avril à juin, leurs œuvres seront exposées au Salon des indépendants, dans la salle 41. Je suis sûre que ce sera un franc succès. Je lui ai répondu que le 41 est un chiffre porte-bonheur.

3 avril 1911

Une note est arrivée hier de la part de Gustav Klimt nous invitant, Charlotte et moi, à visiter son atelier situé dans sa nouvelle villa de Heitzig, un quartier de la banlieue de Vienne, à la campagne. Gustav n'a pas changé : il est grand, corpulent et porte son caftan brun. La villa est en fait un petit chalet d'été difficile à discerner au premier abord, au milieu d'arbres fruitiers, et il nous a fait visiter l'arrière de son jardin où poussent d'épais massifs de roses et d'autres fleurs, affirmant que la nature incarne la beauté dans chacune de ses créations.

Le chalet lui-même est rempli de chats. Même dans son atelier, ils sautent sur la table et se promènent autour de tous les pots de peinture, les renversent parfois ou marchent directement sur ses palettes en laissant des traces de pattes dans toute la maison. À vrai dire, son atelier pue parce qu'il utilise de la pisse de chat pour fixer ses peintures, et il sent bizarre.

Il a dit qu'il était heureux de me voir et nous a conduits toutes les deux vers un chevalet où il venait de finir sa toile Mort et Vie, *que je n'ai pas tellement aimée, car elle montre la Faucheuse lorgnant sur un amoncèlement de femmes souriantes et béates. Gustav a dit qu'il va l'expédier la semaine prochaine en Italie où il fera partie de l'exposition internationale d'art à Rome. Les artistes Egon Schiele et Felix Albrecht Harta, qui ont des chalets à proximité, ont également visité l'atelier pour voir le tableau. Ils ont semblé très impressionnés par l'œuvre et son thème de la mort qui plane au-dessus des vivants. Sur le chemin du retour, Charlotte a dit qu'elle n'aimait pas beaucoup cette nouvelle œuvre non plus, mais bien sûr, aucun de nous n'en a rien dit à Gustav.*

Avant de partir, il m'a emmené faire un autre tour de ses jardins, dans la partie pleine de tournesols. Il pense que je devrais mieux comprendre les plantes et les arbres et m'a offert un livre d'Alexander von Humboldt…

5 avril 1911

J'ai rencontré Gustav Klimt au cimetière de Hietzing aujourd'hui et il m'a organisé une chasse au trésor. Je le voyais courir d'un côté à l'autre dans sa cape brune, tel à un fantôme. Puis ça a été mon tour. Ses indices étaient parfaits et, à la fin, j'ai trouvé un magnifique et minuscule tableau près de la tombe de Jean-Baptiste Cléry, qui avait été le valet du roi Louis XVI, m'a expliqué Klimt. Il avait fait un portrait de moi couverte d'or, je ressemble à un ange dessus.

1 juillet 1911

Il faisait beau et Petra a proposé de faire une excursion en bateau sur le lac de Fushl. Petra a ramé et j'ai regardé les cygnes blancs glisser sur l'eau tout en leur lançant un peu de pain. L'eau d'un bleu profond semblait attirante jusqu'à ce qu'un orage éclate brusquement. Les images du journal intime de ma mère m'ont fait paniquer.

– Je ne veux pas finir comme Peter ! ai-je crié.

– Qu'est-ce que tu racontes ? a demandé Petra, en ramant vers la rive aussi vite que ses bras le permettaient.

Les mots sont restés coincés dans ma gorge, j'ai pleuré ; et quand nous sommes rentrées à la maison, je me suis enfermée dans ma chambre. Je ne veux plus jamais retourner sur ce lac.

3 juillet 1911

J'évite le lac, mais au moins je peux faire du poney et je n'ai pas école. Charlotte n'a toujours pas trouvé de mari, et elle devient de plus en plus amère. J'ai proposé de rendre visite à Peter, mais elle a dit que Paris, c'était fini pour nous. Elle veut aller à Londres et a parlé de partir en croisière élégante. J'ai écrit à Peter pour lui dire qu'il devait venir à Vienne.

1er août 1911

Je me suis fait une amie au centre équestre : Valérie. Elle est très jolie et bien élevée. Au début, je la trouvais ennuyeuse, mais elle est très amusante et aime aussi les chasses au trésor ! Nous avons caché des indices dans le parc du centre et elle m'a invitée chez elle. Sa grand-mère est si gentille. Elle venait de faire un gâteau au chocolat, absolument délicieux. Elle est tout le contraire de ma grand-mère !

22 août 1911

Au petit déjeuner, Charlotte a ouvert le journal et laissé échapper un cri.

– Je n'arrive pas à y croire, a-t-elle repris, les yeux écarquillés. Le musée le plus célèbre de Paris, et elle a disparu sous leur nez !

– Que s'est-il passé ?

– La Mona Lisa *a été volée au Louvre !*

Charlotte dit que la police n'a aucune idée de l'identité du voleur et qu'ils ne savent même pas exactement quand le vol de ce portrait de Léonard de Vinci a eu lieu. Un étudiant en art avait prévu de le copier au musée mardi, mais au moment de s'installer, il s'est rendu compte que le tableau n'était plus à son emplacement habituel. Ce n'est que lorsqu'il a réveillé le gardien qui dormait et lui a demandé s'il avait été déplacé que celui-ci a pris conscience de la disparition.

– C'est ainsi que les Français prennent soin de leurs trésors nationaux, a-t-elle ajouté. Je suis vraiment contente d'être de retour en Autriche. Une chose pareille n'arriverait jamais ici.

Elle est ensuite retournée à son journal et a résolu une anagramme, son nouveau passe-temps.

5 septembre 1911

Une lettre de Peter est arrivée.

Il écrit que l'exposition collective avec ses amis cubistes a été très mal accueillie – un scandale majeur, c'est ainsi qu'il le décrit – et il ajoute que les critiques ont été très désagréables, voire brutales. Un critique a qualifié l'exposition de « tromperies géométriques de Jean Metzinger, Le Faconnier et Danet ». D'autres ont qualifié les artistes de choses bien pires, comme « dégénérés » et « tarés ». La salle 41, où l'exposition a eu lieu, sera légendaire, prédit Peter. En dehors de ses propres peintures, il a préféré les œuvres de Jean Metzinger. Il y en a une avec deux corps nus face à face. Les femmes géométriques entourées de formes vertes sont captivantes, ajoute Peter. Il dit que l'une des peintures me ressemblait. Il promet qu'il viendra à Vienne dès qu'il gagnera enfin un peu d'argent ; il n'a rien vendu pendant l'exposition.

Il donne également des nouvelles du vol de La Joconde, *disant que Pablo Picasso est maintenant un des suspects. Peter explique que la police a d'abord pensé que le poète Apollinaire était impliqué dans le vol. Ils ont arrêté Apollinaire et l'ont emprisonné, et pendant qu'il était derrière les barreaux, Apollinaire a pointé du doigt Picasso. Lorsque la police a interrogé Picasso, celui-ci a nié avoir jamais rencontré Apollinaire, alors que tout le monde sait qu'ils sont les meilleurs amis du monde. Peter est outré que Picasso ait pu dire qu'Apollinaire était un parfait inconnu. Il dit avoir pris ses distances avec Picasso il y a quelque temps, car Picasso et son collègue cubiste Braque sont trop commerciaux. Peter pense qu'avec leur marchand Daniel-Henry Kahnweiler, ils ne s'intéressent plus qu'aux ventes et gagnent des sommes astronomiques.*

Je me demande qui a dérobé la Mona Lisa. *Peut-être quelqu'un que je connais ?*

10 septembre 1911

Charlotte était sortie, et Petra est venue dans ma chambre en souriant. Elle m'a donné une autre lettre en provenance de Paris.

Toujours aucune trace de La Joconde *et les suspects du vol sont de plus en plus nombreux. Peter ajoute que Picasso a participé à une grande exposition à Londres, mais que ses débuts là-bas ont été un échec. Les critiques ont dit que ses peintures étaient enfantines et imbéciles.*

Il dit qu'il continue à peindre tous les jours et que la semaine dernière, il a vu Loulou et Marguerite alors qu'il faisait des croquis au Jardin botanique, et qu'elles avaient promis de m'écrire, mais je n'ai toujours rien reçu de leur part.

12 septembre 1911

Aujourd'hui, à l'école, nous avons étudié les importantes contributions des compositeurs autrichiens, parmi lesquels Mozart, Haydn, Schubert et les Strauss. J'étais surtout intéressée par Mozart, un enfant prodige qui a commencé à composer à l'âge de six ans, mais grâce à Charlotte, je connais mieux que quiconque Le Danube bleu, Kaiser-Walzer *et d'autres pièces de Johann Strauss II.*

Après l'école, je suis allée au cimetière de Hietzing et j'ai préparé une chasse au trésor pour Gustav Klimt et moi. C'était mon tour. J'ai caché du chocolat dans un arbre. C'était une sacrée épreuve. Je me demande s'il va le trouver. Quand il est arrivé, il sentait mauvais, mais était de bonne humeur. Il avait apporté trois de ses chats et un chevalet et m'a dit qu'il voulait me peindre après notre jeu.

1 octobre 1911

Je suis allée à l'atelier de Gustav Klimt aujourd'hui et ses peintures récentes ressemblent à des trésors, car elles sont recouvertes d'or. Je viens de voir l'urine d'un de ses chats sur Le Baiser, *qui va fixer la couleur, a expliqué Klimt comme sur nos lettres. Le visage de l'homme n'est pas visible, car il enlace et embrasse la femme rousse aux yeux fermés. Le tableau est entièrement recouvert de feuilles d'or.*

– Emilie Flöge ? lui ai-je demandé.

– Qui d'autre ? m'a-t-il répondu.

Il aime vraiment cette femme du fond du cœur et va toujours la voir à l'Attersee. Parfois, ça me rend jalouse.

26 décembre 1911

Pour Noël, nous avons dîné chez mes grands-parents, au palais Weissenberg. Dans la cuisine, tous les fours étaient allumés et la viande cuisait à même le foyer, et dans le salon et la salle à manger, un feu brûlait dans chacune des cheminées. C'était la première fois que ces murs de pierre froids semblaient presque chauds. J'aurais voulu que Peter soit là et me demandais s'il restait à Montmartre pour les fêtes de fin d'année, ou s'il était parti à Honfleur sur la côte normande.

Nous avons fait un festin, enchaînant les plats pour seulement trois personnes, Charlotte, Grand-père et moi : de l'oie croustillante aux châtaignes, une carpe accompagnée de risotto, de la saucisse de Francfort à la choucroute (que je n'aime pas), puis du Christollen, *des boules au rhum et des pâtes d'amande et des croissants sucrés appelés* Vanillekipferl, *et des biscuits en forme d'étoile à la cannelle appelés* Zimtsterne, *que j'adore. Grand-mère, en revanche, est restée au lit tout le temps. Elle a une toux horrible, et chaque fois qu'elle toussait, ce qui était fréquent, le son résonnait dans le palais et les couloirs. Je sais que ça peut paraître méchant de ma part, mais je me suis demandé pour de vrai si elle faisait exprès. Si elle n'essayait pas de gâcher notre dîner sans même y assister.*

Des guirlandes dorées, des bonshommes en pain d'épice glacés, des bonbons enveloppés de papier argenté et de minuscules bougies décoraient le très grand sapin, un épicéa bleu coupé dans les bois du domaine. Sous l'arbre au parfum intense se trouvait une petite pile de boîtes.

Mes grands-parents m'ont offert une platine Victrola, plusieurs robes en velours, un nouveau manteau de fourrure et quelques livres, parmi lesquels Le Jardin secret *et un livre magnifiquement illustré intitulé* Les Fées de la mer *de Frank Baum. Et à Charlotte, ils ont offert un joli châle à franges et du parfum. J'ai offert à Grand-père une boîte en bois gravé pour ranger sa correspondance, et à Grand-mère un bracelet qui, à mon avis, ne lui plaira pas.*

Ce soir-là, Charlotte et moi sommes allées à la messe de minuit, mais mes grands-parents sont restés à la maison.

10 janvier 1912

Peter a écrit que les gangsters anarchistes frappent à nouveau à Paris. La bande à Bonnot a d'abord dévalisé une banque en décembre et s'est enfuie dans une voiture volée, et la police les a poursuivis à cheval, sans jamais réussir à les rattraper. Puis, début janvier, ils se sont introduits dans la maison de M. Moreau et l'ont assassiné ainsi que sa femme de chambre. Ils ont emporté trente mille francs avant de s'enfuir en Belgique ! Je lui ai tout de suite écrit en lui disant de faire attention au cas où ils reviendraient et lui ai rappelé que c'était à cause de gens comme ça que nos parents étaient morts !

Il m'a dit qu'il avait passé Noël à Honfleur avec Jean Metzinger et Marcel Duchamp. Il a hâte de me montrer leurs nouvelles œuvres.

12 janvier 1912

Quand je suis rentrée de l'école hier, Charlotte était vêtue de noir et toutes les bougies de la maison étaient allumées, je savais donc ce qui s'était passé : Grand-mère était morte. Nous avons traversé les jardins du Belvédère en calèche jusqu'au palais Weissenberg où le corps de ma grand-mère était exposé dans le salon au milieu d'immenses bouquets de fleurs. J'ai dû l'embrasser sur la joue.

Ce matin, j'ai envoyé mon premier télégramme à Peter pour lui annoncer la mort de Grand-mère et lui dire qu'elle serait enterrée dans quelques jours. J'espère qu'il pourra venir à Vienne pour les funérailles.

15 janvier 1912

La messe a eu lieu à la cathédrale Saint-Étienne, appelée Stefansdom, et je n'avais jamais vu mon grand-père aussi dévasté. J'ai été choquée par le peu de personnes présentes. Grand-mère n'avait apparemment pas beaucoup d'amis. Nous l'avons enterrée au cimetière de Hietzing, mais je ne ressens pas beaucoup de chagrin. Je sais qu'il n'est pas correct de penser du mal des morts, mais Grand-mère était toujours si méchante et sévère avec moi, elle ne souriait jamais, et chaque fois que je la regardais, je ne pouvais que me rappeler combien elle avait été cruelle avec Maman. Parfois, j'avais envie de lui crier : « Comment as-tu pu l'enfermer ? » Mais je n'ai jamais dit un mot. Charlotte n'a jamais évoqué l'internement de ma mère dans un asile psychiatrique, mais j'ai tout appris de ces terribles secrets dans le journal intime.

1 février 1912

Je me sens très mal d'avoir écrit tous ces mots méchants. Charlotte dit que Grand-mère m'a laissé une grosse somme d'argent dans son testament et aussi une partie à Charlotte pour s'assurer qu'elle s'occupe bien de moi. Charlotte pense que pour parfaire mon éducation, nous devrions voyager à l'étranger pendant un certain temps. Elle me propose d'aller en Italie. J'ai répondu que j'aimerais voyager en France et elle a levé les yeux au ciel.

J'aime toujours monter Lustig, mais il a fait si froid ces derniers temps que je ne le monte pas très souvent. En revanche, je vois toujours Valérie. Elle a reçu L'Île au trésor *pour Noël et me l'a prêté. Comme moi, elle aime parler des trésors cachés.*

2 mars 1912

Charlotte a reçu une lettre d'une de ses amies de la haute société parisienne, et elle l'a lue avec grand plaisir.

– C'est ça ! s'est-elle exclamée. Je sais exactement où nous allons aller !

– Où ça ?

– En Amérique ! Plus précisément, à New York, chez Anna Gould. Nous l'avons rencontrée à Cabourg, tu te rappelles ?

– Oui. À New York ?

Cette perspective semblait séduisante – et certainement très différente de Vienne.

– Et le mieux, a poursuivi Charlotte, c'est que nous allons prendre le Titanic *pour aller là-bas !*

– Le Titanic *?*

Charlotte m'a expliqué que c'était le tout nouveau paquebot de la White Star Line, et que c'est le plus grand du monde entier. Si solide qu'il est insubmersible. La crème de la crème avait prévu de faire la traversée à la mi-avril. Elle a même ajouté, avec une lueur dans les yeux, que Benjamin Guggenheim en serait aussi, et je me suis souvenue qu'elle faisait toujours tout son possible pour apparaître à n'importe quel événement de Paris où la rumeur le plaçait.*

– Oh, quel plaisir de revoir Benjamin ! s'est-elle exclamée.

Puis elle est partie brusquement de la maison, disant qu'elle devait envoyer de nombreux télégraphes et commencer à acheter des robes.

20 mars 1912

– Nos billets pour le Titanic *sont arrivés, m'a dit Charlotte ce soir au dîner.*

Elle m'a expliqué que le Titanic *est un immense paquebot de luxe avec une piscine, un gymnase, des bibliothèques, des salles de sport, une aire de jeux, des restaurants haut de gamme et des cabines cossues. Le plus grand navire jamais construit, tant de choses à explorer. J'ai hâte de vivre cette aventure.*

Et puis elle m'a exposé, encore une fois, tout notre itinéraire.

Nous prendrons le train pour Paris le 14 avril au matin, puis le train spécial New York Express *pour Cherbourg, dans le nord-ouest de la France, où nous embarquerons sur ce merveilleux navire le 15 avril. Six jours de bons repas et de bals plus tard, nous débarquerons à New York, où nous passerons une semaine. De là, nous nous rendrons aux chutes du Niagara, puis à Martha's Vineyard, avant de revenir à New York et de pousser éventuellement jusqu'à la capitale américaine, Washington.*

J'ai suggéré de prendre le train une semaine plus tôt pour monter à Paris afin de pouvoir y fêter Pâques et d'avoir le temps de voir Peter et mes amies Loulou et Marguerite. Charlotte m'a dit que nous pourrions rester à Paris quelque temps après notre retour des États-Unis.

Je suis très enthousiaste. Je ne suis jamais montée sur un bateau et j'achète des livres pour en apprendre davantage sur les États-Unis.

5 avril 1912

Peter m'a écrit pour me dire qu'il est absolument sous le charme d'une nouvelle œuvre de son ami Marcel Duchamp. Il m'a dit qu'il y pense tellement qu'il finit par la voir dans ses rêves. Ce Nu descendant un escalier *est une peinture abstraite dans le nouveau style cubiste qui, selon Peter, montre plusieurs corps masculins nus descendant des escaliers. Duchamp dit qu'il s'agit d'un autoportrait, mais Peter affirme que le tableau est tellement détesté qu'il a même été écarté de la section cubiste du Salon des indépendants. Les critiques ont dit des choses très méchantes sur le tableau, se sont moqués en disant que c'était une « explosion dans une usine de tuiles » et en changeant même son titre pour l'appeler « Rustre descendant un escalier ». Mais Marcel Duchamp ne se décourage pas, il continue son chemin. Pour Peter, son ami est une source d'inspiration.*

Peter dit qu'il essaiera de venir attendre notre train à la gare de l'Est, notre gare d'arrivée.

9 avril 1912

Nous sommes dans le train en partance pour Paris, avec nos nombreuses malles – suffisamment de robes pour tenir deux mois. Le voyage est tellement long – près de vingt-trois heures – que je lis de nombreux livres, dont La Célèbre Grenouille sauteuse du comté de Calaveras, *un vieux livre très drôle de Mark Twain, et* La Rançon du chef rouge, *d'un nouvel écrivain américain appelé O. Henry, ainsi qu'un livre d'histoire sur New York. Je suis impatiente de traverser l'Atlantique vers un nouveau continent, mais aussi triste, car Charlotte a refusé de céder à mes supplications pour aller à Paris plus tôt afin que je puisse voir Peter avant de prendre le train pour Cherbourg. Hier, j'en ai découvert la raison : elle voulait assister au bal des Wallenbach hier soir. Elle n'a presque pas dormi avant notre départ pour la gare de Vienne.*

Nous n'aurons que quatre heures entre notre arrivée à Paris et le train qui nous emmènera jusqu'au Titanic, *ce qui n'est pas suffisant pour voir Peter, m'a-t-elle informée.*

2 h du matin

Nous nous sommes réveillées, le train est immobilisé. Quelque chose ne va pas avec le moteur et Charlotte est folle de rage. Elle demande à chaque chef de train qui passe à quelle heure nous arriverons à Paris.

4 h du matin

Ce qui était cassé est maintenant réparé et le train a repris sa course vers la France. Même s'il arrive deux heures plus tard que prévu, Charlotte dit que nous aurons largement le temps de passer de la gare de l'Est à la gare Saint-Lazare et de monter à bord du train spécial pour le Titanic *à Cherbourg. Il s'appelle le* New York Express *et sera rempli de gens très riches, a ajouté Charlotte. Elle est persuadée que Benjamin Guggenheim sera à bord aussi.*

Cherbourg, 11 avril 1912

Charlotte n'arrête pas de pleurer dans notre chambre d'hôtel et chaque fois que je lui demande de s'habiller et de sortir, elle dit qu'elle veut rester seule et que je devrais m'aventurer dehors toute seule. Elle agit comme si tout ce qui est arrivé était de ma faute, alors que ce n'est que partiellement vrai.

Nous sommes arrivées à Paris à la gare de l'Est un peu après midi.

– Nous avons besoin d'un taxi motorisé pour nous rendre à la gare Saint-Lazare, a-t-elle dit au porteur qui poussait nos malles.

Comme nous traversions la gare vers la sortie, j'ai aperçu Peter.

– Peter ! ai-je crié, mais il ne m'a pas entendue et a été englouti par la foule.

J'ai couru après lui tandis que Charlotte me priait de revenir. Après quelques minutes de recherche, impossible de le trouver, et Charlotte criait toujours mon nom de l'autre côté du hall principal. J'ai donc fait demi-tour et couru vers elle, mais dans ma précipitation, j'ai foncé dans un porteur qui poussait de nombreuses malles. Il m'a accidentellement fait tomber par terre.

– Dieu du ciel, Francesca, debout ! a hurlé Charlotte.

Mais je ne pouvais pas : je m'étais tordu la cheville ! Quelqu'un de la gare est apparu et m'a portée jusqu'à une clinique, où un médecin a bandé ma cheville de gaze et m'a donné un médicament à avaler. Puis il y a eu des papiers à remplir, et le temps que je sorte de la gare en boitant accompagnée de Charlotte, une bonne heure s'était écoulée.

– Pourquoi diable m'as-tu désobéi, Francesca ? a demandé Charlotte. C'était vraiment le pire moment pour me faire un coup pareil, juste avant de partir pour la plus grande aventure de ma vie !

Alors que nous filions vers la gare Saint-Lazare, d'où le train spécial pour le Titanic *devait partir à 16 h 10, elle ne cessait de crier au chauffeur de se dépêcher. Mais nous ne sommes arrivées là-bas qu'à 16 h 15, ratant de peu le* New York Express*.*

– Nous prendrons un train régional jusqu'à Cherbourg alors, a décidé Charlotte, dont l'humeur s'est améliorée lorsque le guichetier lui a annoncé qu'un télégramme venait d'arriver pour dire que le Titanic *était en retard à Cherbourg.*

– Nous allons y arriver, tu verras, a-t-elle répété pendant les six heures de trajet, tout en me regardant avec des expressions passant de la colère au dégoût.

Lorsque nous avons débarqué au port, nous avons assisté à un spectacle enchanteur, bien que tragique. Scintillant comme un pont illuminé au loin, le Titanic *s'éloignait sur la mer.*

Charlotte a couru jusqu'à la station de télégraphe en demandant que quelqu'un dise au navire de revenir nous chercher. Mais ça n'a servi à rien. Nous avions manqué le navire.

– Pourquoi t'ai-je emmenée, Francesca, s'est-elle exclamée, les larmes aux yeux. Tu as gâché notre voyage. Tout cet argent gaspillé !

J'ai envisagé de lui faire remarquer que si nous étions montées plus tôt, comme je l'avais souhaité, nous n'aurions pas été obligées de nous hâter, mais je n'ai pas osé ouvrir la bouche.

Comme il faisait déjà nuit noire et qu'il était presque 23 h, nous avons trouvé un hôtel à Cherbourg et je me suis endormie au son des sanglots de Charlotte allongée dans son lit, et je me suis réveillée au même son. Je lui ai demandé pardon au moins mille fois, mais je crois qu'elle ne me pardonnera jamais.

16 h

Même si ma cheville est toujours enflée, j'ai décidé d'explorer Cherbourg et de tirer le meilleur parti de cette situation épouvantable. Non loin de l'hôtel, j'ai trouvé un extraordinaire jardin botanique, constellé de sculptures, avec un lac tranquille, et rempli de plantes rares et de fleurs exotiques – dont j'ai appris plus tard qu'elles avaient été expédiées du Brésil par le maire de Cherbourg, qui avait autrefois vécu dans ce pays lointain. Je me suis promenée un peu en pensant à l'inspiration qu'aurait trouvée ici Gustav Klimt, mais j'avais mal au pied, alors je me suis assise sur un banc surplombant la mer. Devant les bateaux de pêche et les navires qui arrivaient, je me suis sentie si triste d'avoir gâché nos vacances que j'ai fondu en larmes.

Une vieille dame habillée de noir, accompagnée de sa domestique, s'est approchée de moi.

– Pourquoi pleures-tu comme ça, ma petite ? m'a-t-elle demandé. Et que fais-tu sans chaperon ? N'es-tu pas trop jeune pour sortir toute seule ?

Je lui ai raconté les événements de la veille et les nombreuses péripéties qui nous avaient faire rater le Titanic.

– On dit que c'est le plus grand navire jamais construit, me suis-je lamentée.

Elle s'est esclaffée.

– Quelle arrogance, a-t-elle dit. Certes, c'est un beau paquebot. Je viens juste d'en débarquer, en fait.

Elle m'a raconté qu'elle était montée à bord à Southampton, en Angleterre, simplement pour traverser la Manche et rentrer à Cherbourg.

– Je n'ai jamais été aussi heureuse de descendre d'un bateau, a-t-elle ajouté.

– Mais pourquoi donc ?

Elle m'a raconté une histoire étrange. Elle m'a dit que l'après-midi précédent, elle était sur le pont du Titanic *et faisait signe à ses amis lorsque le navire s'est éloigné, causant une énorme vague qui a soulevé un autre grand navire, avant qu'il ne retombe. La houle était si forte que les cordes d'amarrage de l'autre navire se sont rompues et qu'il a foncé vers le* Titanic, *mais à seulement quelques mètres de la coque. Un remorqueur a réussi à le tirer en arrière.*

– Une chance qu'il ne l'ait pas percuté, ai-je dit.

– Eh bien, je considère cela comme un mauvais présage. Mais on sait comment sont les gens qui vivent en bord de mer : toujours très superstitieux.

Elle s'est présentée sous le nom de Géraldine et m'a demandé mon nom. Quand je lui ai répondu, elle m'a demandé si j'avais entendu parler de l'artiste Maurice Danet.

Quand je lui ai dit que c'était mon père, elle m'a invitée à la suivre au musée de la Belle Époque de Cherbourg. Heureusement, sa voiture l'attendait, car j'avais mal à la cheville et je ne voulais pas marcher jusqu'à là-bas.

Pendant le trajet, elle m'a parlé d'Emmanuel Liais, qui avait imaginé les jardins botaniques après avoir reçu des plantes du Brésil, où il avait passé de nombreuses années en tant qu'explorateur et botaniste, à documenter la faune et la flore. À son retour en France, il avait travaillé comme astronome à Paris, puis était revenu à Cherbourg, où il avait été élu maire, poste qu'il avait occupé pendant dix ans.

– Il a été notre maire jusqu'au jour de sa mort, en 1900, a-t-elle ajouté.

Son testament prévoyait que ses biens et ses plantes deviennent le jardin botanique.

– Quel homme bon et fascinant, ai-je dit.

– Cherbourg en a plus d'un de ce genre. Parmi eux, mon père, Thomas Henry, dont la collection privée a donné naissance à ce musée…

Elle m'a guidée à travers le musée, me montrant quelques œuvres majeures, notamment des peintures de Fra Filippo Lippi et La Conversion de Saint Augustin *de Fra Angelico.*

Puis elle s'est arrêtée devant une peinture représentant une jolie femme brune, qui semblait être dans une situation délicate.

– J'étais avec mon père dimanche, il a acheté ce tableau ravissant à Honfleur, a-t-elle expliqué.

J'ai regardé dans le coin, c'était signé Maurice Danet. J'ai regardé à nouveau la femme.

– Je pense que c'est ma mère, Marie Anne Danet. Un des tableaux d'elle que je n'avais jamais vu avant. Complètement différent de La Rose blanche. *Elle y porte une robe de chambre, se repose sur un canapé bleu et caresse son ventre arrondi.*

C'était incroyable. Comment était-il arrivé là ?

Géraldine sourit et montra du doigt le ventre de la femme.

– Et je suppose que cette petite bosse, là, c'est toi, a-t-elle dit.

J'ai vérifié la date – le tableau avait été peint en 1898, quelques mois seulement avant ma naissance.

Géraldine m'a renvoyée à l'hôtel dans sa voiture, et je me suis demandé si Charlotte pleurait encore dans notre chambre d'hôtel. Je l'ai trouvée à la place dans le salon, buvant du thé avec un beau gentleman.

– Incroyable, monsieur Fleury, notre programme est le miroir parfait du vôtre ! Nous prévoyons de partir pour Paris demain également. Nous rentrerons directement à Vienne ensuite.

Je me suis faufilée hors du salon sans qu'elle me voie et je suis retournée dans notre chambre, me plongeant dans le livre que Géraldine m'avait offert sur la vie du botaniste, astronome et ancien maire Emmanuel Liais.

17 avril 1914

Dans le train pour Paris, Monsieur Fleury et Charlotte étaient en grande conversation tandis que je pensais encore à Géraldine et au tableau de mon père représentant ma mère enceinte de moi. Lorsque nous nous sommes quittés, Charlotte a invité Monsieur Fleury à nous rendre visite à Vienne dès qu'il aurait terminé ses affaires à Paris.

20 avril 1914

Nous sommes arrivées à Vienne hier et avons reçu la terrible nouvelle au petit déjeuner. Comme tous les matins, Petra a apporté le Wiener Zeitung que Charlotte regarde à peine d'habitude, tournant aussitôt les pages jusqu'à la section des mots croisés ; mais aujourd'hui, c'était différent. Le journal affichait une grande image d'un navire incliné dans une tempête, annonçant que l'insubmersible Titanic avait coulé !

Charlotte a envoyé Petra acheter tous les journaux qu'elle pouvait trouver et a remercié Dieu d'être encore en vie. Le Titanic avait heurté un iceberg et sombré. Nous venions d'échapper à la mort et c'était un peu grâce à moi que nous n'étions pas mortes, me suis-je dit en boitant toujours, mais je sentais que ce n'était pas le bon moment ni le bon endroit pour le faire remarquer à Charlotte.

– Mille cinq cents personnes sont mortes ! John Jacob Astor, John Thayer, Isidor Strauss, même Benjamin Guggenheim, a crié Charlotte, les larmes aux yeux, courant de long en large dans le salon. Seulement sept cents ont survécu !

Je ne l'avais jamais vue dans un tel état de choc.

– Écoute un peu : « Le plus grand paquebot du monde et le joyau de la compagnie White Star a heurté un iceberg. » Dieu du ciel, comment une telle catastrophe a-t-elle bien pu se produire ?

Je n'en croyais toujours pas notre chance et j'ai silencieusement remercié ma cheville.

– Regarde, quel gentleman !

Elle m'a montré un article qui racontait que Benjamin Guggenheim était vêtu d'une tenue de soirée et qu'il était mort en parfait gentleman en aidant femmes et enfants à grimper sur les canots de sauvetage plutôt que d'essayer de se sauver lui-même.

J'ai ensuite jeté un coup d'œil à la liste de toutes les personnes décédées, et de nombreuses personnes importantes y figuraient, comme le magnat de l'acier George Dennick Wick, le directeur des chemins de fer Charles Melville Hays et le producteur de Broadway Henry B. Harris.

29 juin 1914

C'est une tragédie absolue et j'ai un terrible pressentiment. Charlotte m'a dit qu'hier, Gavrilo Princip, un nationaliste serbe, avait assassiné Franz Ferdinand, notre futur roi, et sa femme, Sophie, duchesse de Hohenberg. Déjà, on avait tenté en vain de les tuer avec des bombes sur le chemin de l'hôtel de ville. Ils auraient dû rentrer directement en Autriche. Puis, dans leur voiture près du pont Cumurja, non loin de la rue Frans Josef, François-Ferdinand a été abattu le premier, puis la duchesse. L'assassin a tenté de se suicider juste après, mais il a été arrêté avant. J'espère qu'il mourra en prison.

Charlotte a déclaré que cet assassinat avait pour objectif de séparer les provinces slaves du sud de l'Autriche-Hongrie afin de les réunir en une seule Yougoslavie. Mais l'Autriche-Hongrie a immédiatement lancé un ultimatum au royaume de Serbie, qui a été partiellement rejeté.

La Broche bleue

29 juillet 1914

Charlotte m'a dit que nous devions nous préparer à affronter de terribles années.

– L'Autriche-Hongrie a déclaré la guerre à la Serbie.

Chapitre 16

« Si la vie était prévisible, elle cesserait d'être la vie et serait sans saveur. » – Eleanor Roosevelt

Albi, 11 juillet 1988

Le vent balayait le minuscule village aux bâtiments de pierre rouge du Sud-Ouest de la France, dominé par la cathédrale du XIIIe siècle au sommet de la colline. Depuis la salle de petit déjeuner de l'*Hôtel du Vigan*, j'observais les arbres plier sous les rafales et les violents remous du Tarn, tout ceci me remplissant d'un mauvais présage. Le journal de Francesca racontant comment elle avait failli mourir sur le *Titanic*, ce qui aurait impliqué que je n'existe jamais, m'avait empêchée de dormir et mon esprit était envahi d'images de Steven.

Je ne voulais pas arriver à la conférence en même temps que le professeur Mhost, alors quand je le croisai dans le couloir après ma dernière gorgée de café, et qu'il me demanda quand nous devions nous rejoindre pour prendre un taxi ensemble, je trouvai une excuse, prétendant avoir des projets avec Steven juste avant la conférence.

– D'accord, ça commence à 11 h précises. Essayez de ne pas être en retard, comme à Londres, précisa-t-il avec cynisme, avant d'ajouter : Déjà amoureuse ?

Je me contentai d'un sourire. Certes, je trouvais Steven attirant et il avait appelé à l'hôtel. Mais nous ne devions pas nous revoir avant le dîner et, de toute façon, cela ne le regardait pas. Je voulais être tranquille dans l'ancienne forteresse féodale du XIIe siècle.

Le taxi me déposa au pied du château de Bosc, la maison familiale d'Henri de Toulouse-Lautrec, où il avait souvent passé ses étés, même adulte. Luttant contre les bourrasques, je longeai les arbres et les vignobles jusqu'à apercevoir le château à tourelles et aux volets rouges, autrefois une forteresse majestueuse veillant sur la luxuriante vallée du Viaur. J'en admirai les tours parfaites, me rappelant qu'il avait été incendié et détruit au XVe siècle. Le château était passé dans la famille de Toulouse-Lautrec par mariage et avait été transformé en maison familiale par la comtesse Gabrielle de Toulouse-Lautrec, la grand-mère paternelle du peintre. Malheureusement, ses tableaux se trouvaient presque tous au musée, par décision de la mère de l'artiste.

Lorsque je pénétrai dans le château, une jeune femme qui se tenait debout à l'entrée m'escorta jusqu'au Grand Salon à lustre avec son mobilier du XVIIIe siècle, passant devant les salons tapissés recouverts de tapis ornés et la bibliothèque remplie de portraits. Là, deux douzaines de professeurs et d'experts de Barcelone, Tokyo, du Japon, de Chicago étaient rassemblés. Lorsque Mhost arriva, je me détournai et lui jetai un coup d'œil discret. Je voulais voir où il allait s'assoir pour m'installer le plus loin possible de lui. Nous prîmes tous place, guettant l'arrivée de Guillaume de Toulouse-Lautrec lui-même. Il franchit enfin le seuil de l'immense pièce, élégant dans son costume sombre, ses chaussures Derby à lacets, tenant sa mallette brune. Il avait un air légèrement audacieux avec ses cheveux châtain clair encadrant son visage sympathique et ses yeux bleus brillants. Avec un retard de bon ton, il mit la foule à l'aise, comme seuls les gens bien élevés savent le faire. Il se tint sur le podium et se lança dans son discours :

– Comme vous êtes tous des experts de l'art de mon défunt oncle, Henri de Toulouse-Lautrec, je vais vous révéler aujourd'hui quelques secrets sur ses œuvres et vous offrir de précieuses informations sur sa famille et son éducation. Mon père, le comte Raymond de Toulouse-Lautrec, est né le 1er juillet 1900 et il connaissait très bien Henri de Toulouse-Lautrec et son père.

Il nous raconta ainsi que tous les membres de la famille avaient toujours été doués pour le dessin, la peinture et la sculpture, et que son arrière-arrière-grand-père Pons de Toulouse-Lautrec et son arrière-grand-père Charles-Louis de Toulouse-Lautrec étaient devenus gardes d'honneur chez les Mousquetaires en 1814. À la cour du roi, ils avaient rencontré les peintres influents du mouvement romantique : Alfred de Vigny, Alphonse de Lamartine et Théodore Géricault, qui les inspirèrent énormément sur le plan artistique. Après s'être plongé dans la série de lits de Toulouse-Lautrec représentant des couples de lesbiennes, il proposa au public de poser des questions.

– Que pouvez-vous nous dire de la maladie qui a touché ses jambes et de la manière dont elle était perçue par la famille ? demanda le professeur américain.

– Henri de Toulouse-Lautrec est né à Albi le 24 septembre 1864 et semblait en bonne santé et normal. Cependant, très vite, il a eu de terribles douleurs de croissance. Avant même ses accidents, sa famille a tenté de soulager ces douleurs à Lamalou-les-Bains. Mais, contrairement à une idée reçue, sa maladie ne vient pas du fait que ses parents étaient cousins. À l'époque, les aristocrates se mariaient toujours entre eux. Peu de gens savent qu'elle vient du côté de sa mère, qui avait des gènes défectueux. Pratiquement tout le monde dans sa famille était handicapé et l'un de ses proches était même né sans os...

Un long murmure parcourut le salon.

– Oui, je sais que beaucoup d'entre vous pensent que sa malformation était due à la consanguinité et à ses deux accidents, ou même à une maladie spécifique qui lui aurait été propre, mais c'est tout simplement faux. Elle venait de sa mère, une femme profondément religieuse, mais sans originalité, sans fantaisie, et pas le moins du monde extravagante. Du point de vue de la personnalité, Henri était comme son père, le comte Alphonse de Toulouse-Lautrec : un bon vivant, un excentrique, qui aimait la nature et avait un grand cœur. Tous deux adoraient s'habiller et revêtir des costumes pour les fêtes, se déguiser en princes arabes, en clowns, et tout ce qui leur passait par la tête.

– Pourtant, j'ai toujours pensé que son père l'avait rejeté et déshérité, et qu'il était beaucoup plus proche de sa mère ? lançai-je.

– Ce n'est qu'en partie vrai. Père et fils étaient proches, mais il a peut-être échangé davantage de lettres avec sa mère, qui était vraisemblablement la femme la plus proche de lui. Avec celles qu'il a peintes, la relation était plus superficielle, elles étaient ses modèles, pas ses âmes sœurs.

– Les œuvres sont-elles réencadrées lorsqu'elles entrent au musée Toulouse-Lautrec, ici à Albi ? demanda le professeur Mhost.

– Il faudra poser la question au musée, ce n'est pas mon expertise, répondit Guillaume.

– Et que pouvez-vous nous dire sur les faux ? J'ai lu que certains d'entre eux ont été inclus dans le catalogue raisonné, demanda le professeur espagnol.

– Je ne crois vraiment pas que ce soit le cas, rétorqua Guillaume, légèrement agacé maintenant, avant de se tourner vers les autres professeurs.

– *La Revue des beaux-arts* dit que Toulouse-Lautrec, avec ses illustrations pour *La Revue blanche* et d'autres magazines, a lancé une nouvelle tendance, dis-je.

– C'est tout à fait exact, et ça l'a rapproché de Marcel Proust, qui écrivait aussi pour *La Revue blanche.* Il aurait également fréquenté Misia Sert, qui était souvent représentée sur les couvertures, dit Guillaume de Toulouse-Lautrec.

– Et que pouvez-nous nous dire de la place de la religion dans sa vie ? demanda le professeur espagnol.

– Henri de Toulouse-Lautrec était en fait profondément pieux et donnait beaucoup d'argent aux monastères. Une anecdote touchante raconte qu'une nonne est venue voir son père Alphonse en 1901. Elle lui a dit que l'artiste était souvent dans ses rêves et lui a demandé s'il était mort récemment. Alphonse a répondu que oui, pourquoi ? Parce que normalement, il vient me voir en rêve et il est sombre, tout triste en s'approchant de l'horloge au mur. Mais la dernière fois qu'il est venu, il était débordant de lumière.

La conférence se poursuivit ainsi pendant des heures, remplissant mon esprit d'informations inconnues sur ses convictions politiques. À vrai dire, je me sentis submergée, presque étourdie – il fallait que je me détende avant de voir Steven et de rencontrer Mary.

J'allumai la télévision de l'hôtel à gauche de la fenêtre de ma chambre et regardai *Remington Steele*, une bonne source d'inspiration pour me mettre en condition. Tandis que Remington se lançait à l'assaut des criminels, je partis à la recherche de la tenue parfaite. Pierce Brosnan avait cette façon vaguement lascive, mais enjouée, de reluquer Laura Holt… Comment Steven me regarderait-il ?

La série montrait également à quel point le monde était encore sexiste, même en 1988. En tant que femme, Laura Holt n'était pas respectée en tant que détective privé, et s'inventait alors un patron fictif du nom de Remington Steele. Grâce à ce stratagème, les affaires commençaient à affluer. Le seul problème, c'était ce voleur fringant et mystérieux qui usurpait l'identité de ce Remington Steele et qui, étonnamment, s'avéra être un détective privé très doué – surtout en duo avec Holt.

Une fois l'épisode terminé, je lançai Nena sur le magnétophone, enfilai un pantalon fluide avec un col roulé. Même si cette tenue me paraissait un peu trop ennuyeuse, elle restait préférable à mon tailleur. Nena, *Nur geträumt*….

Je sortis de l'hôtel juste à l'instant précis où toutes les couleurs de l'univers se rassemblaient pour se disputer une place dans le ciel. Il avait plu presque toute la journée, alors le spectacle était un véritable feu d'artifice. Il y avait même un double arc-en-ciel au-dessus de la cathédrale ! Je fis un vœu, priant pour retrouver enfin la broche bleue et les ossements de Marie Anne et de Maurice, sans y laisser ma peau.

Chapitre 17

Albi, 12 juillet 1988

J'avais très mal dormi, mais aujourd'hui était une journée calme, la conférence était terminée.

Après le petit déjeuner, je m'écroulai sur le lit et repensai au journal de Francesca. Je n'avais pas pu en lire une ligne dans le train et l'avais complètement oublié. Je me redressai et ouvris le carnet de cuir si élégant.

SIX ANS PLUS TARD

12 février 1920

Je viens de retrouver mon vieux journal dans une de mes cachettes favorites : le cellier, derrière les pots de confitures, dans un coin de l'étagère. Comme il est sale et poussiéreux ! Je l'avais complètement oublié. Le journal de Maman était juste à côté. C'est très étrange de lire tous ces pressentiments sur Tante Charlotte maintenant qu'elle est morte. Comme j'ai vu très tôt qu'elle n'était pas aussi gentille qu'elle le prétendait… Peter m'a ouvert les yeux et, en partie grâce à lui, j'ai compris qu'elle nous avait bel et bien dépouillés, Peter et moi, de notre héritage, en dépensant la majeure partie de l'argent de ma mère, en vendant ses tableaux et la plupart de ses bijoux. Au moins, elle ne s'est jamais séparée de la broche bleue, même si elle ne m'a jamais permis de la porter.

La polio l'a emportée dans la tombe en à peine trois mois. Nous l'avons enterrée au cimetière Hietzing de Vienne, juste à côté de Gustav Klimt, qu'elle admirait tant. Je me souviens encore de ses funérailles, il y a deux ans, et il me manque terriblement.

Mon grand-père étant maintenant âgé et souffrant, c'est à moi qu'il revient de régler les affaires de Charlotte, y compris la vente de sa maison. C'est une véritable épreuve, mais enfin, la broche bleue est à moi !

Même si elle était difficile à vivre et que je lui en ai beaucoup voulu d'avoir volé tant de choses à Maman, aujourd'hui, j'ai surtout pitié d'elle. Elle a fait de son mieux, je suppose, pour m'élever, et tous mes besoins ont été comblés. Elle a ouvert un compte bancaire à mon nom, m'a donné une dot généreuse pour mon mariage et m'a assuré une bonne éducation afin que je puisse faire des études universitaires.

Tant de choses ont changé depuis que j'ai écrit ces derniers mots il y a près de dix ans. Depuis six mois, je suis mariée à Heinrich Schwarzenwerk, un banquier et un mari merveilleux, et j'ai emménagé dans sa maison de la Prinz-Eugen-Strasse. Je l'ai rencontré il y a plusieurs années par l'intermédiaire de Charlotte, car il s'occupait de ses affaires financières. Même petite, je le trouvais beau avec ses cheveux noirs et épais. Il a quinze ans de plus que moi, mais m'a toujours traitée comme une petite dame. Puis, il y a un an, il m'a invitée à dîner et je suis tombée sous son charme. Il est très jeune, trente-cinq ans, et m'a demandée en mariage peu après notre premier rendez-vous.

Bien que je sois très heureuse avec lui, il m'est difficile d'ignorer ce qui se passe à Vienne – et dans une grande partie de l'Europe –, en proie à de terribles souffrances à cause de cette fichue guerre qui s'est prolongée pendant quatre ans. Une telle atrocité ! Huit millions d'Européens sont morts au combat – un cinquième de tous les hommes autrichiens ont péri – et les rues sont remplies de vétérans estropiés et d'enfants mendiants. Même si la guerre est terminée depuis plus d'un an, les tragédies perdurent.

Le traité de Versailles a démantelé l'empire austro-hongrois et notre empereur Charles Ier a été chassé du trône, qui ne verra plus jamais d'autre souverain impérial. Le roi George V d'Angleterre a tiré les leçons de l'expérience de ses cousins Romanov – les pauvres Nicolas et Alexandra assassinés par les bolcheviks en juillet 1918 – et aidé Charles Ier et l'impératrice Zita à se réfugier en Suisse. Ils sont maintenant obligés de vendre leurs bijoux et autres biens de valeur pour survivre. Heinrich est furieux.

Le vaste territoire sur lequel Charles et ses ancêtres ont régné pendant des siècles est maintenant fragmenté en petits blocs assemblés selon la langue et la nationalité, créant de nouveaux « pays » aux noms improbables comme la Tchécoslovaquie, et faisant de l'Autriche elle-même une république beaucoup plus petite. Les alliés, les vainqueurs de cette soi-disant Grande Guerre, refusent de reconnaître l'union proposée entre l'Autriche et l'Allemagne, alors même qu'Autrichiens et Allemands parlent la même langue.

Les réparations de guerre tuent les deux pays. Au moins, maintenant, en Autriche, les femmes ont le droit de vote, et je crois que notre chancelier, le Dr Renner, est un bon choix, mais la situation ici est désastreuse et tous les voyages du Dr Renner à l'étranger pour obtenir de l'aide semblent rester vains, malgré ses supplications.

14 février 1920

Heinrich m'a dit que la monnaie autrichienne est terriblement dévaluée, ne valant aujourd'hui plus qu'un trentième de ce qu'elle valait avant la Grande Guerre. Avec peu de ressources et la moitié de la population active au chômage, la situation économique de l'Autriche sera vite désespérée si des secours rapides n'arrivent pas. Le Dr Renner s'est rendu à Paris pour informer le monde que l'Autriche ne dispose que de six jours de nourriture. Il faut qu'il réussisse à convaincre la France et l'Amérique de fournir de la nourriture, des matières premières et un prêt important. Nous pouvons à peine utiliser nos voitures, et comme le pays n'a plus de charbon, même les tramways ont cessé de fonctionner. Nous voilà réduits à voyager à dos de cheval. Sans carburant, les usines ferment aussi.

Lorsque je me suis promenée hier, je suis passée devant d'innombrables hommes mutilés par la guerre. Cette vision me serre le cœur et je sens que je dois trouver un moyen de les aider.

Je me sens bien superficielle d'écrire ça, mais les théâtres, les salles de concert et les restaurants sont tous clos, et les sorties me manquent. Maintenant que j'ai enfin la broche bleue, quelle cruelle ironie que je ne puisse la porter nulle part.

Vienne traverse un hiver très rigoureux, et la famille d'Heinrich nous a livré du bois coupé dans ses forêts pour que nous puissions nous chauffer, mais ils me le font sentir. C'est un véritable fardeau pour notre mariage. Ils ne cessent d'évoquer le fait que je suis à moitié française et me traitent comme une enfant de bohème qui a fait un beau mariage. Quand je me plains à Heinrich, il reste sourd à mes propos et me crie dessus en les défendant avec force.

Malgré toutes les pénuries et l'angoisse constante, Heinrich et moi avons partagé un merveilleux dîner romantique dans notre appartement. Je suis très impressionnée qu'il ait réussi à se procurer autant de nourriture et je suppose que ses parents l'ont aidé, mais je me suis bien gardée d'évoquer ce sujet délicat. Le goulasch de veau crémeux avec un Nockerl maison a été servi comme plat principal et tout se passait bien jusqu'à ce qu'il recommence à parler de politique. Henreich est un banquier si brillant et cette horrible guerre est enfin terminée, mais comment gagner plus d'argent ? Il se plaint à nouveau de la disparition de la monarchie, et les derniers Habsbourg à avoir régné cherchent à s'exiler pour échapper au même sort que les Romanov. L'État germano-autrichien n'a jamais été accepté par les forces alliées, mais maintenant toute cette histoire est derrière nous.

– Regardons vers l'avant, pas vers l'arrière, ai-je dit à Heinrich. Peut-être devrions-nous déménager à Paris ?

– L'accord du 10 septembre conclu en France a signé notre ruine, a-t-il répété.

– Oui, mon chéri.

J'essaie toujours d'aller dans son sens et de changer de sujet, mais cette fois-ci, ça n'a pas fonctionné.

– L'Autriche ne peut pas survivre en tant que république, a-t-il poursuivi.

– Mais tu es banquier, l'ai-je interrompu, pas en campagne pour devenir chancelier !

Pourquoi devrions-nous rester à Vienne ? me suis-je demandé. Il faut que je l'habitue à l'idée de notre prochain départ. Paris pourrait être une bonne option, et nous n'habiterions pas si loin de ma belle-famille. J'ai écrit à Peter et j'espère recevoir *une réponse bientôt. Dans son dernier courrier, il me disait qu'il n'avait pas été envoyé au front car il avait une mauvaise vue, et qu'il avait hâte de me montrer ses peintures de pommiers, de cygnes sur un lac, de chevaux sauvages du haras du Theney et de la plage de Cabourg, que je n'ai jamais oubliée.*

20 mars 1920

J'adore l'appartement d'Heinrich, mais il est exigu, et trop petit même pour accueillir un seul enfant. J'espère être bientôt mère. Heinrich m'a dit qu'il voulait cinq enfants. Je suis d'accord pour dire que cinq devrait être le minimum, mais ce genre de vœu n'est-il pas illusoire compte tenu de la situation désespérée dans laquelle nous nous trouvons, avec des enfants qui meurent de faim partout et des mères qui espèrent faire des fausses couches sachant qu'elles ne pourront pas nourrir leurs bébés ?

De plus, Heinrich peut être assez froid parfois… Il devient une personne différente dès que sa mère est là. Nous devons rendre visite à ses parents pour le déjeuner demain encore, ils sont épouvantables et continuent de rappeler à Heinrich que je suis à moitié française. Comme ils détestent les Français, j'ai l'impression qu'ils me tiennent responsable de la défaite des Autrichiens dans cette guerre… Mais comme ils nous donnent beaucoup d'argent et qu'ils mettent pratiquement la nourriture sur notre table, je ne peux piper mot.

10 avril 1920

Aujourd'hui, de nombreuses lettres sont arrivées. Nous recevons le courrier à l'heure du petit déjeuner dans la salle à manger. Le majordome est entré avec un plateau d'argent sur lequel est gravé l'écusson d'Heinrich, et cinq lettres y étaient empilées. La première était pour moi, de la part de Peter. Il me dit combien il est triste de ne pas avoir assisté à mon mariage ou aux funérailles de Charlotte, à cause de la difficulté à voyager. Heinrich ne l'a même pas encore rencontré. Il dit aussi que Paris renaît, que les bars et les restaurants sont ouverts jusqu'à 1 h du matin et que le rationnement alimentaire est levé. La joie est partout à Paris, entre les Américains qui fuient la prohibition, apportant avec eux des nouveautés comme le jazz, et les artistes de toute l'Europe qui affluent dans la capitale, riches d'étranges nouvelles formes d'art comme le dada, le surréalisme et l'expressionnisme.

– Peter écrit que Paris est en plein essor et que les gens sortent, ai-je dit. Peut-être devrions-nous envisager de lui rendre visite.

– Oui, bien sûr, a répondu Heinrich.

Je suis submergée de bonheur et je prie instamment pour que ma belle-famille ne réussisse pas à détruire notre projet de départ... Ma belle-mère me donne toujours l'impression que je ne suis pas assez bien et que ma belle-sœur Helga devrait être mon modèle. Pour ne rien arranger, Helga a déjà quatre enfants d'une blondeur parfaite, qu'Heinrich contemple avec envie. Les deux parents sont autrichiens et catholiques. J'aimerais m'éloigner d'eux tous et m'installer à Paris. Dans mon dos, je les ai entendus me traiter de grenouille bohémienne, mais je ne vois pas l'intérêt d'un conflit ouvert, du moins pas encore. De plus, je suis presque sûre qu'Heinrich ne prendrait pas mon parti.

Les lettres de Peter racontent son amitié avec Picasso, à qui il a pardonné, et avec ses nouveaux amis américains comme Scott et Zelda Fitzgerald, ainsi que leur voyage au cap d'Antibes l'été dernier. J'aimerais beaucoup retourner vivre à Paris, et peut-être qu'après avoir visité la ville, Heinrich ressentira la même chose.

Peter m'indique qu'il a toujours en sa possession le portrait de Maman, La Rose blanche. *Comme j'aurais aimé l'emporter quand Charlotte m'a forcée à déménager à Vienne… mais j'étais trop jeune pour saisir sa valeur. De plus, Charlotte voulait que Peter l'ait, car il était déjà tellement bouleversé de nous voir partir. Il faut que je réponde à Peter immédiatement.*

1er mai 1920

Je suis folle de joie ! Le médecin m'a confirmé que je suis enceinte ! J'espère que ce sera un garçon ! Heinrich est également ravi et admire ma poitrine qui s'alourdit. Je me sens tout le temps très fatiguée et je pourrais dormir toute la journée.

1er septembre 1920

Mon ventre s'arrondit de jour en jour, j'ai fait du tri dans l'appartement et commencé à décorer la chambre d'enfant. Je vais garder des couleurs neutres pour le moment, jusqu'à ce que nous sachions si nous attendons un petit prince ou une petite princesse…

1er octobre 1920

La constitution de la République autrichienne a été adoptée aujourd'hui, et Heinrich en a été chagriné dès le petit déjeuner. Moi aussi, j'ai le cœur brisé, je me sens anéantie par ma fausse couche. Il m'a fallu si longtemps pour tomber enceinte et j'ai peur de ne plus jamais l'être. Je dois m'éloigner de toute cette tristesse.

3 octobre 1920

Heinrich est merveilleusement généreux et m'a proposé de redécorer notre appartement. J'ai commencé à acheter des œuvres d'art et j'ai hâte de recevoir ma récente acquisition, La Clownesse assise *d'Henri de Toulouse-Lautrec. Au milieu de toute cette souffrance et de ce désespoir, l'image que j'ai vue dans le catalogue* Drouot *de Paris m'a fait rire aux éclats. Mademoiselle Cha-U-Kao a tout d'abord un nom si drôle et ressemble à un oiseau, avec un couple qui chuchote à son sujet dans le coin gauche. C'est une lesbienne asiatique et ses performances de clownesse ont été remarquées grâce à son « costume noir et jaune caractéristique et ses cheveux empilés sur la tête ». Le tableau semble audacieux, un boa à plumes jaunes couvrant simplement sa poitrine, et ses jambes en pantalon noir largement écartées. Dès qu'il sera livré, je l'accrocherai au salon.*

1er novembre 1920

La maison de vente aux enchères parisienne Drouot *m'a écrit aujourd'hui pour me dire que mon beau tableau de*

Toulouse-Lautrec est difficile à envoyer. Une raison de plus d'aller à Paris ! Heinrich organise le voyage et prévoit notre départ dans quelques semaines. J'ai dit à Peter que nous allions lui rendre visite. Bien sûr, j'apporterai la broche bleue. À Paris, j'aurai enfin l'occasion de la porter.

Chapitre 18

« Une femme porte à la fois des pierres précieuses et du parfum, et les deux lui évoquent les moments heureux de sa vie. » – Alain Boucheron

Toulouse, 12 juillet 1988

Sophie, Dimitri et toute la bande atterrirent à Toulouse, à soixante-cinq kilomètres d'Albi. Le vol transatlantique depuis New York avait été rude, mais les garçons en avaient fait peu de cas et avaient joué au poker, bu et fumé pendant tout le vol. Sophie était heureuse qu'Oleg les ait fait voyager dans son avion privé, mais elle ne se sentait jamais très en sécurité dans les petits avions. Le trajet était plus doux dans les grands, moins enclins à se soulever ou piquer du nez à la moindre tempête. Ils avaient traversé pas mal de turbulences, mais les shots de vodka lui avaient fait oublier sa peur.

– Comment allons-nous nous rendre jusqu'à Albi ? demanda Sophie, le vent soufflant dans ses cheveux alors qu'elle descendait du jet privé, une urne dans chaque main.

À ce moment-là, un minibus noir apparut.

– Prochain arrêt, Albi, annonça Dimitri, tandis qu'ils s'entassaient à l'intérieur.

Dans le véhicule, Dimitri expliqua que, pour éviter d'attirer l'attention, il avait loué un appartement près de la cathédrale d'Albi, mais qu'ils devaient d'abord aller voir Marie.

Après s'être installée, Sophie lança :

– Alors, on procède comment ?

Dimitri lui tendit une carte en couleur portant la date du 13 juillet 1988, minuit, et sur laquelle se trouvait le dessin de ce qui ressemblait à un entrepôt dans une rue d'Albi.

– Qu'est-ce que c'est ? reprit-elle.

– Jérôme va s'en occuper ce soir. Il passera par la fenêtre de l'hôtel de Vivian, à la Tarzan, et déposera la carte sur son lit. Celle-ci la mènera tout droit à l'entrepôt...

– Et que se passera-t-il une fois qu'elle y sera attirée ?

– Elle tombera sur un faux Toulouse-Lautrec et, tout près, sur les urnes contenant les cendres de ses ancêtres, ce qui la mènera à sa porte. Dès qu'elle touchera les urnes, elle sera contaminée par un poison.

– Quel genre de poison ? répliqua Sophie. Je croyais qu'il fallait avaler les poisons pour qu'ils soient efficaces.

– C'est un poison spécial, un agent neurotoxique russe appelé « Novichok », intervint le Chimiste en faisant signe à Sophie de lui remettre les urnes. Je vais enduire les urnes de cette substance.

– Mais tu es sûr que ça va marcher ? insista Sophie.

– Quelques gouttes seulement lui seront fatales, répondit le Chimiste en souriant. Une fois au contact de sa peau, le poison passera rapidement dans son sang et ses muscles vont se détraquer. Elle aura d'abord des spasmes, puis sera paralysée et ne pourra plus respirer, car tous ses organes seront privés d'oxygène.

– Merveilleux, dit Sophie. Mais est-ce que ça va la tuer ?

– C'est terriblement toxique, dit le Chimiste. Et le plus beau dans tout ça, c'est que le Novichok est difficile à détecter. Quand son cadavre sera retrouvé, on croira qu'elle est morte d'une crise cardiaque.

– En plus, ajouta Dimitri, comme elle sera trouvée à proximité d'une contrefaçon d'un des tableaux que nous allons voler, la police pensera que c'était elle la coupable du braquage.

– C'est le plan parfait pour piéger ma garce d'ex-femme, rétorqua Jérôme. Une fois qu'elle aura touché les urnes, bam ! Elle ne verra rien venir, elle ne va rien piger.

La camionnette s'engagea dans une ruelle et s'arrêta devant un studio.

Sophie et toute l'équipe descendirent et Sophie s'étonna de la couleur rouge de ce petit village. Ils entrèrent dans la grande maison à colombages délabrée.

– Voilà*, c'est ici que travaille notre vache à lait. Doucement les gars, pas un mot sur l'argent qu'on a déjà gagné en vendant ses pièces, compris ? Personne ne moufte.

En entrant dans l'atelier, Sophie remarqua les chevalets, les pinceaux, les couleurs partout et les dizaines de tableaux de Toulouse-Lautrec. Elle en reconnut certains : plusieurs de la série des Carmen ainsi que *La Clownesse assise* et l'autoportrait de Toulouse-Lautrec.

– Bonjour, lança Sophie à Marie, heureuse de vous rencontrer enfin. C'est donc ici que l'artiste est à l'œuvre.

Elle parcourt les œuvres du regard, impressionnée par leur air authentique. Il faudrait des tests médico-légaux et des radiographies pour que quiconque se rende compte qu'ils étaient faux. C'était la première fois qu'elle voyait un artiste faussaire en plein travail.

– Tu es à Albi depuis longtemps ? demanda Sophie.

– Deux ans, répondit Marie. Et vous tous ?

– On vient d'arriver de New York, dit Sophie. Et toi, d'où viens-tu ?

– De Paris. J'ai hâte d'y retourner, je travaille sur une exposition pour cet automne. J'ai l'impression d'être ici depuis toujours.

– Elles sont super tes répliques. Quel genre de peinture et quelles toiles utilises-tu ? demanda Sophie.

– Seulement deux ans, Mary, mais deux ans très productifs. Félicitations pour ton travail fantastique, intervint Dimitri en admirant ses peintures et coupant net la conversation. Je vais prendre celle-ci, dit-il en se dirigeant vers la copie de *L'Amazone*. Elle est parfaite. Et merci pour les infos sur le musée.

Il lui tendit alors une enveloppe épaisse, remplie d'argent.

– On y va, les gars. Mary, on reste en contact. Continue à faire du bon travail.

Chapitre 19

> *« Toujours et partout la laideur a ses accents de beauté. C'est passionnant de les découvrir là où personne ne les voit. »* – Henri de Toulouse-Lautrec

Albi, 13 juillet 1988

Je pénétrai dans les jardins classiques aux arrangements floraux géométriques en songeant toujours au contraste frappant entre cette beauté et la misère que ma grand-mère avait endurée. Les horribles années d'après-guerre à Vienne, puis sa fausse couche. Je me demandais si Heinrich et elle allaient un jour déménager à Paris tout en admirant le palais de la Berbie et ses pierres roses, cette forteresse du XIIIe siècle, l'un des châteaux les plus anciens et les mieux préservés de France et qui abrite aujourd'hui le musée Toulouse-Lautrec. Avec ses larges tours et son architecture plutôt complexe, la forteresse avait un temps été un palais épiscopal et le symbole durable du pouvoir de l'évêque d'Albi.

Mon rendez-vous avec le directeur du musée était prévu à 11 h et comme j'étais en avance, je visitai d'abord la collection. Passant sous les plafonds voûtés en briques, j'entrai dans la première salle et admirai l'autoportrait de Toulouse-Lautrec et *L'Artilleur sellant son cheval*, tous deux peints alors que l'artiste n'avait que seize ans. Les muscles du cheval et les traits du visage de l'homme préparant la monture étaient exécutés avec une intensité d'un réalisme inhabituel pour un artiste adolescent.

Grâce à la mère d'Henri de Toulouse-Lautrec, la comtesse Adèle, sa collectionneuse passionnée, les plus importants tableaux, dessins et lithographies de l'artiste de la Belle Époque étaient exposés ici même, accessibles au public. À côté, un portrait de sa mère, habillée d'une simple robe blanche, baissant les yeux avec mélancolie et tendant la main vers son café, évoquait la douleur qu'elle devait ressentir face à la maladie handicapante de son fils. Un autre portrait montrait sa mère dans une robe sombre en train de lire dans le somptueux boudoir de sa maison familiale, Céleyran. *Le Docteur Tapié de Céleyran*, un élégant tableau du cousin d'Henri de Toulouse-Lautrec, me fascinait tout autant. Peint dans le *Moulin Rouge*, le docteur Tapié était saisissant avec son monocle, son chapeau noir et sa moustache bien soignée, ses pieds foulant le tapis rouge. Tout près de là se trouvait le chef-d'œuvre *Au salon de la rue des Moulins*, à propos duquel j'avais lu de nombreux articles. On y voit, sous l'œil vigilant de la sévère « Madame » (la patronne et propriétaire de la maison close), quatre femmes en robe de nuit patienter avec ennui sur les canapés cossus d'un décor oriental afin que le médecin les ausculte. À droite, une prostituée soulève sa jupe, montrant qu'elle est disponible pour de potentiels clients...

Mes yeux se posèrent ensuite sur *La Goulue*, cette danseuse de cancan vedette du *Moulin Rouge*, une des favorites de Toulouse-Lautrec, entrant dans la salle vêtue d'une robe décolletée. C'est alors que je la vis : *La Clownesse assise*, exactement comme je me la rappelais quand j'étais petite, le tableau que Francesca possédait et qui avait longtemps été accroché dans le salon du palais Weissenberg.

Sa peau pâle et ses lèvres rouges bien dessinées, ses jambes minces glissées dans un pantalon noir, sa poitrine couverte d'un chapelet de plumes jaunes et ses cheveux blancs dans un chignon monumental. Même le cadre était inchangé. Non loin de là étaient exposés les deux autres tableaux que Francesca avait achetés : *L'Amazone*, représentant une femme brune et légère posant sur le dos de son étalon brun, et *Carmen la rousse*, représentée assise dans un jardin tout simple, de profil. Ces trois œuvres avec lesquelles j'avais grandi au palais Weissenberg formaient désormais le cœur de mon livre.

On me fit entrer dans le bureau du directeur. La pièce était remplie d'ouvrages consacrés à des artistes tels qu'Édouard Vuillard, Claude Monet ou Edgar Degas. Après m'être présentée, je lui parlai du livre que j'étais en train d'écrire, ajoutant que j'avais quelques questions à lui poser.

– Vous avez acheté *La Clownesse assise* à mon père il y a quelque temps. J'ai grandi auprès de ce tableau, ainsi que de *L'Amazone* et de *Carmen la rousse*. Ils faisaient partie de la collection de ma grand-mère.

– Bien sûr, Marcus Aigner. Et vous êtes Vivian Aigner, n'est-ce pas ? Il nous les a vendus il y a quelque temps. Comment va votre père ? C'est un homme extraordinaire.

Je lui annonçai alors la crise cardiaque fatale de Marcus, puis exprimai faussement mon admiration pour mon défunt père. Il me semblait que c'était la meilleure attitude à adopter dans ces circonstances.

– Que pouvez-vous me dire de la relation entre Henri de Toulouse-Lautrec et le modèle de *L'Amazone* ?

– Une toile peinte en 1899, et qui représenterait Madame Victorine Hansman, une négociante en chevaux anglaise que Toulouse-Lautrec admirait beaucoup. Ils se sont rencontrés aux courses hippiques à Paris.

– Et concernant *La Clownesse assise* ?

– Oui, je me souviens que nous l'avons payée assez cher et je suis très heureux de l'avoir dans notre collection. C'est une pièce inhabituelle, car d'ordinaire, Toulouse-Lautrec représentait Mademoiselle Cha-U-Kao debout, en train de s'habiller ou de jouer. Je crois que c'est le seul tableau où elle se repose.

Je continuai à interroger le directeur, qui me parla longuement des peintures de Francesca, affirmant qu'elles étaient parmi ses trois préférées et que, bien que très différentes par leur sujet et leur style, montraient l'artiste au sommet de sa créativité.

– Au moins, avec vous, Vivian, je peux parler des vraies peintures. Hier, un professeur britannique était ici, complètement obsédé par les cadres, soupira le directeur.

– Vous vous souvenez de son nom ? Le professeur Mhost, peut-être ?

– Oui, il me semble que c'était ça. Il m'a harcelé au sujet de détails ineptes pendant des heures, mais le plus étrange, c'est qu'il a même pris son déjeuner sur le banc, les yeux fixés sur la série des Carmen.

Lorsque je quittai le musée, impossible de me départir du sentiment que le professeur Mhost cherchait quelque chose. Le directeur du musée m'avait dit que depuis notre arrivée, Mhost avait passé des heures chaque jour ici à inspecter chaque cadre. Et je ne pouvais m'empêcher de penser à *La Clownesse assise* de Francesca. De retour à l'hôtel, j'ouvris le journal, espérant y trouver d'autres réponses. J'avais encore quelques heures avant mon dîner avec Mary et Steven.

Vienne, 10 novembre 1920

Heinrich m'a annoncé que nous allions prendre un avion de la KLM pour rejoindre Paris ! Je n'arrive pas à y croire ; ce que Simon Alfred von Oppenheim a prédit s'est réalisé. Bientôt, je prendrai l'avion pour aller partout et les longs et inconfortables voyages en train appartiendront au passé. Au déjeuner, il m'a dit avoir affrété un petit Fokker F. VII monomoteur à huit places. Nous décollerons dans dix jours. Je dois commencer à faire mes bagages !

20 novembre 1920

Nous venons d'atterrir à Paris et c'était incroyable de voir l'Autriche et la France depuis le ciel. Il n'y avait que le pilote, le copilote, une hôtesse et nous. L'avion était plus petit que je ne pensais, n'avait qu'une seule hélice et faisait énormément de bruit, mais j'ai adoré chaque minute du voyage et me suis sentie littéralement au sommet du monde.

Paris, 1er décembre 1920

Paris est tellement différent de l'Autriche ! À Vienne, tout le monde est affamé et malheureux alors qu'ici, à Paris, les gens sont beaux, bien nourris et joyeux. C'est aussi tellement cosmopolite, avec tous ces artistes américains qui viennent s'installer ici, à la recherche d'alcool et de divertissements puisque l'alcool est désormais interdit dans leur pays. Les cafés, les restaurants et les magasins sont animés, et tout le monde parle des derniers films muets. Quelle révolution ! L'intrigue est restituée visuellement. Toute la narration et l'émotion sont exprimées par la pantomime, mais lorsque le besoin s'en fait sentir, des cartons titres aident le public à comprendre l'histoire. Le fantastique Charlie Chaplin est la star de ce monde et apprécie qu'un petit orchestre accompagne ses films. Je meurs d'envie d'aller le voir au cinéma !

Nous logeons au Ritz, *place Vendôme, qui a tellement changé depuis que j'y suis venue prendre le thé avec Charlotte et Gabrielle Chanel il y a dix ans. Autrefois, c'était une maison de ville du* XVIIIe *siècle, et aujourd'hui, c'est un palais étincelant qui fourmille de tableaux précieux, de miroirs dorés et de tapis de soie exotiques. En entrant, j'ai admiré les superbes compositions florales de roses blanches disposées dans le hall. Il y avait beaucoup de monde, j'ai entendu des accents du monde entier, mais César Ritz a quand même trouvé le temps de nous accueillir personnellement avec une coupe de champagne, en disant qu'il aimait « rendre l'impossible*

possible » et que les musiciens, les écrivains et les artistes affluaient à l'hôtel presque tous les soirs et remplissaient le bar.

– Dans votre chambre, vous trouverez toutes les commodités, a-t-il déclaré, y compris de très grandes baignoires. J'en ai ajouté dans toutes les chambres il y a quelques années après que le roi Édouard VII s'est coincé dans l'une d'elles lors d'un bain. Il a fallu trois hommes costauds pour l'en extraire !

Il nous a ensuite présenté Cole Porter, le célèbre compositeur et pianiste américain, qui a remercié César d'avoir organisé une soirée piano la veille. Après le départ du musicien, César nous a raconté ce qui s'était passé.

– « J'ai besoin d'interpréter une partition récemment achetée chez un milliardaire américain qui vit à Paris, et je n'ai pas de piano », voilà ce que m'a confié Cole Porter. Alors j'ai envoyé mon barman en dérober un, a dit César en riant. Et une heure plus tard, un piano à queue est apparu ici et nous avons pu profiter de la musique entre nos murs.

Alors que nous sirotions une seconde coupe de champagne dans le jardin de l'hôtel, Heinrich a engagé la conversation avec l'écrivain américain Ernest Hemingway, qui ressemble à un ours imposant. J'ai également aperçu le romancier Scott Fitzgerald que Peter avait évoqué dans sa lettre. C'était fascinant, ce tourbillon devant mes yeux, et tout est permis au Ritz *: une ravissante blonde d'à peine vingt ans est arrivée au bras d'un vieil homme. Scott a envoyé un serveur acheter des roses, qu'il a ensuite fait parvenir à la jeune femme, avec ses compliments. La jeune blonde a aussitôt retourné les roses à Fitzgerald, qui, dans un élan nourri par ce rejet, en a saisi une et l'a lentement mangée, pétale par pétale. Une heure plus tard, Fitzgerald est revenu au bar, la jeune beauté à ses côtés. Heinrich a appelé ça « le stratagème de la rose ». Un tel scénario n'aurait jamais eu lieu à Vienne.*

Juste après, une autre dame fortunée est entrée avec son puma de compagnie, un grand cougar. Les Parisiens, et les clients du Ritz, sont tellement extravagants et chic.

Lorsque nous avons franchi le seuil de notre suite, j'ai cru accéder au paradis. Les immenses fenêtres sont bordées de feuilles d'or et donnent sur la place Vendôme. Il y a des meubles Louis XV et un magnifique portrait de Marie-Antoinette. La chambre est décorée dans des tons rose fraise et crème avec un lit à baldaquin dans une pièce et un motif floral en soie dans l'autre. Un grand seau à champagne avec un mot de César Ritz lui-même nous souhaitait un merveilleux séjour.

2 décembre 1920

Aujourd'hui, la maison de vente aux enchères Drouot, auprès de laquelle j'ai acheté mon tableau, m'a envoyé La Clownesse assise de Toulouse-Lautrec au Ritz. Elle est encore plus belle que dans le catalogue. Contrairement aux autres œuvres de Lautrec qui montrent Cha-U-Kao en train de jouer, celle-ci la représente dans les coulisses, dans un moment de recueillement. Sa pose franche et son expression presque lasse me donnent envie d'en savoir plus sur la personne derrière le personnage. Son boa en plumes jaunes est si parisien qu'il faut que je me procure le même.

3 décembre 1920

C'est notre troisième jour à Paris et Heinrich m'a emmenée rue Saint-Honoré, avec toutes ses boutiques de créateurs exquises qui m'ont renversée. Nous avons tourné à droite à l'église de *l'Assomption en direction de la boutique de Gabrielle Chanel, rue Cambon, un superbe hôtel particulier de quatre étages.*

Il m'a offert une robe laissant apparaître mes bras, mes jambes et un peu de mon dos. C'était assez osé, mais avec mon manteau de fourrure sur les épaules, je me sentais délicieuse. Gabrielle, qui a insisté pour que je l'appelle « Coco », s'est souvenue de moi et m'a demandé si je pratiquais toujours le ballet. J'ai répondu que oui, un peu, et que je devais toujours montrer à Heinrich le costume qu'elle avait fait pour moi il y a si longtemps. Après qu'Heinrich eut payé, elle m'a offert son nouveau parfum, Chanel n° 5.

– Quand j'ai perdu Étienne, mon amour Étienne, j'ai été inspirée et j'ai créé ce parfum. J'espère qu'il te plaira.

Heinrich m'a ensuite déposée chez le coiffeur Alexandre de Paris. Mon mari a d'abord été surpris lorsqu'il est venu me chercher, en découvrant que j'avais tout coupé. Mon carré court à la française, si joli avec sa frange, est assez osé, mais je le trouve adorable et, en plus, j'avais besoin de changement.

Ensuite, nous sommes allés chez Boucheron, de l'autre côté de la place Vendôme, après la colonne de bronze où sont sculptées les victoires de l'armée française et au sommet de laquelle se trouve une statue de Napoléon. Les portes du numéro 26 de la place Vendôme, anciennement l'hôtel de Nocé, ressemblent à celles du paradis. Derrière les vitrines en verre se trouvent les plus merveilleuses créations, et la créativité de Boucheron n'a pas de limite. J'ai repéré un long collier de diamants imitant une plume de paon en point d'interrogation, tout en courbes et sans fermoir ! Parfait pour être porté autour de mon cou. Derrière un diadème en saphir, je devinai les pattes de Vladimir, le chat de la maison, qui portait également un collier en émeraude, assorti à son regard intense.

Louis Boucheron, le père de Frédéric et le créateur de ma broche bleue, que je portais bien sûr pour l'occasion, nous a accueillis et a admiré le bijou exquis.

– Francesca, comme tu as grandi et comme la broche bleue te va divinement bien !

– Je vous remercie. Je l'aime beaucoup et j'espère qu'elle me va aussi bien qu'à Maman.

– Vous la portez à merveille ! Et quel bel époux vous avez, a-t-il ajouté en se tournant vers Heinrich, avant de se concentrer de nouveau sur la broche bleue.

– Les diamants gravés, les délicates ailes de papillon, et l'art du sertissage de mon père… Tout cela la rend unique, Francesca. Il n'y a aucune autre pièce comme celle-ci.

Heinrich était d'accord avec Louis Boucheron et l'a pris à part ; je pense qu'il a peut-être commandé mon cadeau de Noël…

Le soir, nous avons invité Peter à dîner ici, au Ritz. *C'est le restaurant le plus élégant que je connaisse avec ses hauts plafonds et fenêtres, ses rideaux or et abricot aux plis tombant parfaitement, retenus par d'épais rubans verts et en contraste remarquable avec les murs jaune clair et saumon. Les lustres en cristal au-dessus de nous, les peintures raffinées aux murs, les miroirs ovales et les serveurs en tenue immaculée qui s'affairent pour servir la clientèle sophistiquée. De grands seaux à champagne en argent refroidissant les précieuses bouteilles et notre table magnifiquement décorée d'une exquise composition florale. Mon frère, que je n'avais pas vu depuis une décennie, est arrivé avec Loulou, que j'ai failli ne pas reconnaître. Où était la fille douce, mince, aux cheveux blonds et aux fossettes, toujours guindée ? Elle était à peine vêtue, sa robe violette moulante était presque transparente, elle était beaucoup trop maquillée et semblait recouverte de plumes, comme si elle venait de sortir d'un oreiller. Même pour Paris, sa tenue était trop osée. À mon grand étonnement, mon ancienne meilleure amie était maintenant danseuse au* Moulin Rouge *! J'ai entendu dire que c'était un établissement crasseux près de Montmartre, dans le quartier de Pigalle, reconnaissable à ce moulin à vent rouge sur son toit. C'était le berceau du cancan, une danse aguicheuse menée à un rythme endiablé, où les femmes, dans des costumes affriolants, levaient les jambes tendues en l'air en montrant leurs sous-vêtements et faisaient le grand écart. J'ai essayé de cacher mon effroi et de feindre l'admiration, mais une question me brûlait les lèvres.*

– Pourquoi ne m'as-tu jamais écrit ?

– Mais j'ai écrit ! a-t-elle protesté. Au moins vingt lettres, et je n'ai jamais reçu de réponse. J'étais dévastée, j'avais perdu ma meilleure amie.

Peter a alors ajouté que je n'avais souvent pas répondu à ses lettres non plus.

– C'est vrai ? ai-je demandé, incrédule, pensant que Charlotte ne les avait peut-être pas transmises parce qu'elle ne voulait pas que je reste trop attachée à Paris. Connaissant Charlotte, c'était possible.

Je me suis sentie triste. Peter avait l'air de ne pas avoir pris de bain depuis des lustres – il en avait aussi l'odeur –, et s'était laissé pousser une barbe mal entretenue. Sa tenue était miteuse et simple, une honte pour le Ritz *et un contraste frappant avec les costumes et les cravates blanches que les autres hommes portaient. La conversation a d'abord été difficile et Peter semblait furieux que nous ayons pris l'avion pour Paris. Je pense qu'il est également très jaloux que nous logions au* Ritz*, mais Heinrich s'est assuré qu'on nous serve beaucoup de champagne puis du vin. À la fin du dîner, Loulou nous a conviés, Heinrich et moi, à assister à l'un de ses spectacles et Peter a dit qu'il nous inviterait à dîner bientôt.*

J'ai porté la broche bleue, car ici, au Ritz, *il faut bien s'habiller. Les hommes sont en cravate blanche et les femmes portent de merveilleuses robes longues. Leur cou, leurs oreilles et leurs poignets sont ornés de diamants et de perles précieuses et j'en ai même aperçu quelques-unes avec un diadème. Après le dîner, Peter m'a pris à part.*

– Tu sais que c'est mon père qui a offert cette broche à notre mère. Ne t'y habitue pas trop, elle est à moi, a dit Peter.

Je vais si bien cacher cette broche qu'il ne la trouvera jamais, me suis-je dit en la glissant dans un de mes bas et en la calant sous notre matelas dès qu'Heinrich et moi sommes revenus dans notre chambre. Je ne laisserai pas Peter la voler.

4 décembre 1920

Chaque jour, un nouvel événement spectaculaire survient. Hier, c'était l'arrivée bruyante et bigarrée du maharaja de Patiala. Vingt guerriers sikhs, armés jusqu'aux dents, l'accompagnaient, portant de grands coffres en fer. J'ai entendu dire que les coffres sont remplis de milliers et de milliers de diamants, rubis, perles et émeraudes.

Aujourd'hui, le prince indien et ses guerriers ont fait sensation en transportant les coffres hors du Ritz *et en descendant la rue jusqu'à chez Boucheron. Je n'ai pu réfréner ma curiosité et suis passée à la boutique plus tard dans l'après-midi, où j'ai appris que les bijoux du maharaja contenaient sept mille cinq cent soixante et onze diamants, divers rubis et perles et, plus spectaculaire encore, mille quatre cent trente-deux émeraudes pesant sept mille huit cents carats, toutes enveloppées dans des foulards de soie colorée, certaines aussi grosses que des abricots. Le maharaja a passé la plus grosse commande de l'histoire de Boucheron.*

---

5 décembre 1920

Heinrich et moi sommes passés en voiture devant la basilique du Sacré-Cœur, avec ses trois coupoles et sa blancheur éclatante qui trône au sommet de Montmartre. Nous nous sommes faufilés dans des rues étroites et sinueuses, avons longé des moulins à vent jusqu'au bas de la rue Lepic, la rue de Montmartre où vivaient mes parents et où je suis née.

J'ai ressenti un frisson de reconnaissance en grimpant les marches et en entrant dans mon ancien appartement. Déjà, dans la cage d'escalier, j'avais remarqué la peinture écaillée et l'odeur désagréable.

– Alors, c'est ici que vit ton frère, ma princesse, a dit Heinrich avec un sourire lugubre.

Il a souligné que lui avait une famille parfaite et qu'il était vraiment désolé pour moi. Hier encore, il a insinué que j'aurais dû le prévenir et m'a reproché de ne jamais avoir évoqué cette facette de Peter à Vienne.

– Oui, c'était charmant avant. Ce n'est certainement pas comme dans mon souvenir, mais au moins tu verras le magnifique portrait de ma mère, La Rose blanche.

Aussitôt arrivés, nous avons vite fait de découvrir que Peter et Loulou vivent en fait ensemble. J'ai tendu à Peter une bouteille d'un splendide vin rouge qu'il a ouvert sur-le-champ, mais qu'il a servi dans des chopes en étain. Ils nous ont fait visiter et leur chambre à coucher, mon ancienne chambre, était encombrée de montagnes de costumes de danse colorés, si nombreux qu'il était difficile de discerner le lit en dessous ! Dans le salon, les beaux anciens meubles de Maman étaient cassés ; des chevalets et de la peinture remplissaient tous les recoins et j'ai vu une souris se faufiler dans la cuisine.

La Rose blanche *et mon ancien cadeau d'anniversaire, le portrait de Loulou, étaient accrochés dans la salle à manger, mais tous deux étaient couverts d'une épaisse couche de poussière. Les chaises défraîchies de la salle à manger, les taches sur le tapis et la saleté m'ont donné la nausée. J'ai essayé de cacher mon dégoût et d'apprécier le repas plutôt simple que Loulou avait préparé. Elle portait encore son tablier. Mon palais avait été gâté ces derniers jours par tant de gastronomie, aussi le poulet trop cuit de Loulou resta-t-il un peu coincé dans ma gorge. Je ne pouvais me résoudre à la complimenter, même si je savais qu'elle attendait des éloges.*

Au dessert (un gâteau au chocolat trop sec), Peter a de nouveau évoqué la broche bleue et m'a proposé de l'échanger contre le tableau de Loulou qu'il m'avait offert pour mon onzième anniversaire, mais je me moque complètement de ce tableau. Je veux vraiment récupérer La Rose blanche *et il peut oublier la broche. Il ne l'aura jamais.*

Sur le chemin du retour, Heinrich a essayé de me réconforter, constatant ma détresse.

– J'espère que nous n'avons pas attrapé de poux, lui ai-je soufflé en arrivant au Ritz.

Pour une raison quelconque, la soirée a semblé inspirer Heinrich, et j'espère que notre intimité portera ses fruits cette fois.

Il était 19 h quand je refermai le journal. Ainsi, c'était comme ça que Francesca avait acquis *La Clownesse assise*. Tout en pensant au journal, je me préparais, le dîner avec Steven et Mary étant prévu une demi-heure plus tard.

Quand j'arrivai, ils étaient déjà assis dehors, près du bar en bois rustique de *La Calèche*. L'endroit était bondé et la rue de la Piale envahie de tables et de chaises. Je le saluai d'un geste de la main et me frayai un chemin. Steven était exactement aussi débraillé et sexy que dans le train. Mary avait un air artistique avec des taches de couleur sur sa chemise blanche, un jean déchiré et un chignon lâche. Un bandana coloré encadrait son visage rond et parsemé de taches de rousseur. Elle fumait une cigarette roulée. Je me sentais trop bien habillée, mais le regard de Steven me rassura.

– Alors, comment s'est passée ta journée ? demandai-je en regardant Mary alors que nous nous dirigions vers la table.

– Beaucoup de travail, ce qui est bien, mais épuisant. Je peins énormément, dit-elle mystérieusement.

– Quel est ton artiste préféré ? me demanda Steven, une fois tous les trois attablés.

– Difficile à dire. Les impressionnistes m'inspirent, les peintres de la Belle Époque, Van Gogh par exemple, répondis-je.

– Oh oui, il était particulièrement influencé par les gravures sur bois. Dans certains cas, il a même fait des copies de Hiroshiuge, Kesai Eisen, précisa Mary.

– Oui, presque mathématiquement, et elles ne ressemblent pas à ses autres peintures. Puis, évidemment, Toulouse-Lautrec, ajoutai-je.

– Il m'arrive de le trouver assez inspirant aussi, répondit Mary au moment où une bouteille de vin blanc et des cuisses de grenouille furent apportées.

Steven se servit une portion généreuse et commanda trois filets de bœuf* avec des pommes de terre* en plat principal.

– Oui, Steven m'en a parlé. J'adorerais voir ton travail.

– Pas sûr que ça plaise à Dimitri, répliqua Mary, en engloutissant son deuxième verre de vin avant de se lever pour aller se laver les mains.

– Qui est Dimitri ? lançai-je à Steven.

Steven m'expliqua que Mary était une artiste précaire et qu'elle travaillait en quelque sorte pour Dimitri. Il en saurait plus le lendemain à son studio et me proposa de venir. Comme j'étais plus qu'heureuse de passer davantage de temps avec lui, j'acceptai et nous nous embrassâmes.

– Qui est Dimitri ? tentai-je une nouvelle fois quand Mary revint des toilettes.

– Oh, juste un type pour qui je travaille, en gros. Tu le croiseras peut-être, il vient d'arriver à Albi.

– Il est Russe ? s'enquit Steven.

– Je crois bien, dit Mary en finissant un autre verre de vin. Elle avait à peine touché à son assiette.

Pourquoi était-elle si nerveuse ? À cause de Dimitri ?

Après avoir déposé Mary à son studio, Steven proposa de me ramener à l'hôtel. J'étais séduite par son comportement de gentleman et l'invitai à prendre un verre dans ma chambre, ravie qu'il accepte et espérant qu'il y aurait du rosé* dans le minibar. En ouvrant la porte, je remarquai que la fenêtre était ouverte et qu'un fort courant d'air soufflait dans la pièce.

– Bizarre, je suis sûre de l'avoir fermée, dis-je en me dirigeant vers la fenêtre.

– Qu'est-ce que c'est que ça ? dit Steven en désignant le lit.

Il y avait une grande carte d'Albi étalée et je poussai un cri, effrayée. *Encore une mauvaise nouvelle ?*

– Vivian, viens ici ! s'exclama Steven en me serrant contre lui. Détends-toi, je suis là. Voyons ça de plus près.

C'était une carte en couleur d'Albi, incluant le château de Bosc. Un grand X était dessiné juste en dessous de la cathédrale et un cercle entourait le musée.

– Quelqu'un a dû s'introduire dans ta chambre. Nous devrions appeler la réception et leur demander s'ils ont noté quelque chose de suspect, dit Steven.

– C'est peu probable, puisque l'intrus semble être passé par la fenêtre. Peut-être avec une échelle ou une corde ?

Steven retourna près de la fenêtre et se pencha à l'extérieur. Il scruta alentour pour vérifier s'il n'y avait pas une corde attachée quelque part…

Je me laissai tomber sur la chaise devant le petit bureau d'angle, la carte entre les mains, et soupirai :

– Alors, c'est la blague anonyme, deuxième partie, dis-je en tremblant.

– Qu'est-ce que tu veux dire ?

– J'ai reçu une lettre anonyme avec une menace de mort à Vienne récemment.

– C'est horrible. J'espère que tu es allée voir la police !

– Oui, mais c'était inutile, elle n'a rien fait. Je ne pense même pas que je vais lui apporter la carte. Regarde, Steven, ajoutai-je en désignant la carte du doigt. Il est écrit « 13 juillet 1988, minuit » et il y a un dessin de ce qui ressemble à un entrepôt dans cette rue ici à Albi. « **C'est là que se trouve votre trésor.** Signé : un ami qui vous veut du bien. » C'est dans une demi-heure. Je dois découvrir de quoi il s'agit.

– Eh bien, pas question que tu y ailles seule, je t'accompagne, décida Steven en glissant un bras autour de mes épaules.

Chapitre 20

« La littérature est une nouvelle qui reste d'actualité. » – Ezra Pound

Vienne, 14 juillet 1988

Margot dormait très mal depuis le départ de Vivian. Elle espérait recevoir des nouvelles de la conférence, mais Vivian n'avait appelé qu'une seule fois d'Albi, surtout pour se plaindre du professeur Mhost. Le journal venait d'arriver. En parcourant la section internationale, elle fut saisie d'effroi.

Albi, France

La nuit dernière, des voleurs se sont introduits dans le palais de la Berbie, siège du musée Toulouse-Lautrec, et ont dérobé dix des tableaux les plus prestigieux d'Henri de Toulouse-Lautrec, pour une valeur estimée à cinquante millions de dollars, ont déclaré aujourd'hui les enquêteurs de la police. Les autorités d'Albi, petite ville du Sud-Ouest de la France où est né l'artiste de la Belle Époque en 1864, ont déclaré que les auteurs des faits ont emporté plusieurs des pièces les plus importantes de la collection du musée, qui compte deux cent dix-neuf tableaux signés par Toulouse-Lautrec.

Sur la base des enregistrements des caméras de sécurité, la police a déclaré qu'elle pensait qu'au moins quatre personnes, dont une femme, étaient impliquées dans le cambriolage mercredi soir.

Après avoir diffusé un gaz anesthésiant dans le système de ventilation, assommant ainsi les trois gardes en service, les malfrats, munis de masques à gaz, ont escaladé les murs extérieurs du musée avec une échelle récupérée sur un échafaudage et sont entrés dans le musée en brisant une fenêtre. Les cambrioleurs ont ligoté les trois gardiens et leur ont appliqué du ruban adhésif sur les yeux et la bouche, sans toutefois les blesser.

Le commissaire de la police albigeoise s'est dit soulagé que rien de sérieux ne soit arrivé aux gardiens.

Les enquêteurs déclarent avoir identifié un suspect principal dans le cambriolage, une femme que la police a découverte dans un entrepôt voisin auprès de l'un des tableaux de Toulouse-Lautrec volés. Les autorités l'ont identifiée comme étant Vivian Aigner, un professeur d'art vivant à Vienne, venue à Albi pour participer à une conférence internationale sur le peintre. Dans un rebondissement encore inexpliqué, les autorités ont précisé qu'elle avait été empoisonnée et qu'elle se trouvait actuellement en convalescence au centre hospitalier d'Albi.

Les autorités ont indiqué que les toiles des plus grands tableaux volés avaient été sauvagement découpées dans leurs cadres. Parmi ces œuvres : L'Artilleur sellant son cheval, Docteur Tapié de Céleyran, La Goulue, L'Amazone, La Clownesse assise *et* Carmen la rousse.

Selon les responsables, ces tableaux sont bien trop connus pour être facilement vendus sans la complicité de collectionneurs d'art ou de galeries.

Outre les principaux tableaux, le musée abrite quelque huit cents dessins, lithographies et affiches de Toulouse-Lautrec.

La principale suspecte sera interrogée dès que son état de santé le permettra.

Margot referma le journal, les larmes aux yeux. Il fallait qu'elle se rende à Albi de toute urgence. Elle n'aurait jamais dû laisser Vivian s'y rendre seule.

Chapitre 21

« Les erreurs sont les portes de la découverte. »
– James Joyce

Centre hospitalier d'Albi, 22 juillet 1988

J'observai les tubes sortant de mes bras, la chambre d'hôpital blanche et l'infirmière qui se dirigeait vers moi pour prendre mon pouls.

Elle quitta peu après la pièce en m'indiquant que le médecin ferait sa tournée d'ici une heure et qu'il passerait me voir. Il était satisfait de mon évolution. Elle m'annonça alors que j'avais de la visite.

– Margot, que fais-tu ici ? Et Zola, comme il m'a manqué ! m'écriai-je en caressant mon compagnon à poils. Et toi aussi, évidemment, Margot !

– Ma chérie, je n'aurais jamais dû te laisser venir ici seule. Que s'est-il passé ?

– C'était vraiment bizarre, Margot.

Je lui racontai alors que j'avais trouvé dans ma chambre d'hôtel une carte qui m'invitait à me rendre dans un entrepôt et que Steven – rencontré dans le train – m'y avait accompagnée à l'heure et à la date indiquées sur la carte, le 13 juillet à minuit.

– Lorsque nous sommes entrés dans l'entrepôt, poursuivis-je, nous avons découvert *L'Amazone* de Toulouse-Lautrec exposée sur un chevalet. J'ai ensuite vu deux urnes, l'une étiquetée « Marie Anne » et l'autre « Maurice ». Je les ai soulevées, heureuse d'avoir enfin retrouvé les ossements, mais ne sachant pas du tout comment ils avaient pu arriver là. Une minute plus tard, j'ai commencé à avoir des spasmes incontrôlables et du mal à respirer. J'ai crié : « Steven, je crois que j'ai été empoisonnée. Je suis en train de mourir ! » Puis je me suis effondrée. Je ne me souviens de rien d'autre avant mon réveil ici.

– J'ai fait la connaissance de Steven, intervint Margot. Et celle de ton médecin aussi. Il a dit que tu es restée dans le coma plus d'une semaine, que tu n'en es sortie qu'il y a deux jours, et que c'est un miracle que tu sois encore en vie. Il a ajouté que c'est une vraie chance qu'on t'ait administré un antidote rapidement, sinon tu n'aurais pas survécu. Ils ne savent pas quel genre de poison c'était, mais il était fort. Oh Vivian, pourquoi ne m'as-tu pas appelée ?

Je ne savais pas comment lui dire que j'étais encore sonnée et confuse, et que même parler m'était difficile. Ou qu'à la minute où j'avais repris conscience, la police avait commencé à me harceler. Mais Margot connaissait déjà certains détails.

– Apparemment, il y a eu un vol au musée Toulouse-Lautrec, raconta-t-elle. Parmi les tableaux volés, il y a *La Clownesse assise* que Francesca possédait, et qui a été brutalement découpé à même son cadre. Je vois bien que tu une suspecte : mais qui volerait un musée pour ensuite s'empoisonner ? Je vais parler à la police pour savoir ce qui se passe. Je me suis aussi occupée de ton départ de l'hôtel et j'ai toutes tes affaires ici. J'ai le journal de Francesca aussi.

– Margot, quand tu parleras à la police, jette un œil à *L'Amazone*, j'ai le sentiment qu'elle pourrait être la clé de cette affaire. Je pense aussi que c'est le professeur Mhost qui a essayé de me tuer…

– Laisse-moi m'en occuper.

Chapitre 22

« Le client a toujours raison. » – César Ritz

Centre hospitalier d'Albi, 22 juillet 1988

Quand Margot prit congé, je me sentais beaucoup mieux, soulagée qu'elle soit venue et qu'elle ait aussi rapporté toutes mes affaires. J'ouvris le journal de Francesca, espérant y trouver d'autres indices.

7 décembre 1920

Heinrich et moi avons décidé de rester au Ritz *pour Noël et caressons l'idée de nous installer ici. C'est trop beau pour être vrai ! À Paris, Heinrich est beaucoup plus détendu et je n'aurai plus à supporter ma belle-famille. En plus, je suis à nouveau enceinte et je préférerais accueillir ce bébé à Paris et pas sous la surveillance de mes beaux-parents à Vienne. Mon beau-père avait même dit qu'il assisterait à l'accouchement… Plutôt mourir, bien* sûr, mais je n'avais pas envie de me fâcher encore avec Heinrich à ce sujet.

Alors que nous étions installés dans la cour luxuriante et que César Ritz passait par là, je me suis dit : c'est ici que je pourrais rester pour toujours – si seulement Peter et Loulou n'étaient pas là. La tension entre nous me gêne et assombrit notre relation. Cette situation me dévalorise également face à Heinrich qui ne cesse de me taquiner à propos de Peter et Loulou.

– Autrefois, je connaissais si bien Peter, comme si nous étions jumeaux, ai-je confié à Heinrich en buvant une gorgée de mon café, tout en observant Hemingway à l'autre bout de la cour, sirotant déjà un whisky.

– Oui, mais tu n'étais qu'une petite fille, et il t'était supérieur à l'époque. Aujourd'hui, c'est un artiste sans le sou et tu es mariée à un banquier accompli, sans faille, avec qui les Parisiens et les Américains aiment faire des affaires.

Je déteste quand il devient si vaniteux, persuadé qu'il est meilleur que tout le monde, et j'ai essayé de changer le sujet de notre conversation. Je lui ai demandé s'il avait vu à quel point La Rose blanche était magnifique et lui ai dit que j'aimerais que nous puissions l'avoir sur un de nos murs.

– Oui, je comprends, chérie, a-t-il répondu. Tu ressembles vraiment beaucoup à ta mère.

Dans la soirée, nous sommes allés voir Joséphine Baker danser le charleston aux Folies Bergère, au 32, rue Richer dans le 9e arrondissement. Ce n'est pas un endroit que je fréquenterais seule. La rue est pleine de demi-mondaines*, à peine vêtues, avec guère plus que des plumes et beaucoup de maquillage. Les yeux des hommes médusés vagabondent d'une muse à l'autre. En entrant dans le somptueux music-hall, j'ai noté le tapis bleu profond et j'ai eu l'impression de marcher sur l'eau avec des chevaux dorés *sur leurs jambes postérieures de chaque côté. Le grand théâtre est décoré de rouge et d'or avec un lustre kitsch au centre. Nous avons pris place juste au moment où le spectacle commençait.*

Joséphine Baker est une dame noire envoûtante, avec ses cheveux lissés sur son crâne grâce à la cire, un sourire immuable et un costume terriblement révélateur qui n'est rien d'autre qu'une jupe ficelle faite de bananes.

En revenant au Ritz, *nous avons revu Hemingway au bar, qui marmonnait au barman : « Quand je rêve de la vie après la mort, au paradis, elle se passe toujours au* Ritz. *»*

Telle une sirène érotique, Joséphine Baker a eu l'effet désiré d'accroître notre intimité à Heinrich et moi. Il est si prudent depuis que je suis enceinte. J'espère que tout se passera bien cette fois.

11 décembre 1920

Hemingway nous a emmenés au salon de Gertrude Stein, 27, rue de Fleurus, dans le 6e arrondissement, sur la rive gauche. Dans la voiture, il nous a exposé les motifs de cette visite.

– Gertrude Stein est l'une des rares écrivaines américaines à qui je montre mon travail. Son salon est l'événement le plus couru du samedi soir, vous verrez. On ne sait jamais qui va débarquer.

Il n'a pas exagéré : je n'ai jamais rien vu de tel ! L'appartement était rempli de personnalités célèbres et des tableaux couvraient chaque centimètre carré des murs. Quand nous sommes entrés, l'hôtesse, une brune corpulente aux sourcils épais, vêtue d'une grande robe de chambre verte et aux cheveux relevés en chignon, discourait sous le portrait que Picasso avait fait d'elle. On dit qu'elle aime les femmes et qu'Alice B. Toklas est sa petite amie. En examinant ses œuvres, j'ai remarqué qu'elles étaient suspendues les unes au-dessus des autres, jusqu'au plafond. J'ai repéré d'autres Picasso, parmi lesquels un portrait de Juan Gris dans son style de figures géométriques abstraites appelé cubisme. Gertrude Stein s'est approchée de moi et m'a expliqué que Picasso, dans ses peintures cubistes, prenait plusieurs points de vue en même temps. Il ne peint pas à partir d'un angle fixe, mais de plusieurs angles à la fois. Elle a prédit que ce mouvement artistique serait l'un des plus révolutionnaires et raconté qu'elle travaillait sur un livre et des poèmes à ce sujet. En effet, en observant Juan Gris qui semble se reposer penché en arrière, les tons bleus, blancs et gris le montrent sous tous les angles et il regarde à la fois vers le haut et vers le spectateur. Tout dépend de la manière dont on choisit de l'étudier.

J'ai aperçu des photographies de Man Ray et l'artiste lui-même, debout à côté de ses œuvres qu'il qualifie de dadaïstes, mais il semblait surtout avoir envie de se rapprocher de la beauté qui se tenait près de lui, appareil à la main. Des canapés moelleux remplissaient chaque pièce et à côté d'eux, des tables recouvertes de cendriers à ras bord, de bouteilles de vin et de verres. Des couvertures et des tapis colorés, des vases vénitiens, toute l'atmosphère faisait très bohème chic, en contraste frappant avec la décoration immaculée du Ritz.

Les étagères débordaient de livres et le bureau près de la fenêtre était jonché de ce qui semblait être des manuscrits. Au début, je me suis sentie un peu perdue, mais Hemingway nous a présentés à toutes sortes d'artistes, parmi lesquels ses amis écrivains Ezra Pound, T. S. Eliot et Sherwood Anderson.

Je portais une petite robe noire Chanel, des perles et la broche bleue sur mon étole, et je me sentais un peu trop habillée. De plus, j'avais pris l'habitude de boire du champagne frais et non du vin rouge médiocre. À la première gorgée, j'ai failli tout recracher. Nous avons été stupéfaits de voir arriver Peter et Loulou, une heure après le début de la soirée. Une partie de moi était heureuse de voir des visages familiers, mais une autre voulait dissimuler la broche bleue. Heinrich s'est approché d'eux et leur a offert un verre de vin rouge pour briser la glace.

– Merci encore pour le dîner, tu es vraiment une merveilleuse cuisinière, Loulou, dit Heinrich.

Loulou, déjà en costume de danse, peut-être pour une représentation plus tard dans la soirée, a rougi à ses mots. Heinrich a ensuite pris Peter à part et quand ils sont revenus, ils avaient tous les deux l'air satisfaits, comme s'ils avaient conclu un accord. Impossible pour moi de comprendre comment ces deux-là pouvaient être d'accord sur quoi que ce soit, ils sont si différents ! Malgré l'humeur joyeuse de Peter, je le voyais de temps en temps fixer la broche bleue, furieux, et je craignais qu'il ne l'arrache de mon étole.

12 décembre 1920

Aujourd'hui, Heinrich et moi sommes allés faire un tour à la librairie que Gertrude nous a conseillée hier : Shakespeare & Company. *Gertrude a fait l'éloge de la propriétaire américaine Sylvia Beach et affirme que c'est une librairie de grande qualité qui reflète le goût impeccable de cette dernière. La presse l'appelle « la mère poule de l'édition », a précisé Gertrude.*

La librairie est située rue Dupuytren dans le 6e arrondissement et j'ai été surprise, car de l'extérieur, elle ressemble à une modeste boutique qui non seulement vend des livres, mais en prête aussi. L'intérieur était peuplé de visages familiers : Ernest Hemingway, Scott Fitzgerald et Ezra Pound étaient en pleine discussion avec James Joyce lorsque nous sommes entrés. Les écrivains semblaient avoir adopté l'endroit comme leur quartier général. Ezra Pound venait d'attirer James Joyce à Paris. Apparemment, Sylvie Beach était ravie de rencontrer son Dieu et veut publier son livre Ulysse, *qui semble plus que controversé et a même été interdit en Amérique.*

Sylvia Beach a un visage vif et bien dessiné, avec un nez pointu et des yeux marron. Elle est joyeuse et bavarde avec les écrivains, qui sont furieux de l'interdiction du livre de James Joyce et de la prohibition en Amérique.

J'ai acheté The Spirit of Romance *d'Ezra Pound, dont il explique qu'il traite de la littérature européenne en proposant des traductions partielles de divers auteurs européens. Je pense que cet ouvrage me donnera une bonne vue d'ensemble. Heinrich a acheté* This Side of Paradise *de Scott Fitzgerald, qui nous a raconté que ce roman l'avait aidé à convaincre Zelda Sayre de l'épouser, la publication du manuscrit étant la condition de son consentement.*

De retour à l'hôtel, je n'arrivais pas à y croire : je saignais, et le médecin, qui est venu peu de temps après, a confirmé que j'avais encore perdu mon bébé... Heinrich n'a pas caché sa déception cette fois. Il m'a regardée d'un air presque désespéré, comme s'il craignait que je ne produise jamais que des fausses couches. Je ne dois pas perdre espoir, mais je sens un torrent de larmes monter. Heinrich a pris son manteau et marmonné qu'il allait faire un tour. J'ai pleuré des heures entières et j'ai fini par m'endormir. Quand je me suis réveillée à 5 h du matin, Heinrich n'était toujours pas rentré. J'espère vraiment qu'il me pardonnera.

15 décembre 1920

La police est arrivée quelques minutes après mon appel. Je leur ai dit que quelqu'un s'était introduit dans notre chambre d'hôtel et avait pillé le coffre. En larmes, je me suis assise devant le coffre vide, pleurant la perte de ma précieuse broche bleue.

César Ritz nous a dit qu'un tel vol ne s'était jamais produit auparavant dans l'hôtel et nous a surclassés dans une suite. Heinrich m'a dit que je devais m'installer dans la nouvelle chambre et qu'il allait se rendre au commissariat pour parachever le rapport de police. Je suis certaine que Peter va lire l'article dans les journaux.

Notre nouvelle chambre a une vue magnifique sur la place Vendôme. Je me sens légèrement coupable d'avoir mis en scène tout ce vol, mais c'est le seul moyen que j'ai trouvé pour me débarrasser de Peter. Une fois seule dans la chambre, j'avais pris La Clownesse assise *et en avais inspecté le cadre.*

J'ai ensuite fait appel à un menuisier qui a placé la broche bleue à l'intérieur du cadre. Il a réussi à construire un mécanisme qui permet d'ouvrir à nouveau la cachette à l'aide d'une épingle et d'un ressort, au cas où j'aurais envie de la porter un jour. La clownesse rit.

16 décembre 1920

Aujourd'hui nous sommes allés au Louvre et j'ai poussé Heinrich directement vers la Mona Lisa. *Après son vol, il a fallu trois ans pour la ramener à Paris.*

Je me souviens encore de mon effroi lorsque Peter m'avait raconté le braquage, et comment ses amis Apollinaire et Picasso avaient été suspectés. Finalement, la police avait découvert que Vincenzo Peruggia, un employé de musée italien, l'avait dérobée semble-t-il pour des raisons patriotiques, car Napoléon l'avait lui-même volée à l'Italie. Aussi, il a été condamné à une peine relativement clémente : un an et quinze jours de prison.

Nous avons admiré la beauté de l'œuvre et Heinrich m'a dit que le tableau épanouissait son âme.

17 décembre 1920

Aujourd'hui, nous avons commencé à visiter des appartements. Nous sommes tous les deux d'accord pour dire que nous voulons un immeuble avec un ascenseur et vivre à un étage élevé, pour que l'air soit frais et que nous puissions profiter de la vue dégagée sur l'horizon. Je veux être proche de la place Vendôme et du Louvre. J'espère que nous trouverons bientôt notre chez nous. Heinrich est de bien meilleure humeur et aucun de nous n'a plus jamais reparlé de la fausse couche ou de son escapade nocturne…

24 décembre 1920

Nous avons fêté Noël au Ritz, *et tout était bien trop luxueux pour être raconté avec de simples mots. César Ritz a installé le plus gigantesque arbre de Noël que j'aie jamais vu dans le hall, et un autre dans la salle à manger. Les sapins sont richement décorés de boules de Noël, bibelots, guirlandes, rubans rouges, avec de larges étoiles au sommet, et ce que je préfère : des bougies dorées brillantes. Les hommes portaient une cravate blanche et les femmes d'élégantes robes de soirée. Je portais ma robe Chanel la plus exquise avec un collier de perles Boucheron.*

Sur les tables, un cadeau de César Ritz en personne pour chaque invité, une tasse en argent gravée avec nos noms, Noël *et la date du jour. Puis nous nous sommes assis pour un dîner composé de six plats, aussi plaisants pour les yeux que pour le palais. Caviar, huîtres, homard, fois gras, escargots, dinde rôtie, et bien sûr l'incontournable bûche de Noël*. Le pianiste jouait* Douce Nuit *quand Heinrich m'a offert son cadeau. J'ai ouvert la boîte de chez Boucheron et découvert un mince diadème en diamant orné des plumes blanches, la plus délicate coiffure que j'aie jamais vue.*

– Je crois qu'il irait à ravir avec ta nouvelle coupe, mon amour, m'a-t-il dit en souriant.

Je l'ai aussitôt posé sur ma tête et je me suis sentie comme une reine. J'ai tellement de chance d'avoir un mari qui a si bon goût ! Il était également ravi des boutons de manchettes Hermès que je lui avais choisis. Après le dîner, un groupe de jazz a joué, et nous avons dansé jusqu'au petit matin.

18 janvier 1921

Aujourd'hui est un jour merveilleux : j'ai découvert que je suis enceinte. Cette fois, j'ai un très bon pressentiment. Nous sommes partis voir le médecin et tout semble aller pour le mieux. Je ne me soucie même pas de savoir si c'est un garçon ou une fille et je serai incroyablement prudente. Heinrich observe tous mes mouvements, il est aussi inquiet que moi et je sens qu'il aimerait me ligoter au lit ou au canapé. Je partage presque son sentiment, car je ne pourrais pas supporter une troisième fausse couche. Nous avons acheté beaucoup de disques et de livres pour que je puisse rester tranquille la majeure partie des neuf mois. Le mieux, c'est que puisque tous les déplacements sont trop risqués pour moi, j'aurai mon bébé à Paris.

Nous avons également trouvé l'appartement de nos rêves dans la rue du Faubourg-Saint-Honoré, dans un élégant immeuble haussmannien du XIXe siècle, avec de hauts plafonds, de grandes portes-fenêtres, des moulures finement sculptées, des parquets en chêne à chevrons et des balcons en fer forgé.

La première chose que j'ai faite a été de placer La Clownesse assise *avec son cadre spécial, que j'avais fait fabriquer selon mes besoins, au-dessus de la cheminée. Heinrich m'a dit de me reposer sur le canapé et qu'il revenait tout de suite. Quand il m'a rejointe une heure plus tard, il arborait un large sourire et portait un gros paquet.*

– Je pense que ça va te plaire, a dit Heinrich.

J'ai soigneusement déballé le papier doré et elle était là : La Rose blanche.

– L'as-tu volée ?

– Bien sûr que non, mon amour. Je l'ai achetée à Peter. Il était dévasté par la disparition de la broche bleue et semblait heureux de t'aider. Bien sûr, Loulou et lui ont aussi besoin d'argent, et je leur en ai proposé un bon prix.

Il a dit que maintenant que je suis enceinte, il est important que ma mère veille sur moi.

Chapitre 23

« Les meilleures choses dans la vie sont gratuites. Les deuxièmes meilleures choses sont très, très chères. » – Coco Chanel

Albi, 30 juillet 1988

Margot était là à ma sortie de l'hôpital ce matin, tandis que j'étais accueillie devant le bâtiment par la police qui nous a escortées directement au musée pour un interrogatoire. Je lui confiai discrètement ce que j'avais découvert dans le journal de Francesca et elle en parut à la fois satisfaite et légèrement inquiète.

Il nous fut difficile d'accéder au palais de la Berbie car des centaines de journalistes, avides d'un scoop, tentaient de parler au directeur. Ils tentèrent de me questionner, mais l'officier nous poussa à travers le jardin en ce jour pluvieux d'été. L'entrée principale était partiellement barricadée et la police enquêtait toujours sur la scène du crime.

À notre arrivée dans la galerie principale, Mhost et Steven étaient déjà là. Le professeur avait été convoqué car son comportement avait apparemment été signalé par le directeur, et il faisait désormais partie des suspects. Un spécialiste était également présent et examinait la scène. À mon grand désarroi, des cadres brisés jonchaient le sol, tout ce qui restait des tableaux volés, grossièrement découpés. *Le Salon de la rue des Moulins*, ce tableau représentant des prostituées allongées sur un canapé rouge attendant la visite d'un médecin, et deux cadres à côté, jonchaient le sol. Je m'approchai de celui de gauche.

– Est-ce le cadre de *La Clownesse assise* ?

– Non, c'est celui-là, dit le directeur en désignant un cadre cassé dans le coin. Pourquoi ?

– Votre expert pourrait-il examiner le cadre en détail ?

Le spécialiste sortit ses outils et passa le cadre aux rayons X. C'est ainsi qu'il découvrit le compartiment secret dans le coin supérieur gauche.

– Il y a quelque chose à l'intérieur, annonça-t-il, en retirant avec précaution des mouchoirs blancs fourrés dans l'encadrement à l'aide d'une pince à épiler.

Il les déplia soigneusement, révélant les ailes de papillon faites de diamants gravés, la monture souple en or et le grand saphir au milieu.

– Comment diable saviez-vous que c'était là ? me demanda l'officier.

– La broche bleue m'appartient ! cria le professeur Mhost en essayant de s'en emparer.

– Ça suffit ! Je vais la garder pour le moment, décida le policier en empochant la broche.

– Vous êtes un démon…, me lança le professeur Mhost.

– J'ai dit, ça suffit maintenant, interrompit l'officier en escortant Mhost hors du bâtiment.

J'expliquai alors que Francesca Danet était ma grand-mère et qu'elle avait été la propriétaire du tableau avant que mon père ne le vende au musée. Je leur montrai le journal intime que je venais de lire et dans lequel elle décrivait comment elle avait caché la broche bleue. Margot se porta garante pour moi et fut fabuleuse, comme toujours, en tant que témoin, mais la police refusa d'en rester là.

L'officier désigna du doigt *L'Amazone* et demanda :

– Pourquoi avez-vous emporté ce tableau à l'entrepôt ?

– Je n'ai rien fait, protestai-je.

– Il était déjà là quand nous sommes arrivés, intervint Steven. Mais Vivian, je me demande si ce n'est pas une des contrefaçons de Mary, ajouta-t-il en s'approchant de la toile.

– Qui est cette Mary ? lança le policier.

– Vous devriez vraiment lui parler : elle peint de faux Toulouse-Lautrec, répondit Steven.

– Peut-être devriez-vous vérifier les bords ? suggéra Vivian.

L'expert procéda à une inspection des bordures de *L'Amazone* et du tableau de la série des Carmen, et constata qu'elles ne correspondaient pas au cadre. De plus, la radiographie prouva que la peinture était relativement fraîche. Le directeur raconta alors aux officiers comment le professeur Mhost avait lui aussi été obsédé par les cadres. Le lendemain, il fut mis derrière les barreaux.

* * *

– Où est l'océan ? On ne devrait pas survoler l'Atlantique à l'heure actuelle ? demanda Sophie en jetant un œil par le hublot de l'avion.

– Nous emmenons les œuvres jusqu'à Moscou, chérie. J'espère que tu as révisé ton russe.

Chapitre 24

« Nos points de force dérivent de nos vulnérabilités. » – Sigmund Freud

Un an plus tard...
Vienne, 10 novembre 1989

Margot, Steven et moi regardions la télévision, comme souvent lorsque nous apprenions des nouvelles incroyables. Le journaliste évoqua d'abord la guerre froide et raconta que Mikhaïl Gorbatchev travaillait depuis des années à des réformes qui permettraient l'ouverture des frontières. Sa politique intérieure de *glasnost* (« ouverture ») autorisait la liberté d'expression et la *perestroïka* (« reconstruction ») visait à décentraliser les décisions économiques.

Le journaliste poursuivit en expliquant que la veille au soir, le porte-parole de la RDA, Günter Schabowski, avait annoncé par erreur que les Allemands de l'Est pouvaient désormais voyager à l'Ouest. La nouvelle avait également été diffusée en RDA, qui n'avait pas tardé à réagir. En fin de soirée, la foule avait afflué à Berlin-Ouest et les gardes-frontières n'avaient pas résisté, ouvrant le poste-frontière de la ville. Pas un seul coup de feu n'avait été tiré. À l'écran, on voyait des centaines d'Allemands de l'Est entrer dans Berlin-Ouest, les larmes de joie aux yeux. « Nous sommes enfin libres », annonçait un couple en franchissant le mur.

– Au bout de vingt-huit ans, c'est merveilleux, souffla Steven.

– Je sors le champagne. Qui aurait pensé que les récentes manifestations auraient un tel retentissement ? Gorbi a réussi ! Je suis tellement triste de ne pas être allée à Berlin pour faire la fête avec mes amis hier. Il faut que j'y aille le plus vite possible.

– J'espère que ce ne sera pas avant quelques jours, ai-je dit en prenant le verre que Steven venait de remplir.

– Je ne manquerais ta lecture au *Café Korb* pour rien au monde, mon amour.

– Enfin, c'est la fin de la guerre froide et ils vont abattre ce mur, j'aimerais pouvoir y être aussi, dit Margot.

– Je te rapporterai un morceau de ce mur, dit Steven en prenant une gorgée de champagne, un sourire aux lèvres. Je dois aller à Berlin et compléter ma série de murs, quand je pense au concert de David Bowie il y a deux ans… C'est comme ça que les émeutes ont commencé et tout est allé si vite à la fin.

Nous restâmes devant l'écran, à regarder les interviews des Allemands de l'Est submergés de joie.

« J'ai vu ce mur être érigé en 1961 et aujourd'hui je le vois enfin tomber », dit un homme âgé.

Steven m'embrassa et me prit dans ses bras, me faisant tournoyer dans le salon.

– C'est un moment historique ! s'écria-t-il.

Et nous passâmes le reste de la soirée à faire la fête.

Le lendemain, j'entrai au *Café Korb*, mon endroit préféré dans le panthéon des cafés viennois. Je songeais que j'avais probablement écrit la majeure partie de mon livre ici, devant les photos de Sigmund Freud, Andy Warhol et Arthur Miller, puis me dirigeai vers les escaliers. Je descendis au sous-sol qui abritait le Salon d'art, aménagé pour la lecture de mon livre.

La propriétaire, Stephanie Widl, et sa fille Susanne Widl, actrice, artiste, muse et icône de la mode, m'accueillirent chaleureusement.

– J'ai adoré votre nouveau livre, me dit cette dernière en le brandissant devant moi. Votre propos sur *La Clownesse assise* est tout simplement captivant. L'a-t-on enfin retrouvée ?

– La police la cherche toujours. Les voleurs n'ont pas encore été capturés, mais une piste a conduit les enquêteurs jusqu'à Moscou. En attendant, j'ai réussi à obtenir une lithographie et j'ai pu la mettre dans son cadre original.

– J'adore votre broche ! Maintenant que j'en sais tant à son sujet, je suis aussi devenue une fan de Boucheron, avoua Stéphanie.

Je souris. Je n'étais plus Vivian la punk, habitant dans un minuscule dortoir à Londres, mais le professeur Docteur Aigner, experte en vogue et internationalement reconnue de Maurice Danet et de Toulouse-Lautrec, donnant des conférences dans le monde entier, et ici, au *Café Korb*, habitant au palais Weissenberg en compagnie de mon adorable Yorkshire terrier Zola et de mon petit ami Steven, un artiste cool.

La salle se remplissait peu à peu et j'étais ravie que l'avant-garde viennoise ait décidé de venir : Christian Ludwig Attersee, Hermann Nitsch, Peter Weibel et même Folco, alias Hans Hölzl, étaient là. Quel honneur aussi de voir Elfriede Jelinek, une immense femme de lettres. Margot et Steven étaient assis à la table juste en face de moi, au premier rang. J'avais préparé une présentation avec des diaporamas sur Toulouse-Lautrec et avais lu quelques pages de mon ouvrage lorsque la doyenne entra et prit un siège.

La première image projetée fut celle de *La Danse* de Toulouse-Lautrec, et j'évoquai la notion de mouvement, de spontanéité, ainsi que la capacité de Toulouse-Lautrec à croquer la personne comme s'il regardait un film.

– Dans ce tableau, on se demande qui entre et qui sort. Il dénote un véritable amour des gens.

L'image suivante montrait une toile de la série du Cirque.

– Pour Toulouse-Lautrec, l'art a commencé lorsque René Princeteau, peintre animalier et ami de la famille, l'a emmené au cirque alors qu'il était enfant.

Je me lançai ainsi dans mon discours, encouragée par les réactions du public, très attentif.

J'expliquai comment mon grand-oncle Peter Danet avait été formé par Toulouse-Lautrec pendant des années et fis un geste en direction du tableau à ma droite, qui montrait Loulou en acrobate de cirque, sautant sur un cheval et levant une jambe ; les couleurs vibrantes et expressives.

– Qui est la fille sur le tableau ? demanda le chanteur Folco.

– Elle s'appelle Loulou. C'était en fait une grande amie de ma grand-mère Francesca Danet, qui collectionnait aussi les tableaux de Toulouse-Lautrec.

– Qu'en est-il de *L'Amazone* ? s'enquit l'un des participants au cours de la séance de questions-réponses qui suivit ma conférence.

Je racontai donc comment *L'Amazone* m'avait tant émue quand j'étais enfant et comment mon père l'avait vendue au musée. Le mystère autour de la dame, l'élégance du cheval m'avaient toujours captivée. J'ajoutai que je venais de le racheter au musée Toulouse-Lautrec.

Après le discours, alors que je rangeais mes affaires, la doyenne s'approcha de moi :

– Votre livre est excellent, Vivian. Je voudrais vous parler du prochain quand vous aurez un moment. La semaine prochaine, ça vous convient ?

Je me sentais folle de joie : non seulement la présentation s'était bien passée, mais la doyenne souhaitait publier mon prochain ouvrage ! Et je savais déjà exactement quel en serait le sujet…

Le lendemain, Steven, Margot et moi nous rendîmes au cimetière Hietzing de Vienne. Marie Anne et Maurice reposeraient juste à côté de l'artiste Gustav Klimt, qu'ils avaient connu et tant admiré. Le technicien funéraire creusa le trou, plaça les urnes à l'intérieur, et je me recueillis devant les épitaphes gravées sur le granit bleu.

Marie Anne Danet 1872-1900
Maurice Danet 1870-1900
« Doux soleil d'été, darde tes rayons ici
Riches de Créativité et d'Inspiration
Doux vent d'ouest, souffle gentiment ici
L'amour, la Pratique et l'Art

Colline verdoyante au-delà, reposez en paix,
Unis pour l'éternité
Bonne nuit, Marie Anne et Maurice ! »

À la maison, Steven avait déjà préparé ses bagages.

– Je reviens dans une semaine, dit-il en plantant un baiser sur mes lèvres.

– Oui, ne reste pas trop longtemps à Berlin, sinon je crains que tu ne reviennes pas du tout, répondis-je en souriant.

Puis je montai dans ma chambre en pensant à Marie Anne, à Maurice, mais aussi à Francesca, et me demandai si les dernières pages de son journal intime allaient révéler d'autres secrets.

Chapitre 25

1er novembre 1921

J'ai donné naissance à la plus belle des petites filles hier à la clinique médicale de Paris. Le docteur Cot a été très professionnel, mais le travail a été douloureux et l'accouchement horrible. Néanmoins, dès que les infirmières l'ont mise dans mes bras et que j'ai regardé son petit visage, ses mains et ses pieds minuscules, tout a été oublié. Heinrich et moi avons décidé de l'appeler Greta. Mais je veux partir d'ici le plus vite possible. Tout est blanc, je suis séparée de Greta car elle est à la nurserie et il n'y a strictement rien à faire.

3 novembre 1921

Les journées sont longues à l'hôpital et la nourriture épouvantable. Heinrich m'a apporté des madeleines et des livres pour passer le temps. Parmi eux, Du côté de chez Swann *de Marcel Proust, le premier tome de son* À la recherche du temps perdu. *J'avais envie de le lire depuis un certain temps, mais je n'en avais jamais eu l'occasion. Je me suis souvenue qu'il parlait de ce projet lorsque j'étais enfant à Cabourg. Dans ce livre, Cabourg est devenu Combray. En mordant dans ma madeleine, j'en lus davantage :*

Je refusai d'abord et, je ne sais pourquoi, je me ravisai. Elle envoya chercher un de ces gâteaux courts et dodus appelés Petites Madeleines qui semblaient avoir été moulés dans la valve rainurée d'une coquille de Saint-Jacques. Et bientôt, machinalement, accablé par la morne journée et la perspective d'un triste lendemain, je portai à mes lèvres une cuillerée du thé où j'avais laissé s'amollir un morceau de madeleine. Mais à l'instant même où la gorgée mêlée des miettes du gâteau toucha mon palais, je tressaillis, attentif à ce qui se passait d'extraordinaire en moi. Un plaisir délicieux m'avait envahi, isolé, sans la notion de sa cause.

Sa prose est simplement merveilleuse.

20 novembre 1921

Je suis rentrée de l'hôpital hier et je suis incapable de quitter Greta des yeux. Quel ange ! Je suis si heureuse d'avoir enfin un enfant et je me sens bénie. Nous nous sommes assises sur mon nouveau canapé vert et j'ai placé Greta sur le grand accoudoir rembourré. Peu après, Heinrich est arrivé, et le thé a été servi.

Pour la naissance de Greta, il m'a ensuite offert des bijoux extraordinaires.

– Une création spéciale de notre ami Boucheron, a-t-il annoncé en me tendant les boîtes soigneusement emballées.

J'ai déballé la plus grande qui contenait une paire de boucles d'oreilles pendantes en diamant, avec des diamants taillés en rose à l'extrémité, et dans la seconde un merveilleux collier en diamant avec un immense diamant rose au milieu. Je suis tout simplement folle de joie.

1er décembre 1921

Le baptême a eu lieu hier en l'église de la Madeleine, devant Peter, Loulou, Simon Alfred von Oppenheim et sa femme Flossy, ainsi que nos amis les plus proches. À mon grand soulagement, mes beaux-parents ont trouvé la perspective d'un voyage à Paris trop périlleuse et sont restés à Vienne. J'ai promis à Heinrich que nous leur rendrions visite bientôt pour qu'ils puissent rencontrer Greta, mais j'espère que ce « bientôt » ne sera pas trop « bientôt ».

*Simon Alfred est ravi d'être le parrain de Greta. La gigantesque église, décorée de fleurs et de rubans de roses, était bondée. Même Hemingway est venu ! Heinrich avait fait appeler un organiste de talent, qui a joué l'*Ave Maria *de Gounod avec tant d'émotion que j'en ai eu les larmes aux yeux. Notre prêtre, debout devant la statue de Marie-Madeleine, a parlé des valeurs familiales et lu un extrait de la Bible :* « Cette eau était une figure du baptême, qui n'est pas la purification des souillures du corps, mais l'engagement d'une bonne conscience envers Dieu, et qui maintenant vous sauve, vous aussi, par la résurrection de Jésus-Christ. »

Heinrich nous a ensuite tous invités à un somptueux déjeuner au Ritz. *Dans la salle à manger, une grande table de réception avait été dressée avec des roses blanches et roses et des petits chapelets pour chaque invité. Hemingway a tenu un discours qu'il a terminé par ces mots :* « Faites toujours sobre ce que vous avez dit que vous feriez ivre. Ça vous apprendra à garder la bouche fermée. » *Nous avons tous ri. Hemingway a le don d'amuser la foule.*

J'avais placé Simon Alfred von Oppenheim à côté de moi et pour la première fois, il m'a raconté ses horribles expériences au front pendant la guerre. Mais son humeur maussade a disparu dès que nous avons abordé son sujet favori, les chevaux ! Il avait des étoiles dans les yeux en évoquant l'immense succès de son cheval de course Sieger et m'a parlé des chevaux qu'il avait l'intention d'acheter à Deauville. Il a ajouté que nous devions venir à Schlenderhan bientôt, car le cadeau de Greta l'attendait là-bas. Il m'a tendu une boîte, et j'en ôtai le papier couleur crème et le ruban rouge et bleu, aux couleurs du haras de Schlenderhan : une photographie représentant un étalon des plus prometteurs.

– Celui-ci est un gagnant, déclara Simon Alfred avec assurance, comme votre fille.

Je lui racontai à mon tour notre vol de Vienne à Paris.

– Et ce n'est que le début, a-t-il dit, prochain arrêt : Cologne !

Peter semble être conquis par Greta. Il l'a tenue sur ses genoux pendant tout le déjeuner et a prédit que mon ange deviendrait un jour une artiste. Son cadeau de baptême était un ensemble de gouaches, un chevalet et des toiles.

– Peut-être qu'il est temps pour nous d'avoir un bébé bientôt ? a-t-il dit en se tournant vers Loulou.

– Absolument pas, a-t-elle répondu sur un ton résolu.

12 décembre 1921

Nous sommes allés voir le ballet intitulé La Valse, *de Maurice Ravel. Les trompettes, les hautbois, tous les instruments semblent être avant tout un hommage à la valse. Mais en écoutant de plus près, la musique évoque la fin du Second Empire et la situation tragique à Vienne. La lutte entre la vie et la mort et, tandis que j'admirais les gracieuses danseuses, je me suis dit que j'étais heureuse de vivre à Paris.*

24 décembre 1921

J'ai décoré le sapin dans les règles de l'art. Depuis des semaines, je ne fais rien sinon acheter des boules de Noël, lametta, *bougies, cadeaux, et notre cuisinière a préparé tous mes biscuits autrichiens préférés :* Zimtsterne, Vanillakipferl *et* Christmasstollen.

Pourtant, il semblait manquer quelque chose. Alors je suis allée au Bon Marché *avec ma princesse, une véritable poupée. J'aime tant faire les boutiques avec elle, tout le monde est émerveillé par la beauté de Greta. Inspirée par l'inoubliable dîner de Noël au* Ritz, *j'ai demandé à César Ritz de nous livrer le menu de cette année, les six plats au complet. Je veux que notre premier Noël ici éclipse le dernier, maintenant que nous avons notre douce Greta.*

Déjà, avant notre dîner de Noël, Heinrich m'a offert un tableau de Renoir, qu'il a acheté lors de sa récente exposition à la galerie Durand-Ruel. Il était trop impatient de me le donner. Il représente une mère et sa petite fille sur l'herbe, entourées de fleurs. J'ai regardé Greta, mes bouquets de fleurs, et je me suis sentie comblée.

10 janvier 1922

Hier, nous avons été invités à la somptueuse fête d'anniversaire de la princesse Mdivani, organisée par son mari au Ritz. *Cent-vingt invités, certains venus de Londres dans un avion spécialement affrété, se sont retrouvés à cette fête, considérée comme la plus raffinée et la plus dispendieuse de tout le continent depuis bien des années. Pour l'occasion, j'ai décidé de ressortir la broche bleue en me disant que Peter ne pourrait jamais assister à une fête aussi élégante. Quel choc donc de voir que Loulou et Peter étaient là ! Il m'a interrogée au sujet du bijou :*

– C'est une réplique, ai-je dit, sur la défensive.

À la maison, Heinrich était incroyablement contrarié :

– Des employés du Ritz *ont été renvoyés à cause du vol ! s'est-il écrié. Comment as-tu pu faire ça ?*

À partir d'aujourd'hui, je ne pourrai plus jamais porter la broche bleue. J'ai appelé le menuisier pour qu'il la fixe dans le cadre de La Clownesse assise *de façon à ce que je ne puisse jamais l'ouvrir. Demain, j'irai chez le notaire pour rédiger mon testament et indiquer à Greta qu'elle ne pourrait jamais se séparer du tableau. Je lui donnerai aussi un indice et l'enverrai à la chasse au trésor.*

20 janvier 1922

Heinrich m'a pardonné, enfin j'espère. Il peut être si terriblement intègre. Il a cependant acquis le tableau que Peter avait fait pour mon onzième anniversaire.

– Pourquoi l'as-tu donc acheté ?

– Ton frère a très rapidement besoin d'argent et comme je suppose que tu n'as pas l'intention de te séparer de la broche bleue, j'ai décidé de l'aider.

– Comment va-t-il ?

– Très bien, en fait. Ses amis Modigliani et Apollinaire étaient là. Ils parlaient de poésie et de leur prochaine exposition à la galerie de Berthe Weill. J'ai dit à Peter que nous viendrions aussi.

– Parfait, j'adore Berthe Weill. Elle a un très bon œil, ai-je dit en regardant La Clownesse assise, *maintenant accrochée à côté de* La Rose blanche.

25 janvier 1922

Aujourd'hui, nous sommes allés à la galerie de Berthe Weill au 46, rue Laffitte. J'ai toujours beaucoup admiré cette femme : elle ne s'est jamais mariée et a si souvent été « la première ». La première à vendre les œuvres de Picasso à Paris, la première à exposer les fauves avant leur découverte au Salon d'automne de 1905, la première à offrir une exposition personnelle à Modigliani et la première à promouvoir l'œuvre de Toulouse-Lautrec.

Sa galerie était en effervescence, et juste à côté de l'entrée se trouvait mon vieil ami Simon Alfred von Oppenheim ! Je ne savais pas qu'il était de retour à Paris. Il était élégant comme toujours et avait cette étincelle dans les yeux. Il était là avec sa sœur, Maria de Plancy, que j'avais déjà rencontrée, et qui vit à Paris. Il m'a dit qu'il comptait me rendre visite le lendemain pour voir sa filleule, qui lui manquait déjà. Il est aussi à Paris afin d'acheter d'autres œuvres d'art pour son château de Schlenderhan, avant de se rendre à Deauville pour y acquérir un autre cheval de course.

Il nous a de nouveau invités, Heinrich et moi, à venir bientôt à Schlenderhan, mais a précisé que ce n'était pas le bon moment. Apparemment, la situation en Allemagne est encore pire qu'à Vienne. La République de Weimar ne porte pas ses fruits, la pauvreté, les difficultés et l'instabilité règnent.

– L'agitation des communistes est terrible, et il y a des fascistes et de l'antisémitisme partout, a-t-il soupiré.

Je suis tellement heureuse que Greta, Heinrich et moi vivions maintenant à Paris !

Tandis que je discutais avec Simon Alfred, Heinrich a fait son marché. Il a acheté une œuvre de Jean Cocteau, une autre de Modigliani. Notre appartement ressemblera bientôt à la galerie de Berthe Weill !

10 février 1922

Hier, nous avons été invités par Natalie Clifford Barney, une vraie garçonne, une femme libre, dont la finesse d'esprit est assez intimidante pour la plupart des hommes. Mais comme Natalie préfère l'intimité des femmes, elle s'en moque. Je la trouve tout simplement charmante. Son choix d'invités est impeccable, seule la crème de la crème de Paris est autorisée à mettre les pieds dans son appartement. Élisabeth de Gramont était présente et je crois que ces deux-là se fréquentent depuis des années. Autour de la table au fond de la pièce se trouvaient Gertrude Stein, Sacha Guitry et Colette. Ezra Pound était en compagnie d'Olga Rudge, l'altiste.

En guise de cadeau de départ, Natalie m'a offert ses Pensées de l'Amazone*.*

– Les mots de ce livre pourraient vous inspirer, et si c'est le cas, il faudra revenir, mais de préférence sans votre mari.

La Broche bleue

20 février 1922

Les cartons et les meubles de Vienne sont enfin arrivés. J'ai commencé par installer l'ancien bureau en acajou de Charlotte dans mon bureau. Comme ça, je peux commencer à organiser mes affaires. J'ai toujours aimé ce bureau. J'ai ouvert le tiroir et elles étaient là, les lettres de Loulou et de Peter, nouées ensemble avec un ruban, comme si Charlotte avait prévu de me les offrir – un jour…

Épilogue

En 1923, Francesca, Heinrich et Greta rendirent visite à Simon Alfred von Oppenheim et Flossy à Cologne, en voyageant avec la compagnie KLM. Ils furent impressionnés par son statut et le succès de la banque Sal. Oppenheim, et rencontrèrent tout le clan Oppenheim lors de somptueux dîners dans leur château de Schlenderhan. Francesca trouva son cousin Max von Oppenheim particulièrement amusant, car il lui raconta des histoires incroyables sur ses fouilles au Moyen-Orient. Véritable Lawrence d'Arabie allemand, il avait découvert le Tell Halaf, un site archéologique situé au nord-est de la Syrie, datant du VIe siècle avant J.-C. et premier site fouillé de la culture néolithique, appelée « culture Halaf ». Il avait entamé ses recherches en 1911, s'était arrêté pendant la guerre et progressait maintenant à toute allure en découvrant d'étonnantes statues de dieux et d'animaux sculptées dans le basalte. Il passait beaucoup de temps dans cette région et connaissait tout des Bédouins. Il dit à Francesca qu'il avait appris l'arabe, car c'était essentiel de communiquer avec les habitants dans leur langue maternelle.

Heinrich s'entendit très bien avec Waldemar von Oppenheim, le frère de Simon Alfred, qui prédit qu'avec la montée des nazis, le danger guettait le clan Oppenheim. La femme de Waldemar, Gabriele, née Goldschmidt, était enceinte. Gabriele et Francesca discutèrent prénoms de bébé et Gabriele lui confia que si c'était une fille, elle l'appellerait Karin Florence Paula Alice.

Comme Simon Alfred l'avait promis, il offrit à Greta un cheval, un cheval de course en fait, nommé Wallenstein. Une beauté noire, au caractère bien trempé, qui deviendra inséparable de Greta. Il avait déjà gagné le Deutsches Derby, une importante course allemande, et partit avec eux à Paris pour courir le Prix de l'Arc de Triomphe...

La Famille Danet

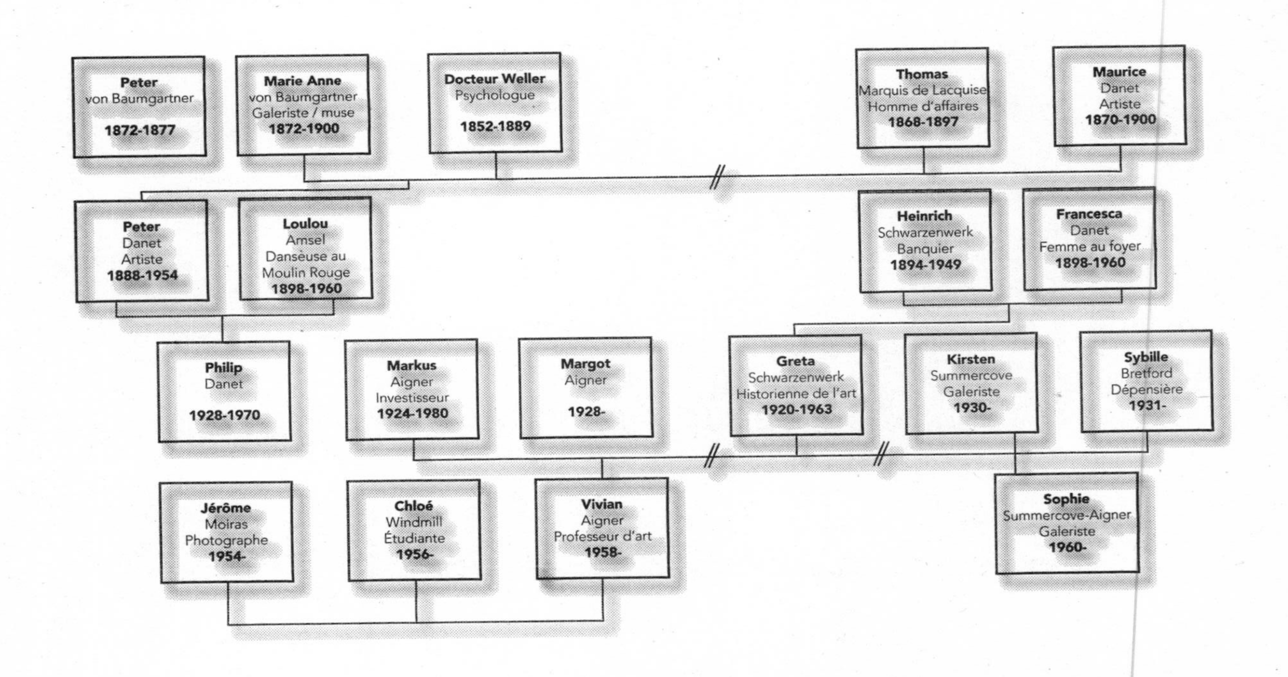

Remerciements

Du fond du cœur, un immense merci à tous mes amis pour leur soutien sans faille. Un merci particulier à Marella Rossi pour sa passion et ses remarques. Un grand merci à Lia Rivet de Sabatier, Stéphanie des Horts, Marina von Walderdorff, son fils Casimir, Ben von Solms, Maresa von Rohrer, Antonia von Boch, Dorothée de Bernis, Jeremy Virion et Mia Legenstein pour leur enthousiasme et leurs encouragements.

Merci à Florent Bonadei et Claire de Truchis Lauriston d'avoir pris le temps de me renseigner si minutieusement sur Boucheron. J'ai beaucoup apprécié nos conversations par « Zoom » et je rêve encore de toutes les superbes pierres précieuses que vous m'avez présentées. Je suis ravie que nous ayons trouvé la broche bleue parfaite. J'ai hâte d'assister à une séance de dédicace dans votre belle boutique de la place Vendôme.

Merci à Guillaume de Toulouse-Lautrec de m'avoir mise en contact avec les bonnes personnes, comme Madame Deveik du musée Toulouse-Lautrec, et d'avoir partagé tant d'anecdotes sur Henri de Toulouse-Lautrec.

Merci à Sammy Voigt pour sa belle énergie, ses magnifiques marque-pages qui donnaient déjà à *La Rose Blanche* une touche particulière. J'ai déjà hâte de vivre d'autres aventures avec *La Broche bleue*. Merci à Valentin Gagne de m'avoir ouvert les portes de Chanel, j'ai hâte d'assister à un autre événement.

Je voudrais également remercier mon merveilleux mari Fady Lahame et mes trois magnifiques enfants Charles-Édouard, Alice et Diane pour leur amour et leur soutien inconditionnels.

Enfin, et surtout, un immense merci à mon extraordinaire éditrice et amie Ambre Rouvière, la meilleure éditrice qu'une autrice puisse avoir. Merci également à Manon Lejeune et à toute l'équipe de Prisma. J'ai beaucoup de chance de vous avoir à mes côtés !

Caroline von Krockow est cosmopolite, parle quatre langues, a plusieurs diplômes, est avocate au Royaume-Uni et est passionnée d'art.

Elle a déménagé de New York à l'Allemagne en 1983, où elle a continué sa scolarité à Neuss, Francfort et Holzminden. Après son Abitur, elle a passé un an à Madrid, où elle a obtenu un certificat en histoire espagnole, histoire de l'art et littérature.

Ensuite, elle a obtenu une licence d'histoire au King's College à Londres en 2000. Puis elle a travaillé comme journaliste pour artnet.com à New York jusqu'en 2001, et a poursuivi avec un master à la London School of Economics, obtenu en 2002. Après avoir travaillé dans l'édition et en tant que gestionnaire des comptes pour une agence de design, elle s'est inscrite au College of Law à Londres pour être avocate au Royaume-Uni. Après avoir obtenu son diplôme en 2006, elle a travaillé pendant deux ans dans une entreprise juridique internationale à Londres.

Elle vit actuellement à Paris, où elle a d'abord continué ses études de droits à l'Assas (master en droit européen) et travaillé pour une entreprise juridique internationale. En septembre 2012, elle a rejoint la résidence du MFA du Cedar Crest College, perfectionnant ses compétences en écriture créative. Peu après, elle a écrit son premier roman, *La Rose Blanche*, qui a été publié aux éditions Prisma en 2020.

Instagram : caroline_von_krockow
Facebook : carolinevonkrockow
LinkedIn : Caroline Von Krockow
Twitter : CarolineVivianG

Par la même autrice

Disponible en librairies et en version e-book

De retour à Wynbridge, Ruby décide de tenir
un stand sur le marché de Noël. Mais l'ouverture
d'un centre commercial le menace fortement.
Sans compter la présence de son ex-petit ami
qui la fait grandement douter…
Saura-t-elle faire en sorte que la magie soit conservée ?

Alors qu'elle a renoncé à l'amour, Suzan rencontre Douglas, un séduisant auteur de livres pour enfants. Mais son ex-mari, le père de son fils Jack, réapparaît dans sa vie... Alors que les flocons commencent à tomber sur Vert-Cottage, avec qui Suzan et Jack passeront-ils Noël ?

Disponible en librairies et en version e-book

Cet ouvrage a été réalisé sous la direction d'Ambre Rouvière
Assistante éditoriale : Sunniva Bischoff
Correction : Nord Compo Multimédia
Composition : Nord Compo Multimédia
Conception graphique de la couverture : Nord Compo Multimédia
Illustrations de couverture : © Shutterstock/Gorbash Varvara
© Shutterstock/Yurkina Alexandra

Depuis 2009, Prisma Media met en place une politique d'achat éco-responsable. Ainsi, près de 100 % du papier de nos magazines est certifié PEFC (gestion durable des forêts). La fabrication des livres des Éditions Prisma s'inscrit également dans cette démarche.

Dépôt légal : novembre 2021 – n° d'impression 98888
Achevé d'imprimer en France par l'Imprimerie Floch

DARKEST HOUR

V.C. Andrews® Books

The Dollanganger Family
Flowers in the Attic
Petals on the Wind
If There Be Thorns
Seeds of Yesterday
Garden of Shadows
Christopher's Diary: Secrets of Foxworth
Christopher's Diary: Echoes of Dollanganger
Secret Brother
Beneath the Attic
Out of the Attic
Shadows of Foxworth

The Audrina Series
My Sweet Audrina
Whitefern

The Casteel Family
Heaven
Dark Angel
Fallen Hearts
Gates of Paradise
Web of Dreams

The Cutler Family
Dawn
Secrets of the Morning
Twilight's Child
Midnight Whispers
Darkest Hour

The Landry Family
Ruby
Pearl in the Mist
All That Glitters
Hidden Jewel
Tarnished Gold

The Logan Family
Melody
Heart Song
Unfinished Symphony
Music in the Night
Olivia

The Orphans Series
Butterfly
Crystal
Brooke
Raven
Runaways

The Wildflowers Series
Misty
Star
Jade
Cat
Into the Garden

The Hudson Family
Rain
Lightning Strikes
Eye of the Storm
The End of the Rainbow

The Shooting Stars
Cinnamon
Ice
Rose
Honey
Falling Stars

The De Beers Family
"Dark Seed"
Willow
Wicked Forest
Twisted Roots
Into the Woods
Hidden Leaves

The Broken Wings Series
Broken Wings
Midnight Flight

The Gemini Series
Celeste
Black Cat
Child of Darkness

The Shadows Series
April Shadows
Girl in the Shadows

The Early Spring Series
Broken Flower
Scattered Leaves

The Secrets Series
Secrets in the Attic
Secrets in the Shadows

The Delia Series
Delia's Crossing
Delia's Heart
Delia's Gift

The Heavenstone Series
The Heavenstone Secrets
Secret Whispers

The March Family
Family Storms
Cloudburst

The Kindred Series
Daughter of Darkness
Daughter of Light

The Forbidden Series
The Forbidden Sister
"The Forbidden Heart"
Roxy's Story

The Mirror Sisters
The Mirror Sisters
Broken Glass
Shattered Memories

The House of Secrets Series
House of Secrets
Echoes in the Walls

The Umbrella Series
The Umbrella Lady
Out of the Rain

The Eden Series
Eden's Children
Little Paula

The Girls of Spindrift
Bittersweet Dreams
"Corliss"
"Donna"
"Mayfair"
"Spindrift"

Stand-alone Novels
Gods of Green Mountain
Into the Darkness
Capturing Angels
The Unwelcomed Child
Sage's Eyes
The Silhouette Girl
Whispering Hearts
Becoming My Sister

DARKEST HOUR

V.C. ANDREWS®

G
Gallery Books
New York London Toronto Sydney New Delhi

Gallery Books
An Imprint of Simon & Schuster, Inc.
1230 Avenue of the Americas
New York, NY 10020

Following the death of Virginia Andrews, the Andrews family worked with a carefully selected writer to organize and complete Virginia Andrews's stories and to create additional novels, of which this is one, inspired by her storytelling genius.

This book is a work of fiction. Any references to historical events, real people, or real places are used fictitiously. Other names, characters, places, and events are products of the author's imagination, and any resemblance to actual events or places or persons, living or dead, is entirely coincidental.

This Gallery Books trade paperback edition April 2023

For information about special discounts for bulk purchases, please contact Simon & Schuster Special Sales at 1-866-506-1949 or business@simonandschuster.com.

Interior design by Erika R. Genova

Manufactured in the United States of America

10 9 8 7 6 5 4 3 2 1

ISBN 978-1-6680-1658-9
ISBN 978-1-4516-3723-6 (ebook)

DARKEST HOUR

PROLOGUE

ONCE UPON A TIME

I've always thought of myself as a Cinderella who never had a prince come with a glass slipper to whisk her away to a wonderful life. Instead of a prince, I had a businessman who won me in a card game, and just like a chip that is tossed across the table, I was tossed from one world into another.

But that had always been my destiny, right from the day I was born. It wouldn't change until I was finally able to change it myself, following the philosophy an old black laborer at The Meadows told me when I was a little girl. His name was Henry Patton and he had hair so white it looked like a patch of snow. I would sit with him on an old cedar log in front of the smokehouse while he carved me a small rabbit or a fox. One summer day when a storm had begun to build a layer of dark clouds on the horizon, he stopped and pointed to a thick oak tree in the east meadow.

"You see that branch there, bending in the wind, child?" he asked.

"Yes, Henry," I said.

"Well, my mammy once told me something about that branch. You know what she told me?"

I shook my head, my golden pigtails swinging around to slap me gently on the mouth.

"She told me a branch that don't bend in the wind, breaks." He fixed his large, dark eyes on me, the eyebrows almost as white as his hair. "Remember to go with the wind, child," he advised, "so you don't ever break."

I took a deep breath. The world around me seemed so pregnant with wisdom back then, knowledge and ideas, philosophy and superstition, hovering in the shape of a shadow, the flight of chimney swallows, the color of caterpillars, the blood spots in chicken eggs. I just had to listen and learn, but I also liked to ask questions.

"What happens when the wind stops, Henry?"

He laughed and shook his head. "Well, then you can go your own way, child."

The wind didn't stop until I was married to a man I didn't love, but when it did, I followed Henry's advice.

I went my own way.

PART ONE

ONE

SISTERS

When I was very young, I thought we were royalty. We seemed to live just like the princes and princesses, the kings and queens, in the fairy tales my mother loved to read to me and my younger sister, Eugenia, who would sit perfectly still, her eyes as wide and as filled with awe as mine, even though at two she was already quite sickly. Our older sister, Emily, never liked to be read to and chose instead to spend most of her time by herself.

Just like the regal men and women who pranced over the pages of the books in our library, we lived in a big, beautiful house with acres and acres of prime Virginia tobacco farmland and beautiful forests. We had a long, wide, rolling front lawn that grew thick with clover and Bermuda grass and on which there were white marble fountains, small rock gardens, and decorative iron benches. On summer days, the wisteria tumbled over the verandas and joined with the pink crepe myrtle bushes and the white-blossomed magnolias that surrounded the house.

Our plantation estate was called The Meadows and no visitor, old or new, came up the long gravel driveway without remarking about the splendor of our home, for in those days Papa had an almost religious devotion to its upkeep. Somehow, maybe because of its location deep enough off the road that passed by, The Meadows escaped the destruction and plunder so many Southern plantations experienced during the Civil War. No Yankee soldiers ground their heels into our fine wood floors or filled their sacks with our valuable antiques. Grandfather Booth was convinced the plantation had been spared just to demonstrate how special The Meadows was. Papa inherited that devotion to our grand home and vowed that his last dollar would go toward maintaining its beauty.

Papa also inherited our grandfather's rank. Our grandfather had been a captain in General Lee's cavalry—it was as good as being knighted and made us all feel regal. Even though Papa was never really in the army, he always referred to himself, and had others refer to him, as Captain Booth.

And so, just like royalty, we had dozens of servants and laborers ready to move at our beck and call. Of course, my favorite servants were Louella, our cook whose mamma had been a slave on the Wilkes plantation not twenty miles south of our home, and Henry, whose daddy, also once a slave, had fought and died in the Civil War. He fought on the side of the Confederacy because "he thought loyalty to his master was more important than freedom for himself," as Henry put it.

I also thought we were royalty because we had so many fine and rich things in our mansion: vases of shining silver and gold, statues from places all over Europe, fine hand-painted knickknacks, and ivory figures that came from the Orient and India. Crystal prisms dangled from lampshades, from wall sconces, from chandeliers, catching colors, refracting rainbows that flashed like lightning whenever sunlight managed to steal through the lace curtains. We ate on hand-painted china, used sterling silver dinnerware, and had our food served on sterling silver platters.

Our furniture had many styles, all of them fancy. It seemed each of the rooms was in competition, trying to outdo each other. Mamma's reading room was the brightest with its light blue satin curtains and its soft carpet imported from Persia. Who wouldn't feel like royalty on Mamma's purple velvet lounging chaise with the gold cording? Sprawled elegantly on that chaise in the early evenings, Mamma would put on her mother-of-pearl–framed glasses and read her romance novels, even though Papa ranted and raved about it, claiming she was poisoning her mind with polluted words and sinful thoughts. Consequently, Papa rarely set foot in her reading room. If he wanted her, he would send one of the servants or Emily to fetch her.

Papa's office was so wide and so long that even he—a man who stood six feet three in his bare feet, who had wide, powerful shoulders and long, muscular arms—looked lost behind his oversize dark oak desk. Whenever I went in there, the heavy furniture rose up at me in the half-light, especially the high-backed chairs with deep seats and wide arms. Portraits of Papa's father and his grandfather stood over him, glaring out from large dark frames as he worked in the glow of his desk lamp, his hair in a riot of soft curls over his forehead.

There were pictures everywhere in our house. There were pictures on practically every wall in every room, many of them portraits of Booth ancestors: dark-faced men with pinched noses and thin lips, yet many with copper-brown beards and mustaches, just like Papa's.

Some of the women were lean, with faces as hard as the men, many looking down with an expression of chastisement or indignation, as if what I was doing or what I had said, or even what I had thought, was improper in their puritanical eyes. I saw resemblances to Emily everywhere, yet in none of the ancient faces did I find the smallest resemblance to my own.

Eugenia looked different, too, but Louella thought that was because she had been a sickly baby and had developed a disease I couldn't pronounce until I was nearly eight. I think I was afraid to say it, afraid to utter the words, for fear the sound could somehow spread a contagion. It made my heart thump to hear anyone say it, especially Emily, who, according to Mother, was able to pronounce it perfectly the first time she had heard it: cystic fibrosis.

But Emily was always very different from me. None of the things that excited me excited her. She never played with dolls or cared about pretty dresses. It was a pain for her to brush her hair and she didn't mind that it hung listlessly over her eyes and down her cheeks like worn hemp, the dark brown strands always looking dirty and drab. It didn't excite her to go running through a field chasing after a rabbit, or go wading in the pond on hot summer days. She took no special pleasure in the blooming of roses or the burst of wild violets. With an arrogance that grew as she sprouted taller and taller, Emily took everything beautiful for granted.

Once, when Emily was barely twelve, she took me aside and squeezed her eyes into tiny slits the way she always did when she wanted to say something important. She told me I was to treat her special because she had seen God's finger come out of the sky that very morning and touch The Meadows: a reward for Papa's and her religious devotion.

Mother used to say that she believed Emily was already twenty years old the day she was born. She swore on a stack of Bibles that it took ten months to give birth to her, and Louella agreed that "a baby cookin' that long would be different."

For as long as I could remember, Emily was bossy. What she did like to do was follow after the chambermaids and complain about their work. She loved to come running with her forefinger up, the tip smeared with dust and grime, to tell Mother or Louella that the maids didn't do a good enough job. When she was ten, she didn't even bother to go to Mamma or Louella; she bawled out the maids herself and sent them scurrying back to redo the library or the sitting room, or Papa's office. She especially liked to please Papa, and always bragged about the way she had gotten the maid to shine up his furniture or pull out each and every one of the volumes of books on his dark oak shelves and dust each jacket.

Even though Papa claimed he had no time to read anything but the Bible, he had a wonderful collection of old books, most first editions bound in leather, their untouched and unread pages slightly yellow on the edges. When Papa was away on one of his business trips and no one was watching, I would sneak into his office and pull out the volumes. I'd pile them beside me on the floor and carefully open the covers. Many had fine ink illustrations, but I just turned the pages and pretended I could read and understand the words. I couldn't wait until I was old enough to go to school to learn to read.

Our school was just outside of Upland Station. It was a small, gray clapboard building with three stone steps and a cow bell that Miss Walker used to call in the children when lunch was over or recess ended. I never knew Miss Walker to be anything but old, even when I was little and she was probably no more than thirty. But she kept her dull black hair in a severe bun and she always wore glasses as thick as goggles.

When Emily first went to school, she would return each day with horrifying stories about how hard Miss Walker would beat the hands of ruffian boys like Samuel Turner or Jimmy Wilson. Even when she was only seven years of age, Emily was proud of the fact that Miss Walker relied on her to tell on the other children if they misbehaved in any way. "I'm the eyes behind Miss Walker's head," she declared haughtily. "All I have to do is point to someone and Miss Walker will sit him in the corner with a dunce's cap smack over his head. And she does that to bad little girls, too," she warned me, her eyes full of gleeful pleasure.

But no matter what Emily did to make school seem terrifying, it remained a wonderful promise to me, for I knew that within the walls of that old gray building lay the solution to the mystery of words: the secret of reading. Once I knew that secret, I, too, would be able to open the covers of the hundreds and hundreds of books that lined the shelves in our home and travel to other worlds, other places, and meet so many new and interesting people.

Of course, I felt sorry for Eugenia, who would never be able to go to school. Instead of getting better as she grew older, she became worse. She was never anything but thin and her skin never lost that sallow look. Despite this, her cornflower blue eyes remained bright and hopeful and when I finally did start attending school, she was eager to hear about my day and what I had learned. In time, I replaced Mamma when it came to reading to her. Eugenia, who was only a year and a month younger than me, would curl up beside me and rest her small head on my lap, her long, uncut, light brown hair flowing over my legs, and listen with that dreamy smile on her lips as I read one of our children's storybooks.

Miss Walker said that no one, not any of her children, learned to read as quickly as I did. I was that eager and determined. No wonder my heart nearly burst with excitement and happiness when Mamma declared that I should be permitted to begin my schooling. One night at dinner toward the end of the summer, Mamma announced I should go even though I wouldn't be quite five when the school year began.

"She's so bright," she told Papa. "It would be a shame to make her wait another year." As usual, unless he disagreed with something Mamma said, Papa was silent, his big jaw moving unabated, his dark eyes shifting neither left nor right. Anyone else but us would have thought he was deaf or so lost in a deep thought he hadn't heard a word. But Mamma was satisfied with his response. She turned to my older sister, Emily, whose thin face was twisted into a smirk of disgust. "Emily can look after her, can't you, Emily?"

"No, Mamma, Lillian's too young to go to school. She can't make the walk. It's three miles!" Emily whined. She was barely nine, but seemed to grow two years for every one. She was as tall as a twelve-year-old. Papa said she was springing up like a cornstalk.

"Of course she can, can't you?" Mamma asked, beaming her bright smile at me. Mamma had a smile more innocent and child-like than my own. She tried hard not to let anything make her sad, but she cried even for the smallest creatures, some days even moaning about the poor earthworms that foolishly crawled onto the slate walkway during a rain and fried to death in the Virginia sun.

"Yes, Mamma," I said, excited with the idea. Just that morning, I had been dreaming about going to school. The walk didn't frighten me. If Emily could do it, I could do it, I thought. I knew that most of the way home, Emily walked along with the Thompson twins, Betty Lou and Emma Jean, but the last mile she had to walk alone. Emily wasn't afraid. Nothing scared her, not the deepest shadows in the plantation, not the ghost stories Henry told, nothing.

"Good. After breakfast, this morning I'll have Henry hitch up the carriage and take us into town and we'll see what nice new shoes and new dresses Mrs. Nelson has for you at the general store," Mamma said, eager to outfit me.

Mamma loved to shop, but Papa hated it and rarely, if ever, took her to Lynchburg to the bigger department stores, no matter how much Mamma cajoled and complained. He told her his mother had made most of her own clothes and so did her mother before her. Mamma should do the same. But she hated to sew or knit and despised any household chores. The only time she became excited about cooking and cleaning was when she staged one of her extravagant dinners or barbecues. Then she would parade about the house, followed by our chambermaids and Louella, and make decisions about what should be changed or dressed up and what should be cooked and prepared.

"She doesn't need a new dress and new shoes, Mamma," Emily declared with her face screwed into that old lady's look—her eyes narrow, her lips thin, her forehead crinkled. "She'll only ruin everything on the walk."

"Nonsense," Mamma said, holding her smile. "Every little girl gets dressed up in new clothes and new shoes the first day of school."

"I didn't," Emily retorted.

"You didn't want to go shopping with me, but I made you wear the new shoes and new dress I bought for you, don't you remember?" Mamma asked, smiling.

"They pinched my feet and I took them off and changed into my older shoes as soon as I left the house," Emily revealed.

Papa's eyes widened and he shifted his aimless gaze in her direction as he chewed, a strange look of curious interest on his face.

"You didn't?" Mamma said. Whenever something terrible or

outrageous occurred, Mamma always thought it was untrue first, and then, when she had to face it, simply forgot it.

"Yes, I did," Emily replied proudly. "The new shoes are upstairs, buried at the bottom of my closet."

Undaunted, Mamma held her smile and wondered aloud. "Maybe they would fit Lillian."

That made Papa laugh.

"Hardly," he said. "Emily's got twice the foot."

"Yes," Mamma said dreamily. "Oh well, we'll go to Upland Station first thing in the morning, Lillian honey."

I couldn't wait to tell Eugenia. Most of the time she had her meals brought to her because it made her too tired to have to sit up at the dinner table. All our meals were quite elaborate affairs. Papa would begin by reading from the Bible, and after Emily learned how to read, she would often do it, too. But he would pick the passages. Papa liked to eat and relished each and every morsel. We always had salad or fruit first and then soup, even on hot summer days. Papa liked to wait at the table while the dishes were cleared and the table reset for dessert. Sometimes he would read the newspaper, especially the business section, and while this went on, Emily, Mamma, and I would have to sit and wait, too.

Mamma would jabber on and on about the gossip she had heard or some romance novel she was reading at the time, but Papa rarely heard a word, and Emily always looked distracted with her own thoughts. Consequently, it seemed like Mamma and I were alone. I was her best audience. The trials and turmoil, successes and failures, of our neighboring families fascinated me. Every Saturday afternoon, Mamma's lady friends would either come here for lunch and gossip or Mamma would go to one of their homes. It seemed they filled each other's ears with enough news to last the rest of the week.

Mamma was always just remembering something told to her four or five days ago, and bursting out with it as if it was a headline in a newspaper, no matter how small or insignificant the information might seem.

"Martha Hatch broke a toe on her stairwell last Thursday, but she didn't know it was broken until it turned dark blue."

Usually something that happened reminded her of something similar that had happened years and years ago and she would recall it. Occasionally, Papa would remember something, too. If the stories and news were interesting enough, I would bring them back to Eugenia when I stopped to see her after dinner. But the night Mamma declared I would go to school, I had only one topic of conversation to relate. I had heard nothing else. My head was full of excited thoughts.

Now I would meet and become friends with other girls. I would learn to write and cipher.

Eugenia had the only downstairs bedroom that was not assigned to any of the servants. It was decided early on that it would be easier for her than having to go up and down the stairs. As soon as I was excused from the table, I hurried down the corridor. Her bedroom was toward the rear of the house, but it had a nice set of windows that looked out over the west field so she could see the sun go down and the farm workers laboring over the tobacco.

She had just finished her own breakfast when I burst into the room.

"Mamma and Papa have decided I'm going to start school this year!" I cried. Eugenia smiled and looked as excited as she would have had it been her who was to be enrolled. She tugged on her long strands of light brown hair. Sitting up in her big bed with its posts twice my height and its large, thick headboard, Eugenia looked younger even than she was. I knew that her illness had retarded her physical development, but to me it made her seem more precious, like a delicate doll from China or Holland. She was swimming in her nightshirt. It poured around her. Her eyes were her most striking feature. Her cornflower blue eyes looked so happy when she laughed that they nearly seemed to be laughing themselves.

"Mamma's taking me to Nelson's to buy a dress and new shoes," I said, crawling over her thick, soft mattress to sit beside her. "You know what I'll do?" I continued. "I'll bring all my books home and do my homework in your room every day. I'll teach you whatever I learn," I promised. "That way, you'll be ahead of everyone your age when you start."

"Emily says I'll never go to school," Eugenia reported.

"Emily doesn't know anything. She told Mamma I wouldn't be able to make the walk to school, but I'll get there ahead of her every day. Just for spite," I added, and giggled. Eugenia giggled, too. I hugged my little sister to me. She always felt so thin and fragile to me, so I barely squeezed. Then I ran off to get ready to go with Mamma to Upland Station to buy my first school dress.

Mamma asked Emily to go with us, but she refused. I was too excited to care and although it distressed Mamma that Emily took so little interest in what Mamma called "women's things," Mamma was almost as excited as I was and didn't dwell on it more than enough to sigh and say, "She certainly doesn't take after my side."

Well, I certainly did. I loved to go into Mamma and Papa's bedroom when she was alone and sit beside her at her vanity table while she did her hair and her makeup. And Mamma loved to babble incessantly at our images in the marble framed oval mirror, not turning her head as she spoke. It was as if there were four of us, Mamma and me and our twins, who reflected our moods and reacted just the way identical twins might.

Mamma had been a debutante. Her parents introduced her to high Southern society with a formal ball. She went to finishing school and had her name in the social columns often, so she knew all about how a young girl should dress and behave and was eager to teach me as much as she could. With me at her side, she would sit at her vanity table and brush her beautiful hair until it looked like spun gold and describe all the fancy parties she had attended, elaborating in great detail about what she had worn, from her shoes to her jeweled tiara.

"A woman has a special responsibility toward her own appearance," she told me. "Unlike men, we are always on a stage. Men can comb their hair the same way, wear the same style suit or shoes for years. They don't use makeup, nor do they have to be very concerned about a skin blemish. But a woman . . ." she told me, pausing to turn to me and fix her soft blue eyes on my face, "a woman is always making a grand entrance, from the day she first enters school to the day she walks down that aisle to marry. Every time a woman enters a room, all eyes turn toward her and in that first instant, conclusions about her are immediately drawn. Don't ever diminish the importance of first impressions, Lillian honey." She laughed and turned back to the mirror. "As my mamma used to say, the first splash you make is the one that gets everyone the wettest and the one they remember the longest."

I was getting ready to make my first splash in society. I was going to school. Mamma and I hurried out to the carriage. Henry helped us both in and Mamma opened her parasol to keep the sun off her face, for in those days a tan was something only field laborers had.

Henry got up on the seat and urged Belle and Babe, our carriage horses, to mosey on.

"The Captain ain't had some of these potholes from the last rainstorm filled in yet, Mrs. Booth, so you all hold on back there. It'll be a bit bumpy," he warned.

"You just don't worry about us, Henry," she said.

"I gots to worry," he replied, winking at me. "I got two growed women in my carriage today."

Mamma laughed. I could hardly contain my excitement about my first store-bought dress. The late summer rains had made the gravel driveway rough, but I barely noticed the way we were bounced about as we traveled to Upland Station. The vegetation along the way was as thick as could be. The air had never seemed as full of the pungent scents of the Cherokee roses and wild violets as well as the faint fragrance of the lemon verbena sachet that came from Mamma's silk dress. The cooler nights had not arrived with force enough to turn the leaves. The mockingbirds and jays were in competition for the most comfortable branches on the magnolia trees. It was truly a glorious morning.

Mamma felt it, too. She seemed as excited as I was and told me story after story about her first days in school. Unlike me, she had no older brother or sister to take her. But Mamma wasn't an only child. She had had a younger sister, who had died of some mysterious malady. Neither she nor Papa liked to talk about her, and Mamma especially would moan whenever something unpleasant or sad was introduced into any of her conversations. She was always chastising Emily for doing that. Actually, it was more like pleading with her to stop.

"Must you bring up such unpleasant and ugly things, Emily," she would lament. Emily would snap her mouth closed but never look happy about it.

Nelson's General Store was just what it claimed to be: a store that sold everything from tonics for rheumatism to the new machine-made britches coming down from the Northern factories. It was a long, rather dark store, and at the rear of the store was the section for clothes. Mrs. Nelson, a short woman with curly gray hair and a sweet, friendly face, was in charge of that department. The dresses for girls and women were on one long rack on the left.

When Mamma told her what we were after, Mrs. Nelson took out a measuring tape and took down my sizes. Then she went to her rack and pulled out everything she thought would fit, some with a little alteration here and there. Mamma thought a pink cotton dress with a lace collar and yoke was most darling. It had frilly lace sleeves, too. It was a size or so too big for me, but Mamma and Mrs. Nelson decided if the waist was taken in and the hem raised, it would do. We then sat down and Mrs. Nelson brought out the only shoes that would fit me: two pair, one patent leather, black, with straps, and one with buttons. Mamma like the one with straps. On the way out, we bought some pencils and a tablet and I was outfitted for my first day at school.

That night Louella did the alterations on my new dress. We did it in Eugenia's room so she could watch. Emily came around once and peered in, shaking her head in disgust.

"No one wears such fancy clothes to school," she complained to Mamma.

"Of course they do, Emily dear, especially on the first day."

"Well, I'm wearing what I have on," she retorted.

"I'm sorry to hear that, Emily, but if it's what you want to do . . ."

"Miss Walker doesn't like spoiled children," Emily spat. It was her final comment on the activities, which had seized everyone else's imagination and attention, even Papa's. He stopped by to express his approval.

"Just wait until you see her all dressed up in the morning, Jed," Mamma promised.

That night, I could barely fall asleep because I was so excited. My mind was full of thoughts about the things I would learn and the children I would meet. I had met some of them when Mamma and Papa staged one of their elaborate barbecues or when we attended one. The Thompson twins had a younger brother about my age, Niles. I remembered he had the darkest eyes and the most serious and thoughtful face I had ever seen on a boy. Then there was Lila Calvert, who had started school last year, and Caroline O'Hara, who would be starting this year with me.

I told myself that whatever my homework was, I would do twice as much. I would never get into trouble in class or not pay attention to Miss Walker, and if she wanted me to, I would eagerly wash down her blackboards and pound out her erasers, chores I knew Emily loved to perform for the teacher.

That night when Mamma came in to say good night, I asked her if I had to decide tomorrow what I would be.

"What do you mean, Lillian?" she asked, holding her smile tight and small around her lips.

"Do I have to decide if I want to be a teacher or a doctor or a lawyer?"

"Of course you don't. You have years and years to plan, but I rather think you'll make some successful young man a wonderful and beautiful wife. You'll live in a house as big as The Meadows and have an army of servants," she declared with the authority of a biblical prophet.

In Mamma's mind, I would eventually go to a fine finishing school, just as she had done, and when the time was right, I would be introduced to fine society, and some handsome, wealthy, young Southern aristocrat would begin to court me and eventually come calling on Papa with a request for my hand. We'd have a big, elaborate wedding at The Meadows and I would go off, waving from the back of the carriage, to live happily ever after. But I couldn't help wanting more for myself. It would remain my secret, something to keep deeply in my heart, something I would reveal only to Eugenia.

Mamma came in to wake me up the next morning. She wanted me fully dressed and ready before breakfast. I slipped into my new dress and put on my new shoes. Then Mamma brushed my hair and tied a pink ribbon around it. She stood behind me as we both looked into the full-length mirror. I knew, from the many times Papa had read it out loud to me from the Bible, that falling in love with your own image was a dreadful sin, but I couldn't help it. I held my breath and gazed at the little girl captured in the mirror.

I looked as if I had grown up overnight. Never had my hair appeared as soft or as golden, nor had my blue-gray eyes looked as bright.

"Oh, how beautiful you are, honey," Mamma declared. "Let's hurry down and show the Captain."

Mamma took my hand and we walked down the corridor to the stairway. Louella had already forewarned some of the chambermaids, who poked their heads out of the rooms they had begun to clean. I saw their smiles of appreciation and heard them giggle.

Papa looked up from the table when we arrived. Emily was already sitting prim and proper.

"We've been waiting a good ten minutes, Georgia," Papa declared, and snapped his pocket watch shut for emphasis.

"It's a special morning, Jed. Feast your eyes on Lillian."

He nodded.

"She looks fine, but I've got a full day ahead of me," he said. Emily looked self-satisfied with Papa's abrupt reaction. Mamma and I took our seats and Papa quickly muttered grace.

As soon as breakfast ended, Louella gave us our box lunches and Emily declared that we had to hurry.

"Waiting for you for breakfast put us behind," she whined, and started quickly for the front entrance.

"Now, watch over your little sister," Mamma cried after us.

I scurried as quickly as I could in my stiff, shiny new shoes, clinging to my notebook, pencils, and box lunch. The night before there had been a short but hard downpour, and although most of the ground was already dry, there were some potholes still full of rainwater. Emily kicked up a cloud of dust as she marched down our driveway and I did the best I could to avoid it. She wouldn't wait up for me or hold my hand.

The sun hadn't finished poking its face over the line of trees, so there was a slight chill in the air. I wished we could slow down and take in some of the bird songs. There were wonderful wildflowers still plush and in bloom along the sides and I was wondering if it wouldn't be nice for us to pluck some for Miss Walker. I asked Emily, but she barely turned around to reply.

"Don't start apple polishing the first day, Lillian." Then she turned and added, "And don't do anything to embarrass me."

"I'm not apple polishing," I cried, but Emily just said, "Humph," and walked on, her long strides getting longer and faster so that I practically had to run to keep up. When we made the turn at the bottom of our driveway, I saw a large puddle had formed across the road and still remained from the night before. Emily hopped over some large rocks, balancing herself with remarkable agility and not so much as getting the bottom of her soles damp. But to me the puddle looked formidable. I paused, and Emily spun around, her hands on her hips.

"Are you coming, little princess?" she asked.

"I'm not a little princess."

"Mamma thinks you are. Well?"

"I'm afraid," I said.

"That's silly. Just do what I did . . . walk on the rocks. Come on or I'll leave you here," she threatened.

Reluctantly, I started. I put my right foot on the first stone and gingerly stretched to get my left foot on the next, but when I did so, I had stretched too far and couldn't bring my right foot forward. I started to cry for Emily's help.

"Oh, I knew you would be a problem for me," she declared, and came back. "Give me your hand," she ordered.

"I'm afraid."

"Give me your hand!"

Barely balancing myself, I leaned forward until I reached her fingers. Emily grasped mine tightly and for a moment, did nothing. Surprised, I looked up at her and saw a strange smile on her lips. Before I could retreat, she tugged me hard and I slipped off the rock and fell forward. She let go and I landed on my knees in the deepest part of the puddle. The muddy water quickly soaked into my beautiful new dress. My notebook and my box lunch sunk and I lost all my pens and pencils.

I screamed and started to cry. Emily, looking pleased, stood back and offered me no assistance. I got up slowly and sloshed my way out of the puddle. On dry ground, I looked down at my beautiful new dress, now stained and soaked. My shoes were covered with grime, the mud seeping through my pink cotton socks.

"I told Mamma not to buy you fancy clothes, but she wouldn't listen," Emily said.

"What am I to do?" I moaned.

Emily shrugged. "Go home. You can start school another time," she said, and turned away.

"*No!*" I cried. I looked back at the puddle. My new notebook was just visible beneath the surface of the muddy water, but my box lunch was floating. I scooped it out quickly and went to the side of the gravel drive to sit on a large rock. Emily was moving away quickly, her pace quickening. Soon, she was gone around the end of the driveway and well on her way. I sat there crying until my eyes ached. Then I got up and considered returning home.

It's what Emily wants, I thought. Suddenly, a rush of anger overtook my sorrow and self-pity. I brushed down my new dress as best I could, using some leaves, and then I plodded on after her, more determined than ever to attend school.

By the time I arrived at the schoolhouse, all the children were already inside and seated. Miss Walker had just begun to greet them when I stepped into the doorway. My tears had streaked my face and the ribbon Mamma had taken such care to tie in my hair had fallen out. All faces turned in surprise, Emily looking disappointed.

"Oh dear," Miss Walker said. "What happened to you, sweetheart?"

"I fell into a puddle," I moaned. Most of the boys all laughed aloud, but I noticed that Niles Thompson didn't laugh. He looked angry.

"You poor dear. What's your name?" she asked, and I told her. She whipped her head around and looked at Emily.

"Isn't she your sister?" she asked.

"I told her to go home after she fell in, Miss Walker," Emily said sweetly. "I told her she would have to start school tomorrow."

"I don't want to wait until tomorrow," I cried. "Today's the first day of school."

"Well, children," Miss Walker said, nodding at the class, "that's the sort of attitude I hope you will all have. Emily," she said, "watch the classroom for me while I see about Lillian."

She smiled at me and took my hand. Then she led me to the back of the schoolhouse, where there was a bathroom. She gave me towels and washcloths and told me to clean myself as best I could.

"Your dress is still quite wet," she said. "Rub it as dry as you can."

"I lost my new notebook and pens and pencils, and my sandwich is soaked," I moaned.

"I have what you need and you can share my lunch," Miss Walker promised. "When you're ready, come back and join your classmates."

I swallowed my remaining tears and did as she instructed. When I returned, all eyes were on me again, but this time, no one laughed, no one even smiled. Well, maybe Niles Thompson smiled. It looked like he did, although it was going to be some time before I knew when Niles was happy and when he was not.

As it turned out, my first day at school was okay. Miss Walker made me feel very special, especially when she gave me one of her own sandwiches. Emily looked sullen and unhappy most of the day and avoided me until it was time to make the walk home. Then, under Miss Walker's eyes, she seized my hand and led me off. When we were far enough away from the schoolhouse, she let me go.

The Thompson twins and Niles walked with us two thirds of the way. The twins and Emily stayed in front and Niles and I lagged behind. He didn't say much to me. I would remind him years later that when he did speak, it was to tell me how he had climbed to the top of the cedar tree in front of his house the day before. I was reasonably impressed because I remembered how tall that tree was. When we parted at the Thompson driveway, he muttered a quick goodbye and sprinted away. Emily glared back at me and walked as quickly as ever. Halfway up our driveway, she stopped and spun around.

"Why didn't you just go back home instead of making us the laughingstocks of the school?" she demanded.

"We weren't the laughingstocks."

"Yes, we were—thanks to you my friends are laughing at me, too." She fixed her eyes on me, narrowing them angrily. "And you're not even my real sister," she added.

At first, the words seemed so strange, it was as if she had said that pigs could fly. I think I even started to laugh, but what she said next stopped me fast. She stepped toward me and in a loud whisper repeated her statement.

"I am too," I declared.

"No you're not. Your real mother was Mamma's sister and she died giving birth to you. If you weren't born, she'd still be alive and we wouldn't have had to take you in. You carry a curse on you," she taunted. "Just like Cain in the Bible. No one's going to ever want to love you. They'll be afraid. You'll see," she threatened, and then pivoted on her heels and marched away.

I walked slowly after her, trying to make sense out of what she had said.

Mamma was waiting in the sitting room for me when I entered the house. She got up and came out to greet me. The moment she saw the mud-stained dress and shoes, she uttered a cry, her hands fluttering up to her throat like frightened little birds.

"What happened?" she asked tearfully.

"I fell into a puddle this morning on the way to school, Mamma."

"Oh, you poor dear." She held out her arms and I ran to her, ran to her embrace and her comforting kisses. She took me upstairs and I pulled off my new dress and shoes. "There's mud all over your neck and hair. You'll have to take a bath. Emily didn't say a word about this. She just marched into the house as usual and went right to her room. I'm going to have a word or two with her right away. In the meanwhile, you take that bath," Mamma said.

"Mamma," I called as she started toward my door. She turned around.

"What?"

"Emily said I wasn't her sister; she said your sister was my real mother and she died giving birth to me," I told her, and waited, holding my breath, anticipating Mamma's denial and laughter at such a fantastic story. But instead, she looked troubled and confused.

"Oh dear," Mamma said. "She promised."

"Promised what, Mamma?"

"Promised not to tell until you were much, much older. Oh dear," Mamma said. She screwed her face into as angry an expression as she was capable of having. "The Captain is going to be furious with her, too," she added. "I declare, that child has a streak in her, and where it came from I'll never know."

"But, Mamma, she said I wasn't her sister."

"I'll tell you all about it, honey," Mamma promised. "Don't cry."

"But, Mamma, does that mean Eugenia's not my sister, either?"

Mamma bit down on her lower lip and looked as if she was going to cry herself.

"I'll be right back," she said, and hurried away. I flopped back on my bed and stared after her.

What did all this mean? How could Mamma and Papa not be my mamma and papa and Eugenia not be my sister?

This day was supposed to be one of the happiest days of my life, the day I started school, but at that moment, it appeared to be the most dreadful day I had ever lived.

TWO

NO DENYING THE TRUTH

When Mamma returned to talk to me, I was curled up in bed with the blanket drawn up to my chin. Shortly after she had left me, I was seized with a terrible chill that made my teeth click. Even with my blanket wound tightly around my body, I couldn't get warm enough to stop shivering. I felt as if I had fallen into that cold puddle again.

"Oh, you poor dear," Mamma lamented, and hurried to my side. She thought I had gone to bed only because of the terrible things that had been said. She brushed back the strands of my hair that had dropped over my forehead and kissed me on the cheek. The moment she did so, she sat up sharply. "You're burning up!" she said.

"No I'm not, Mamma. I'm co . . . co . . . cold," I told her, but she shook her head.

"You must have gotten a chill after you fell into that puddle and walked around all day in a damp dress. Now you've got a terrible fever. The teacher should have sent you home directly."

"No, Mamma. I got my dress dry and Miss Walker gave me half of her own sandwich," I said. Mamma gazed at me as if I were babbling gibberish and shook her head. Then she pressed her palm to my forehead again and gasped.

"You're scorching. I've got to send for Doctor Cory," she decided, and rushed out to find Henry.

Ever since Eugenia had been born with a lung ailment, the smallest sign of illness in me, Emily, or Papa stirred a tempest of worry in Mamma. She would pace about and wring her hands. Her face would whiten with panic, her eyes become washed in anxiety. Old Doctor Cory had been called here so often that Papa said his horse could make the trip blindfolded. Sometimes, Mamma was in such a frenzy, she would insist that Henry bring him immediately in our carriage and not wait for him to harness his horses to his own.

Doctor Cory lived on the north side of Upland Station in a small house. He was a Northerner who had been brought South by his family when he was only six. Papa called him a "converted Yankee." Doctor Cory was one of the first residents of Upland Station to have a telephone installed, but we still had none. Papa said that if he put one of those gossip machines in the house, Mamma would spend most of her day with it glued to her ear, and it was bad enough that she cackled with the other hens once a week.

Doctor Cory was a diminutive man whose strawberry red hair was mixed with strands of gray, and whose almond-shaped eyes were always so friendly and young-looking, they put me at ease almost as soon as he set his concerned gaze on me. He always carried something sweet in his worn, dark brown leather satchel. Sometimes it was an all-day sucker, sometimes it was a sugar stick.

While we waited for his arrival, Mamma had one of the chambermaids bring me another quilt. The added weight and heat made me more comfortable. Louella brought up some sweet tea and Mamma fed it to me a teaspoon at a time. I found it hard to swallow and that made her even more nervous.

"Oh dear, dear," she chanted. "What if it's scarlet fever or tetanus or strep throat," she moaned, starting her litany of possible illnesses. She would go through everything in the medical dictionary she could recall. Her lily-white cheeks were blotched and her neck was red. Mamma eventually broke out in splotches when she was this upset.

"It don't look like no scarlet fever or tetanus," Louella said. "My sister died of scarlet fever and I knew a blacksmith who died of tetanus."

"Ooooooh," Mamma groaned. She paraded from the window to the door and back to the window looking for signs of Doctor Cory's arrival. "I told the Captain we should have a telephone now. He can be the most stubborn man."

She rambled on, wrapping her thoughts around herself for comfort. Finally, after what seemed like an interminable wait, Doctor Cory arrived, and Louella went down to show him in. Mamma swallowed a gasp and nodded at me all bundled up in bed when he stepped into my room.

"Now, don't get yourself all flustered and sick with worry, Georgia," he told her firmly.

He sat on the bed and smiled at me.

"How are you doing, Lillian honey?" he asked.

"I'm still cold," I complained.

"Oh, I see. Well, we'll fix that." He opened his satchel and took out his stethoscope. I anticipated the icy metal on my skin when he asked me to sit up and pull up my nightshirt, so I cringed before he touched me. He laughed and breathed on his stethoscope before placing it against my back. Then he asked me to take deep breaths. He put it on my chest and I did the same, breathing in as deeply as I could.

My temperature was taken; I had to open my mouth and say "Ahh" and then he looked into my ears. While he examined me, Mamma ranted and raved about what had happened on my way to school.

"Who knows what was in that puddle? It could have been infested with germs," she wailed.

Finally, Doctor Cory reached into his satchel and brought out an all-day sucker.

"This will make your throat feel better," he said.

"What is it? What's wrong with her, Doctor?" Mamma demanded when he rose slowly and calmly and began to put things back into his satchel.

"She's got some redness, a little infection. Nothing very serious, Georgia, believe me. We always get a lot of this when the seasons change. We'll give her some aspirin and some sulfur. With plenty of bed rest and hot tea, in a day or so she'll be like new," Doctor Cory promised.

"But I've got to go to school!" I cried. "I just started today."

"I'm afraid you'll have to take a little holiday right away, my dear," Doctor Cory said. If I thought I felt miserable before, it was nothing like how I felt now. Miss school the very first week, the very next day? What would Miss Walker think of me?

I couldn't help myself: I started to cry. This now, on top of the horrible things Emily had said and Mamma had not denied, seemed too much to bear.

"Now, now," Doctor Cory said. "If you do that, you'll make yourself sicker and it will take you that much longer to get back to school."

His words effectively choked off my sobs, even though I couldn't stop my body from shaking. He gave Mamma the pills I was to take and then left. She followed him out, still seeking reassurance that what was wrong with me was not very serious. I heard them mumbling in the hall and then I heard Doctor Cory's footsteps die away. I closed my eyes, the tears behind my lids burning. Mamma returned with the medicine. After I took it, I fell back against the pillow and slept.

I slept for a long time because when I woke up, I saw it was very dark outside. Mamma had left a small kerosene lamp lit in my room and assigned one of the chambermaids, Tottie, to sit and watch me, except she had fallen asleep herself in the chair. I felt a little better, the chills now gone, although my throat felt as dry as hay. I moaned and Tottie's eyes snapped open.

"Oh, yer up, Miss Lillian? How do ya feel?"

"I want something to drink, please, Tottie," I said.

"Right away. I'll go tell Mrs. Booth," she said, and hurried off. Almost immediately afterward, Mamma came charging through the door. She turned up the light and put her hand on my forehead.

"It feels better," she declared, and released a long-held breath of concern.

"I'm very thirsty, Mamma."

"Louella's on her way with some sweet tea and some toast and jam, darling," she said, and sat down on my bed.

"Mamma, I hate not going to school tomorrow. It's not fair."

"I know, honey, but you can't go if you're sick, can you? You'll only get sicker."

I closed and opened my eyes as Mamma tried to make my bed more comfortable and pounded the pillows. When Louella arrived with my tray, they fixed it so I could sit up. Mamma remained seated beside me as I sipped my tea and nibbled on my toast.

"Mamma," I said, now remembering what it was that made me feel so terrible, "what did Emily mean when she said I wasn't her sister? What were you going to tell me?"

Mamma sighed deeply as she always did whenever I asked her too many questions. Then she shook her head and fanned herself with the lace handkerchief she kept in the right sleeve of her dress.

"Emily did a very bad thing, a very bad thing, when she said those things to you. The Captain's furious with her, too, and we've sent her to her room for the night," Mamma said, but I didn't think that was much of a punishment for Emily. She liked being in her room more than she liked sitting with the family.

"Why was it a bad thing, Mamma?" I asked, still very confused.

"It was bad because Emily should know better. She's older than you are and was old enough at the time to know what had happened. Back then, the Captain sat her down and impressed upon her how important it was that you not be told until you were old enough to understand. Even though Emily was only a little younger at the time than you are now, we knew she understood the importance of keeping something secret."

"What's the secret?" I asked in a whisper, never more intrigued with anything Mamma had told me. Henry was always saying that houses and families in the South had closets full of secrets. "You could open a closet door kept closed for years and have skeletons fall out over you." I didn't know exactly what he meant, but for me there was nothing more delicious than a mystery or a ghost story.

Reluctantly, her hands on her lap, her beautiful soft blue eyes filled with pain, Mamma took a deep breath and began.

"As you know, I had a younger sister Violet. She was very pretty and very delicate . . . as delicate as a violet. All she had to do was stand in the afternoon sun for a few minutes and her cherry-blossom-white skin would turn crimson. She had your blue-gray eyes and your button nose. In fact, her features were only slightly larger than Eugenia's. My papa used to call her his little pickaninny, but my mamma hated it when he said that.

"Anyway, when she was a little more than sixteen, a very handsome young man, the son of one of our closest neighbors, began to court her. His name was Aaron and everyone said he worshipped the ground Violet tread upon, and she was very fond of him. People thought it was a dream romance, the kind of love affair they read about in storybooks, as sweet and as fascinating as Romeo and Juliet, but unfortunately, just as tragic.

"Aaron asked my papa for permission to marry Violet, but my papa was very possessive when it came to his favorite. He kept promising to think seriously on it, but he put off a decision for as long as he could.

"Now," Mamma said sadly, sighing and dabbing at her eyes with her lace handkerchief, "when I think about what happened, it was as if Papa knew the future and wanted to protect Violet from unhappiness and catastrophe as long as he could. But," Mamma added, "it was even more difficult for a young woman to do anything but marry back then. This was to be Violet's destiny, just as it was mine . . . to be courted and promised to a man of good stature, a man of property and respect.

"And so Papa finally relented and Violet and Aaron were married. It was a beautiful wedding. Violet looked like a child bride, looked no more than twelve in her wedding dress. Everyone remarked about it.

"Shortly afterward, she became pregnant." Mamma laughed. "I remember that even after five months, she hardly showed." Mamma's smile evaporated. "But while she was in her sixth month, a great calamity befell her. Her young husband Aaron was thrown from his horse during a rainstorm and hit his head on a rock. He died instantly," Mamma said, her voice cracking. She swallowed before continuing.

"Violet was devastated. She wilted quickly, like a flower without sunlight, for her love was her sunlight; it was what brightened her world and filled it with promise. By this time, our papa had passed away, too, so she felt very alone. It was painful to see her dwindle in little ways: her beautiful hair grew drab and dull, her eyes were always dark, her complexion became more and more pallid and sickly, and she stopped caring about what she wore.

"Women who become pregnant," Mamma said, "usually look the healthiest they ever look. If the pregnancy goes well, it's as if the baby inside is enriching their bodies. Do you understand, Lillian?"

I nodded although I didn't really understand. Most of the pregnant women I had seen all looked big and awkward, groaning when they sat down, groaning when they stood up and always holding their stomachs as if the baby would fall out any moment. Mamma smiled and stroked my hair.

"Anyway, weakened by tragedy, weighed down by sadness, poor Violet didn't grow stronger and healthier. She carried her pregnancy as a burden now and spent long hours of each day mourning her lost love.

"The baby, feeling the sorrow throughout her body, decided to be born sooner than she was supposed to be born. One night, Violet was taken with great pain and the doctor was rushed to her bedside. The struggle to give birth was seemingly endless. It went on all through the night and into the morning. I was there at her side, holding her hand, wiping her forehead, comforting her as best I could, but the effort was too much.

"Late in the morning of the next day, you were born, Lillian. You were a beautiful baby with your features already quite formed, perfect features. Everyone oohed and aahed over you, and everyone hoped your birth would restore Violet and give her something to live for, but alas, it was already too late.

"Shortly after you appeared in this world, Violet's heart stopped beating. It was as if she had remained alive just so you would be born and her and Aaron's child would see the light of day. She died in her sleep with a soft, gentle smile on her face. I was sure Aaron was there for her, waiting for her on the other side, his hand out, his arms ready to embrace her soul and bring it together with his.

"My mamma was too old and sick to care for a child, so I brought you back to The Meadows. The Captain and I decided we would raise you as if you were our own. Emily was four years and some months old by then, so she knew we had brought my sister's baby home to live with us, but we talked to her about you often and impressed it upon her that she should keep the secret. We wanted you to have a wonderful childhood and always feel you belonged with us. We wanted to shield you from tragedy and sorrow for as long as we could.

"Oh, Lillian, honey," Mamma said, embracing me, "you must always think of us as your mother and father and not your aunt and uncle, for we love you just as much as our two other daughters. Will you think of us that way? Always?"

I didn't know how else to think of them, so I nodded, but in my secret put-away heart, I felt an ache, a deep-down dark and cold ache that I knew would not disappear. It would linger forever and ever and remind me that I was once an orphan and that the two people who would have loved me and cherished me as much as they loved and cherished each other had been taken from me before I had a chance to set eyes on them. I couldn't help but be curious.

I had seen pictures of Violet and I knew where there were others, but I had never looked at her with as much interest as I knew I would look at her now. Up until now, she was just a face, a sad story, some dark part of our history better not discussed and remembered. I sensed that I would have a thousand questions about her and the young man called Aaron, and I was smart enough to understand that every question I asked would be painful for Mamma and she would draw answers reluctantly from the pool of her memory.

"You shouldn't worry about all this," Mamma said. "Nothing will change. Okay?"

When I look back on those days, I realize how innocent and naive Mamma was then. Nothing would change? Whatever invisible rope of love had bound us together snapped. Yes, she and Papa would be my mother and father in name, and yes, I would still call them that, but knowing they were not filled me with a sense of deep loneliness.

From that day forward, I would often go to bed feeling unhappy with my life, feeling an undercurrent that was pulling my feet from under me until I was floundering like someone bound to sink and drown. I would stare into the darkness and hear Mamma telling me over and over that I belonged where I was. But did I? Or had some cruel fate simply dumped me here? How sad it would be for Eugenia when she found out, I thought, and decided then and there that I would be the one who told her. I would do it as soon as I was positive she was old enough to truly understand.

I saw how important it was for Mamma that I pretended none of this really mattered, so I smiled after she told me the family secret, wanting me to agree that nothing would change.

"Yes, Mamma, nothing will change."

"Good. Now you must concentrate on getting better and not think of unpleasant things," she commanded. "In a little while, I'll give you your pills and then you can go back to sleep. I'm sure in the morning you'll feel a lot better." She kissed my cheek and stood up.

"I could never think of you as anything but my own," she promised. She beamed her most comforting smile and left me alone to ponder the meaning of all that she had told me.

In the morning I did feel a lot better. The chills were completely gone and my throat was less dry and scratchy. I could see that it was going to be a beautiful day, with small puffs of clouds looking pasted against the deep blue sky, and I regretted having to spend it all indoors. I felt so good I wanted to get up and go to school, but Mamma was there first thing to be sure I took my pills and drank my tea. She insisted I remain bundled up in bed. My protests went unheeded. She was full of stories about children who didn't listen and got sicker and sicker until they had to be taken to the hospital.

After she left, the door was slowly opened and I turned to see Emily standing there, gazing in at me, her eyes more full of fury than I had ever seen them.

Suddenly, though, she smiled, a cold smile that stretched her lips thin and sent a cold shudder up my spine.

"You know why you're sick," she said. "You're being punished."

"I am not," I replied without even asking her what I was being punished for. She held her smile.

"Yes you are. You had to go whining to Mamma about what I said. You brought more trouble to the family. We had a terrible time at dinner, with Mamma whimpering and Papa snapping at both of us. And all because of you. You're just like Jonah."

"No I'm not," I protested. Even though I was not sure who Jonah was, I knew from the way Emily spoke that he wasn't someone good.

"Yes you are. You brought this family bad luck from the day you were taken in. A week after you came, Tottie's father was run over by the hay wagon and had his chest crushed, and then we had the fire in the barn and lost the cows and horses. You're a curse," she fired. I shook my head, my tears hot and continuous now. She took a few steps into my room, her eyes fixed on me with such hate that I cowered back in my bed and pulled the blanket up to my chin again.

"And then when Eugenia was born, you had to go in and look at her. You had to be the first one, ahead of me, and what happened? Eugenia's been sick ever since. You cursed her, too," she spat.

"I did not!" I screamed back. Blaming me for my sister's illness was too much. Nothing was more painful to me than watching Eugenia struggle to breathe, watching her tire quickly after a short walk, watching her struggle to play and do the things all young girls her age were doing. Nothing broke my heart more than seeing how she gazed out the windows of her room, longing to go running over the fields, laughing and chasing after birds or squirrels. I was there for her as much as I could be, entertaining her, making her laugh, doing the things for her that she couldn't do for herself, while Emily barely spoke to her or showed the slightest concern.

"Eugenia's not going to live long, but you are," Emily sneered. "And it's all your fault."

"Stop it! Stop saying those things!" I screamed, but she neither faltered nor retreated an inch.

"You shouldn't have told on me," she replied calmly, revealing that was the sole cause of her venom. "You shouldn't have turned Papa against me."

"I didn't," I said, shaking my head. "I haven't seen Papa since I came home from school," I added, and sobbed harder. Emily stared at me in disgust for a few moments and then she smiled.

"I pray," she said. "I pray every day that God will spare us the curse of Jonah. Someday, He will hear my prayers," she promised, looking up at the ceiling, her eyes closed, her arms at her side, her hands clenched in small fists, "and you will be tossed overboard and swallowed by a whale, just like Jonah in the Bible."

She paused a moment, then lowered her head and laughed at me before pivoting quickly to exit my room and leave me shivering with fear instead of with fever.

All that morning I thought about the things Emily had said and wondered if any of it could be true. Most of our servants, especially Louella and Henry, believed in good luck and bad luck. There were charms and there were signs of evil; there were specific things to do to avoid bad luck, too. I remembered Henry bawling out a man who, while waiting for something to do in the barn, stood there killing spiders.

"You bringin' bad luck on all of us," Henry charged. He sent me in to Louella to fetch a fistful of salt. When I returned with it, he made the man turn around three times and cast the salt over his right shoulder. Even so, he said he didn't think it was enough because too many spiders had been killed.

If Louella dropped a knife in the kitchen, she would positively break out in tears because it meant someone close was going to die. She would cross herself a dozen times and mutter all the prayers she could in a minute's time and hope the evil had been stopped.

Henry could read the swoop of a bird or interpret the hoot of an owl and know whether someone was going to give birth to a dead baby or fall into an unexplained coma. To ward off the evil spirits, he nailed up old horses' shoes over as many doors as Papa would permit, and if a pig or cow gave birth to a deformed baby, he would spend a good part of the day shivering in anticipation of some greater disaster.

Superstition, bad luck, curses—they were all part of the world in which we lived. Emily knew what my fears were when she told me with such hatred that I was bad luck for the whole family. Now that I knew for sure that my birth had meant the death of my real mother, I couldn't help but believe Emily was right. I only hoped Henry knew a way to counter any curses I might bring.

Mamma found me crying when she returned later that morning. Understandably, she thought it was caused by my not being able to go to school. I didn't want to tell her about Emily's visit because it would get her angry and there would be more trouble—trouble for which Emily would blame me afterward. So, instead, I took my medicine and slept and waited for this illness to release its grip on me.

When Emily returned from school that day, she stopped by and poked her head through the doorway.

"How's the little princess?" she asked Mamma, who was sitting with me.

"Much better," Mamma said. "Did you bring any schoolwork for her from your teacher?"

"No. Miss Walker says she can't send anything home. Everything has to be done in school," Emily claimed. "All the other new students learned a lot today," she added, and sauntered off.

"Now, don't you fret," Mamma said quickly. "You'll catch up quickly." Before I could protest, Mamma shifted to another topic. "Eugenia's very upset you're sick and sends her wishes for your speedy recovery."

Instead of making me feel better, that made me feel worse. Eugenia, who was sick and in bed most of her days, was worrying about me. If I had anything to do with what had happened to my little sister, I hoped God would punish me, I thought. When Mamma left, I buried my face in my pillow and smothered my tears. For the first time, I wondered if Papa blamed me for Eugenia's illness, too. I was sure he was the one who had told Emily to read about Jonah in the Bible.

Papa never stopped by to see me the whole time I was sick, but that was because taking care of sick children was something he considered to be solely women's work. Besides, I told myself hopefully, he was always so busy making sure the plantation was profitable. If he wasn't cloistered in his office, poring over the books, he was out overseeing the farm work or visiting the markets for our tobacco. Mamma complained about his frequent trips to Lynchburg or Richmond because she said she knew he was making side trips to play cards with gamblers. On more than one occasion, I overheard them squabbling about it.

Papa had a fiery temper and if there was an argument like that, it usually ended with something being thrown against a wall and smashed or doors slamming. Mamma usually emerged with her face streaked with tears. Fortunately, these arguments were infrequent. They came upon us like summer storms, fierce and hard for a short while and then swept away quickly, the calm air returning.

Three days after I had first gotten sick, it was decided that I was just about fully recovered and could return to school. However, Mamma insisted that for this one time, at least, Henry should hitch up the wagon and drive us there. Emily was upset with the idea when Mamma announced it at dinner the night before.

"When I was sick last year, I didn't get driven to school," she protested.

"You recuperated longer," Mamma replied. "You didn't need a ride, Emily dear."

"Yes I did. I was dreadfully tired when I arrived, but I didn't complain. I didn't whine and cry like a baby," she insisted, glaring at me across the table. Papa snapped his newspaper. We were waiting for dessert and coffee. He peered over the top of the paper and gave Emily a reproachful glance, which was something else she would blame on me, I thought.

"I can walk, Mamma," I said.

"Of course you can, honey, but there's no sense chancing a relapse just to spare the horses a few miles, now, is there?"

"Well, I'm not going on the wagon," Emily said defiantly. "I'm not a baby."

"Let her walk," Papa declared. "If that's what she wants to do."

"Oh, Emily dear, you can be so obstinate for no reason at all sometimes," Mamma cried. Emily didn't reply, and the next morning she was true to her word. She started out a little earlier and walked as quickly as she could. By the time Henry pulled up in front of the house with the horse and wagon, Emily was already long gone down the driveway. I got in beside Henry and we started off with Mamma calling out her warnings.

"Keep that sweater closed, Lillian honey, and don't stay outside too long during recess."

"Yes, Mamma," I called back. Henry urged Belle and Babe on. Minutes later, we spotted Emily walking, her head down, her long thin body bent over so she could pound each step vigorously and quickly. When we pulled alongside, Henry called to her.

"Wants to get up now, Miss Emily?"

She didn't reply, nor did she look our way. Henry nodded and moved us along.

"Knew a woman who was that stubborn once," he said. "No one would marry her until this man come along and takes on a bet he can break her stubborn streak. He marries her and they leave the church in their wagon pulled by this ornery mule, which belonged to her. The mule just stops dead in its tracks. He gets out and stands right before it and says, 'That's once.' Then he gets back in the wagon and they go on until the mule stops again. He gets out again and says, 'That's twice.' They get goin' again and then the mule stops a third time. This time he gets out and shoots the mule dead. The woman starts screaming at him that now they got to carry all their things themselves. When she's finished, he looks her in the eye and says, 'That's once.' "

Henry roared at his own story. Then he leaned down to me and said, "Sure wish someone would come along and tell Miss Emily, 'That's once.' "

I smiled, although I wasn't totally positive I understood the story and what he meant. Henry seemed to have a tale for every occasion.

Miss Walker was happy to see me. She sat me down toward the front of the classroom and all that day, she broke away from the other children and spent time working with me one-on-one to get me up to where everyone else was. At the end of the day, she told me I was caught up. It was as if I had not missed a moment. Emily heard her compliment me, but looked away quickly.

Henry was waiting outside with the wagon to take us home. This time, whether she had seen the foolishness of her stubbornness or she was just plain tired, Emily got in, too. I sat up front and as we started away, I noticed a sheet on the floor of the wagon, only it had a small hump in it and the hump suddenly moved.

"What's that, Henry?" I cried, a bit frightened. Emily peered over my shoulder.

"It's a present for ya all," he said, and reached down to lift off the sheet to reveal the cutest all-white kitten I had ever seen.

"Oh, Henry. Is it a boy or a girl kitten?" I asked, taking it into my lap.

"Girl," Henry said. "Her mamma's finished taking care of her. She's an orphan now."

She peered up at me with frightened eyes until I hugged and petted her.

"What should I call her?"

"Call her Cotton," he suggested. "She sure looks like cotton when she sleeps and buries her head in her paws."

Henry was right. The rest of the way home, Cotton slept in my lap.

"You can't bring it into the house," Emily said as we turned up the driveway. "Papa won't want any animals in the house."

"We'll find a place for her in the barn," Henry promised, but when we reached the house, Mamma was standing on the front porch to see how I was and I couldn't wait to show her my kitten.

"I'm fine, Mamma. I'm not tired or anything, and look," I said, holding up Cotton, "Henry's given me a present. It's a girl kitten and we've named her Cotton."

"Oh, she's so tiny," Mamma said. "How adorable."

"Mamma," I said, lowering my voice, "could I keep Cotton in my room? Please. I won't let her go out of my room. I'll feed her there, keep her clean, and—"

"Oh, I don't know, honey. The Captain won't even tolerate the hound dogs on this porch."

I lowered my eyes sadly. How could anyone not want something as precious and soft as Cotton in his house?

"She's just a baby, Mamma," I pleaded. "Henry says her mother doesn't look after her anymore, either. Now she's an orphan," I added. Mamma's eyes grew small and sad.

"Well . . ." she said, "you've had a miserable time this past week. Maybe for just a little while."

"She can't!" Emily protested. She had hung back just waiting to see what Mamma would do. "Papa won't like it."

"I'll talk to your father about it. Don't worry, girls."

"I don't want that kitten in the house," Emily said angrily. "It's not mine; it's hers. He gave it just to her," she fired, and charged through the front door.

"Don't even let that kitten peek out your door," Mamma warned.

"Can I show her to Eugenia, Mamma? Can I?"

"Yes, but then bring her to your room."

"I'll bring you a box and some sand," Henry said.

"Thank you, Henry," Mamma said, and turned to me, waving her finger. "But you'll have to be in charge of keeping the sand clean," she advised.

"I will, Mamma. I promise."

Eugenia brightened with excitement when I brought Cotton in to her. I sat on her bed and told her all about school, the lesson in reading Miss Walker had given me, and the sounds I was already able to read and pronounce. While I went on and on about my day, Eugenia played with Cotton, teasing her with string and then tickling her stomach. When I saw how much pleasure my little sister was getting, I wondered why Mamma and Papa never thought to give her a pet of her own.

Suddenly, Eugenia started to sneeze and wheeze the way she often did just before she had one of her seizures. Frightened, I called for Mamma, who rushed in with Louella at her side. I took Cotton in my arms while Mamma and Louella worked on Eugenia. The result was Doctor Cory had to be called for her.

When the doctor left, Mamma came to my room. I was sitting in the corner with Cotton, still terrified from what had happened. It appeared to reinforce Emily's accusations: I was bringing bad luck to everyone.

"I'm sorry, Mamma," I said quickly. She smiled at me.

"It wasn't your fault, Lillian honey, but Doctor Cory thinks Eugenia might be allergic to cats and that just makes her problems worse. I'm afraid you can't keep the kitten in the house after all. Henry will find a nice little home for her in the barn and you can visit her there whenever you want."

I nodded.

"He's waiting outside. You can bring her down to him now and put her in her new home, okay?"

"Okay, Mamma," I said, and went out. Henry and I set up Cotton's box in a corner near the first cow stall. In the days that followed, I would bring Cotton to Eugenia's window so she could see her. She would press her little face up against her window and smile at my kitten. It made me feel horrible that she couldn't touch Cotton. No matter what unfair things happened to me, none of them seemed as terrible as the unfair things that were happening to my little sister.

Even if there were such things as good luck and bad luck, I thought, why would God use me to punish a little girl as sweet as Eugenia? Emily couldn't be right; she just couldn't, I thought. It was the way I began my nightly prayers.

"Dear Lord. Please make my sister Emily wrong. Please."

In the weeks that passed, I looked forward to school so much that I hated when the weekends came. What I did was establish a little one-room school of my own for me and Eugenia, just as I had promised. We had our own small blackboard and chalk and I had my own primary reader. I spent hours and hours teaching Eugenia the things I had learned, and even though she was too young to begin school, she showed remarkable patience and began to learn, too.

Despite her debilitating illness, Eugenia was a very cheerful little girl who took delight in the simplest of things: the song of a lark, the burst of blossoms on the magnolia trees, or simply the colors of the sky that changed from azure to the delicate blue of a robin's egg. She would sit in her window seat and gaze out at the world like a traveler from another planet taken on a tour of Earth and being shown something different every day. Eugenia had a wonderful way of looking out that window and being able to see something novel in the same scene each time she gazed.

"Look at the elephant, Lillian," she would say, and point to a twisted cedar branch that did indeed resemble the trunk of an elephant.

"Maybe you'll be an artist when you grow up," I told her and even suggested to Mamma that she buy Eugenia real paintbrushes and paint. She laughed and did go as far as to buy her crayons and coloring books, but whenever I talked to Mamma about Eugenia's future, Mamma would grow very quiet and then withdraw to play her spinet or read her books.

Naturally, Emily criticized everything I did with Eugenia, and especially mocked our play school in Eugenia's room.

"She doesn't understand anything you're doing and she'll never really go to school. It's a waste of time," she said.

"No it's not, and she will go to school."

"She has trouble taking walks around the house," Emily said confidently. "Can you imagine her even walking to the end of our driveway?"

"Henry will take her in the wagon," I insisted.

"Papa can't let the wagon and horses be used like that twice a day, every day; and besides, Henry has his work here," Emily happily pointed out.

I tried to ignore what she said, even though in my heart I knew she was probably right.

My own work in school improved so quickly, Miss Walker made an example of me to the other students. Almost every day, I was running up the driveway ahead of Emily to show Mamma my papers with the little stars on them. At dinner Mamma would bring them out to show Papa and he would gaze down at the papers and chew his food and nod. I decided to pin all my Excellents and Very Goods up on Eugenia's wall. She took as much pride and joy in them as I did.

By the middle of November of my first school year, Miss Walker was giving me more and more responsibility. Just like Emily, I was helping other students to learn the things I had learned quickly. Emily was very severe with the students she had to tutor in class, complaining about them if they didn't pay attention. Many had to sit in the corner with the dunce's cap on because of something Emily told Miss Walker. She was very unpopular with the rest of the students in the school, but Miss Walker appeared to be pleased about that. She could turn her back or leave the room and know confidently that Emily would be reliable and no one would misbehave in front of her. Besides, Emily didn't mind being unpopular. She enjoyed the power and the authority and told me time after time there was no one at the school she cared to be friends with anyway.

One day, after she had blamed Niles Thompson for a spitball thrown at Charlie Gordon, Miss Walker told Niles to sit in the corner. He protested his innocence, but Emily was firm in her accusation.

"I saw him do it, Miss Walker," she said with her steely eyes fixed firmly on Niles.

"That's a lie. She's lying," Niles protested. He looked to me and I stood up.

"Miss Walker, Niles didn't throw the spitball," I said, contradicting Emily. Emily's face turned beet red and her nostrils widened like a bull's when it was about to snort.

"Are you absolutely positive it was Niles, Emily?" Miss Walker asked her.

"Yes, Miss Walker. Lillian's just saying that because she likes Niles," she replied coolly. "They practically hold hands when they walk to and from school."

Now it was my turn to turn red. All the boys in school smiled and some of the girls giggled.

"That's not true," I cried. "I . . ."

"If Niles didn't throw the spitball, Lillian, then who did?" Emily demanded, her hands on her hips. I gazed at Jimmie Turner, who had thrown it. He looked away quickly. I couldn't tattle on him so I just shook my head.

"All right," Miss Walker said. She glared at the class until everyone looked down at his desk. "That's enough." She looked at Niles. "Did you throw the spitball, Niles?"

"No, ma'am," he said.

"You haven't been in trouble before, Niles, so I'm going to take your word this time, but if I see any spitballs on the floor at the end of the day, all the boys in this room will be staying a half hour after school. Is that clear?"

No one spoke. When the school day ended, we filed out quietly and Niles approached me.

"Thanks for standing up for me," he muttered. "I don't know how she can be your sister," he added angrily, glaring at Emily.

"I'm not her sister," Emily happily replied. "She's an orphan we took in years ago." She said it loud enough for all the children to hear. Everyone looked at me.

"No, I'm not," I cried.

"Of course she is. Her mother died in childbirth and we had to take her in," she said. Then she narrowed her eyes and stepped forward to add, "You're a guest in my house; you will always be just a guest. Whatever my parents give you, they give you as a handout. Just like to a beggar," she said, and turned triumphantly to the crowd that had gathered around us.

Afraid I would break out in tears, I ran off. I ran as far as I could. When I stopped, I did cry. I cried all the way home. Mamma was furious with Emily for what she had done and was waiting for her in the doorway when she appeared.

"You're the oldest, Emily. You're supposed to have the most sense," Mamma told her. "I'm very disappointed in you and the Captain's not going to be happy when he hears about this."

Emily glared hatefully at me and charged up the stairway to her room. When Papa came in, Mamma told him what Emily had done and he did give her a bawling out. She was very quiet at dinner and refused to look my way.

At school the next day, I saw many of the children whispering about me. Emily didn't say anything to anyone in front of me anymore, but I was sure she was whispering things to some of them all the time. I tried not to let this stop me from learning and enjoying school, but it was as if a black cloud appeared over my head each morning and traveled with me all the way to school.

But Emily wasn't satisfied by just making me feel uncomfortable and freakish in front of my classmates. I had infuriated her when I had contradicted her about Niles Thompson and the spitball and she was determined to punish me in little ways for as long as she could.

I tried to stay away from her and lag behind or rush ahead when we walked to school, and I did my best to avoid her all day.

I complained to Eugenia about her, and my little sister listened sympathetically, but we both seemed to know that Emily would be Emily and there was no way to change her or get her to stop doing and saying hateful things. We tolerated her just the way we would tolerate bad weather. We waited for it to pass.

Only once did Emily succeed in bringing both Eugenia and me to tears at the same time. And for that I vowed I would never forgive her.

THREE

LESSONS LEARNED

Even though Cotton was unable to come into the house ever since that dreadful day when Eugenia had such a terrible allergic reaction, our cat seemed to have sensed the love and affection Eugenia had for her. Almost every afternoon, after the sun on its journey west had made its way over our big house, Cotton would come sauntering along and find herself a soft patch of grass beneath Eugenia's window to sprawl over and soak up the warmth. She would lie there purring contentedly and gaze up at Eugenia, who sat on her window seat and spoke to her through the glass. Eugenia was just as excited to tell me about Cotton as I was to tell her about school.

Sometimes, Cotton was still there when I arrived: a snow-like patch of white snuggle in a bed of emerald. I was always afraid she would grow gray and dirty and look like the other cats that lived outside and found their sanctuaries through holes in the stone foundations or in the dark corners of our toolshed and smokehouse. Her milk-white fur would show every spot of dirt and grime, but Cotton was one of those cats who couldn't tolerate a spot of dust on her. She would spend hours and hours licking and washing, caressing her paws and her stomach with her pink tongue, her eyes closed as she worked methodically in long strokes.

Cotton had grown quickly into a muscular, sleek cat with eyes that shimmered like diamonds. Henry favored her more than any of the animals on the plantation and frequently fed her a raw egg, which he said was the reason why her coat was always so rich and shiny.

"She's already the most feared hunter of the bunch," he told me. "Why, I seen her chase a mouse's shadow until she found the mouse."

When Eugenia and I sat in her window seat and talked for hours after school or I read to her, we would both stop to take note of Cotton's comings and goings, but it wasn't her hunting prowess that made her stand out for us. It was the way she would promenade over the grounds of the plantation, moving with an air of arrogance that seemed to say, "I know I'm the most beautiful cat here and you all better remember." Eugenia and I would laugh, and Cotton, who surely heard us, would pause and throw a gaze our way before ambling on to check one of her haunts.

Instead of a collar, we fastened one of Eugenia's pink hair ribbons around Cotton's neck. At first she tried to scratch it off, but in time, she grew used to it and kept it as clean as she kept her fur. It got so our conversations with Mamma and Papa, Louella and the other house servants, as well as with Emily, were always filled with Cotton stories.

After school one gray and stormy day, I came running up the driveway afraid that I wouldn't beat out the downpour that was hovering in the shoulders of the bruised and angry-looking clouds above. I even outran Emily, who walked with her eyes half closed, her mouth sewn so tightly shut, it made her thin lips white in the corners. I knew that something I had done or something that had happened that day at school had annoyed and angered her. I thought it might have been the fuss Miss Walker had made over how well I had completed my writing lesson. Whatever was bothering her made her lean frame swell so that her shoulders were hoisted, making her look like a large crow. I wanted to avoid her and her sharp tongue, which would spit words designed to cut into my heart.

The gravel flew out from beneath my feet as I dashed up the remaining one hundred or so yards to the front door. Still gasping, I charged into the house, eager to show Eugenia my first written sentences with the word "Excellent" scribbled in bright red ink at the top of the page. I had it clasped in my little fist, waving it in the air like the flag of the Confederacy snapping in the wind of battle against the Yankees depicted in some of our paintings. My feet slapped down on the corridor floor as I jogged my way to Eugenia's room and burst in excitedly.

But I took one look at her and my joy quickly subsided, the air rushing out of my lungs as quickly as the air escaped from a punctured balloon. Eugenia had obviously been crying; her face was still streaked with fresh tears rippling down her cheeks and dripping from her chin.

"What's wrong, Eugenia? Why are you crying?" I asked, grimacing in anticipation of her sad reply. "Does something hurt?"

"No." She ground away the tears with fists no bigger than the fists of some of my dolls. "It's Cotton," she said. "She's disappeared."

"Disappeared? No," I said, shaking my head.

"Uh-huh, she has. She didn't come to my window all day and I asked Henry to find her," Eugenia explained in a shaky voice.

"So?"

"He can't; he's looked everywhere, too," she said, holding her arms up. "Cotton's run away."

"Cotton wouldn't run away," I said confidently.

"Henry says she must have."

"He's mistaken," I said. "I'll go look for her myself and I'll bring her to your window."

"Promise?"

"Cross my heart," I said, and spun around to charge out of the house as quickly as I had charged in.

Mamma, who was in her reading room, called, "Is that you, Lillian?"

"I'll be right back, Mamma," I said, and put my notebook and my writing paper with "Excellent" on it on a small table in the entryway before going out to find Henry. I saw Emily walking slowly toward the house, her head stiff, her eyes open wider.

"Henry can't find Cotton," I called to her. She smirked and continued toward the house. I ran around to the barn and found Henry milking one of our cows. We had just enough milk cows, chickens, and pigs to take care of our own needs, and it was mainly Henry's job to look after them. He raised his head as I came running in.

"Where's Cotton?" I asked, gasping for breath.

"Don't know. Most peculiar thing. Female cats don't usually go wanderin' off like male cats do. She ain't been in her place in the barn for a while and I ain't seen her nowhere on the plantation all day." He scratched his head.

"We've got to find her, Henry."

"I know, Miss Lillian. I've been lookin' every free moment I get, but I ain't seen hide nor hair."

"I'll find her," I said determinedly, and charged out into the yard.

I looked around the pigpen and the chicken coops. I went behind the barn and followed the path to the east field where the cows grazed. I looked in the smokehouse and the toolshed. I spotted all our other cats, but I didn't find Cotton. Frustrated, I went down to the tobacco fields and asked some of the workers if they had seen her, but no one had.

After that, I hurried back to the house, hoping Cotton had returned from whatever journey she had made, but Henry simply shook his head when he saw me.

"Where could she be, Henry?" I asked, on the verge of tears myself.

"Well, Miss Lillian, the last thing I can think of is sometimes these cats go over to the pond to paw at the little fish that swim near the shore. Maybe . . ." he said, nodding.

"Let's look before it starts to rain," I cried. I had already felt the first heavy drop splatter on my forehead. I started away. Henry looked up at the sky.

"We're gonna get caught in it, Miss Lillian," he warned, but I didn't stop. I ran down the pathway toward the pond, ignoring some brush that scratched at my shins. Nothing else mattered but finding Cotton for Eugenia. When I got to the pond, I was disappointed. There was no sign of her patrolling the shore in hopes of catching a small fish. Henry came up beside me. The rain started to fall faster, harder.

"We better go back, Miss Lillian," he said. I nodded, my tears now mingling with the drops that struck my cheeks. But suddenly, Henry seized my shoulder with a grip that surprised me.

"Don't you go no furtha', Miss Lillian," he ordered, and stepped down to the edge of the water near the small dock. There he looked down and shook his head.

"What is it, Henry?" I cried.

"Go on home now, Miss Lillian. Go on," he said in a commanding tone of voice that frightened me. It wasn't like Henry to speak to me that way. I didn't move.

"What is it, Henry?" I repeated, demanding.

"It ain't nice, Miss Lillian," he said. "It ain't nice."

Slowly, oblivious to the increasing rain, I approached the edge of the pond and looked into the water.

There she was, a white ball of cotton, her mouth wide open, but her eyes shut. Around her neck, instead of Eugenia's pink hair ribbon, a piece of rope was tied and on the end of that was tied a rock heavy enough to keep our precious pet beneath the water so she would drown.

My heart nearly burst; I couldn't help myself. I started to shriek and shriek and pound my own thighs with my fists.

"*No, no, no!*" I screamed. Henry started toward me, his eyes full of pain and sorrow, but I didn't wait. I turned and ran back toward the house, the raindrops splattering over my forehead and cheeks, the wind whipping through my hair. I was gasping so hard, I thought I would die when I charged through the front door. I paused in the entryway and let my tears come faster and harder, like the rain. Mamma heard me and came running out of her reading room, her glasses still on the bridge of her nose. My shrieks were so loud, the chambermaids and Louella came running, too.

"What is it?" Mamma cried. "What's wrong?"

"It's Cotton," I moaned. "Oh, Mamma, someone drowned her in the pond."

"Drowned her?" Mamma sucked in her breath and brought her hands to her throat. She shook her head to deny my words.

"Yes. Someone tied a rope and a rock to her neck and threw her into the water," I screamed.

"Lord have mercy," Louella said, and crossed herself quickly. One of the chambermaids did the same.

"Who would do such a thing?" Mamma asked, and then smiled and shook her head. "No one would do such a terrible thing, honey. The poor cat must have just fallen into the water herself."

"I saw her, Mamma. I saw her under the water. Go ask Henry. He saw her too. She's got a rope around her neck," I insisted.

"Oh dear me. My heart is pounding so. Look at you, Lillian. You're soaked through and through. Go on upstairs and get out of those clothes and take a warm bath. Go on, honey, before you get as sick as you were the first day of school."

"But, Mamma, Cotton's drowned," I said.

"There's nothing you or I can do, then, Lillian. Please, go on upstairs."

"I've got to tell Eugenia," I said. "She's waiting to hear."

"You'll tell her later, Lillian. First get dry and warm. Go on," Mamma insisted.

I lowered my head and walked up the stairs slowly. When I turned down the landing, I heard a door squeak open and saw Emily peer out of her room.

"Cotton's dead," I told her. "She's been drowned."

Slowly, Emily's face folded into a cold smile. My heart began to pound.

"Did you do it?" I demanded.

"You did it," she accused.

"Me? I would never . . ."

"I told you, you're a Jonah. Everything you touch will die or suffer. Keep your hands off our beautiful flowers, don't touch our animals, and stay out of the tobacco fields so Papa doesn't go bust like some other plantation owners have. Lock yourself in your room," she advised.

"Shut up," I snapped back, too full of pain and sorrow to be afraid of her furious eyes anymore. "You killed Cotton. You horrid, horrid person."

She smiled again and slowly retreated into her room, closing the door quickly.

I felt sick to my stomach. Every time I closed my eyes, I saw poor Cotton bobbing under the surface of the pond, her mouth open, her eyes clamped shut by Death. When I got into my bathroom, I started to throw up. My stomach ached so much I had to bend over and wait for the pain to pass. I saw how scratched up my legs were from my running through the brush between the house and the pond, and only then did I feel any pain. Slowly, I took off my wet things and ran my bath.

Afterward, when I was dry and dressed again, I went back downstairs to tell Eugenia the horrid news, my feet leaden as I walked toward her doorway, but the moment I opened the door, I realized she knew.

"I saw Henry," she moaned through her tears, "carrying Cotton."

I went to her and we clung to each other, desperate for the comfort we hoped we could bring to each other. I didn't want to tell her that I believed Emily had done it, but she seemed to know that there wasn't another soul living or working on this plantation that had the cruelness in his or her heart to do such a terrible thing.

We lay together on her bed, our arms around each other, both staring out the window at the heavy rain and the dark gray sky. Eugenia wasn't my real sister, but she was my sister in perhaps a truer sense of the word, for we were both children of tragedy, too young to understand a world in which beautiful and innocent creatures were harmed and destroyed.

Fragile Eugenia fell asleep in my arms mourning the loss of

something precious and beautiful in our lives, and for the first time, I was really afraid—not afraid of Emily, not afraid of Henry's ghosts, not afraid of storms or accidents, but afraid of the deep sorrow and pain I knew I was destined to feel when Eugenia was taken from me, too. I clung to her as long as I could and then I slipped away to go to dinner.

Mamma didn't want to talk about Cotton at dinner, but she had to explain to Papa why I looked so distraught and just picked at my food listlessly. He listened and then he swallowed what he was eating quickly and slapped his palm down on the table so hard the dishes jumped. Even Emily looked terrified.

"I won't have it," he said. "I won't have sorrow over some dumb animal brought to my dinner table upsetting everyone. The cat's dead and gone; there's nothing more to be done or said. The Lord giveth and the Lord taketh away."

"I'm sure Henry will find you and Eugenia another kitten," Mamma added, smiling.

"Not like Cotton," I replied, choking back my tears. "She was special and now she's dead," I whined. Emily's lips twisted into a sneer.

"Georgia," Papa said in a tone of reprimand.

"Let's talk about pleasant things, honey," Mamma said quickly. She beamed a broad smile my way. "How did you do in school today?" she asked.

I took a deep breath and wiped my cheeks dry.

"I got an Excellent for my writing," I replied proudly.

"Why that's wonderful," Mamma said, clapping her hands together. "Isn't that splendid?" She looked at Emily, who pretended more interest in her food. "Why don't you run and get it to show the Captain, honey," she asked.

I looked at Papa. He didn't seem to be listening to a word or have any interest. His jaw worked up and down, his teeth grinding the meat in his mouth, his eyes empty. When I didn't move, though, he stopped chewing and gazed at me. I got up quickly and ran out to the entryway where I had left my things on the table, but when I looked for my paper, it wasn't there. I was sure I had left it right on top. I sifted through all my papers in my notebook and shook out my reader just in case one of the chambermaids had stuck it in between the pages, but I didn't find it.

My eyes filled with tears for a new reason as I returned to the dining room. Mamma smiled in anticipation, but I shook my head.

"I can't find it," I said.

"That's because you didn't have it," Emily chortled quickly. "You made it up."

"I did not. You know I had it. You heard Miss Walker tell the class," I reminded her.

"Not today I didn't. You're mixed up with another day," she said, and threw a smile at Papa as if to say, "Children."

He finished chewing what was in his mouth and sat back.

"Spend more time worrying about your lessons, young lady, and less about what happens to stray farm animals," he advised.

I couldn't help it; I started to cry hard, to bawl like I had never bawled before.

"Georgia," Papa demanded. "Put a stop to this behavior immediately."

"Now, Lillian," Mamma said getting up and coming around the table to me. "You know the Captain doesn't like this sort of thing at the dinner table. Come on, honey. Stop your crying."

"She's always crying for one thing or another at school," Emily lied. "I'm embarrassed for one reason or another every day."

"No I don't!"

"Yes you do. Miss Walker's spoken to me about you many times."

"You're lying!" I screamed.

Papa slammed the table again, this time so hard that the top of the butter dish bounced and rattled on the table. No one spoke; no one moved; I held my breath. Then Papa extended his arm and pointed his thick right forefinger at me.

"Take this child upstairs until she's ready to sit with us at the table and behave properly," Papa ordered. His dark eyes widened with rage and his thick mustache bristled with his fury. "I work hard all day long and look forward to a quiet time at my dinner."

"All right, Jed. Don't get yourself any more upset. Come along, Lillian honey," Mamma said, taking my hand. She led me out of the dining room. When I gazed back, I saw Emily looking very satisfied, a small smile of contentment over her lips. Mamma led me upstairs to my room. My shoulders rose and fell with my silent sobs.

"Just lie down for a while, Lillian dear," Mamma said, bringing me to my bed. "You're too upset to eat with us tonight. I'll send Louella up with something for you, and some warm milk, okay, honey?"

"Mamma," I wailed. "Emily drowned Cotton. I know she did."

"Oh no, dear. Emily wouldn't do anything as horrible as that. You mustn't say such a thing, and especially not in front of the Captain. Promise you won't," she asked.

"But, Mamma . . ."

"Promise, Lillian, please," she begged.

I nodded. Already I understood that Mamma would do anything to avoid unpleasantness; if she had to, she would ignore the truth even if it was on the tip of her nose; she would bury her head in her books or her idle chatter; she would laugh at reality and wave it out of sight as if she held a magic wand in her hand.

"Good, darling. Now you'll have a little to eat and then go to sleep early, okay? In the morning everything will look better and brighter; it always does," she declared. "Now, do you want any help getting ready for bed?"

"No, Mamma."

"Louella will be up with something in a little while," she repeated, and left me sitting on my bed. I took a deep breath and then got up and went to the window that looked out toward the pond. Poor Cotton, I thought. She did nothing wrong. Her bad luck was she was born here at The Meadows. Maybe that was my bad luck, too—to be brought here. Maybe that was my punishment for causing my real mother's death, I thought. It made me feel so hollow inside that every beat of my little heart echoed and pounded down to my stomach and up to my head. How I wished I had someone to talk to, someone who would listen.

An idea came to me and I left my room quietly, practically tiptoeing down the corridor to one of the rooms in which I knew Mamma had stored some of her personal things in trunks and boxes. I had spent time in the room before, just exploring. In one small metal trunk fastened with straps, Mamma had some of her own mother's things—her jewelry, her shawls, and her combs. Buried under a small pile of old lace petticoats were some old photographs. It was where Mamma kept her only pictures of her sister Violet, my real mother. Mamma wanted to bury any trace of sadness, anything that would make her unhappy. As I grew older, I would come to realize that no one lived more under the credo "Out of sight, out of mind" than Mamma did.

I lit the kerosene lamp by the door and set it down beside me on the floor in front of the old trunk. Then I slowly opened it and reached in under the petticoats to come out with the small pile of pictures. There was one framed picture of Violet. I had looked at it briefly once before. Now I held it in my lap and studied the face of the woman who would have been my mother. I saw a gentleness in her eyes and a softness in her smile. Just as Mamma had said, Violet had had the face of a beautiful doll, her features small and perfect. As I sat there staring down at the photograph that had already taken on a sepia tint, it seemed as if Violet were looking at me, too, as if her smile was a smile for me and the warmth in her eyes was warmth meant to comfort me. I touched her mouth, her cheeks, her hair, and uttered the word that rushed forward.

"Mamma," I said, and hugged the picture to me. "I'm sorry. I didn't mean to make you die."

Of course, the smile never left her lips—it was just a picture—but in my heart of hearts I hoped she was saying, "It wasn't your fault, honey, and I'm still here for you."

I put the framed picture on my lap and sifted through some of the other old photographs until I found one with my mother and a young man. He looked tall and broad-shouldered and had a handsome smile with a dark mustache. My mother did look very young beside him, but they looked happy together.

These were my real parents, I thought. If they were alive, I wouldn't be so miserable. I was confident my real mother would have felt sorry for me and for Eugenia. She would have cared for and comforted me. In that moment I began to sense something that I would sense more and more, in bigger and bigger ways as I grew older: I sensed how much I had lost when dreadful fate was permitted to swoop down and take my real parents from me, even before I ever heard their voices.

In my mind I heard their voices now, distant and small, but loving. My tears rolled down my cheeks and dripped into my lap. My little heart pounded with sadness. Never had I felt so alone as I felt that moment.

Before I could look through any more pictures, I heard Louella calling. I put everything back quickly, turned out the lamp, and hurried back to my room, but I knew now that whenever I was feeling terrible or very unhappy, I would go back to that room and hold those pictures in my hands and talk to my real parents, who would listen and be with me.

"Where you been, honey?" Louella asked, standing beside my tray on the table.

"No place," I said quickly. It was going to be my secret, a secret with which I could trust no one, not even Louella, and not even Eugenia, because I didn't want her to know yet that we weren't really sisters.

"Well now, you just eat something, honey," Louella said. "And you'll feel a whole lot better." She smiled. "Ain't nothin' warm a body's heart and soul as quickly as a full stomach of good food," she said.

Louella was right about that, and besides, I was hungry again and happy she had brought me a piece of her apple pie for dessert. At least I could eat without having to look at Emily's face, I thought, and was grateful for small blessings.

The next day Henry told me he had given Cotton a Christian burial.

"The good Lord puts a little of Himself in all living things," he declared. He took me to Cotton's grave site, where he had even erected a small marker and scribbled "Cotton" on it. When I told Eugenia, she begged to be taken out to see it. Mamma said it was too cold for her to go out, but Eugenia cried so hard, Mamma gave in and said she could go if she bundled up really good. By the time Mamma was finished dressing her, Eugenia had three layers of clothes, including two blouses, a sweater, and a winter coat. Mamma tied her head in a bandanna so that just her little pink face peered out at the world. She was so weighed down with garments, it was hard for her to walk. Once we left the house and stepped off the porch, Henry lifted her into his arms and carried her the rest of the way.

He had put Cotton's grave behind the barn.

"I wanted her to be close to where she'd lived," he explained. Eugenia and I stood holding hands and gazing at the marker. We were both very sad, but neither of us cried. Mamma said tears would give Eugenia a chill.

"Where do cats go when they die?" Eugenia wanted to know. Henry scratched his short, curly hair and thought a moment.

"There's another Heaven," he said, "just for animals, but not all animals, just for special animals, and right now, Cotton's strolling around, showing off her pretty coat of fur and making the other special animals jealous."

"Did you put my hair ribbon in there, too?" Eugenia asked.

"Surely did, Miss Eugenia."

"Good," Eugenia said, and looked up at me. "Then my ribbon's in Heaven, too."

Henry laughed and carried her back to the house. It took so long to undress her, I had to wonder whether the short trip was worth it or not. But from the look on Eugenia's face, I decided it was.

We never took on a special pet again. I think we were both frightened of the pain that would come if we lost it the way we had lost Cotton. That sort of pain was something you didn't want to experience more than once if you could help it. Besides, we both had the unspoken but strongly felt belief that whatever we really loved, Emily would find a way to destroy and then later justify that destruction with some biblical quote or story.

Papa was very proud of the way Emily embraced religion and learned the Bible. She was already helping the minister in Sunday school, where she was even more of a tyrant than she was in Miss Walker's classes. Children were more apt not to pay attention in the church school, shut up on nice days when they wanted to be out playing. The minister gave Emily permission to whack the hands of those who misbehaved. She wielded her heavy ruler like a sword of vengeance, cracking the knuckles of any little boy or little girl who so much as smiled or laughed at the wrong moment.

One Sunday, she made me turn my hands over and whacked my palms red for daydreaming when the minister left the room. I didn't cry or even moan; I simply fixed my eyes on her and swallowed the pain, even though I couldn't close my hands for hours afterward. I knew it would do me no good to complain to Mamma about it later, and Papa would only say I had deserved it if Emily had to do it.

That year, my first school year, it seemed to me that winter turned to spring and spring into the first days of summer more quickly than ever before. Miss Walker declared that I was doing the work of a second-grade student, reading and writing just as well and even better at math. Words were truly fascinating for me. As soon as I came upon a new one, I wanted to sound it out and discover its meaning. Even though all of Papa's books were still beyond me, I cherished my attempts to read them and understand. Here and there, of course, I did understand sentences and captions under pictures. With each discovery, I felt myself grow more and more confident.

Mamma knew I was doing well, of course, and suggested that I should surprise Papa by learning how to read a psalm. We practiced every night until I could pronounce all the words. Finally, one night at dinner, just before the end of the first school year, Mamma announced that I would open the meal by reading the Twenty-third Psalm.

Emily looked up surprised. She didn't know how hard and how long Mamma and I had been working on it. Papa sat back and folded his hands on the table and waited. I opened the Bible and began.

"'The Lord is my . . . shep . . . herd, I shall not want.'"

Every time I stumbled on a word, Emily smiled.

"Papa," she interrupted, "we'll starve by the time she's finished."

"Quiet," he said gruffly. When I finally finished, I looked up and Papa nodded.

"That was very good, Lillian," he said. "I want you to practice it every day until you can do it twice as fast. Then you can read it again for us at dinner."

"That will be a while," Emily muttered, but Mamma smiled as if I had done something even more wonderful than learn how to read as well as a second grader in one year. She was always eager to show me off and took every opportunity to do so, especially during her famous barbecues. The first one of the new summer was just a few days away.

Grand barbecues had been part of the heritage of The Meadows for as long as anyone could remember. It was a traditional way to start the summer in these parts, and legend had it that no matter what day the Booths chose for their party, that day would be beautiful. The legend was upheld once again when the day of the barbecue arrived—a lovely June Saturday. It was as though Nature was at our beck and call.

The sky was azure and never more perfect with its tiny clouds dabbed here and there as if painted on by God Himself. Mockingbirds and jays flitted among the magnolia tree branches playfully and excitedly, sensing the parade of guests that would soon begin to arrive. Every available laboring hand was busy performing last-minute cleaning, moving furniture, and preparing the great feast. The festive air absorbed each and every one of us.

Even the great house, sometimes dark and gloomy because of its vast rooms and high ceilings, was invaded and changed by the sparkling sunshine. Mamma insisted all the curtains be drawn apart and tied, the windows thrown open, and of course the house itself made positively spotless the day before, since it would fall under the inspection of every pair of eyes belonging to every member of every respectable and important family within reach of Mamma and Papa's beautifully engraved invitations.

The cream-colored walls glowed; the mahogany and hickory furniture gleamed. The washed and polished floors glistened like glass, and the rugs were scrubbed until they looked fresh and new. A warm breeze flowed unchecked throughout the house, bringing with it the fragrance of gardenias, jasmine, and early roses.

I loved our festive barbecues because there wasn't a corner in or out of the house that didn't have conversation and laughter going on within it. The plantation had an opportunity to show itself off, to be what it could be. It was like a sleeping giant that came out of hibernation. Papa never looked as handsome and proud of his heritage.

Cooking preparations had all begun the night before when the barbecue pits had been lit. Now they all had beds of red embers with the meats spinning on pits and the juices dropping and hissing on the hot coals. Outside, the aromas of burning hickory logs and roasting pork and mutton filled everyone's nostrils. All of Papa's hound dogs and all the barn cats hovered around the perimeters of activity, longing for the moment when they would be tossed the leftovers and scraps.

Behind the barn, not far from Cotton's grave, there was a separate barbecue pit where the house servants and farm laborers would gather with the footmen and drivers of the guests to partake of their own feast of hoecakes, yams, and chitterlings. They usually made their own music, too, and sometimes appeared to be having a better time than the well-dressed, well-to-do people who came up the drive in their fanciest carriages pulled by their best horses.

From the first light of day until the first guests began arriving, Mamma flew about the house and grounds dictating her commands and inspecting. She insisted that the long trestle picnic tables be covered with fresh linen and that softer chairs be taken from the house and placed about for those guests who didn't fancy hard benches.

When our guests began to arrive, they followed upon each other so quickly that in moments, the long driveway was lined with saddle horses and carriages of people calling greetings to each other. The children were out first, gathering on the front lawn to arrange for games of tag or hide-and-seek. Their squeals and laughter sent the barn swallows darting swiftly across the grounds in search of quieter sanctuary. Emily's job was to oversee the children and be sure none of them did anything improper or mischievous. Loudly and firmly, she announced what places on the plantation were off-limits and then she proceeded to patrol the grounds like a policeman looking for violators.

As soon as the women stepped out of their carriages, they formed two distinct groups. The older women went into the house for as much protection from the sun and insects as possible while they exchanged pleasantries and gossip. The younger women gravitated toward the gazebo and benches where some were courted by young men and where others waited hopefully to be discovered in their pretty new dresses.

The older men were gathered in small clumps about the grounds discussing politics or business. Just before the food was served, Papa took a few men who had not been to The Meadows before and gave them a tour of the house, mainly to show them his collection of guns hanging on the wall in his library. He had dueling pistols and pocket derringers, as well as English rifles.

Mamma was everywhere, playing the grand hostess, exchanging laughter and words with the gentlemen as well as the ladies. A big party like this seemed to make her flourish. Her golden hair needed no jewel comb to make it glitter with its richness of color and quality, even though she wore one. Her eyes were full of excitement and life, and the sound of her laughter was musical.

The night before, as usual, she had moaned and groaned about her poor wardrobe and how much wider in the hips she had grown since last year's barbecue. Neither Papa nor Emily paid any attention. I was the only one who showed any interest, but only because I wondered why she complained. Mamma had closets and closets of clothes, despite Papa's refusal to take her shopping. She managed regularly to have something new made or something new bought, and was always up on the latest styles, whether it be of hair or clothes. She had boxes and boxes of shoes and drawers and drawers of jewelry, some of which she had brought with her when she married Papa and some of which she had acquired since.

I never thought of her as getting fat or ugly, but she insisted her hips had expanded until she looked like a hippopotamus in anything she put on. As always, Louella and Tottie were called in to help her find a solution, to choose clothes that would flatter her the most and hide her imperfections the best.

Tottie had brushed Mamma's hair for hours while Mamma sat before her vanity mirror and went on about the preparations.

Her hair was long, nearly down to her waist, but she would have it combed and pinned in a chignon. Watching all these preparations and anticipating the coiffeurs, the clothes and new styles the women would wear, stimulated my own budding femininity. I spent most of the day before the barbecue with Eugenia, brushing her hair and letting her brush mine.

The barbecue was one of the few occasions when Mamma permitted Eugenia to mingle with other children and remain outside for hours and hours, as long as she rested in the shade and didn't run around. The joy and tumult, and especially the fresh air, brought a rosy tint to her cheeks and for a while at least, she didn't look like a sickly little girl. She was content and excited simply sitting there under a magnolia, watching the boys wrestle and show off, and the girls prance about imitating their mothers and sisters.

Late in the afternoon, after everyone had been satiated with plenty of food and drink, the guests lounged around, some of the older people actually falling asleep in the shade. The young men played horseshoes and the children were shooed farther off so their screams and laughter wouldn't disturb the adults. At this point, Eugenia, protesting but visibly tired, was brought into the house for a nap.

Feeling sorry for her, I accompanied her and sat with her in her room until her eyelids couldn't resist the weight of sleep any longer and slowly shut. When her labored breathing became regular, I tiptoed out of her room, closing the door softly behind me. By now the other children were behind the house, eating slices of watermelon. I decided to go through the house and out one of the back doors.

As I hurried down the corridor and past Papa's library, I heard a ripple of feminine laughter that intrigued me, for it was immediately followed by the sound of someone speaking low. Once again, the young woman giggled. Papa would be very angry if someone went into his library without his knowing about it, I thought. I backtracked a few steps and listened again. The voices had become whispers. More curious than ever, I opened the library door a little farther and peered in to see the back of Darlene Scott's dress lift slowly as the man standing in front of her moved his hand in and under her skirt. I couldn't help but gasp. They heard me and when Darlene turned, I was able to see who the man was—Papa.

His face turned so fiery red I thought the skin would melt off it. Roughly, he pulled Darlene Scott aside and stepped toward me.

"What are you doing in the house?" he demanded, seizing my shoulders. He leaned down toward me. His breath on my face was strong with bourbon whiskey mingled with the faint fragrance of mint. "All the children were told to stay out of the house."

"I . . . I'm . . ."

"Well?" he demanded, shaking my shoulders.

"Oh, she's just frightened, Jed," Darlene said, coming up to him and putting her hand on his shoulder. It seemed to calm him some and he stood up straight.

Darlene Scott was one of the prettiest young ladies in the area. She had thick, strawberry blonde curls and cornflower blue eyes. There wasn't a young man of courting age who didn't spin his head around to gaze at her cream complexion when she strolled past.

I looked from Papa to Darlene, who smiled down at me and straightened her dress.

"Well?" Papa repeated.

"I was with Eugenia until she fell asleep, Papa," I said. "Now I'm going out to play."

"Go on, then," he said, "and don't let me catch you poking your head in rooms to spy on adults, hear?"

"Yes, Papa," I said, and looked down because the fire in his eyes burned through me and made me tremble so hard my knees knocked. I had never seen him so angry. It was as if I were standing before a complete stranger.

"Now get," he commanded, and clapped his hands sharply. I spun around and fled through the doorway, Darlene's giggle behind me.

Outside, on the stoop, I caught my breath. My heart was pounding so hard I thought it would beat a hole in my chest. I was in such a state of turmoil, I couldn't swallow. Why had Papa put his hand underneath Darlene Scott's skirt? Where was Mamma? I wondered.

Suddenly, the door behind me opened. I turned about, my heart thumping even harder in anticipation of finding Papa there, still angry and remembering something else he wanted to do or say to me. But it wasn't Papa; it was Emily.

She narrowed her eyes.

"What are you doing?" she asked.

"Nothing," I said quickly.

"Papa doesn't want any children brought into the house," she said.

"I didn't bring anyone into the house. I was just with Eugenia."

She fixed her penetrating gaze on my face. She had been behind me; she had come through the house, too, making one of her patrols. Surely, she had seen or heard Papa and Darlene Scott, I thought. There was something in her face that told me so, yet I didn't dare ask her. For a moment she looked as if she might ask me and then that look passed.

"Go on, then, and join your little friends," she commanded with a sneer.

I hopped off the stoop and hurried away from the house so quickly, I tripped over a tree root. I broke my fall and when I turned to look back, I expected to see Emily laughing at me. But she was already gone, popped out of the air like a ghost.

That afternoon, at the start of that summer, I realized in my own childlike way that there were many ghosts dwelling in The Meadows. They weren't Henry's ghosts, the kind that howled on moonlit nights or paced back and forth over the attic floors. They were the ghosts of deceit, the darker ghosts that lived within the hearts of some and haunted the hearts of others.

For the first time since I had been brought to this great plantation with its proud Southern history, I felt afraid of the shadows inside. This was supposed to be my home, but I would not venture about it as freely and innocently as I had before.

Looking back now, I realize we lose our innocence in many ways, the most painful being when we realize those who are supposed to love us and care for us more than anything really care for themselves and their own pleasures more. It's painful because it makes you realize how alone you really are.

I walked on that afternoon, eager to submerge myself in the laughter of other children and for the time being, for as long as I could, put off the disappointments and hardships that accompanied growing up. That summer, years before my time, perhaps, I lost a precious piece of my childhood.

FOUR

FROM JONAH TO JEZEBEL

Now that I look back, it seems to me that summer slipped into fall and fall into winter so quickly those days. Only spring took longer and longer to show its budding face. Maybe it appeared that way to me because I was always so impatient and winter always seemed forever. It teased us with its first snowfalls, pledging to turn the world into a dazzling wonderland in which tree branches glistened.

First snowfalls always made us think of Christmas, a roaring fire in the fireplace, delicious dinners, piles of presents, and the fun of decorating our tree, something usually left for Eugenia and me to do. Over the rolling meadows, winter spread her soft white blanket of promise. On those early winter evenings, after the clouds had slid across the glassy surface of a dark blue sky, the moon and the stars would make the snow gleam. From my upstairs window, I could look out at what was magically transformed from a dry yellow field into a sea of milk in which tiny diamonds floated.

The boys at school were always eager to see winter make its grand entrance. How they could dip their naked hands into the freezing snow and laugh with delight amazed me. Miss Walker was always laying down stern warnings about throwing snowballs. The punishments for being caught doing so on or near the school grounds were severe, and it gave Emily another sword to hold over the heads of those who defied her.

But for the boys especially, snowfalls guaranteed the endless hours of pleasure that would come with their sleigh riding and snowball fights and ice-skating when the lakes and ponds were considered frozen solidly enough. The pond on The Meadows, which would never be the same to me since it willingly embraced poor Cotton, crusted over, but because of the rapid stream that fed it, its layer of ice was always thin and treacherous. All the streams on our land ran faster and heavier in winter, the water looking very cold, yet clear and delicious.

During the winter our farm animals were more subdued, their stomachs seemingly filled with icy air that leaked out of their nostrils and mouths. Whenever it snowed hard and fast, I felt sorry for the pigs and the chickens, the cows and the horses. Henry told me not to worry because their bodies had thicker skins and thicker feathers and hair, but I couldn't imagine being warm in an unheated barn while the biting winds whipped down from the north and circled the house until they found each and every crack.

Louella and the chambermaids, who slept in the downstairs rear bedrooms without fireplaces, would heat bricks and wrap them in their beds to keep warm. Henry was busy a large part of the day providing firewood for the various fireplaces throughout the big house.

Papa insisted his office be kept warm as toast. Even though he was not in it for hours, sometimes days at a time, if he entered and found it cold, he would roar like a wounded bear and send everyone rushing this way and that, looking for Henry.

During the winter months, Emily's and my walks to and from school were unpleasant at times and at times nearly impossible because of the winds and the flurries of snow, cold rain, and sleet. On a few occasions, Mamma sent Henry for us, but Papa kept him so busy most of the time with his household chores, he was unable to make the trip either to or from the schoolhouse.

Winter didn't seem to bother Emily at all. She wore the same grim expression year round. If anything, she appeared to enjoy the monotonous gray sky. It reinforced her belief that the world was a dark and dreary place in which only religious devotion offered light and warmth. I used to wonder what thoughts passed through Emily's head as she plodded deliberately, silently, her long legs moving in regular, unabated rhythm down the driveway and over the road that took us to school and back. The wind could be whistling through the trees, the sky so dismal and dark, I had to remind myself it wasn't the middle of the night; the air could be so cold that our nostrils were lined with tiny crystals of ice. We could even be walking through a downpour of icy rain, and Emily would not change her expression. Her eyes were always fixed on something distant. She was oblivious to the snowflakes that melted on her forehead and cheeks. Her feet were never cold, her hands never freezing, even though her fingers were as red as mine, the tip of her long, thin nose even redder than my own.

She would either ignore my complaints or turn on me and spit out chastisement for daring to criticize the world God made for us.

"But why does He want us to be so cold and unhappy?" I would cry, and Emily would glare at me, shake her head, and then nod as if confirming a suspicion about me she had harbored all my life.

"Don't you listen in Sunday school? God gives us trials and tribulations to strengthen our resolve," she said through her clenched teeth.

"What's resolve?" I would never hesitate to ask a question about something that I didn't know. My thirst for knowledge and understanding was so great, I would even ask Emily.

"Our determination to fight off the devil and sin," she said. Then she pulled herself up in that haughty manner of hers and added, "But it might be too late for your redemption. You're a Jonah."

She never missed an opportunity to remind me.

"No I'm not," I insisted, tiredly denying the curse Emily wanted to lay at my feet. She walked on, certain she was right, confident she had some special ear to hear God's words, some special eye to see His works. Who gave her the right to assume such power? I wondered. Was it our minister or was it Papa? Her knowledge of the Bible pleased him, but as we grew older, he didn't appear to have any more time for her than he had for me or Eugenia. The big difference was that Emily didn't seem to mind. No one enjoyed being alone more than she did. She didn't think anyone else was fit company, and for one reason or another she especially avoided Eugenia.

Despite the setbacks Eugenia continually experienced in her battle against her horrible malady, she never lost her gentle smile or her sweet nature. Her body remained small, fragile; her skin, guarded and protected from the intruding Virginia sun in winter as well as in summer, never was anything but magnolia white. When she was nine, she looked like a child no older than four or five. I harbored the hope that as she grew older, her body would grow stronger and the cruel illness that imprisoned her would grow weaker. But instead, she dwindled in little ways, each one breaking my heart.

As the years went by, it was harder and harder for her to walk even through the house. Going up the stairs took her so long that it was a torture to hear her do it; the long seconds ticked by while you waited to hear her foot take that painful next step. She slept more; her arms tired quickly when she sat brushing her own hair—hair that flourished and grew despite everything else—and she would have to wait for me or Louella to finish the brushing for her. The only thing that seemed to annoy her was her eyes tiring when she read. Finally, Mamma took her to get glasses and she had to wear a heavy framed pair with thick lenses that, she said, made her look like a bullfrog. But at least it allowed her to read. She had learned to read almost as quickly as I had.

Mamma had hired Mr. Templeton, a retired schoolteacher, to tutor Eugenia, but by the time she was ten, his sessions with her had to be cut to a quarter of what they'd once been because Eugenia didn't have the energy for long lessons. I'd rush to her room after school and discover that she had fallen asleep while ciphering or practicing some grammar. The notebook lay on her lap, the pen still clutched between her small fingers. Usually, I took everything away and gently covered her. Later, she would complain.

"Why didn't you simply wake me up, Lillian? I sleep enough as it is. Next time, you shake my shoulder, hear?"

"Yes, Eugenia," I said, but I didn't have the heart to wake her out of her deep sleep—sleep that I wished would somehow mend her.

Later that year, Mamma and Papa acceded to the doctor's wishes and bought Eugenia a wheelchair. As usual, Mamma had tried to ignore what was happening, had tried to deny the reality of Eugenia's degeneration. She would blame Eugenia's increasingly bad days on the horrid weather or something she had eaten or even something she hadn't eaten.

"Eugenia will get better," she would tell me when I would come to her with a new worry. "Everyone gets better, Lillian, honey, especially children."

What world did Mamma live in? I wondered. Did she really believe she could turn a page in our lives and find everything had changed for the better? She was so much more comfortable in the world of make-believe. Whenever her lady friends had run out of juicy gossip, Mamma would immediately begin telling them about the lives and loves of her romance novel characters, speaking about them as if they really existed. Something in real life was always reminding her about someone or something she had read about in one of her books. For the first few moments after Mamma spoke, everyone would scan their memories to recall who it was she was talking about at the moment.

"Julia Summers? I don't remember any Julia Summers," Mrs. Dowling would say, and Mamma would hesitate and then laugh.

"Oh, of course you don't, dear. Julia Summers is the heroine in *Tree of Hearts*, my new novel."

Everyone would laugh and Mamma would go on, eager to continue in the safe, rosy world of her illusions, a world in which little girls like Eugenia always got better and someday rose out of their wheelchairs.

However, once we got Eugenia her wheelchair, I would eagerly encourage her to get into it so that I could wheel her about the house or, whenever Mamma said it was warm enough, outside. Henry would come running and help get Eugenia down the steps, lifting her and the chair in one fell swoop. I'd take her about the plantation to look at a new calf or to see the baby chicks. We'd watch Henry and the others brush down the horses. There was always so much work to do around the plantation, always something interesting for Eugenia to see.

She especially loved early spring. Her eyes were full of smiles when I wheeled her around so she could get a full view of the dogwood trees, which were solid masses of white or pink blossoms against a new green background. The fields were filled with yellow daffodils and buttercups. Everything filled Eugenia with wonder and for a little while at least, I was able to help her forget her illness.

Not that she continually complained about it. If she felt bad, all she would do was look at me and say, "I think I'd better go back inside, Lillian. I need to lie down for a while. But stay with me," she would add quickly, "and tell me again about the way Niles Thompson looked at you yesterday and what he said on the way home."

I don't know exactly when it was that I fully realized it, but very early on I understood that my sister Eugenia was living through me and my stories. At our annual barbecues and parties, she saw most of the boys and girls I talked about, but she had so little contact with them that she depended on me to tell her about life outside of her room. I tried bringing friends home but most were uncomfortable in Eugenia's room, a room full of medical equipment to help her breathe and tables covered with pill bottles. I worried that most who looked at Eugenia and saw how small she was for her age looked upon her as a freak of sorts, and I knew that Eugenia was smart enough to see the fear and discomfort in their eyes. After a while it seemed easier to just bring home stories.

I'd sit beside Eugenia's bed while she lay still, her eyes closed, a soft smile on her lips, and I would recall everything that had happened at school in the most detailed way I could. She always wanted to know what the other girls were wearing, how they wore their hair, and what sort of things they liked to talk about and do. Beside wanting to know what we had learned that day, she was intrigued about who got in trouble for doing what. Whenever I mentioned Emily's involvement, Eugenia simply nodded and said something like, "She's just trying to please."

"Don't be so forgiving, Eugenia," I protested. "Emily's doing more than trying to please Miss Walker or Papa and Mamma. She's pleasing herself. She likes being an ogre."

"How can she like being that?" Eugenia would say.

"You know how she enjoys being bossy and cruel, how she even used to slap my hands in Sunday school."

"The minister makes her do those things, doesn't he?" Eugenia would ask. I knew Mamma had told her some such gibberish so that Eugenia wouldn't have bad thoughts. Mamma probably wanted to believe the things she told Eugenia about Emily. That way she wouldn't have to face the truth either.

"He doesn't tell her to like it," I insisted. "You should see the way her eyes light up. Why she almost looks happy."

"She can't be such a monster, Lillian."

"Oh, can't she? Have you forgotten Cotton?" I replied, perhaps more firmly and coldly than I should. I saw how that pained Eugenia and I immediately regretted it. But the spasm of sorrow passed across her face quickly and she smiled again.

"Tell me about Niles now, Lillian. I want to hear about Niles. Please."

"All right," I said, calming myself down. I liked talking about Niles Thompson anyway. With Eugenia, I could reveal my deepest feelings. "He needs a haircut," I said, laughing. "His hair is falling over his eyes and down to his nose. Every time I look at him in class, he's brushing the strands to the sides."

"His hair is very black now," Eugenia said, remembering something I had told her a few days ago. "As black as a crow."

"Yes," I said, smiling. Eugenia popped her eyes open and smiled, too.

"Was he staring at you again today? Was he?" she asked excitedly. How her eyes could glow sometimes. If I just looked into her eyes, I could forget she was so sick.

"Every time I looked, he was," I said, almost in a whisper.

"And it made your heart beat faster and faster until you had trouble breathing?" I nodded. "Just like me, only for a better reason," she added. Then she laughed before I could feel bad for her. "What did he say? Tell me again what he said on the way home yesterday."

"He said I have the nicest smile of anyone at the school," I replied, recalling the way Niles had come out with it. We had been walking side by side, a few feet behind Emily and the twins as usual. He kicked a small stone and then he looked up and just blurted it out. He looked down again. For a moment, I didn't know what to say or how to respond. Finally, I muttered, "Thank you."

"That's all I could think of saying," I told Eugenia. "I should read some of Mamma's romance novels so I'll know how to talk to a boy."

"That's all right. You said the right thing," Eugenia assured me. "That's what I would have said."

"Would you?" I thought about it. "He didn't say anything else until we reached their road. Then he said, 'See you tomorrow, Lillian,' and hurried off. I just know he was embarrassed and wished I had said something more."

"You will," Eugenia assured me. "Next time."

"There won't be a next time. He probably thinks I'm a dumbbell."

"No he doesn't. He can't. You're the smartest girl in school now. You're even smarter than Emily," Eugenia said proudly.

I was. Because of my extra reading, I knew things that students grades ahead of me were supposed to know. I gobbled up our history books, spending hours and hours in Papa's office, perusing his collection of books about ancient Greece and Rome. There were many things Emily wouldn't read, even if Miss Walker suggested it, because Emily thought they were about sinful times and sinful people. Consequently, I knew much more than she did about mythology and ancient times.

And I was faster at multiplying and dividing numbers than Emily was. This only made her more furious. I remember once coming upon her while she was struggling with a column of numbers. I looked over her shoulder and when she put down a total, I told her it wasn't right.

"You forgot to carry the one here," I said, pointing. She spun around.

"How dare you spy on me and my work? You just want to copy it," she accused.

"Oh no, Emily," I said. "I was just trying to help."

"I don't want your help. Don't you dare tell me what's right and what's wrong. Only Miss Walker can do that," she asserted. I shrugged and left her, but when I looked back, I saw she was vigorously erasing the answer she had placed on the paper.

In a very true sense, the three of us grew up in different worlds even though we lived under the same roof and had the same two people as our parents. No matter how much time I spent with Eugenia, and how many things we did together and I did for her, I knew I could never feel the way she felt or appreciate how hard it was for her to be on the inside looking out most of the time. Emily's God did frighten me; she did make me tremble when she threatened me with His anger and vengeance. How unreasonable He was, I thought, and how capable He must be of great and painful acts if He permitted someone as precious and kind as Eugenia to suffer so while Emily strutted about arrogantly.

Emily lived in her private world, too. Unlike Eugenia, Emily wasn't a helpless, unwilling prisoner; Emily chose to lock herself away, not with real walls of plaster and paint and wood but with walls of anger and hate. She cemented every opening closed with some biblical quote or story. I used to think that even the minister was afraid of her, afraid that she would discover some deep, dark, and secret sin he had committed once and tell God.

And then, of course, there was I, the only one perhaps who truly lived at The Meadows, who ran over its fields and threw rocks in its streams, who went out to smell the flowers and inhale the sweet scent of the tobacco crops, who passed time with the laborers and knew everyone who worked on the plantation by their first names. I didn't lock myself willingly in a section of the great house and ignore the rest.

Yes, despite the dark cloud of pain that the truth of my birth held over me and despite having a sister like Emily, for the most part, I enjoyed my adolescence at The Meadows.

The Meadows will never lose its charm, I thought back then. Storms would come and storms would go, but there would always be a warm spring to follow. Of course, I was still very young then. I couldn't even begin to imagine how dark it could get, how cold it could be, how alone I would become almost as soon as my adolescence ended.

When I was twelve, I began to experience changes in my body that led Mamma to say I would be a beautiful young woman, a flower of the South. It was nice to be thought of as pretty, to have people, especially Mamma's lady friends, express their admiration over the softness of my hair, the richness of my complexion, and the beauty of my eyes. Suddenly, almost overnight it seemed to me, my clothes began to fit tighter in places and it wasn't because I was putting on too much weight. If anything, my childlike chubbiness in my face had melted away and the straight, boyish lines of my body began to turn and to curve more dramatically. I was always small-framed, with a lean torso, although nowhere near as gangly as Emily, who shot up so quickly it looked like she had been stretched overnight.

Emily's height brought her a look of maturity, but it was maturity that showed itself only in her face. The rest of her feminine development had either been forgotten or ignored. None of her lines were soft and delicate like mine were, and by age twelve, I was pretty sure I had twice the bosom. I didn't know because I had never seen Emily undressed, not even in her slip.

One night while I was taking a bath, Mamma came by and noticed my womanly development had begun.

"Oh dear!" she exclaimed with a smile. "You're bosom is blossoming much earlier than mine did. We're going to have to buy you some new undergarments, Lillian."

I felt myself blush all over, especially when Mamma rattled on and on about how my figure would literally devastate the young men who gazed upon me. They would all look at me with that intensity "that makes you think they want to memorize every detail of your face and figure." Mamma loved to apply the words and lessons in her romance novels to our everyday lives, each and every time an opportunity presented itself.

Less than a year later, I had my first period. No one told me what to expect. Emily and I were returning from school one late spring day. It was already as warm as summer, so Emily and I wore nothing more than our dresses. Fortunately, we had just parted company with the Thompson twins and Niles, otherwise I would have been embarrassed to death. Without any warning, I was suddenly gripped with a terrible cramp. The pain was so severe, I clutched my stomach and bent over.

Emily, annoyed that she had to pause, spun around and grimaced with disgust as I squatted on a patch of grass and moaned. She took a few steps toward me and put her hands on her knobby hips, her elbows bent so sharply against her thin skin, I thought the bones would tear through.

"What's wrong with you?" she demanded.

"I don't know, Emily. It hurts so much." Another spasm came sharply, and I moaned again.

"Stop that!" Emily cried. "You're acting like a butchered pig."

"I can't help it," I moaned, the tears streaming down my face. Emily grimaced unsympathetically.

"Get up and walk," she commanded. I tried to straighten myself up, but I couldn't.

"I can't."

"I'll just leave you here," she threatened. She thought a moment. "It's probably something you ate. Did you take a bite of Niles Thompson's green apple as usual?" she asked. I always sensed Emily was watching Niles and me during lunch recess.

"No, not today," I said.

"I'm sure you're lying as usual. Well," she said, starting to turn, "I can't . . ."

I felt between my legs because there was a strange, warm wetness there and brought my fingers up to see the blood. This time, my howl could surely have been heard by the workers on The Meadows, even though we still had the best part of a mile to go.

"Something terrible is happening to me!" I cried, and turned my palm so Emily could see the blood. She stared a moment, her eyes growing wider and wider, her long, thin mouth twisting like a rubber band into her cheek.

"You're having your time!" she screamed, realizing where my hand had been and why I had such pain. She pointed her finger at me accusingly. "You're having your time."

I shook my head. I had no idea what she meant, nor why that made her so angry.

"It's too soon." She backed away from me as if I had come down with scarlet fever or the measles. "It's too soon," she repeated. "You're a daughter of Satan, for sure."

"No I'm not. Emily, please, stop . . ."

She shook her head with disgust and turned away from me, mumbling one of her prayers as she started to walk on, taking longer and faster strides and leaving me terrified. I began to cry. When I checked again, the blood was still coming. I could see it streaming down the inside of my leg. I howled with fear. The pain in my stomach hadn't eased any, but the sight of the blood took my mind off it long enough for me to stand. Sobbing hysterically, my body caught up in a tremor of shudders, one after the other, I took a step forward and then another and another. I never looked down at my leg, although I felt the blood slip into my stocking. Instead, I walked on, clutching my stomach. It wasn't until I was nearly at the house that I remembered I had left all my books and notebooks on the grass. That made me cry even harder.

Emily hadn't forewarned anyone. As usual, she had marched into the house and up the stairs to her room. Mamma didn't even realize I wasn't behind her. She was listening to the music on her wind-up Victrola and reading her newest novel when I opened the front door and wailed. It took a few moments for her to hear me and then she came rushing out.

"What is it now?" she cried. "I was just in the middle of a good part and . . ."

"Mamma," I wailed, "something's terrible wrong with me! It happened on the road. I got terrible cramps and then I started to bleed, but Emily ran off and left me there. I left all my books there, too!" I moaned.

Mamma came closer and saw the blood trickling down my leg.

"Oh dear me, dear me," she said, her right palm on her cheek. "You're having your time already."

I looked up at her in shock, my heart pounding.

"That's what Emily said." I rubbed the tears off my cheeks. "What does it mean?"

"It means," Mamma said with a sigh, "you're going to be a woman sooner than I expected. Come along, dear," she said, holding out her hand, "and we'll clean you up and get you prepared."

"But I left my books on the road, Mamma."

"I'll send Henry back for them. Don't worry. Let's take care of you, first," she insisted.

"I don't understand. It just happened to me . . . My stomach hurt and then I started bleeding. Am I sick?"

"It's a woman's sickness, Lillian dear. From now on," she said, taking my hand and telling me something that would leave me horrified, "you're going to have the same thing happen once a month, every month."

"Every month!" Even Eugenia didn't have the same terrible things happen each and every month. "Why, Mamma? What's wrong with me?"

"Nothing's wrong with you, dear. It happens to all women," she said. "Let's not dwell on it," she insisted with a sigh. "It's too unpleasant. I don't even like thinking about it. Whenever it happens, I pretend it hasn't," she continued. "I do what I have to do, of course, but I just don't pay any more attention to it than I have to."

"But it hurts so much, Mamma."

"Yes, I know," she said. "Sometimes I have to stay in bed for the first few days."

Mamma did stay in bed from time to time. I had never given it much thought before, but now, I realized there was something of a regularity to her behavior. Papa seemed so impatient with her at those times and usually stayed away, finding it necessary to take one of his special business trips.

Upstairs in my room, Mamma gave me a quick little explanation as to why the pain and the bleeding meant I was entering womanhood. It terrified me even more to know that my body had changed in such a way as to make it possible for me to have a baby of my own. I had to know more about it, but any questions I asked, Mamma either ignored or grimaced after and pleaded for us not to talk about such dreadful things. Mamma introduced me to womanly protection and quickly ended our discussion.

But my curiosity had been aroused. I had to have more information, more answers. I went down to Papa's library, hoping to find something in his medical books. I did find a small discussion about a woman's reproduction system and I learned in more detail about what made the bleeding occur monthly. It was so shocking to have this just happen. I couldn't help but wonder what other surprises lay in waiting for me as I grew older and my body developed more and more.

Emily poked her head into the library and saw me on the floor, submerged in my reading. I was so involved, I didn't hear her step up to me.

"That's disgusting," she said, gazing down at the illustration of the female reproduction system. "But I'm not surprised you're looking at it."

"It is not disgusting. It's scientific information, just like in our books at school."

"It is not. That sort of thing wouldn't be in our schoolbooks," she replied with assurance.

"Well, I had to learn what was happening to me. You wouldn't help me," I snapped back. She glared down at me. From this angle on the floor, Emily looked even taller and leaner, her narrow facial features cut so sharply that she looked like she had been carved out of a slab of granite.

"Don't you know what it really means, why it happens to us?"

I shook my head, and she folded her arms under her chest and lifted her face so her eyes gazed toward the ceiling.

"It's God's curse because of what Eve did in Paradise. From then on everything to do with childbearing and childbirth was made painful and distasteful." She shook her head and looked down at me again. "Why do you think the pain and the disgustingness has happened to you so early?" she asked, then answered her own question quickly. "Because you're exceptionally evil; you're a living curse yourself."

"No I'm not," I said weakly, the tears misting over my eyes.

She smiled. "Every day another proof is shown," she said triumphantly. "This is just one more. Mamma and Papa will come to realize it and send you off to live in a home for wayward girls someday," she threatened.

"They won't," I said without great confidence. What if Emily was right? She seemed to be right about everything else.

"Yes they will. They'll have to or else you'll bring one curse after another on us, one disaster after another. You'll see," she promised. She looked at the book again. "Maybe Papa will come in here and see you reading and looking at that disgusting stuff. Keep it up," she said, and spun around to march confidently out of the library. Her final words filled me with more dread. I closed the book quickly and placed it back in its space on the shelf. Then I retreated to my room to contemplate the horrible things Emily had spit down at me. What if she was right? I wondered. I couldn't help but wonder.

What if she was right?

My cramps remained so intense, I didn't want to go down to dinner, but Tottie came by with my books and notebooks to tell me Eugenia had been asking after me, wondering why I hadn't stopped in after school. The desire to see her gave me new strength and I went to her to explain. She lay there, as wide-eyed and as amazed as I had been, and listened. When I was finished, she shook her head and wondered aloud if it would ever happen to her.

"Mamma and the books I read said it happens to all of us," I said.

"It won't happen to me," she said prophetically. "My body will stay a little girl's body until I die."

"Don't say such terrible things," I cried.

"You sound just like Mamma," Eugenia said, smiling. I had to admit that I did, and for the first time since I had come home from school, I smiled.

"Well, I can't help but sound like her, when you say dark and dreary things."

Eugenia shrugged. "From what you're telling me, Lillian, it doesn't sound so dark and dreary not to have my first period," she replied, and I had to laugh.

Leave it to Eugenia, I thought, to help me forget my own pain.

At dinner that night Papa wanted to know why I didn't have much of an appetite and why I looked so pale and sickly. Mamma told him I had begun my woman's ways and he turned and looked at me in the strangest way. It was as if he were seeing me for the first time. His dark eyes narrowed.

"She's going to be as beautiful as Violet," Mamma said with a sigh.

"Yes," Papa agreed, surprising me, "she is."

I glanced across the table at Emily. Her face had turned crimson. Papa didn't think I brought curses and disasters to The Meadows, I thought happily. Emily realized that, too. She bit down hard on her lower lip.

"Can I choose the Bible passage tonight, Papa?" she asked.

"Of course. Go on, Emily," he said, folding his large hands on the table. Emily gazed at me and opened the book.

" 'And the Lord said, Who told thee that thou wast naked? Hast thou eaten of the tree, whereof I commanded thee that thou shouldest not eat?

" 'And the man said,' " Emily continued, lifting her eyes toward me, " 'the woman whom thou gavest to be with me, she gave me of the tree and I did eat.' "

She looked at the Bible again and quickly read how God would punish the serpent. Then, in a louder, clearer voice, she read, " 'Unto the woman the Lord said, I will greatly multiply thy sorrow and thy conception; in sorrow thou shalt bring forth children . . .' "

She closed the book and sat back, a look of satisfaction on her face. Neither Mamma nor Papa spoke for a moment. Then Papa cleared his throat.

"Yes, well . . . very good, Emily." He bowed his head. "We thank Thee, Lord, for these gifts."

He started to eat vigorously, pausing occasionally to glance at me, adding just a little more confusion to what had been the strangest and most confusing day of my life.

The changes in me that followed were a great deal more subtle. My bosom continued to sprout a little bit at a time until Mamma remarked one day that I had cleavage.

"That little dark space between our breasts," she told me in a whisper, "fascinates menfolk."

She went on to tell me about a female character in one of her books who deliberately sought out ways to reveal and make the most of it. She wore undergarments that would lift and squeeze her breasts, "making them bulge and their cleavages deepen." The very thought of such a thing made my heart pound.

"The men talked about her behind her back and called her a tease," Mamma said. "You have to be careful from now on, Lillian, that you don't do anything to lead men to believe you're anything like that sort. Those are loose women who never win the respect of a decent man."

Suddenly, things that seemed so ordinary and insignificant took on new meaning and danger, and Emily assumed a new responsibility, even though I was sure no one had asked her to do so. She as much as told me so on the way to school one morning.

"Now that you've had your time," she declared, "I'm sure you'll do something to bring shame to our family. I'll be watching you."

"I will not shame our family," I snapped back. Another subtle change that had come over me was a greater sense of self-confidence. It was as if a wave of maturity had passed over me and left me years older than I had been. Emily wasn't going to terrify me anymore, I thought. But she simply smiled in that self-assured, arrogant way.

"Yes you will," she predicted. "The evil that's in you will take form every way and every chance it gets." She spun around and walked on in her usual self-righteous manner.

Of course, I understood that I was under a new spotlight, my every move, my every word, judged and evaluated. I had to be sure that each and every button on my blouse was fastened securely. If I stood too closely to a boy, Emily's eyes widened with interest and followed my every gesture. She was just waiting to pounce, to see an arm graze an arm, a shoulder touch, or, God forbid, my bosom brush against some part of a boy's body, even accidentally in passing. Hardly a day ended without her accusing me of flirting. In her eyes, I either smiled too much or turned my shoulders too suggestively.

"It's a simple, easy step for you to go from being a Jonah to a Jezebel," she declared.

"It is not," I retorted, not even sure what she meant. But that night at dinner, she opened the Bible and chose her passage from I Kings. With her eyes fixed on me as furiously as always, she read.

"'And it came to pass, as if it had been a light thing for him to walk in the sins of Jerobo-am the son of Ne-bat, that he took to wife Jez-e-bel, the daughter of Eth-ba-al king of the Zi-do-ni-ans, and went and served Ba-al, and worshipped him.'"

When she was finished reading, I caught Papa looking at me in a strange way again, only this time he looked like he was thinking Emily might be right: I might be the daughter of evil. I became very self-conscious and shifted my eyes away quickly.

With Emily hovering over me like a hawk about to pounce, I found myself torn between the feelings that grew and developed, feelings that made me want to be with boys, especially Niles, and feelings of guilt. If Niles had liked my smile before, he seemed to be hypnotized by me now. I don't think I ever turned around in class without finding him gazing at me, his dark eyes soft and full of interest. I felt myself blush all over, the tingle that rested constantly just under my breasts spiraling turbulently through my stomach and down through my thighs. I thought everyone could see my feelings on my face for sure, and hid my eyes quickly after checking first to be sure Emily wasn't watching. Almost always, she was.

Now, on our walks home from school, Emily always lingered behind so as to walk behind Niles and me and not ahead. The twins complained about her slow gait, but Emily ignored them or told them to just go on ahead. Of course, Niles felt Emily's eyes, too, and understood that he had to keep a respectable gap between us. If we exchanged books or papers, we had to be sure our fingers didn't touch in front of Emily.

One afternoon that spring, however, we were granted a respite from Emily's watchful eyes. Miss Walker asked her to remain after school to help her with some paperwork. Emily enjoyed the added responsibility and the sense of power and authority it gave her, so she quickly agreed.

"Be sure you go right home," she warned me at the door. She looked at Niles and the twins, who waited for me. "And be sure you do nothing to bring shame to the Booths."

"I'm a Booth, too," I spit back at her. She smirked and turned away.

I was in a rage most of the walk home. The twins, in their usual hurry, walked more quickly than Niles and I did. Before long, they were out of sight. He and I had been practicing our Latin lesson, reciting conjugations back and forth, when suddenly he stopped and looked toward a pathway that went off to the right. We were very close to the turnoff to his house.

"There is a great pond in here," he said. "It's fed by a small waterfall and the water is so clear, you can see the fish swimming in schools. Would you like to see it? It's only a little way in," he said, and then he added, "It's like my own secret place. When I was little, I used to think it was a magical place. I still do," he confessed, and shifted his eyes away shyly.

I couldn't help but smile. Niles wanted to share something secret with me. I was sure he had never told another soul, not even his sisters, how he felt about the pond. I was both flattered and excited by his trust in me.

"If it's really only a little way in," I said. "I've got to get home."

"It is," he promised. "Come on." With a bold move, he reached out and took my hand. Then he charged off the road, tugging me along quickly. I laughed and protested, but he kept trotting until suddenly, just as he had promised, we came upon a small pond, hidden in the woods. We stood gazing across the water at the waterfall. A crow swooped down from a tree and glided across. The bushes and grass around the pond looked greener, plusher than everywhere else, and the water was uniquely clear. I could see the schools of small fish moving with such synchronization that they looked like they had rehearsed an underwater ballet. A large bullfrog on a half-submerged log gazed at us and then croaked.

"Oh, Niles," I said. "You were right. This is a magical place."

"I thought you'd like it," he said, smiling. He was still holding my hand. "I always come here when something makes me sad and in moments, I feel happy again. And you know what?" he said. "If you want to make a wish for something, just kneel down, put the tips of your fingers into the water, close your eyes, and wish."

"Really?"

"Go on," he coaxed. "Try it."

I took a deep breath and thought I'd wish for something titillating. I wished that Niles and I could exchange a kiss. I couldn't help myself, because when I closed my eyes, I saw us doing it. After I dipped my fingers in the water, I stood up again and opened my eyes.

"You can tell me your wish if you want," he said. "It won't stop it from coming true."

"I can't," I said. I don't know if I was blushing or if he could see my wish in my eyes, but he looked like he understood.

"You know what I did yesterday?" he said. "I came here and wished that somehow, I would be able to get you to come here and see the pond. And look," he said, holding out his arms. "You're here. Do you want to tell me your wish now?" I shook my head. "I wished for something else," he said. His eyes turned softer, meeting and locking with mine. "I wished that you would be the first girl I ever kissed."

The moment he said it, I felt my heart stop and then begin to pound. How could he have wished for the same thing and at this very spot? Was this really a magical pond? I looked at the water again and then turned back to him. I saw his eyes, his dark eyes, wistfully waiting, and I closed mine. With my heart thumping, I started to lean toward him and then felt the soft, warm touch of his lips on mine. It was a quick kiss, almost too quick to believe it had happened, but it had. When I opened my eyes, I found him still so close, his lips could touch mine in an instant again. He opened his eyes, too, and then he stepped back.

"Don't be angry," he said quickly. "I couldn't help myself."

"I'm not angry."

"You're not?"

"No." I bit down on my lips and then I confessed it. "I wished for the same thing," I said, and turned quickly to run back up the path before my heart burst. I charged out on the road, gasping for breath. My hair had broken loose and fell about my forehead and cheeks. For a moment I was so excited, I didn't see her. But when I turned and looked in the direction of the school, there was Emily, plodding along. She stopped in her tracks. A moment later, Niles emerged from the woods, too.

And my heart, which had become as light as a feather, turned into a lump of lead. Without hesitation, I ran all the way home, Emily's accusing eyes chasing me. I could hear her screaming, "Jezebel," even after I had closed the door behind me.

FIVE

FIRST LOVE

I sat on my bed in my room, shivering with fear. I didn't see Mamma when I walked into the house, but when I passed Papa's office, I saw the door was open and I caught a glimpse of him working at his desk, a spiral of smoke rising from his big cigar in the ashtray, his tumbler of bourbon and mint beside it. He didn't look up from his papers. I hurried upstairs and fixed my hair, but no matter how hard I scrubbed my cheeks, I couldn't get the redness out of them. I would look guilty and ashamed for the rest of my life, I thought. And why? What did I do that was so terrible?

If anything, I thought, it had been wonderful. I had kissed a boy . . . full on the lips and for the first time! It hadn't been like it was in Mamma's romance novels. Niles hadn't put his arms around me and pulled me to him, sweeping me off my feet, but to me, it was just as exciting as those long, famous kisses the women in Mamma's books always had, their hair blowing in the wind or the shoulders bare so that the man's lips would find the way to them over their necks. The thought of his doing that both frightened and excited me. Would I swoon? Would I grow limp in his arms and become helpless like the women in Mamma's novels?

I sprawled out on my bed to dream about it, to dream about Niles and me and . . .

Suddenly, I heard the sound of heavy footsteps in the hallway, but it wasn't Emily's and it wasn't Mamma's. It was Papa's heavy steps. The click of his bootheels on the wooden floor were unmistakable. I sat up quickly and held my breath, expecting him to go by to his bedroom, but he paused at my door and a moment later opened it and stepped in, closing the door softly behind him.

Papa rarely came to my room. I thought I could count the times on my fingers when he had. Once, Mamma brought him in to show him where she wanted some work done on my closets, claiming they had to be expanded. Then when I'd had the measles, he came just inside the doorway to see me, but he hated being around sick children, and visited with Eugenia only a little more than he did with me. Whenever he did step into my room, I remember thinking how big he was and how small my things looked beside him. It was like Gulliver in Lilliput, I thought, recalling the story I had just recently read.

But Papa always seemed different to me in different rooms. He was most uncomfortable in the living room with all its dainty furnishings and accoutrements. It was as if he thought his merely touching Mamma's expensive vases and figurines with his big hands and thick fingers would crumble them to dust. He looked very ill at ease on the silk settee or in the thin-framed, high-backed chair.

He wanted his furniture thick, wide, firm, and heavy, and he roared with displeasure every time Mamma complained about the way he plopped down in one of her expensive French Provençal chairs.

He never raised his voice in Eugenia's room. He moved about it reverently. I knew that he was just as afraid of touching Eugenia as he was of touching Mamma's precious things. But he was never one to show great affection. If he kissed Eugenia or me when we were little girls, it was always a quick peck on the cheek, his lips snapping on our skin. And then, as if it made him choke to do so, he always had to clear his throat. I never saw him kiss Emily. He behaved the same way toward Mamma, never holding her or kissing her, never embracing her in any loving way in our presence. She didn't seem to mind, though, so Eugenia and I, whenever we discussed it, simply assumed that that was the way things should be between husband and wife, no matter what we read in books. However, I couldn't help but wonder if that was why Mamma loved her romance novels so much—it was the only place she found any romance.

At the dinner table, Papa always appeared the most aloof, bearing down on us during the religious readings and blessings like some high official of the church just visiting, and then becoming lost in his meal and his own thoughts unless something Mamma said snapped him out of them. His voice was usually deeper, harsher. Whenever he had to speak or answer a question, he usually did so quickly, giving me the feeling he wished he could take his dinners alone and not be distracted by his family.

In his office, he was always the Captain, sitting behind his desk or moving about with a military demeanor—his shoulders back and straight, his head high, his chest out. Under the portrait of his father dressed in his Confederate army uniform with his saber glinting in the sunlight, Papa sat booming orders to the servants and especially to Henry, who often entered only a few inches past the doorway and stood waiting, hat in hand. Everyone was afraid to disturb him when he was in his office. Even Mamma would moan, "Oh dear, oh dear, I have to go tell the Captain," as if she had to walk through fire or over a bed of coals. As a child I was terrified of going in the office when he was there. I wouldn't so much as cross in front of the doorway if I could avoid it.

And when he was gone and I could go in there to look at his books and things, it was as if I had entered some sacred room, that part of a church where precious religious icons were stored. I would tiptoe over the floor and pull out the books as softly and as quietly as I could, always gazing at the desk to be sure Papa hadn't suddenly materialized out of thin air. As I grew older, my confidence grew and I didn't look upon the office with as much trepidation, but I never stopped being afraid of crossing Papa and making him angry.

And so when he entered my room, his face brooding, his eyes dark, I felt my heart stop and then begin to pound. He straightened up, his hands behind his back, and fixed his gaze on me for a long moment without speaking. His eyes seemed to sizzle as they blazed down at me. I twisted my fingers around each other and waited anxiously.

"Stand up," he suddenly commanded.

"What, Papa?" Panic seized me in a tight grip and for a moment I couldn't move.

"Stand up," he repeated. "I want to take a good look at you, a new look at you," he said, nodding. "Yes. Stand up."

I did so, straightening my skirt.

"Doesn't that teacher teach you about good posture?" he snapped. "Don't she make you walk around with a book on your head?"

"No, Papa."

"Humph," he said, and approached me. He gripped my shoulders between his strong fingers and thumb and pressed so hard, it hurt. "Pull your shoulders back, Lillian, or you'll end up walking and looking like Emily," he added, which surprised me. He never had criticized her in my presence before. "Yes, that's better," he said. His eyes scanned me critically, his gaze centering on my budding bosom. He nodded.

"You have grown a few years' worth overnight," he remarked. "I've been so busy lately, I haven't had time to pay attention to what's going on right beneath my feet." He pulled himself into a straight position again. "Your Mamma's told you about the birds and the bees, I assume?"

"Birds and the bees, Papa?" I thought a moment and shook my head. He cleared his throat.

"Well, I don't mean the birds and the bees exactly, Lillian. That's just an expression. I mean about what goes on between a man and a woman. You're apparently a woman already; you should know something."

"She told me how babies are made," I said.

"Uh-huh. And that's it?"

"She told me about some women in her books and—"

"Oh, her damn books!" he cried. He pointed his thick right forefinger at me. "That will get you into trouble faster than anything else," he warned.

"What will, Papa?"

"Those stupid stories." He straightened up again. "Emily's come in to see me about your behavior," he said. "And no wonder, if you've been reading your mother's books."

"I didn't do anything bad, Papa. Honest, I—" He put up his hand.

"I want the truth and I want it fast. Did you come running out of the forest like Emily says?"

"Yes, Papa."

"Did the Thompson boy come running out after you a moment later, huffing and puffing like some dogs after a bitch in heat?"

"He wasn't running after me, exactly, Papa. We—"

"Were you buttoning your blouse when you came out of the forest?" he demanded.

"Buttoning my blouse? Oh no, Papa. Emily's lying if she said that," I protested.

"Unbutton your blouse," he ordered.

"What, Papa?"

"You heard me, unbutton your blouse. Go on."

I did so quickly. He stepped closer and looked down at me, his gaze falling on the tops of my breasts. When he was this close to me, I couldn't help but smell his bourbon and mint. It was stronger than ever.

"Did you let this boy put his hand in there?" he asked, nodding toward my exposed bosom. For a moment, I couldn't respond. I blushed so fast and so hard, I thought I would faint at his feet. It was as if Papa had somehow been able to eavesdrop on my fantasies.

"No, Papa."

"Close your eyes," he ordered. I did so. A moment later, I felt his fingers on my chest. They were so hot to the touch, I thought they would burn my skin. "Keep your eyes closed," he demanded when I opened them. I closed them again and he moved his fingers down until I felt them reach the top of my bosom and turn into my small but distinct cleavage as if he was measuring the rise in my breasts. There they rested for a moment and then he pulled them back. I opened my eyes.

"Was that what he did to you?" he asked in a raspy voice.

"No, Papa," I said, my lips and my chin trembling.

"All right," he said, and cleared his throat. "Now button your blouse as quickly as you can. Go on." He stood back and folded his arms across his chest and watched.

I buttoned my blouse as fast as I could, but my fingers fumbled terribly with the buttons.

"Uh-huh," he said like a detective. "That's the way Emily claims she saw you fumbling when you came running out."

"She's lying, Papa!"

"Now, you listen here," he said. "Your Mamma doesn't know about this yet because Emily came straight to me. We're lucky it was just Emily and not a bunch of other folks who saw you come out of the woods alone with a boy, buttoning up your blouse."

"But, Papa—"

He held up his hand.

"I know what it's like when a healthy young girl blooms into womanhood overnight. All you have to do is watch some of our farm animals in heat and you understand the fire in the blood," Papa said. "I don't want to hear no more stories about you and boys crawling around in the dark of the forest or in some secret places to do ungodly things, do you understand, Lillian? Do you?" he pursued.

"Yes, Papa," I said, my head lowered. Emily had spoken and her words were as good as Gospel around here, I thought sadly, especially in Papa's eyes.

"Good. Now, your Mamma don't know about any of this and don't have to be bothered about it, so don't say anything about my visit here today, understand?"

"Yes, Papa."

"I'll be watching you more carefully now, Lillian, looking after you more. I just didn't realize how fast you were growing." He stepped closer to me again and put his hand on my hair so gently I had to look up, surprised. "You're going to be beautiful, and I don't want no sex-crazy young boy spoiling you, hear?"

I nodded, too shocked to speak. He thought a moment and then nodded at his own thoughts.

"Yes," he said, "I can see where I'll have to take more of a rôle in your upbringing. Georgia, she's lost to those romantic stories of hers, stories that have got nothing to do with reality. One day soon, you and I will sit down and have a grown-up discussion about what goes on between men and women and what you've got to watch out for when it comes to young men." He almost smiled, his eyes twinkling with a brightness that made him look younger for a moment. "I should know. I was a young man once."

The near smile left his face quickly.

"But until then, you walk the straight and narrow, Lillian. Hear?"

"Yes, Papa."

"No more side trips with the Thompson boy or any other boy for that matter. Any boy wants to court you right and proper, he comes to see me first. Make that clear to each and every one of them and you won't get into any trouble, Lillian."

"I didn't do anything bad, Papa," I said.

"Maybe not, but if it *looks* bad, it *is* bad. That's the way things are and you had better remember it," he said. "Why, in my time if a young woman took a walk into the forest with a man and was unchaperoned, the man had to marry her or she'd be considered spoiled."

I stared at him a moment. Why was the woman the only one thought spoiled? Why not the man, too? Why was it men could risk such things, but women couldn't? I wondered. And what about the time I had come upon Papa and Darlene Scott during one of our grand barbecues. The memory was still quite vivid, but I dared not mention it even though that remained in my mind as something that didn't just look bad, but was bad.

"All right," Papa said, "remember, not a word of this to your mother. It will remain a buried secret between you and me."

"And Emily," I reminded him bitterly.

"Emily does whatever I tell her to do and always will," he declared. Then he turned around and went to the door. He looked back at me once, his stern face slipping into a quick smile. Just as quickly, he got hold of himself and scowled before leaving me alone to think about the strange thing that had just happened between us. I couldn't wait to go down to tell Eugenia.

Eugenia wasn't having a good day. Lately, she was relying more and more on her breathing machines and taking more medicine. Her afternoon naps stretched longer and longer until sometimes it seemed like she was asleep more than she was awake. She looked even paler to me and much skinnier. Even the slightest degenerations in her health frightened me, so whenever I saw her this way, my heart would thump very hard and I could barely swallow. I entered her room and found she was lying in bed, her head looking smaller and smaller against her big, fluffy white pillow. It was as if she was sinking into the mattress, shriveling up before my eyes until soon she would disappear altogether. Despite her obvious discomfort and fatigue, her eyes lit up the moment I entered.

"Hi, Lillian."

She struggled to get her elbows under her torso and lift herself into a sitting position. I ran to her side and helped her. Then I fluffed up her pillow and made her as comfortable as I could. She asked for some water and sipped at it a bit.

"I've been waiting for you," she said, handing me the glass. "How was school today?"

"It was fine. What's the matter? Don't you feel well today?" I asked. I sat on her bed and held her small hand, a hand so small and soft it felt like it was made of air when it was in my palm.

"I'm all right," she said quickly. "Tell me about school. Did you do anything new?"

I told her about our math and history lessons quickly and about Robert Martin dipping Erna Elliot's pigtail in the inkwell.

"When she stood up, the ink dripped down the back of her dress. Miss Walker was furious. She took Robert out and whacked him so hard with the yardstick, we heard him wailing through the walls. He won't sit down for a week of Sundays," I said, and Eugenia laughed. But her laugh turned into a terrible cough that seized her so firmly, I thought she would shatter. I held her and patted her back gently until the coughing stopped. Her face was red and she looked like she couldn't breathe.

"I'll get Mamma," I cried, and started to stand, but she grabbed my hand with surprising strength and shook her head.

"It's all right," she said in a whisper. "It happens often. I'll be all right."

I bit down on my lip and swallowed my tears and then sat beside her again.

"Where were you?" she asked. "Why did it take you so long to come here?"

I took a deep breath and told her the story. She loved hearing about the magic pond and when I told her about my wish and about Niles's wishes and what we had done, her face flushed so with excitement, she forgot about being sick and bounced on the bed, pleading with me to describe it all over again, this time with more detail. I hadn't even gotten to the horrid part. Once again, I told her how Niles had asked me to go with him to see his special place. I told her about the birds and the frogs, but that wasn't what she wanted to hear. She wanted to know exactly what it was like to be kissed on the lips by a boy.

"It happened so fast I don't remember," I said. Her face filled so with disappointment that I reconsidered and added, "But I remember it made me shiver a little bit." Eugenia nodded, her eyes wide. "And after a moment . . ."

"What after a moment?" she asked quickly.

"The shiver turned into a wave of warmth. My heart began to pound. I was so close to him, I could look right into his eyes and see my own reflection on his pupils."

Eugenia's mouth remained open.

"Then I got scared and ran out of the forest and that's when Emily saw me," I said, and told her what had happened as a result. She listened with interest when I told her how Papa had behaved like a detective, making me re-create what he thought was the way things had happened.

"He thought Niles had put his hand into your blouse?"

"Uh-huh." I was too embarrassed to tell her how long Papa had kept his fingers on my breasts. Eugenia was just as confused about his behavior as I was, but she didn't dwell on it. Instead, she took my hands into hers and tried to reassure me.

"Emily is just jealous, Lillian. Don't let her tell you what to do," she said.

"I'm afraid," I said, "afraid of the stories she'll make up."

"I want to see the magic pond," Eugenia suddenly declared with a surprising burst of energy. "Please. Please take me. Have Niles take me, too."

"Mamma wouldn't let me and Papa doesn't want me going places with boys unchaperoned."

"We won't tell them. We'll just go," she said. I sat back, smiling.

"Why, Eugenia Booth," I said, imitating Louella, "just listen to how you talk."

I couldn't remember a time Eugenia had suggested doing something Mamma or Papa would consider naughty.

"If Papa finds out, I'll tell him I was your chaperone."

"You know it has to be an adult," I said.

"Oh please, Lillian. Please," she begged, and tugged my sleeve. "Tell Niles," she whispered. "Tell him to meet us there . . . this Saturday, okay?"

I was surprised and amused by Eugenia's pleading. Nothing lately—not the arrival of new clothing, or new games, not Louella's promise to make her favorite cookies or cakes—nothing filled her with interest or excitement anymore. Even my taking her in the wheelchair around the plantation to see all that was happening no longer delighted her. This was the first time in a long time that she cared about anything to the extent that she would battle back the debilitating illness that had imprisoned her in her own fragile little body. I couldn't refuse, nor did I want to, despite Papa's warnings and threats. Nothing thrilled me as much as the thought of going back to the magic pond with Niles.

The next day on the way to school, Niles couldn't help but notice the ice in Emily's eyes. She didn't say anything to him, but she watched me like a hawk. All I could say to him was "Good morning," and then keep walking at Emily's side. He walked with his sisters and we both avoided each other's eyes. Later, at lunch, while Emily was occupied with a chore Miss Walker had given her, I slipped beside Niles and told him what Emily had done.

"I'm sorry I got you in trouble," Niles said.

"It's all right," I said. Then I told him about Eugenia's wish. His eyes widened with surprise and a small smile formed around his lips.

"You would do that, even after what happened?" he asked. His eyes turned softer, meeting and locking with mine as I went on and on about how important it was to Eugenia.

"I'm sorry she's so sick. It's cruel," he said.

"Of course, I'd like to go there again, too," I added quickly. He nodded.

"All right, I'll wait near your house Saturday afternoon, and we'll take her. What time?"

"After lunch, I often take her for a walk. About two o'clock," I said, and our rendezvous was set. A few moments later, Emily appeared, and Niles moved away quickly to talk to some boys. Emily glared at me so hard, I had to look down, but I still could feel her eyes on the back of my neck. That afternoon, and each afternoon until the end of the week, I walked alongside Emily on the way home and Niles remained between his sisters. We barely spoke and rarely looked at each other. Emily seemed satisfied.

As Saturday afternoon drew closer, Eugenia grew more and more excited. She talked of nothing else.

"What if it rains?" she moaned. "Oh, I would die if it rains and I had to wait another week."

"It won't rain; it won't dare," I told her with such confidence, she beamed. Even Mamma remarked at dinner that Eugenia's color was much improved. She told Papa that one of the new medicines the doctors prescribed might be working miraculously. Papa nodded, silently as usual, but Emily looked suspicious. Of course, I felt her watching me all the time and even imagined her peeking into my room late at night to see if I was asleep.

On Friday, after school, she stepped into my room while I was changing clothes. Emily came to my room almost as rarely as Papa did. I couldn't remember a time we played together, and when I was smaller and she was asked to look after me, she always took me to her room and made me sit quietly in the corner coloring or playing with a doll while she read. I was never allowed to touch any of her things, not that I ever wanted to. Her room was dreary and dark, with the curtains almost always drawn. Instead of pictures on her walls, she had crosses and her letters of achievement from the minister at Sunday school. She never had a doll or a game and she hated bright clothes.

I was in the bathroom when she came to my room. I had just taken off my skirt and I was standing in front of the mirror in my brassiere and panties, brushing my hair down. Mamma always had me pin it up in the morning for school and it felt good at the end of the day to unfasten the strands and brush them until they lay softly over my shoulders. I was proud of my hair; it was almost midway down my back.

Emily had come into my room so quietly, I didn't know she was there until she appeared in the bathroom door. I turned with a start and caught her staring at me. For a moment I thought her eyes were green with envy, but that look quickly changed to one of disapproval.

"What do you want?" I demanded. She continued to gaze at me without speaking for a moment, her eyes drinking in my body. What she thought made her draw the corners of her mouth in.

"You should wear a tighter brassiere," she finally declared. "Your little breasts bounce too much when you walk and anyone can see all you've got, just like Shirley Potter," she said, smirking.

Shirley Potter's family was the poorest we knew. Shirley had to wear hand-me-downs and some were too tight and some were too big. She was two years older than I was, and the way the boys would spin their heads around to peek down her blouse whenever she bent over was a favorite topic for Emily and the Thompson twins.

"Mamma bought this for me," I replied. "It's my size."

"It's too loose," she insisted, and then nearly smiled and added, "I know you let Niles Thompson put his fingers in there when you were in the woods with him, didn't you? And I bet it wasn't the first time either."

"No I didn't, and you shouldn't have told Papa I was buttoning my blouse when I came out of the woods."

"You were!"

"I was not."

She stepped closer to me, undaunted. Despite her thinness, Emily could be more intimidating than Miss Walker and certainly more intimidating than Mamma.

"Do you know what happens sometimes when you let a boy touch you in there?" she asked. "You break out into a rash all over your neck and it could stay for days. One of these times that will happen and Papa will take one look at you and see the blotches and he'll know."

"I didn't let him," I whined, and cowered back. I hated how Emily could glare. Her expression turned into a tight smile. She spoke with her lips so thin, I thought they would snap.

"It shoots out of them, you know, the seed. Even if it just lands on your panties, it could seep in and make you pregnant."

I stared at her. What did she mean, it shoots out of them? How could it? Was she right?

"Do you know what else they do?" she continued. "They touch themselves and make themselves swell up until the seed comes gushing out into their hands and then . . . they touch you there," she said, glancing at the space between my thighs, "and that can make you pregnant, too."

"No it can't," I said, but not confidently. "You're just trying to scare me."

She smiled.

"Think I care if you get pregnant and have to walk around with a fat belly at your age? Think I care if you scream in excruciating pain because the baby's too big to come out? Go on, get pregnant," she challenged. "Maybe the same thing will happen to you that happened to your real mother and then we'll be rid of you finally." She turned and started away. Then she stopped and looked back. "Next time he touches you, you'd better be sure he hasn't touched himself first," she warned, and left me standing there in fear. I started to shake with anxiety and quickly put on my after-school clothes.

That night after dinner, I went quietly into Papa's office. He was away on one of his business trips so I could go in there without fear of his seeing what it was I wanted to do. I wanted to read from the book he had that explained the human body and reproduction, to see if there was anything written that confirmed the things Emily had told me. I couldn't find anything, but that didn't make me feel any easier. I was too frightened to ask Mamma about it and I didn't know anyone but Shirley Potter who knew anything about boys and sex. I thought I would eventually work up enough nerve to ask her.

The next day, after lunch, just as Eugenia and I had planned, I helped her into her wheelchair and we went out for our usual afternoon outing. Emily had gone upstairs to her room and Mamma was away having lunch at Emma Whitehall's with her other lady friends. Papa still hadn't returned from his business trip to Richmond.

Eugenia felt so much lighter to me when I lifted her from her bed and helped her into her chair. I could feel her bones protruding. Her eyes seemed to have sunk deeper into her skull and her lips looked so much paler than they had looked just a few days ago, but she was so enthusiastic that her shortage of strength didn't dissuade her and what she lacked in energy, she replaced with excitement.

I wheeled her down the driveway slowly, pretending interest in the Cherokee roses and wild violets. The buds of the flowering crab trees had burst into a deep pink. In the fields around us, the wild honeysuckle wove a carpet of white and rose. The blue jays and mockingbirds seemed just as excited by our venturing into their midst as we were. They flitted from branch to branch, jabbering and following us along the way. In the distance, a row of small puffy clouds floated in a cotton caravan from one end of the sky to the other. With the air so warm and the sky so blue, we couldn't have chosen a nicer spring day for a walk. If ever Mother Nature could make us appreciate being alive, she could do it this day, I thought.

Eugenia seemed to feel the same way, taking in every sight and sound, her head moving from left to right as I rolled her forward over the gravel. I thought she was probably overdressed, but she clung tightly to her shawl with one hand and held down the blanket over her lap with the other. When we turned the corner at the bottom of the driveway, I paused and we both looked back and then at each other, smiling like co-conspirators. Then I moved her out on the road. It was the first time she had ever been wheeled there. I pushed her along as quickly as I could. A few moments later, Niles Thompson stepped out from behind a tree to greet us.

My heart began to race. I looked back again to be sure no one saw us meet.

"Hi," Niles said. "How are you, Eugenia?"

"I'm okay," she said quickly, her eyes dancing as she looked from Niles to me and then back to Niles.

"So you want to see my magic pond, huh?" he asked her. She nodded.

"Let's go quickly, Niles," I said.

"Let me push her," he offered.

"Be careful," I warned, and we started away. Moments later, we were turning Eugenia up the path. It wasn't really wide enough for the chair in places, but Niles pushed the wheels over brush and roots, stopping at one point to lift the front of the chair. I could see that Eugenia was relishing each and every moment of our secret trip. Finally, we were at the pond.

"Oh . . ." Eugenia exclaimed, clapping her small hands. "It's so beautiful here."

As if nature wanted the moment to be special for her, a fish jumped up and dove back into the water, but before we could laugh with joy, a flock of sparrows burst into the air, lifting so suddenly and with such synchronization from the branches, they looked like leaves taking flight. Bullfrogs leaped into the water and then out again as if they were performing for us. Then Niles said, "Look," and pointed across the pond where a doe had appeared and was drinking. She gazed at us for a moment. Unafraid, she took her drink and then casually turned to disappear in the forest again.

"This really is a magical place!" Eugenia cried. "I feel it."

"I did the first time I saw it, too," Niles said. "You know what you've got to do. You've got to dip your finger into the water."

"How can I?"

Niles looked at me.

"I can carry you to the water," Niles said.

"Oh, Niles, if you should drop her . . ."

"He won't," Eugenia declared with prophetic certainty. "Do it, Niles. Carry me."

Niles looked at me again and I nodded, but I was full of trepidation. If he dropped her and she got soaked, Papa would lock me in the smokehouse for days, I thought. But Niles lifted Eugenia out of the chair with graceful ease. She blushed because of the way he held her in his arms. Without hesitation, he stepped into the water and lowered her until her fingers reached the surface.

"Close your eyes and wish," Niles told her. She did so and then he carried her back to the wheelchair. After she was settled in again, she thanked him.

"Want to know what I wished?" she asked me.

"If you tell it, it might not come true," I said, glancing at Niles.

"Not if she tells it only to you," Niles explained, as if he was an authority on magic ponds and wishes.

"Bend down, Lillian. Bend down," Eugenia ordered. I did so and she brought her lips to my ear.

"I wished you and Niles would kiss again, right here, right before my eyes," she said. I couldn't help but blush. When I stood straight up again, Eugenia had a wicked smile on her face. "You said this was a magic pond. My wish has to come true," she teased.

"Eugenia! You should have wished something for yourself only."

"If it's only for yourself, it probably won't come true," Niles said.

"Niles. Don't encourage her."

"I suppose if you whispered in my ear what she wished now that she's told you, it won't be bad. As long as the frogs don't hear it," he added, coming up with his own rules instantly.

"I will not!"

"Tell him, Lillian," Eugenia urged. "Go on. Please. Go on."

"Eugenia." I was blushing all over by now, feeling those blotches Emily said would come, even though Niles and I hadn't touched. But I didn't care. I loved the feeling.

"You'd better tell me," Niles teased. "She might get very upset."

"I will," Eugenia threatened and folded her arms across her body, pretending to fall into a pout.

"Eugenia." My heart was pounding. I looked at Niles, who seemed to know already.

"Well?" he said.

"I told her what you and I did here the first time. She wants us to do it again," I said quickly. Niles's eyes brightened and he smiled.

"What a wonderful wish. Well, we can't disappoint her," Niles said. "We have to keep up the pond's reputation for magic, anyway."

He stepped up to me and this time put his hands on my arms to bring me closer to him. I closed my eyes and his lips met mine. He held them there much longer and then he stepped back.

"Satisfied, little sister?" I asked, hiding my embarrassment. She nodded, her face bright with excitement.

"Well, I wished something, too," Niles said. "I wished I could thank Eugenia for wanting to come to my pond, thank her with a kiss," he said. Eugenia's mouth dropped open as Niles stepped up to her and kissed her quickly on the cheek. She put her hand there as if he had left his lips on her skin.

"We'd better start back," I said. "Before we're missed."

"Right," Niles said. He turned Eugenia around and we pushed her through the forest and to the road again. Niles walked along with us until we reached our driveway.

"Did you enjoy the trip to the pond, Eugenia?" he asked.

"Oh yes," she said.

"I'll come visiting you soon," he promised. "So long, Lillian."

We watched him walk off and then I started to push Eugenia up the driveway.

"He's the nicest boy I ever met," she said. "I really wished that someday you and Niles would become engaged and marry."

"You did?"

"Uh-huh. Would you like that?" she asked.

I thought for a moment.

"Yes," I said. "I think I would."

"Then maybe Niles was right; maybe it is a magic pond."

"Oh, Eugenia, you should have wished for yourself."

"Selfish wishes don't come true, Niles said."

"I'll go back and wish for you," I promised. "Very soon."

"I know you will," Eugenia said, leaning back in her chair. Fatigue was settling in quickly, washing over her like a dark, stormy cloud.

Just as we reached the front of the house, the door was ripped open and Emily stepped out, her arms folded across her chest. She glared down at us.

"Where were you two?" she demanded.

"We just went for a nice walk," I said.

"You've been gone a long time," she said suspiciously.

"Oh, Emily," Eugenia said. "Don't throw cold water on everything nice anyone does. Next time, maybe you'll come walking with us."

"You've kept her outside too long," Emily said. "Look at her. She's exhausted."

"No I'm not," Eugenia said.

"Mamma's going to be angry when she comes back," Emily said, ignoring her.

"Don't tell her, Emily. Don't be a tattletale. It's not nice. You shouldn't have told Papa about Lillian and Niles, either. It just makes for hard feelings and trouble," Eugenia chastised. "And Lillian didn't do anything bad. You know she wouldn't."

I held my breath. Emily's face turned crimson for the first time in a long time. She could argue with anyone, embarrass and snap at adults as well as children if she had to, but she couldn't be nasty to Eugenia. Her eyes flared at me instead.

"It's just like her to turn you against me," Emily declared, and pivoted to go back into the house.

Eugenia's defense of me drained her of her last ounce of strength. She dropped her head to the side. I called for Henry quickly to help me carry her up the steps and into the house. Once inside, I wheeled her to her room and got her back into her bed. She was as limp as a rag doll. In moments, she was asleep, but I think she was dreaming about the pond, because even in her dreadful fatigue, she slept with a small smile on her lips.

I walked back through the house on my way to the stairs, but just as I reached Papa's office, Emily stepped out and seized my arm so abruptly, I gasped. She pulled me back against the wall.

"You took her to that stupid pond, didn't you?" she demanded. I shook my head. "Don't lie to me. I'm not stupid. I saw the little twigs and grass stuck in the spokes of the wheelchair's wheels. Papa's going to be in a rage," she threatened, bringing her face so close to mine, I could see the tiny mole just under her right eye. "Niles was there, too, wasn't he?" she charged, shaking my arm.

"Let me go!" I cried. "You're horrible."

"You've turned her against me, haven't you?" She released me but smiled. "It's all right. I expected no less from the living curse. You plant your evil seeds everywhere, in everyone and everyplace you go. But your time is coming. The weight of my prayers will smother you," she threatened.

"Leave me alone!" I screamed, tears streaming down my cheeks. "I'm not a curse, I'm not."

She held her evil smile, a smile that chased me upstairs, but it seeped in under my door, and at night it even slipped into my dreams.

Whether it was because of the things Eugenia had said to her or whether it was a result of the machinations of her own evil mind, Emily didn't tell Mamma or Papa anything about my outing with Eugenia. That night at dinner, she sat quietly, contented to be holding the threat over my head. I ignored her as best I could, but Emily's eyes were so big and so glaring at times, it was hard to avoid her gaze.

But it didn't matter, she had her own special revenge prepared, and like always, she would justify it with some religious belief. In her hands, the Bible became a weapon and she wielded it unmercifully whenever she felt it was necessary. No punishment was too severe, no amount of tears shed too much. No matter how much she hurt us, she went to sleep contented with the belief that she had carried out divine work.

As Henry once said, looking right at Emily, "The devil, he ain't got no better soldier than the self-righteous man or woman who swings that dreadful sword."

I was soon to feel the sharp end of it.

SIX

VICIOUS TRICKS

Of all the people I would meet in my life who were able to go about their business normally from day to day while plotting behind your back, none would be as conniving or as good at it as Emily. She could have taught the best spies how to spy; she could have given Brutus lessons before he betrayed Julius Caesar. I was convinced that the devil himself studied her and then took action.

During the week that followed Eugenia's and my Saturday outing, Emily didn't say another word about it, nor did she exhibit any more anger or belligerency than usual. She seemed very involved in her work for the minister and the Sunday school as well as the public school and was even gone from the house more than she often was. She didn't behave much differently toward Eugenia. If anything, she appeared to be a little more pleasant, one night even volunteering to bring Eugenia her dinner.

Once a week she would visit Eugenia anyway to give her religious instruction—read a biblical story or explain the teachings of the church. On more than one occasion, Eugenia fell asleep as Emily was reading and Emily got very upset about it and refused to accept Eugenia's apologies.

But this time, when she went in and read from St. Matthew, and Eugenia fell asleep, Emily didn't stop to lecture about the importance of staying awake and paying attention when the Bible was being read aloud. She didn't slap the book closed so hard that Eugenia's eyes would pop open. Instead, she got up quietly and slipped out of the room as softly as one of Henry's ghosts. Even Eugenia was feeling better about her.

"She's sorry for what she did," Eugenia concluded. "She just wants us to love her."

"I don't think she wants anyone to love her, not Mamma, not Papa, maybe not even God," I replied, but I saw how my being angry at Emily disturbed Eugenia, so I smiled, thinking of something else. "Imagine if she really did change," I said. "Imagine if she let her hair grow and wore a pretty silk ribbon in it, or she wore a nice dress instead of those old gray sacks and clodhopper shoes with fat heels that make her look even taller than she is."

Eugenia smiled as if what I was saying were pipe dreams made of smoke.

"Why not?" I continued. "Why couldn't she change overnight, magically? Maybe she had one of her visions and in the vision, she was told to change. Suddenly, she would listen to more than just church music and she would read books and play games . . ."

"Imagine if she had a boyfriend," Eugenia said, joining in the pretend.

"And she decided to wear lipstick and put a little rouge on her cheeks?"

Eugenia smothered a giggle.

"And she took her boyfriend to the magic pond, too."

"What would the new Emily wish for?" I wondered aloud.

"A kiss, too?"

"No, not a kiss." I thought a moment, then looked at Eugenia and broke out into a wide, gleeful smile.

"What?" she asked. "Tell me!" she demanded, and bounced on her bed when I hesitated.

"She would wish for a bosom," I replied. Eugenia gasped and put her hand over her mouth.

"Oh my," she said. "If Emily just heard you."

"I don't care. Do you know what the boys at school call her behind her back?" I said, sitting beside her on the bed.

"What?"

"They call her Miss Ironing Board."

"Oh, they don't!"

"It's her own fault, the way she dresses and flattens out what little bosom she has. She doesn't want to be a woman and she doesn't want to be a man."

"What does she want to be?" Eugenia asked, and waited patiently for my reply.

"A saint," I finally said. "She's as cold and as hard as the statues in church anyway. But," I added with a sigh, "at least she's stayed out of our way these last few days and has even been a little nicer to me at school. She gave me her apple at lunch yesterday."

"You ate two?"

"I gave one to Niles," I confessed.

"Did Emily see?"

"No. She was inside all during lunch helping Miss Walker correct spelling papers." We were both silent a moment and then I took Eugenia's hand into mine. "Guess what?" I said. "Niles wants to meet us again on Saturday. He wants to take a walk with us to the creek. Mamma's got her lunch party here so she won't mind us being out of her hair. Pray for a nice day again," I said.

"I will. I'll pray twice a day." Eugenia looked happier than she had in a long time, even though she spent more time in bed than ever. "I'm suddenly very hungry," she announced. "Is it almost time for dinner?"

"I'll see Louella about it," I said, getting up. "Oh, Eugenia," I said at the door, "I know Emily's been nicer to us, but I still think we should keep next Saturday a secret."

"Okay," Eugenia said. "Cross my heart and hope to die."

"Don't say that!" I cried.

"What?"

"Don't ever say 'hope to die.' "

"It's just a saying. Roberta Smith's always saying it whenever I see her at our barbecues. Every time someone asks her something, she adds, 'hope—' "

"Eugenia!"

"Okay," she said, snuggling up in her blanket. She smiled. "Tell Niles I look forward to seeing him Saturday."

"I will. Now I'll see about dinner," I said, and left her dreaming about doing the things I and my friends took for granted each and every day.

I know Eugenia didn't say anything to Emily about Saturday. She was too worried something might happen to stop us from going. But maybe Emily came to her door while she was praying for a nice day or maybe she was in the shadows spying and listening when Eugenia and I spoke. Perhaps she just had anticipated it. Whatever, I'm sure she spent every day plotting.

Just because we were looking forward to it so hard, Saturday took forever to come, but when it finally did arrive, it entered the week with a burst of warm sunshine that came streaming through my windows to caress my cheeks and open my eyes. I sat up full of joy. When I gazed out the window, I saw a sea of blue rolling from one horizon to the other. A gentle breeze brushed through the honeysuckle. The world outside was inviting, waiting.

In the kitchen Louella told me Eugenia had been up at the crack of dawn.

"I've never seen her so hungry in the morning," she remarked. "I've got to hurry her breakfast before she changes her mind. She's gotten so thin, you can practically see right through her," she added sadly.

I took Eugenia's breakfast to her and found her sitting up and waiting.

"We should have planned a picnic, Lillian," she complained. "It's too long to wait until after lunch."

"Next time we will," I said. I placed her tray on her bed table and watched her eat. Although she was hungrier than usual, she still pecked at her food like a frightened bird. It took her twice as long to do everything a healthy girl her age would do.

"We have a beautiful day, don't we, Lillian?"

"Magnificent."

"God must have heard all my prayers."

"I bet He had no chance to hear anything else," I quipped, and Eugenia laughed. Her laughter was music to my ears, even though it was still expressed in a thin, small voice.

I returned to the dining room to take my breakfast with Emily and Mamma. Papa had already gotten up and left early to go to Lynchburg to a meeting of the smaller tobacco farmers who were, according to Papa, in a life-and-death struggle with the corporations. Even without Papa's presence, we said a prayer before we ate. Emily saw to that. The passages she chose and the way she read them should have made me suspicious but I was so happy about our adventure that I barely noticed.

She chose Exodus, chapter 9, and read how God had punished the Egyptians when the Pharaoh refused to let the Hebrews go. Emily's voice boomed over the table so hard and loud, even Mamma winced and looked fearful.

" 'So, there was hail, and fire mingled with the hail, very grievous, such as there was none like it in all the land of Egypt since it became a nation.' "

She raised her eyes from the page and glared across the table at me, showing that she had every word of the page memorized and recited.

" 'And the hail smote throughout all the land of Egypt all that was in the field, both man and beast . . .' "

"Emily, dear," Mamma said softly. She would never dare interrupt if Papa were there. "It's a little early in the morning for fire and brimstone, dear. My stomach's churning enough as it is."

"It's never too early for fire and brimstone, Mamma," Emily retorted, "but it's often too late." She glared at me.

"Oh dear me, dear me," Mamma moaned. "Let's just start eating, please," she begged. "Louella," she called, and Louella began to bring in the eggs and bacon. Reluctantly, Emily closed the Bible. As soon as she had done so, Mamma broke out some of the juicy gossip she was going to verify this Saturday.

"Martha Atwood has just come back from a trip up North and

she says the women there are smoking cigarettes in public places. Now, the Captain had a cousin . . ." she continued. I listened to her stories, but Eugenia had already retreated into her own thoughts, her own world, wherever that was. But when I mentioned to Mamma that I would be taking Eugenia for an outing, Emily's eyes widened with interest.

"Just don't overdo it," Mamma warned. "And make sure she's warm as toast."

"I will, Mamma."

I went upstairs to choose what I would wear. I checked on Eugenia to be sure she took her nap and all her medications and then promised to wake her up a good hour before we left so I could help her brush her hair and choose what to wear. Mamma had bought her a new pair of shoes and a wide-brimmed blue bonnet to keep the sun off her face whenever she did venture out. I cleaned my room, did some reading, had a little lunch, and then got dressed. But when I went to Eugenia's room to wake her, I found her already sitting up. Only instead of excitement on her face, there was worry.

"What's wrong, Eugenia?" I asked as soon as I entered. She nodded toward the corner of her room where her wheelchair was always kept.

"I just noticed," she said. "It's not there. I can't remember when I saw it last. I'm so confused. Did you take it out for some reason?"

My heart sank, for I hadn't, of course, and Mamma hadn't mentioned anything about it at breakfast when I told her I was taking Eugenia on an outing.

"No, but don't worry about it," I said, forcing a smile. "It has to be somewhere in the house. Maybe Tottie moved it when she cleaned your room."

"You think so, Lillian?"

"I'm sure. I'll go see right away. In the meantime," I said, handing her the hairbrush, "start doing your hair."

"Okay," she said in a small voice. I rushed from the room and hurried through the corridors, searching for Tottie. I found her dusting in the parlor.

"Tottie," I cried, "did you move Eugenia's wheelchair out of her room?"

"Her wheelchair?" She shook her head. "No, Miss Lillian. I don't ever do that."

"Have you seen it anywhere?" I asked desperately. She shook her head.

Like a chicken running from Henry's butcher knife, I darted about the big house, looking into one room after another, checking closets and even looking in the pantry.

"What are you searching so hard for, child?" Louella asked. She was serving Mamma and her guests their luncheon and had filled a tray with finger sandwiches.

"Eugenia's wheelchair's gone," I cried. "I've looked everywhere."

"Gone? Why would it be gone? You sure?"

"Oh yes, Louella."

She shook her head.

"Maybe you better ask your mother," she suggested. Of course, I thought. Why hadn't I done that immediately. Mamma, excited about her Saturday luncheon, probably just forgot to mention what had been done with it. I hurried into the dining room.

To me it seemed as if they were all talking at once, no one listening to anyone else. I couldn't help but think Papa was right when he characterized the gatherings as noisy as a flock of hens clucking over the rooster. But I burst into the room so abruptly, they all paused to look my way.

"How she's growing," Amy Grant declared.

"Fifty years ago, she'd be walking down the aisle to the altar already," Mrs. Tiddydale remarked.

"Is something wrong, honey?" Mamma asked, holding her smile.

"Eugenia's wheelchair, Mamma. I can't find it," I said. Mamma looked at the other women and released a short laugh.

"Why, honey, surely you can find something as big as a wheelchair."

"It's not where it always is in her room, and I've looked everywhere else in the house and asked Tottie and Louella and—"

"Lillian," Mamma said, sharply bringing me to a halt. "If you go back and look carefully, I'm sure you will find a wheelchair. Now, don't make everything seem like the Battle of Gettysburg," she added, and laughed at the women, who then followed with a chorus of their own laughter.

"Yes, Mamma," I said.

"And remember what I told you, honey. Not too long and be sure she's wrapped warm."

"I will, Mamma," I said.

"You should have first said hello to everyone, anyway, Lillian." She pinched her face into a look of soft reprimand.

"I'm sorry. Hello."

The women all nodded and smiled. I turned and walked out slowly. Before I reached the door, they had picked up where they had left off as if I hadn't even been there. Slowly, I started back toward Eugenia's room. I stopped when I saw Emily coming down the stairs.

"We can't find Eugenia's wheelchair," I cried. "I've asked everyone and looked everywhere."

She pulled herself up abruptly and smirked.

"You should have asked me first. When Papa's gone, no one

knows as much about The Meadows as I do. Certainly not Mamma," she added.

"Oh, Emily, you know where it is. Thank goodness. Well, where is it, then?"

"It's in the toolshed. Henry noticed something wrong with a wheel or an axle. Some such thing. I'm sure it's fixed by now. He just forgot to bring it back."

"Henry wouldn't forget something like that," I thought aloud. Emily hated to be contradicted.

"Well then, he didn't forget and it's in her room. Is it? Is it in her room?" she demanded.

"No," I said softly.

"You treat that old black man as if he was some son of an Old Testament prophet. He's just the son of a former slave, uneducated, illiterate, and full of ignorant superstitions," she added. "Now," she said, folding her arms and straightening up again, "if you want the wheelchair, go to the toolshed and get it."

"Okay," I said, eager to get away from her and get the wheelchair. I knew poor Eugenia was on pins and needles back in her room and I couldn't wait to wheel the chair in and bring a smile back to her face. I hurried out the front door and down the steps, running around the corner of the house toward the toolshed. When I got there, I opened the door and peered in. There was the wheelchair, just as Emily had said, resting in a corner. It looked untouched, only its wheels were a little dirty from its being rolled over the grounds.

This was so unlike Henry, I thought. But then I thought: Maybe Emily was right. Maybe Henry had come for the chair when Eugenia was asleep and didn't wake her to tell her he was taking it to fix. With all that Papa had him doing on the plantation, it was no wonder he forgot something occasionally, I concluded. I entered the shed and started toward the chair when suddenly the door was slammed shut behind me.

The action was so fast and so surprising that for a moment, I didn't realize what had happened. Something had been thrown into the shed after me and that something . . . moved. I froze for a moment. There was barely enough light streaming in through the cracks in the old toolshed walls, but there was enough for it finally to register what had been thrown in behind me . . . A skunk!

Henry set traps for rabbits. He set out these little cages that they would crawl into in order to nibble the lettuce, which dropped the gate shut. Then he would decide if the rabbit was old enough and fat enough to eat. He loved to make rabbit stew. I didn't want to know anything about it because I couldn't imagine eating bunnies. They always looked so funny and happy to me, nibbling on the grass or hopping about the fields. When I complained, Henry said as long as you didn't kill one just for fun, it was all right.

"Everything feeds on everything else in this world, child," he explained, and pointed to a sparrow. "That there bird eats worms, don't it, and bats, they eat bugs. Foxes hunt rabbits, you know."

"I don't want to know, Henry. Don't tell me when you eat a rabbit. Just don't tell me," I cried. He smiled and nodded.

"Okay, Miss Lillian. I ain't inviting you to Sunday dinner whenever there's rabbit being served."

But occasionally, Henry would get a skunk in one of his traps instead of a rabbit. He would come along with a sack and throw it over the cage. As long as the skunk was in the dark, it didn't squirt, he told me. I guess he told Emily, too. Or maybe she just learned by watching. One time or another, she would watch everyone who lived at The Meadows as if she had been ordered to spot sinful acts.

This skunk, obviously riled up by what had been done to it, eyed everything around it suspiciously. I tried not to move, but I was so frightened, I couldn't help but utter a cry and shift my feet. The skunk saw me and hit me full flush with its spray. I screamed and screamed and ran to the door. It was jammed shut. I had to pound and pound on it and the skunk hit me again before retreating under a cabinet. Finally, the door opened. A stick had been braced against it to keep it from opening easily. I fell out into the open air, the stench hovering all over me.

Henry came running from a barn along with some of the other workers, but they didn't get within ten feet of me before stopping dead in their tracks and crying out with disgust. I was hysterical, whipping my arms around myself as if I was being attacked by bees instead of the stench of a skunk. Henry took a deep gulp of fresh air and then, holding his breath, came to my aid. He lifted me in his arms and ran back toward the rear of the house. There, he set me down on the landing and went charging in to fetch Louella. I heard him cry, "It's Lillian! She's been doused by a skunk real bad in the toolshed!"

I couldn't stand myself. I started to tear off my stained dress and kicked off my shoes. Louella came rushing out with Henry and took one look and one whiff of me and cried, "Lord, have mercy!" She fanned the air in front of her and came to my side.

"Okay, okay. Louella's gonna fix it. Don't worry. Don't worry. Henry," she ordered, "take her into the room off the pantry where the old tub's kept. I'm going to get all the tomato juice I can find," she said. Henry went to lift me again, but I told him I could walk.

"You don't have to suffer, too," I said, covering my face with my hands.

In the room off the pantry, I stripped off all my clothing. Louella poured every can and jar of tomato juice she could find into the tub and then had Henry go fetch some more. I bawled and sobbed as Louella washed me down with the juice. Afterward, she wrapped me in damp towels.

"You go upstairs and take a nice bath now, honey," she said. "I'll be right along."

I tried to hurry through the house, but my legs had turned to stone along with my heart. Mamma had taken her lunch party into the reading room, where they were listening to some of her music on the Victrola and having tea. No one had heard any of the commotion outside. I thought about stopping to tell her what had happened but decided to get myself into the tub first. The stench was still quite strong, hovering about me like a filthy cloud of smoke.

Louella joined me in my bathroom and helped me scrub down with the sweetest-smelling soaps we had, but even after all we had done, I could smell the skunk's scent.

"It's in your hair, too, honey," she said sadly. "This shampoo ain't overcoming it."

"What will I do, Louella?"

"I seen this happen a few times," she said. "I'm afraid you'd best cut your hair off, honey," she said.

"My hair!"

My hair was my pride. I had the richest, softest hair of any girl at school. Those egg shampoos Louella and Henry had prescribed had helped. It was thick and full and down to the middle of my back. Cut off my hair? I might as well cut out my heart.

"You can wash it forever and you never gonna be satisfied the scent's gone, honey. Every night you put your head down on that pillow, you gonna smell it and the pillowcases are gonna smell from it, too."

"Oh, Louella, I can't cut my hair. I won't," I said defiantly. She looked glum. "I'll stay here all day washing it until it doesn't smell anymore," I said. "I will."

I scrubbed and scrubbed and rinsed and rinsed, but every time I brought the long strands around and smelled them, the scent of the skunk was there. Almost two hours later, I rose reluctantly from the tub and went to the sink and mirror in my bathroom. Louella had been running up and down the stairs, offering me every remedy she or Henry could think up. Nothing worked. I gazed at myself. My tears had stopped but the anguish in my eyes stayed.

"Did you tell Mamma what happened yet?" I asked Louella when she returned again.

"Yes," she said.

"Did you tell her I might have to cut my hair?" I asked, speaking as if in a daze.

"I did, honey."

"What did she say?"

"She said she's sorry. She'll be up here to see you as soon as her guests leave."

"Couldn't she come up before? Just for a moment?"

"I'll go ask her," Louella said. A short while later, she returned without Mamma.

"She says she just can't leave her guests right now. You should do what you have to do. Honey, that hair's going to all grow back and sooner than you think."

"But until then, Louella, I'll hate myself and no one will think I'm pretty anymore," I cried.

"Oh no, child. You've got a pretty face, one of the prettiest faces in these parts. No one's gonna ever say you are ugly."

"Yes they will," I moaned, and thought about Niles and how

disappointed he was going to be when he looked at me, how disappointed he was at this moment, waiting for Eugenia and me. But the stench seemed to radiate down from my head and drape me in skunk. My fingers trembling, I took hold of the scissors and pulled my hair out straight. I brought the scissors to the strands, but I didn't cut.

"I can't, Louella!" I cried. "I just can't." I buried my face in my arms on the table and sobbed. She came over and put her hand on my shoulder.

"You want me to do it for you, child?"

Reluctantly, with my heart as hollowed out as a walnut shell, I nodded. Louella took the first strands into one hand and the scissors into the other. I heard the clipping begin, each snap chopping into my heart as well, my body aching with sorrow.

In her dark room, sitting in a corner under the light of her kerosene lamp, Emily read her Bible. I could hear her voice through the walls. I was sure she was finishing the part in Exodus she had wanted to read at breakfast before Mamma cut her off.

"'. . . and the hail smote every herb of the field, and brake every tree of the field . . .'"

I cried myself into a stupor under the sound of the scissors.

When Louella finished, I crawled into bed, curled myself into a ball, and buried my face in the blanket. I didn't want to look at myself or have anyone look at me, even for a moment. Louella tried to comfort me, but I shook my head and moaned.

"I just want to close my eyes, Louella, and pretend it didn't happen."

She left and then, finally, after the guests went home, Mamma came up to see me.

"Oh, Mamma!" I cried, sitting up and throwing the blanket away from myself as soon as she stepped into my room. “Look! Look what she did to me!”

“Who, Louella? But I thought . . .”

“No, Mamma, not Louella.” My chest heaved. I swallowed and ground the hot tears out of my eyes with my hands. “Emily,” I said. “Emily did this!”

“Emily?” Mamma smiled. “I’m afraid I don’t understand, honey. How could Emily—”

“She hid Eugenia’s wheelchair in the toolshed. She found a skunk in one of Henry’s traps and kept it under a blanket. She told me to go to the toolshed. She said Henry put it there, Mamma. When I went in, she threw the skunk into the shed and locked me in the shed with it. She put a stick up against the door. She’s a monster!”

“Emily? Oh no, I can’t believe—”

“She did, Mamma, she did,” I insisted, pounding my legs with my fists. I hit myself so hard that Mamma’s face changed from disbelief to shock before she took a deep breath, pressed her hand to her chest, and shook her head.

“Why would Emily do such a thing?”

“Because she’s horrible! And she’s jealous. She wishes she had friends. She wishes . . .” I stopped before I had said too much.

Mamma stared at me a moment and then smiled.

“It’s got to be some sort of misunderstanding, some tragic combination of events,” Mamma decided. “My children don’t do such things to each other, especially Emily. Why, she’s so devout, she makes the minister question his own actions,” Mamma added, smiling. “Everyone tells me so.”

“Mamma, she thinks she’s doing good things whenever she does something that hurts me. She thinks she’s right. Go ask her. Go on!” I screamed.

"Now, Lillian, you must not yell. If the Captain should come home and hear you . . ."

"Look at me! Look at my hair!" I pulled on the roughly cut strands until it was painful.

Mamma's face softened.

"I'm sorry about your hair, honey. I really am. But," she said, smiling, "you'll wear a nice bonnet and I'll give you some of my silk scarves and—"

"Mamma, I can't walk around with a scarf on my head all day long, especially in school. The teacher won't allow it and—"

"Of course you can, dear. Miss Walker will understand, I'm sure." She smiled again and sniffed the air between us. "I don't smell a thing. Louella's done a fine job. You'd never know anything bad happened."

"You'd never know?" I pressed my palms against my shortened hair. "How can you say that? Look at me. You remember how beautiful my hair was, how you liked to brush it for me."

"The worst is over, dear," Mamma replied. "I'll see to it that you get my scarves. Now, you just rest, dear," she said, and turned to leave.

"Mamma! Aren't you going to say anything to Emily? Aren't you going to tell Papa what she did to me?" I asked tearfully. How could she not see how awful this was? What if it had happened to her? She was just as proud of her hair as I had been of mine. Didn't she spend hours and hours brushing it and wasn't she the one who told me I had to care for it and nurture it? Hers was like spun gold and mine was now like the stems of sliced flowers, jagged and stiff.

"Oh, why prolong the agony and make everyone in the house suffer, Lillian? What's done is done. I'm sure it was just one of those unfortunate little accidents. It happened and it's finished."

"It wasn't an accident. Emily did it! I hate her, Mamma. I hate her!" I felt my face flush with anger. Mamma stared at me and then shook her head.

"Of course you don't hate her. We can't have anyone hating anyone in this house. The Captain wouldn't stand for it," Mamma said as if she were constructing one of her romance novels and could simply rewrite or cross out the ugly and the sad things. "Now let me tell you about my party."

I lowered my head like a flag of defeat as Mamma, behaving as if nothing unusual had happened to me, began to tell me some of the tidbits of gossip she and her guests had been feeding on all afternoon. Her words went in one ear and out the other, but she didn't seem to notice or care. I dropped my face to the pillow and drew the blanket up around me again. Mamma's voice droned on until she ran out of stories and then she left to find some of her scarves for me.

I took a deep breath and turned over in bed. I couldn't help but wonder if Mamma would have felt more sympathy and anger over what had happened if she were really my mother instead of my aunt. Suddenly, for the first time, I truly felt like an orphan. I felt worse even than I had the first time I learned the truth. My body shook with new sobs until I was too tired to cry. Then, remembering poor Eugenia, who I was sure had gotten only bits and pieces from Louella and Tottie, I rose like a somnambulist and put on my bathrobe, all my actions mechanical. I avoided looking at myself each time I passed the mirrors. I slipped my feet into my small, ribbon-laced slippers, and walked slowly out of my room and down to Eugenia's.

The moment I entered and she saw me, she started to cry. I rushed into her arms, which folded around me with a birdlike fragility, and cried on her little shoulder for a few moments before pulling back to relate all the horrid events to her. She listened, wide-eyed, shaking her head to wipe away the details. But she was forced to accept them every time she looked at my cropped hair.

"I'm not going to school," I vowed. "I'm not going anywhere until my hair grows back."

"Oh, but, Lillian, that could be a long time. You can't miss all that work."

"I'll die as soon as the other kids look at me, Eugenia." I shifted my eyes to the blanket. "Especially, Niles."

"You'll do what Mamma said. You'll wear scarves and a bonnet."

"They'll laugh at me. Emily will see to that," I declared. Eugenia's face saddened. She seemed to shrink with every passing moment of sadness. I felt terrible because I wasn't able to cheer her up or make the sorrow go away. No amount of laughter, no jokes, no distractions, could cover up the agony or make me forget what had been done to me.

There was a knock on the door, and we turned to see Henry.

"Hello, Miss Lillian, Miss Eugenia. I just come by to tell you . . . well, to tell you your wheelchair's going to need a day or so of airing out, Miss Eugenia. I washed it down best I could and I'll bring it back as soon as it's free of that odor."

"Thank you, Henry," Eugenia said.

"Damned if I know how it got into the toolshed," Henry said.

"We know how, Henry," I told him. He nodded.

"I found one of my rabbit traps nearby," he said. He shook his head. "Mean thing to do. Mean thing," he muttered, and left.

"Where are you going?" Eugenia asked when I rose from the bed, tired and listless.

"Back upstairs, to sleep. I'm exhausted."

"Will you come back after dinner?"

"I'll try," I said. I hated myself this way, hated feeling sorry for myself, especially in front of Eugenia, who had more reason to feel sorry for herself than anyone I knew, but my hair had been so beautiful. Its length and texture, its softness and its rich color, had made me feel older and more feminine. I knew how boys gazed at me. Now no one would look at me except to laugh at the little idiot who got herself sprayed by a skunk.

Late in the afternoon, Tottie came by to tell me Niles had come to the front door to ask after Eugenia and me.

"Oh, Tottie, did you tell him what happened? You didn't, did you?" I cried.

Tottie shrugged.

"I didn't know what else to tell him, Miss Lillian."

"What did you say? What did you tell him?" I demanded quickly.

"I just told him you got sprayed by a skunk in the toolshed and you had to cut your hair off."

"Oh no."

"He's still downstairs," Tottie said. "Mrs. Booth's talking to him."

"Oh no," I moaned again, and fell back on the bed. I was so embarrassed, I didn't think I could ever let him look at me again.

"Mrs. Booth, she says you should come down and say hello to your gentleman caller."

"Come down! Never. I'm not leaving this room. I'm not and tell her it's Emily's fault."

Tottie left and I pulled the blanket up around myself again. Mamma didn't come up to see me. She retreated to her music and her books. The afternoon passed into the early evening. I heard Papa come home, heard his heavy footsteps in the hallway. When he reached my door, I held my breath, expecting him to come in to see what had been done and ask me what had happened, but he walked past my door. Either Mamma hadn't told him or she had made it sound like nothing, I thought sadly. Later, I heard him go by on his way down to dinner and again he didn't stop. Tottie was sent up to tell me dinner was ready, but I told her I wasn't hungry. Not five minutes later, she returned huffing and puffing from her run up the stairs to tell me Papa insisted I come down.

"The Captain says he don't care if you eat a morsel, but you get yourself in your seat," Tottie related. "He looks angry enough to butcher all the hogs in one fell swoop," she added. "You'd better come down, Miss Lillian."

Reluctantly, I rose from the bed. Numbly, I gazed at myself in the mirror. I shook my head trying to deny what I saw, but it wouldn't go away. I nearly burst into fresh tears. Louella had done the best she could, of course, but she was just out to cut my hair down as short as she could. Some strands were longer than others and my hair looked jagged around the ears. I tied one of Mamma's scarves around my head and went downstairs.

Emily's smile was faint and sardonic as I took my place at the table. Then her expression changed until her face was carved in her habitual look of disapproval, her back straight, her arms folded. The Bible was opened on the table before her. I gave her the most hateful glare I could, but all it did was brighten the look of pleasure in those gray orbs.

Mamma smiled. Papa scrutinized me sharply, his mustache twitching.

"Take off that scarf at the dinner table," he commanded.

"But, Papa," I moaned, "I look horrible."

"Vanity is a sin," he said. "When the devil wanted to tempt Eve in Paradise, he told her she was as beautiful as God. Take it off." I hesitated, hoping Mamma would come to my aid, but she sat there quietly, a pained look on her face. "Take it off, I said!" Papa demanded.

I did so, my eyes down. When I glanced up, I saw how pleased Emily was.

"Next time you'll pay more attention to where you're going and what's happening around you," Papa said.

"But, Papa . . ."

He put his hand up before I could continue.

"I don't want to hear no more about this incident. I heard enough from your mother. Emily . . ."

Emily's face smiled as much as it ever did and she gazed down at the Bible.

" 'The Lord is my shepherd,' " she began. I didn't hear her reading. I sat there, my heart as cold as stone. Tears streamed down my cheeks and dripped off my chin, but I didn't wipe them away. If Papa noticed, he didn't care. As soon as Emily finished her reading, he began to eat. Mamma started to relate the new gossip she had learned at her luncheon. Papa appeared to listen, nodding occasionally and even laughing at one point. It was as if what had happened to me had happened to me years and years ago and I was just reliving the memory; I was the only one reliving it. I tried to eat something just so Papa wouldn't be angry but the food got caught in my throat, and at one point I started to choke and had to swallow a glass of water.

Dinner mercifully ended and I went to Eugenia's room as I had promised, only she was asleep. I sat by her bed for a while and watched her labored breathing. She moaned once, but her eyes didn't open. Finally, I left her and went up to my room, exhausted from one of the most horrible days of my life.

When I walked into my room, I went to the window to gaze out at the lawns, but it was a very dark night. The sky was overcast. In the distance, I saw the flash of lightning and then the first drops fell, splattering against the windowpane like thick tears. I retreated to my bed. Moments after I had put out my light and closed my eyes, I heard my door being opened, and looked.

Emily stood there in the shadows.

"Pray for forgiveness," she said.

"What?" I sat up quickly. "You want me to pray for forgiveness after what you did to me? You should be the one praying for forgiveness. You're a horrid person. Why did you do it? Why?"

"I didn't do anything to you. The Lord punished you for your sinful acts. Do you think anything could happen if God didn't wish it to happen? I told you, you're a living curse, a rotten apple who could corrupt and ruin every other apple. As long as you are not remorseful, you will suffer and you will never be remorseful," she added.

"I am not sinful and rotten! You are!"

She closed my door, but I continued to scream.

"You are! You are!"

I buried my face in my hands and sobbed until I was out of tears. Then I fell back on my pillow. I lay in the darkness feeling strangely out of myself. Over and over I heard Emily's sharp, cutting voice. "You were born evil, wicked, a curse." I closed my eyes and tried to shut her out, but she droned on and on in my thoughts, her words drilling deeply into my soul.

Was she right? Why would God permit her to hurt me so? I wondered. She couldn't be right. Why would God want to see someone as kind and loving as Eugenia suffer? No, the devil was at work here, not God.

But why did God let the devil do it?

We're all being tested, I concluded. Deep in my heart, buried under mountains of pretend and illusion, was the realization that the biggest test of all was just ahead. It was always there, lingering over The Meadows like a dark cloud that was oblivious to the wind or to prayers. It hovered, waiting until its time came.

And then it released the rain of sadness over us, the drops so cold they were to chill my heart forever and ever.

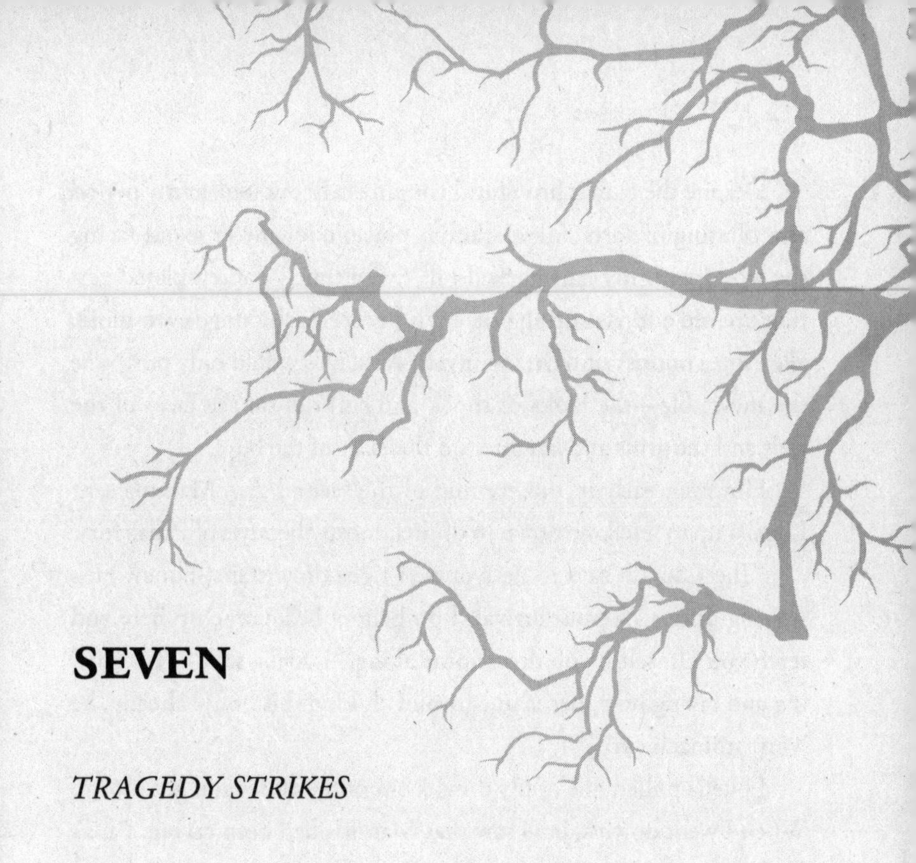

SEVEN

TRAGEDY STRIKES

The next day I woke with terrible stomach cramps. On top of everything else, I had a severe period. It hurt so bad this time that I was actually in tears. My crying brought Mamma to the door. She was just on her way down to breakfast. When I told her what was wrong, she fell into a fluster. As usual, she sent Louella up to look after me. Louella tried to get me dressed and off to school, but I was too cramped up to walk. I remained in bed all that day and most of the next.

Just before she left for school the following morning, Emily appeared in my doorway to tell me to look into myself for the answer as to why my monthly pain was so intense. I pretended I didn't hear or see her. I didn't glance at her nor did I reply, and she left. But I couldn't help wondering why she wasn't ever inconvenienced by her period. It was almost as if she had never had one.

Despite the pain it brought, I couldn't help but look at my period as a blessing of sorts, for it made it possible for me to avoid facing the world with my hair hacked off. Every time I contemplated getting dressed and venturing out, I felt my stomach cringe even more. Wearing a bonnet or covering myself in shawls would only postpone the inevitable—the looks of shock and surprise on the faces of the girls and the grins and laughter on the faces of the boys.

However, early in the evening of the second day, Mamma sent Louella up to fetch me down to dinner, mostly because of Papa's fury.

"The Captain says to get yourself right downstairs, honey. He's waiting dinner on your arrival. I do believe he'll come up here and fetch you himself if you don't come along," Louella said. "He's ranting and raving how there's one invalid child in this house already; he won't stomach two."

Louella pulled one of my dresses out of the closet and got me up. When I went downstairs, I saw that Mamma had been crying. Papa's face was red and he was tugging on the ends of his mustache, something he always did when he was irritated.

"That's better," he said when I sat down. "Now let's begin."

After Emily's reading, which seemed interminable this time, we ate in silence. Mamma was obviously not in the mood to chatter about her friends and their lives. The only sounds came from Papa's chomping on his meat and the click of silverware and china. Suddenly, Papa stopped chewing and turned to me as if he had just remembered something. He pointed his long right forefinger at me and said, "You see that you get up and go to school tomorrow, Lillian. Understand? I don't want another child in this house being waited on hand and foot. Especially one who's healthy and strong and got nothing more than a woman's regular problem. Hear?"

Swallowing first, I started to speak, faltered, tried to pull my eyes from the strong look of his, and finally just nodded and meekly replied, "Yes, Papa."

"It's enough the way people talk about this family as it is, one daughter sick from day one until now . . ." He looked at Mamma. "If we had a son . . ."

Mamma started to sniffle.

"Cut that out at the table," Papa snapped. He started to eat and then decided to rattle on instead. "Every good Southern family has a son to carry on its name, its heritage. All but the Booths, that is. When I go, so goes my family name and all it stands for," he complained. "Every time I walk into my office and look up at my granddaddy, I feel ashamed."

Tears filled Mamma's eyes, but she managed to hold them back. At this moment I felt more sorry for her than I did for myself. It wasn't her fault she had given birth to only girls. From what I had read and learned about human reproduction, Papa bore some of the responsibility. But what hurt even more was the idea that girls weren't good enough. We were second-class children, consolation prizes.

"I'm willin' to try again, Jed," Mamma moaned. My eyes widened with surprise. Even Emily looked more animated. Mamma, have another baby, at her age? Papa just grunted and began eating again.

After dinner I went to see Eugenia. I had to tell her what Papa had said and what Mamma had said, but I met Louella in the hallway returning with Eugenia's dinner tray. Everything on it looked untouched.

"She fell asleep trying to eat," Louella said, shaking her head. "Poor thing."

I hurried to Eugenia's room and found she was in a deep sleep, her eyelids pasted shut, her chest wheezing as it lifted and fell under the blanket. She looked so pale and gaunt, it put a chill in my heart.

I waited at her side, hoping she might awaken, but she didn't move; her eyelids didn't even flutter so I retreated sadly to my room.

That night I tried to do things with my hair to make it look decent. I put pins in. I tried a silk bow. I brushed and brushed the sides and back, but nothing seemed to help. Ends stuck up and out. It simply looked horrible. I dreaded going to school, but when I heard Papa's boots click down the corridor in the morning, I jumped out of bed and got myself ready. Emily was all smiles. I never saw her look so contented. We started out together, but I let her get ahead of me, so that when we joined up with the Thompson twins and Niles, the twins and she were a good ten yards or so in front of me and Niles.

He smiled the moment he saw me. I felt so weak and light I was sure a strong wind could blow me away. I held firmly to the brim of my bonnet and plodded down the road avoiding his gaze.

"Good morning," he said. "I'm glad you're up and about today. I missed you. I'm sorry about what happened."

"Oh, Niles, it's been dreadful, absolutely horrible. Papa made me go to school. Otherwise, I'd bury myself under my blankets again and stay there until next Christmas," I said.

"You can't do that. Everything will be all right," he assured me.

"No it won't," I insisted. "I look terrible. Wait until you set eyes on me with my bonnet off. You won't be able to look at me without laughing," I told him.

"Lillian, you could never look terrible to me," he replied, "and I would never laugh at you." He shifted his eyes away quickly, a crimson wave moving up his neck and over his face after his confession. His words warmed my heart and gave me the strength to continue. But not his words, not any words nor any promises, could ease the pain and embarrassment that awaited me in the schoolyard.

Emily had done a good job of informing everyone about what

had happened. Of course, she had left out her part in it and made it seem as though I had just stupidly confronted a skunk. The boys were clumped together and waiting for me. They started in as soon as I turned up the driveway to the schoolhouse.

Led by Robert Martin they began to chant, "Here comes Stinky." Then they pinched their noses and grimaced as if the odor of the skunk was still emanating from my clothes and body. As I walked forward, they retreated, squealing and pointing. Their laughter filled the air. The girls smiled and laughed, too. Emily stood off to the side, observing with satisfaction. I lowered my head and started for the front door, when suddenly, Robert Martin charged forward and grabbed the brim of my bonnet to scoop it off my head, leaving me exposed.

"Look at her. She's bald," Samuel Dobbs shouted. The schoolyard was filled with hysterical laughter. Even Emily smiled widely, instead of coming to my defense. Tears streamed down my face as the boys continued their chant: "Stinky, Stinky, Stinky," and then alternating it with "Baldy, Baldy, Baldy."

"Give her back her bonnet," Niles told Robert. Robert laughed defiantly and then pointed at him.

"You walk with her, you stink, too," he threatened, and the boys pointed at Niles and laughed at him.

Without hesitation, Niles charged forward and tackled Robert at the knees. In moments the two of them were locked in bearlike embraces and rolling over each other on the gravel driveway. They kicked up a cloud of dust as the other boys cheered and screamed. Robert was bigger than Niles, stouter and taller, but Niles was so infuriated, he managed to push Robert off him and then get on top of him. In the process my bonnet got badly crushed.

Miss Walker finally heard the commotion and came rushing out of the schoolhouse. It took only her scream and a command to part the two of them. All the other children stepped back obediently. She had her hands on her hips, but as soon as Niles and Robert parted, she seized both of them by their hair and marched them grimacing in pain into the schoolhouse. There was some subdued laughter, but no one dared attract Miss Walker's anger now. Billy Simpson fetched my bonnet for me. I thanked him, but it was impossible to put it on again. It was full of dust and the brim had been snapped in front. No longer caring about covering my head anyway, I walked into the schoolhouse with the others and took my seat.

Robert and Niles were punished by being forced to sit in the corner, even through lunch recess, and then made to stay an hour after school. It didn't matter who was at fault, Miss Walker declared. Fighting was prohibited and anyone caught doing so would be punished. When I looked at Niles, I thanked him with my eyes. His face had a scratch from the chin up the left cheek and his forehead was bruised, but he returned my glance with a happy smile.

As it turned out, Miss Walker asked me if I wanted to remain after school, too, so I could catch up with the work I had missed. While Niles and Robert had to sit quietly in the rear of the classroom with their hands tightly clasped on the desk, their backs straight, and their heads up, I worked with Miss Walker in the front of the room. She tried to cheer me up by telling me my hair would grow back in no time and that short hair was in style in some places. Just before we were finished, she excused Niles and Robert, but not before she gave them a firm warning and told them that if she caught either of them fighting or heard about either of them fighting, their parents would have to come to the school before they could return. It was obvious from Robert's expression that he was more afraid of that than anything. The moment he could go home, he charged out of the building and ran off. Niles waited for me at the bottom of the hill. Fortunately, Emily had already left.

"You shouldn't have done that, Niles," I told him. "You got yourself in trouble for nothing."

"It wasn't for nothing. Robert's a . . . a donkey. I'm sorry your bonnet got broken," Niles said. I carried it over my books.

"Mamma will be upset, I suppose. It was one of her favorites, but I don't think I'm going to try to cover up my head anymore. Besides, Louella says I should let the air get to it and it will grow faster."

"That sounds right," Niles said. "And I have one other idea," he added, his eyes twinkling.

"What?" I asked quickly. He answered me with a grin. "Niles Thompson, you tell me what you're talking about this instant or . . ."

He laughed and leaned toward me to whisper.

"The magic pond."

"What? How can that help?"

"You just come along with me right now," he said, taking my hand. I had never walked along a public road holding hands with a boy before. He gripped mine tightly in his and walked as quickly as he could. I practically had to run to keep up with him. When we reached the path, we charged over the grass as we had that first time and arrived at the pond quickly.

"Now, first," Niles said, kneeling down at the edge of the water, then dipping his hands into the pond and standing up, "we sprinkle the magic water over your hair. Close your eyes and wish while I do it," he said. The afternoon sunlight streaking in between the trees made his thick, dark hair shine. His eyes turned even softer, meeting and locking with mine. I did feel we were standing in a mystical and wonderful place.

"Go on, close your eyes," he urged. I did so and smiled at the same time. I hadn't smiled for days. I felt the drops sink through my shortened strands and touch my scalp and then, quite unexpectedly, I felt Niles's lips touch mine. My eyes snapped open with surprise.

"That's one of the rules," he said quickly. "Whoever puts the water on you has to seal the wish with a kiss."

"Niles Thompson, you're making this up as you go along and you know it."

He shrugged, holding his soft smile.

"I guess I couldn't help myself," he confessed.

"You wanted to kiss me even though I look like this?"

"Very much. I want to kiss you again, too," he admitted.

My heart thumped happily. I took a deep breath and said, "Then do it."

Was I terrible for inviting him to kiss me again? Did this mean Emily was right . . . I was full of sin? I didn't care; I couldn't care and I couldn't believe she was right. Niles's lips on mine felt too good to be wrong. I closed my eyes, but I felt him move closer, fraction by fraction. I could sense him in every pore. My skin seemed to wake up and turn into a zillion antennae, each almost invisible hair quivering.

He put his arms around me and we kissed harder and longer than ever. He didn't let go either. When he stopped kissing my lips, he kissed my cheek and then he kissed my lips again and then he put his lips to my neck and I released a soft moan.

My whole body was exploding with delight. There were tingles in places I had never felt tingles. A wave of warmth rushed through my veins and I leaned forward and demanded his lips on mine one more time.

"Lillian," he whispered. "I was so upset when you and Eugenia didn't show up and I heard what had happened to you. I knew how terrible you were feeling and I felt terrible for you. Then, when you didn't come to school, I was going to come to your house again and try to see you. I even thought about climbing up the roof to your bedroom window at night."

"Niles, you didn't! You wouldn't, would you?" I asked, both frightened and titillated by the possibility. What if I were undressed or in my nightgown?

"One more day without you and I might have," he said bravely.

"I thought you would find me so ugly you wouldn't want to have anything to do with me. I was afraid that—"

He put his finger on my lips.

"Don't say such silly things." He lifted his finger away and replaced it with his lips. As he pressed them to mine again, I let myself grow limp in his arms. My legs trembled and slowly, gracefully, we sank to the grass. There, we explored each other's faces with our fingers, our lips, our eyes.

"Emily says I'm wicked, Niles. I might be," I warned him. He started to laugh. "No, really. She says I'm a Jonah and that I only bring sadness and tragedy to people who are near me, people who . . . love me."

"You bring only happiness to me," he said. "Emily's the Jonah. Miss Ironing Board," he added, and we laughed. The reference to Emily's flat chest put his attention on mine. I saw his eyes drink in my bosom and when I closed my eyes, I envisioned his hands on my breasts. Right now, his right hand rested on my side. Slowly, I lowered my left hand to his wrist and then brought his hand up until his fingers grazed my breast. He resisted at first. I heard him take a deep breath, but I couldn't stop. I pressed his palm to my breast and then brought my lips to his. His fingers moved until they settled over the nipple of my breast and I moaned. We kissed and petted for a few more moments. The spiraling heat and passion that was turning into wider and wider circles, encompassing most of my body, began to frighten me. I wanted to do more; I wanted Niles to touch me everywhere, but in the background, I could hear Emily chanting: "Sinner, sinner, sinner." Finally, I pulled away.

"I'd better get home," I said. "Emily will know what time I left school and how long it takes me to get home."

"Sure," Niles said, even though he looked very disappointed. We both stood up and brushed off our clothes. Then, without speaking, we hurried over the path and out to the road again. At the turnoff to his house, we paused and looked up and down the road. No one was in sight, so we chanced a quick goodbye kiss, just a peck on the lips. But his lips were on mine all the way home and didn't lift away until I saw Doctor Cory's carriage at the house. My heart sank.

Eugenia, I thought. Oh no, something's wrong with Eugenia. I ran the rest of the way, hating myself for just feeling so good while poor Eugenia was in some desperate battle for her very life.

I burst through the doorway and then stood in the entryway, gasping for breath. Panic seized me in a tight grip and I couldn't move. I could hear the subdued voices coming from the corridor to Eugenia's room. They grew louder and louder until Doctor Cory appeared with Papa beside him and Mamma trailing behind them, her face streaked with tears, a handkerchief clutched in her hand. One look at Doctor Cory's face told me this was more serious than ever.

"What's wrong with Eugenia?" I cried. Mamma started to cry harder, moaning loudly. Papa looked beet red with embarrassment and rage.

"Stop that, Georgia. It doesn't do anyone any good and just makes things worse for the rest of us."

"You don't want to get yourself sick, too, Georgia," Doctor Cory said softly. Mamma's wail lowered to a whimper. Then she set eyes on me and shook her head.

"Eugenia's dying," she moaned. "It don't seem fair, but on top of everything else, she's come down with smallpox."

"Smallpox!"

"With her body as weak as it is, she doesn't stand much chance," Doctor Cory said. "It came on her quicker than it would a normally healthy person and she doesn't have much left to fight with," he said. "She's about as far gone as a person who's had it more than a week."

I started to cry. My body heaved with the sobs so hard and fast, my chest ached. Mamma and I embraced, both burying our tears in each other's shoulders.

"She's . . . in a deep . . . coma right now," Mamma gasped between sobs. "Doctor Cory says it's only a matter of hours, and the Captain wants her to die here like most of the Booths anyway."

"*No!*" I screamed, and tore myself out of her arms. I ran down the corridor to Eugenia's room, where I found Louella sitting at the bedside.

"Oh, Lillian, honey," she said, standing up. "You gotta stay away. It's contagious."

"I don't care," I cried, and went to Eugenia.

Her chest heaved and fell, heaved and fell, with her struggle to breathe. There were dark circles around her shut eyes and her lips were blue. Her skin had already taken on the pallor of a corpse, the pustules rearing their ugly heads. I went to my knees beside her and pressed the back of her small hand to my lips, the lips that had just enjoyed Niles Thompson's kiss. My tears dropped on Eugenia's wrist and hand.

"Please don't die, Eugenia," I muttered. "Please don't die."

"She can't help herself none," Louella said. "It's in God's hands now."

I looked up at Louella and then at Eugenia, and the fear of losing my precious sister turned my heart to cold stone. I swallowed. The ache in my chest was so sharp, I thought I would pass out at Eugenia's bedside.

Her little chest heaved again, only harder this time, and there was a strange rattle in Eugenia's throat.

"I'd better get the doctor," Louella said, and rushed away.

"Eugenia," I said, rising to sit on the bed beside her as I had done so many times before. "Please don't leave me. Please fight. Please." I pressed her hand to my face and rocked back and forth on the bed. Then I smiled and laughed.

"I've got to tell you all about what happened to me at school today and what Niles Thompson did to defend me. You want to hear that, don't you? Don't you, Eugenia? And guess what?" I whispered, leaning toward her. "He and I went to the magic pond again. Yes, we did. And we kissed and kissed. You want to hear all about it, don't you, Eugenia? Don't you?"

Her chest lifted. I heard Papa and Doctor Cory come in behind me. Her chest fell and her throat rattled again, only this time her mouth opened. Doctor Cory put his fingers on the sides of her throat and then opened her eyelids. I looked up at him as he turned toward Papa and shook his head.

"I'm sorry, Jed," he said. "She's gone."

"NOOOO!" I screamed. "NOOOOO!"

Doctor Cory closed Eugenia's eyes.

I screamed again and again. Louella had her arms around me and was lifting me from the bed, but I didn't feel her. I felt as if I were floating off with Eugenia, as if I had turned to air. I looked toward the doorway for Mamma, but she wasn't there.

"Where's Mamma?" I asked Louella. "Where is she?"

"She couldn't come back," she said. "She ran up to her room."

I shook my head in disbelief. Why wouldn't she want to be here for Eugenia's last moments? My dumbfounded gaze went to Papa, who stood staring down at Eugenia's body. His lips quivered, but he didn't cry. His shoulders lifted and slumped and then he turned and walked away. I looked at Doctor Cory.

"How could this happen so quickly?" I cried. "It's not fair."

"She often ran high fevers," he said. "Often had influenza. This one just snuck up on us. She never had a strong heart and all the illness took its toll." He shook his head. "You better be strong now, Lillian," he said. "Your mother's going to need a strong person to lean on."

Right now, I wasn't worried about Mamma. My heart had been cut too deeply to care about anything or anyone else but my dead sister. I looked at her, shriveled by her disease, diminished and tiny in her big, soft bed, and all I could do was think of her laughter, her bright eyes, her excitement whenever I would rush into the room after school to tell her the day's events.

Funny, I thought, because I had never thought it before, but I had needed her almost as much as she had needed me. As I walked from her room through the long, dark corridors to the stairway of the great house, I realized how desperately alone I would be from now on. I had no sister to talk to, to tell my deepest secrets to, no one to confide in and trust. Living through the things I did and felt, Eugenia had become a part of me, and that's how I felt right now—like a part of me had died. My legs carried me up the stairs, but I didn't feel like I was walking. I felt like I was floating along, drifting.

After I reached the landing and turned to go to my room, I lifted my head and saw Emily standing in the shadows of the first corner. She stepped forward, as stiff as a statue, her hands clutching her thick Bible. Her fingers looked chalk white against the dark leather cover.

"She began to die the day you set eyes on her," Emily recited. "The dark shadow of your curse fell over her tiny soul and drowned it in the evil you brought with you to this house."

"No," I cried. "That's not true. I loved Eugenia; I loved her more than you could love anyone," I flared, but she remained steadfast, undaunted.

"Gaze upon the Book," she said. Her eyes were so firmly focused on me, she looked like she had hypnotized herself. She lifted the Bible and held it face out toward me. "Within are the words that will send you back to hell, words which are arrows, darts, knives to your evil soul."

I shook my head.

"Leave me alone. I am not evil. I am not!" I screamed, and ran from her, ran from her accusing eyes and her hateful words, ran from her stone face, her bony hands and stiff body. I ran into my room and slammed my door behind me. Then I fell upon my bed and cried until I was drained of tears.

The shadow of Death crawled over The Meadows and cloaked the house. All the laborers and servants, Henry and Tottie, everyone was subdued and stood or sat with heads bowed in prayer. Everyone who had known Eugenia shed tears. I heard people going from and coming to the house all the rest of the afternoon. Deaths, just like births, always started a flurry of activity on the plantation. Eventually, I got up and went to the window. Even the birds seemed repressed and sad, sitting on the branches of the magnolias and cedars like sentinels watching over some sacred ground.

I stood by the window and watched night come rolling in like a summer storm, drawing the shadows out of every corner. But there were stars, lots of stars, some twinkling brighter than ever.

"They're welcoming Eugenia," I whispered. "It's her goodness that's making them twinkle so much tonight. Take good care of my little sister," I begged the heavens.

Louella came knocking on my door.

"The Captain's . . . the Captain's in his seat at the dinner table," she said. "He's waiting to say a special prayer before the meal."

"Who can eat?" I cried. "How can they think of food at a time like this?" Louella didn't answer. She pressed her hand to her mouth and turned away for a moment, gathered herself, and looked at me again. "You better come down, Miss Lillian."

"What about Eugenia?" I asked, my voice so thin I thought it would crack over every word.

"The Captain's had the undertakers come and dress her in her own room, where she will lay until the burial. The minister will be here in the morning to conduct a prayer vigil."

Without bothering to wash my tear-streaked face, I followed Louella out and down the stairs to the dining room, where I found Mamma, dressed in black, her face as white as a sheet, her eyes closed, sitting and rocking softly in her chair. Emily was wearing a black dress, too, but Papa hadn't changed from his earlier clothes. I sank into my seat.

Papa bowed his head and Mamma and Emily did the same. So did I.

"Lord, we thank You for our blessings and hope You will take our dearly departed daughter into Your bosom. Amen," he said quickly, and reached for the bowl of mashed potatoes. My mouth gaped open.

That was all? We had sat there and listened to prayers and Bible readings sometimes for nearly twenty minutes to a half hour before we could eat. And that was all to be said on Eugenia's behalf before Papa reached for the food and we began being served? Who could eat anyway? Mamma took a deep breath and smiled at me.

"She's at rest now, Lillian," she said. "She's finally at peace. No more suffering. Be happy for her."

"Happy? Mamma, I can't be happy," I cried. "I can't ever be happy again!"

"Lillian!" Papa snapped. "There'll be no hysterics at the dinner table. Eugenia suffered and fought and God has decided to take her from her misery and that's that. Now eat your dinner and behave like a Booth, even though—"

"Jed!" Mamma cried.

He looked at her and then at me.

"Just eat in peace," he said.

"You were going to say even though I'm not a Booth, weren't you, Papa? That's what you were going to tell me," I accused, risking his anger.

"So?" Emily said, smirking. "You're not a Booth. He's not telling any lies."

"I don't want to be a Booth if it means forgetting Eugenia so quickly," I declared defiantly.

Papa reached across the table and slapped me across the face so quickly and so hard, I nearly flew out of the chair.

"JED!" Mamma screamed.

"That's enough!" Papa said, rising. At the moment, glaring down at me angrily, he looked twice his size. "You damn well better be happy you're bearing the Booth name. It's a proud, historic name and it's a gift you will always appreciate or I'll send you packing to a school for orphan girls, hear? Hear?" Papa repeated, shaking his finger at me.

"Yes, Papa." I said it in a flat way, but the pain was still in my eyes and I was sure that was all he saw.

"She should say she's sorry," Emily said.

"Yes, you should," Papa agreed.

"I'm sorry, Papa," I said. "But I can't eat. May I be excused? Please, Papa."

"Suit yourself," he said, sitting down.

"Thank you, Papa," I said, and got up quickly.

"Lillian," Mamma called as I turned from the table. "You'll be hungry later."

"No I won't, Mamma."

"Well, I'm just eating a little, just so I won't be hungry," she explained. It was as if the tragedy had turned the clock back years and years and her mind was now that of a little girl's. I couldn't be angry at her.

"All right, Mamma. I'll talk to you later," I said, and hurried away, grateful for the chance to escape.

Outside the dining room, I turned toward Eugenia's room out of habit, but I didn't stop myself. I went to her doorway and looked in. The only light came from a tall candle set behind and above Eugenia's head. I saw the undertakers had dressed her in one of her black dresses. Her hair was brushed down neatly around her face, which was as white as the candle. Her hands were on her stomach and between them, she held a Bible. She did look at peace. Maybe Papa was right; maybe I should be happy she was with God.

"Good night, Eugenia," I whispered. Then I turned and ran up to my room, fleeing to the welcoming darkness and the relief that came with sleep.

The minister was the first to arrive early the next morning, but as the day wore on, more and more of our neighbors heard about Eugenia's passing and arrived to express their condolences. Emily took her position alongside the minister just inside the door of Eugenia's room. She was beside the minister most of the time, her head bowed with his, her lips moving almost in synchronization with his as he recited prayers and psalms. At one point I even heard her correct him when he slipped on a sentence.

The men retreated as quickly as they could and joined Papa in his den for a whiskey, while the women gathered around Mamma and comforted her in the sitting room. She was sprawled out on her chaise most of the day, her long, black dress draped over the edges, her heart-shaped face pale. Her friends would come by, kiss and hug her, and she would cling to their hands for long moments while they sniffled and sobbed.

Louella was ordered to prepare trays of food and drink and the house servants brought them around to our mourners. At one point in the afternoon, there were so many people present, it reminded me of one of our glorious parties. Voices did begin to rise. Here and there, I heard laughter. By late afternoon, the men were arguing politics and business with Papa as if this were no different from any of his other gatherings. I couldn't help but appreciate Emily, who never smiled, barely ate, and never let go of her Bible. She stood her ground, a living reminder of the spiritual and pious reasons for the occasion. Most people couldn't stand looking at her or being around her long. I could see in their faces how she depressed them.

Eugenia was to be buried in the family graveyard on The Meadows, of course. When the undertakers arrived with the coffin, I felt so weak in the knees, I couldn't stand. Just the sight of the dark oak box being carried in made me feel as if someone had punched me in the stomach. I went into my bathroom and vomited every little morsel I had managed to swallow that day.

Mamma was asked if she wanted to go down and gaze upon Eugenia one more time before they closed the coffin lid. She couldn't do it, but I did. I had to find the strength to say my last goodbye to

Eugenia. I entered the room slowly, my heart thumping. The minister greeted me at the door.

"Your sister looks beautiful," he said. "They've done a fine job."

I gazed up at his gaunt, bony face in astonishment. How could anyone look beautiful in death? Eugenia wasn't going to a party. She was about to be buried and shut away in darkness forever and ever, and if there was a Heaven for her soul to reside, how her body looked now had nothing to do with what she was to be for eternity.

I turned away from him and approached the coffin. Emily was standing on the other side, her eyes closed, her head tilted slightly up as she pressed her Bible to her bosom. I wished I had come into Eugenia's room late at night when no one was here. What I wanted to say to her, I didn't want anyone, especially Emily, to hear. I had to say it all silently.

"Goodbye, Eugenia. I'll miss you forever. But whenever I laugh, I know I'll hear you laughing with me. Whenever I cry, I know I'll hear you crying, too. I'll fall in love with someone wonderful for both of us and I'll love him twice as hard because you will be with me. Everything I do, I'll do for you, too.

"Goodbye, my dear sister, my little sister, who never thought of me as anyone else but her sister. Goodbye, Eugenia," I whispered, and leaned over the coffin to place my lips on her cold cheek. When I stepped back, Emily's eyes snapped open like the eyes of a toy doll.

She glared at me, her face suddenly full of terror. It was as if she saw someone or something else, something that frightened her to the bone. Even the minister was taken with her reaction and stepped back, his hand on his heart.

"What is it, Sister?" he asked her.

"Satan!" Emily screamed. "I see Satan!"

"No, Sister," the minister said. "No."

But Emily was firm. She lifted her arm up and straight at me, her finger pointing.

"Get thee back, Satan," she ordered.

The minister turned to me, his face now registering fear, too. I could read his thoughts in his look of terror. If Emily, his most devout follower, the most religious young person he had ever confronted, said she had a vision of Satan before her, it must be so.

I ran from the room and went up to my own room to wait for the funeral to begin. The minutes seemed like hours. Finally, the time came and I went out to accompany Mamma and Papa. Papa had to hold her firmly as they went down the stairs and joined the burial party. Henry had the carriage pulled up front, right behind the hearse. His head was bowed and when he gazed at me, I saw his eyes were filled with tears. Mamma, Papa, Emily, the minister, and I got into the carriage. The mourners were lined up behind us all the way down the driveway, under the avenue of dark cedars. I saw the Thompson twins and Niles standing with their parents. Niles's face was full of sympathy and sorrow and when I saw the warmth in his eyes, I wished he could be sitting beside me in the carriage, holding my hand and holding me in his comforting embrace.

It was a perfect funeral day, gray with an overcast sky in which the clouds just seemed to hang mournfully above us. There was a slight breeze. All our servants and laborers gathered to walk along silently. Just before the procession began, I saw a flock of chimney swallows burst into the sky and turn toward the woods as though they had to flee such a flood of sadness.

Mamma began to cry softly. Papa sat stoically, facing the front, his arms at his sides, his face gray. I held on to Mamma's hand. Emily and the minister sat across from us, glued to their Bibles.

Only when I saw Eugenia's coffin being lifted and carried to her grave did I fully understand that my sister—my dearest friend—was gone from me forever. Papa finally embraced Mamma firmly and she was able to lean against him and lower her head to his shoulder as the minister read the final prayers.

When I heard the words "dust into dust . . ." I began to sob so hard that Louella came forward and put her arm around me. She and I cried together. After it was over, the burial party turned from the grave site and walked away silently. Doctor Cory joined Papa and Mamma at the carriage and whispered some words of comfort to Mamma. She looked nearly unconscious, her head back, her eyes shut. The carriage took us back to the house, where Louella and Tottie helped take Mamma inside and up the stairs to her room.

All the rest of that day, people came and went. I stayed in the sitting room, greeting them and accepting their condolences again and again. I could see that whenever they approached Emily, she had a way of making them feel uncomfortable. Funerals were hard for people anyway, and Emily did little to make people feel welcome or put them at ease. They were much more eager to speak with me. They all said the same sort of things, telling me how important it was for me to be strong and help my mother, and how poor Eugenia's suffering had mercifully ended.

Niles was very nice, bringing me something to eat and drink and remaining close by for most of the day. Every time he approached me, Emily glared from across the room, but I didn't care. Finally, Niles and I were able to get away from the mourners and step outside. We strolled around the west side of the house.

"It's not right that someone as nice as Eugenia should die so young," Niles said finally. "I don't care what the minister said at the grave."

"Don't let Emily hear you say that or she will have you condemned to hell," I muttered. Niles laughed. We paused and looked in the direction of the family graveyard. "It's going to be very lonely for me without my little sister," I said. Niles didn't say anything, but I felt him take my hand and squeeze it gently.

The sun was going down. Dark shadows had begun to spread over the fields and out from under the twisted cedars. In the distance the clouds had begun to break up and the blue-black sky could be seen with its promise of stars. Niles put his arm around me. It just seemed right. And then I lowered my head to his shoulder. We stood there silently, looking over the grounds of The Meadows, two young people confused and stunned by the mixture of beauty and tragedy, by the power of life and the power of death.

"I know you'll miss your sister," Niles said, "but I'll do what I can to keep you from being lonely," he promised. And then he kissed my forehead.

"Thought so," we heard Emily say, and we both spun around to see her standing behind us. "I thought you two would be out here doing this sort of thing, even on this day."

"We're not doing anything wrong, Emily. Leave us alone," I snapped back at her, but she only smiled. She turned toward Niles.

"Fool," she said. "She'll only poison you just as she's poisoned everything and everyone from the day she was born."

"You're the only poison around here," Niles retorted. Emily shook her head.

"You deserve what you get," she spit. "You deserve whatever suffering and hardship she brings you."

"Get away from us!" I ordered. "Get away." I reached down and picked up a stone. "Or I swear, I'll hit you with this. I will," I said, raising my arm.

Emily amazed me by stepping forward defiantly, not an iota of fear in her face.

"Do you think you could harm me? I have a fortress around me. My devotion has built strong walls to keep you from touching me. But you," she said, directing herself at Niles, "you have no such fortress. The fingers of the devil are curling around your very soul as we speak. God have mercy on you," she concluded, and turned to walk away.

I dropped the stone and began to cry. Niles embraced me quickly.

"Don't let her scare you," he said. "She doesn't scare me."

"Oh, Niles, what if she's right?" I moaned. "What if I am a curse?"

"Then you're the prettiest and nicest curse I know," he replied, and wiped away my tears before kissing me on the cheek.

I looked into his soft dark eyes and smiled.

Emily couldn't be right; she just couldn't, I thought. But as Niles and I walked back to the house, I couldn't completely drive away the shadow of doubt that lingered in the corner of my mind and made all that had happened and would happen seem part of some dark destiny decided long before I was born and not to be over until the day I died.

In a world that had taken little Eugenia to an early and undeserved death, nothing too cruel or too unjust seemed impossible.

EIGHT

MAMMA GETS STRANGER

During the months that followed Eugenia's passing, the plantation house grew darker and darker for me. For one thing, I no longer heard Mamma up early, ordering the chambermaids to open the drapes, nor did I hear her singing out how people, just like flowers, needed sunshine, sunshine . . . sweet, sweet sunshine. I didn't hear her laughter when she said, "You don't fool me, Tottie Fields. None of my maids do. I know you're all afraid of opening the curtains because you're afraid I'll see the particles of dust dancing in the beams of light."

Before Eugenia's death, Mamma would have all the household help scurrying about, pulling cords to let the daylight in every morning. There was laughter and music and a feeling that the world was really awakening. Of course, there were sections of the house that were too deep or too far from a window to be brightened by either the morning or afternoon sun, or even our chandeliers. But when my little sister was alive, I would walk through the long, wide corridors, oblivious to the shadows, and never feel as cold or as depressed, for I knew she was waiting for me to say good morning, her face full of smiles.

Right after the funeral, Eugenia's room was stripped clean of as many traces of her as possible. Mamma couldn't stand the thought of setting her eyes on Eugenia's things. She ordered Tottie to pack all of Eugenia's clothes in a trunk and then had the trunk carried up to the attic and stuffed away in some corner. Before Eugenia's personal things—her jewelry box, hairbrushes and combs, perfumes and other toiletries—were packed away, Mamma asked me if I wanted anything. It was not that I didn't. I couldn't take anything. This time I was like Mamma, at least a little. It would have shattered my heart even more to see Eugenia's things in my room.

But Emily suddenly showed interest in shampoos and bubble-bath salts. Suddenly, Eugenia's necklaces and bracelets weren't silly trinkets designed to encourage vanity. She descended on Eugenia's room like a vulture and ransacked drawers and closets to claim this or that—spitefully, I thought. With a crooked smile, she paraded past me and Mamma, her long, thin arms loaded down with Eugenia's books and other things that were once very precious to my little sister. I wanted to peel off Emily's smiles like bark from a tree so she would be revealed for what she was—an evil, hateful creature who feasted on other people's sorrow and pain. But Mamma didn't mind Emily's taking Eugenia's things. Putting them in Emily's room was as good as putting them up in the attic, for Mamma rarely went into Emily's room.

Soon after Eugenia's bed had been stripped, her closets and drawers emptied and her shelves made bare, the window shades were drawn and the curtains closed. The room was sealed and locked as tight as a tomb. I saw from the way Mamma gazed one last time at Eugenia's door that she would never set foot in that room again. Just like anything else she wanted to ignore or deny, Eugenia's room and its surroundings would no longer exist for her, if she could help it.

Mamma was desperate to end the sorrow, to wipe away the tragedy and the pain of loss she felt. I knew she wished she could close up her memories of Eugenia the same way she could close the covers of a novel. She went so far as to take down some of the photographs of Eugenia that were hanging in her reading room. She buried the smaller ones at the bottom of one of her dresser drawers and had the large ones put into the bottoms and backs of closets. If I ever mentioned Eugenia's name, Mamma would close her eyes, pressing them shut so tightly, she looked like she was suffering with a horrible headache. I was sure she shut off her ears as well, for she waited for me to stop talking and then went on doing whatever it was she was doing before I had interrupted.

Papa certainly didn't mention Eugenia's name, except in an occasional prayer at dinner. He didn't ask about her things, nor as far as I could tell did he question Mamma as to why she had taken down most of the pictures and hidden them away. Only Louella and I seemed to think about Eugenia and mention her to each other from time to time.

From time to time, I visited her grave. For a long while, in fact, I ran out there as soon as I returned from school and babbled over the mound and at the stone, tears blurring my vision as I described the day's events just the way I used to describe them when Eugenia was alive and I would hurry to her room. But gradually the silence that greeted me began to set in and take its toll. It wasn't enough to imagine the way Eugenia would smile or imagine her laugh. With every passing day that smile and that laugh diminished. My little sister was truly passing away. I understood that we don't forget the people we love, but the light of their lives and the warmth we felt in their presence dwindles like a candle in the darkness, the flame growing smaller and smaller as time carries us forward from the last moment we spent together.

Despite her attempt to ignore and forget the tragedy, Mamma was more deeply affected by it than she thought, even more than I imagined she could be. It did her no good to shut up Eugenia's room and hide any reminder of her; it did her no good to avoid mentioning her. She had lost a child, a child she had nursed and cherished, and gradually, in little ways at first, Mamma began to slip into a reluctant mourning that absorbed her every waking moment.

Suddenly, she wasn't dressing as nicely, nor was she taking as many pains with her hair and makeup. She would wear the same dress for days as if she didn't notice it was wrinkled or stained. Not only did she lack the strength to brush her hair, but she lacked the interest to ask Louella or me to do it. She didn't attend any gatherings of her women friends and permitted months to pass without hosting one. Soon the invitations stopped altogether and no one called at The Meadows.

I noticed Mamma's paleness and sad eyes growing darker and darker. I would walk by her reading room and see her lying on her lounge, but instead of reading her books, I would find her staring into space, the book closed on her lap. Most of the time, the music wasn't playing either.

"Are you all right, Mamma?" I would ask, and she would turn as if she had forgotten who I was and gaze at me for a long moment before responding.

"What? Oh yes, yes, Lillian. I was just daydreaming. It's nothing." She would flash an empty smile and attempt to read, but when I looked in on her again, I found her the way I had found her before—floundering in despair, the book closed on her lap, her eyes glassy, staring off into space.

If Papa noticed any of this, he never mentioned it in Emily's or my presence. He didn't comment about her long silences at the dinner table; he said nothing about the way she looked nor did he complain about her sad eyes and occasional outbursts of tears. Shortly after Eugenia's death, for apparently no reason whatsoever, Mamma would suddenly start to cry. If she did so at the dinner table, she would get up and leave the dining room. Papa would blink, watch her go, and then return to his food. One night nearly six months after Eugenia's passing, after Mamma had done this once again at dinner, I spoke up.

"She's getting worse and worse, Papa," I said, "not better. She doesn't read or listen to her music anymore or care about the house. She won't even see her friends or go to teas anymore."

Papa cleared his throat and wiped the grease off his lips and mustache before turning to me.

"To my way of thinking, it's not a bad thing she doesn't lollygag with those busybodies," he replied. "Nothing lost there, believe me. And as far as those silly books, I curse the day she brought one into the house. My mother never read novels or sat around all day listening to music on a Victrola, I can tell you that."

"What did she do with all her time, Papa?" I asked.

"What did she do? Why . . . why, she worked," he sputtered.

"But I thought you had dozens and dozens of slaves."

"We did! I ain't talking about field work or housework. She worked at seeing after my father or seeing after me. She ran the house, oversaw everything. She was better than a captain of a ship," he said proudly, "and she always looked like the wife of an important landowner."

"But it's not just her not reading books or seeing her women friends, Papa. Mamma's not taking care of herself. She's so sad, she won't look after her clothes or her hair or—"

"She was too wrapped up in making herself attractive anyway," Emily quipped. "If she had spent more time reading the Bible and attending church regularly, she wouldn't be so despondent right now. What's done is done. It was the Lord's wish and it's over. We must accept it and give thanks."

"How can you say such a cruel thing? It was her daughter who died—our sister!"

"My sister, not yours," Emily retorted hotly.

"I don't care what you say. Eugenia was my sister, too, and I was more of a sister to her than you ever were," I insisted.

Emily laughed, hard and mirthless. I looked at Papa, but he simply continued to chew his food and stare ahead.

"Mamma's so sad," I repeated, shaking my head. I felt the tears burning beneath my eyelids.

"The reason Mamma's so depressed is you!" Emily accused. "You walk around here with a gray face, with eyes filled with tears. You remind her day in and day out that Eugenia's dead. You don't give her a moment's peace," she charged. Her long arm and bony finger jabbed across the table at me.

"I do not!"

"Enough," Papa said. He knitted his thick, dark eyebrows together and glared at me. "Your mother will come to terms with the tragedy on her own and I will not have it made the subject of a discussion at dinner. I don't want to see long faces in your mother's presence either," he warned. "Hear?"

"Yes, Papa," I said.

He snapped his newspaper and began complaining about the price of tobacco.

"They're strangling the little farmer to death. It's just another way to kill the Old South," he growled.

Why was that more important to him than what was happening to Mamma? Why was everyone but me blind to the terrible time she was having and how it had changed her and dimmed the light in her eyes? I asked Louella and after she was sure neither Emily nor Papa were in earshot, she said, "There are none so blind as those who will not see."

"But if they love her, Louella, as surely they must, why do they choose to ignore it?"

Louella just gave me one of her knowing looks, the kind that said everything without saying anything. Papa must love Mamma, I thought, love her in his special way. He had married her; he had wanted and had had children with her; he had chosen her to be the mistress of his plantation and bear his name. I knew how much all that meant to him.

And Emily—despite her hateful and mean-spirited ways, her fanatic religious devotion, and her hardness—was still Mamma's daughter. This was her mother who was dying in little ways. She had to feel sorry, feel compassion, and want to help.

But alas, Emily's solution was to suggest more prayer sessions, longer Bible readings, and more hymns. Whenever she read or prayed in front of Mamma, Mamma stood or sat motionless, her lovely face darkly shadowed, her eyes glassy and still like the eyes of someone hypnotized. When Emily's religious moments were over, Mamma would throw me a quick glance of deepest despair and retire to her room.

Yet, although she hadn't been eating well since Eugenia's death,

I noticed that her face grew plumper and her waist wider. When I mentioned it to Louella, she said, "No wonder."

"What do you mean, Louella? Why no wonder?"

"It's all those mint juleps spiked with Mr. Booth's brandy and those bonbons. She's been eating pounds of them," Louella said, shaking her head, "and she don't listen to me. No ma'am. What I say goes in one ear and out the other so fast, I hear myself echo in that room."

"Brandy! Does Papa know?"

"I suspect so," Louella said. "But all he did was order Henry to bring up another case of it." She wagged her head in disgust. "It ain't coming to no good," she said. "It ain't coming to no good."

What Louella told me put a panic in me. Life at The Meadows was sad without Eugenia, but life at The Meadows without Mamma would be unbearable, for I would have only Papa and Emily as family. I hurried off to see Mamma and found her sitting at her vanity table. She was dressed in one of her silk nightgowns and matching robes, the burgundy ones, and she was brushing her hair, but moving so slowly that each stroke took as long as five or six normally would. For a moment I stood in the doorway, gazing in at her, watching her sit so still, her eyes fixed on her reflection, but clearly not seeing herself.

"Mamma," I cried, hurrying to sit beside her as I had done so many times before. "Do you want me to do that for you?"

At first, I thought she hadn't heard me, but then she sighed deeply and turned to me. When she did so, I smelled the brandy on her breath and my heart sank.

"Hello, Violet," she said, then smiled. "You look so pretty tonight, but then again, you always look pretty."

"Violet? I'm not Violet, Mamma. I'm Lillian."

She looked at me, but I was sure she didn't hear me. And then she turned and gazed at herself in the mirror again.

"You want me to tell you what to do about Aaron, don't you? You want me to tell you if you should do more than hold his hand. Mother tells you nothing. Well," she said, turning back to me, her smile wide, her eyes bright, but with a strange sort of light in them, "I know you've already done more than hold hands, haven't you? I can tell, Violet, so there's no sense in denying it.

"Don't protest," she said, putting her fingers on my lips. "I won't give away your secrets. What are sisters for if not to keep each other's secrets locked securely in each other's hearts? The truth is," Mamma said, gazing at herself in the mirror again, "I'm jealous. You have someone who loves you, truly loves you; you have someone who doesn't want to marry you only for your name and your place in society. You have someone who doesn't see marriage as just another business dealing. You have someone who sets your heart singing.

"Oh, Violet, I would change places with you in an instant if I could."

She spun around to me again.

"Don't look at me like that. I'm not telling you anything you don't already know. I hate my marriage; I've hated it from the very beginning. Those wails you heard coming from my room the night before my wedding were wails of agony. Mother was so upset because Father was furious. She was afraid I would embarrass them. Did you know it was more important for me to please them by marrying Jed Booth than it was to please myself? I feel . . . I feel like someone who was sacrificed for Southern honor. Yes, I do," she said firmly.

"Don't look so shocked, Violet. You should pity me. Pity me because I will never taste the lips of a man who loves me as much as Aaron loves you. Pity me because my body will never sing in my husband's embrace the way your body will sing in your husband's. I will live half a life until I die, for that is what marriage to a man you don't love and who doesn't love you means . . . being half alive," she said, and turned back to the mirror.

Her arm came up, and slowly, with that same mechanical movement, she began to stroke her hair again.

"Mamma," I said, touching her shoulder. She didn't hear me; she was lost in her own thoughts, reliving some moment she had spent with my real mother years and years ago.

Suddenly, she began to hum one of her tunes. She sat there for a while and then she sighed deeply, her bosom rising and falling as though a shawl of lead had been laid upon her shoulders.

"I'm so tired tonight, Violet. We'll talk in the morning." She kissed me on the cheek. "Good night, dear sister. Sweet dreams. I know your dreams will be sweeter than mine, but that's all right. You deserve it; you deserve everything wonderful and good."

"Mamma," I said in a cracked voice when she stood up. My breath caught and held as I choked back my tears. She went to her bed and slowly took off her robe. I watched her get in under the blanket and then I went to her and caressed her hair. Her eyes were closed.

"Good night, Mamma," I said. She looked like she was already asleep. I turned off the oil lamp on her table and left her in the darkness of her past and the darkness of her present, and what I feared was the dreadful darkness of the future.

Mamma went in and out of these dark daydreams during the ensuing months. Whenever I came upon her alone in her room or even walking in the hallway, I would never know for sure until I began to speak to her whether or not she was living in the present or the past. Emily's reaction was to ignore it and Papa's reaction was to grow more and more intolerant and spend more and more of his time away from the house. And when he returned, he usually reeked of bourbon or brandy, his eyes bloodshot and so full of rage over something that had displeased him with business that I dared not utter a syllable of complaint.

Sometimes Mamma came to dinner, and sometimes she didn't, when Papa was away. Usually, if it was just Emily and me, I would eat as quickly as I could and leave. When Emily excused me, that is. Papa left very clear and explicit instructions as to how the house was to be run whenever he was not home.

"Emily," he declared one night at dinner, "is the oldest and the wisest, maybe even wiser than your mother these days," he added. "Whenever I'm away and your mother is not feeling well, Emily is in charge and you are to treat her with the same respect and obedience you treat me. Is that clear, Lillian?"

"Yes, Papa."

"The same goes for the servants and they know it. I expect everyone to follow the same rules and the same procedures they would had I been home. Do your work, say your prayers, and behave."

Emily soaked up this added authority and power like a sponge. With Mamma distracted more often than not and Papa away more frequently, she rode herd over everyone, making the chambermaids redo much of their work until it suited her, and piling chore after chore on poor old Henry. One evening before dinner when Papa was away and Mamma was shut up in her room, I pleaded for Emily to be more compassionate.

"Henry's older, Emily. He can't do as much or do it as quickly as he used to."

"Then he should resign his position," she declared firmly.

"And do what? The Meadows is more than a place for him to work; it's his home."

"This is the Booth home," she reminded me. "It's a home only for the family and those who are not Booths but who live here, live here at our pleasure. And don't forget, Lillian, that applies to you as well."

"You're so hateful. How can you claim to be so religious and devout and be so cruel?"

She smiled that cold smile at me.

"You would say that and you would have others believe it. It's Satan's way to discredit those who are truly faithful. There is only one way to defeat Satan and that is with prayer and devotion. Here," she said, thrusting the Bible at me. Louella entered the dining room with our food, but Emily forbade her to put it on the table.

"Take it back until Lillian reads her pages," she ordered.

"But you said your prayers and it's all ready, Miss Emily," Louella protested. She took pride in her cooking and hated to serve something too cold or overdone.

"Take it back," Emily snapped. "Begin where I have the marker," she commanded me, "and read."

I opened the Bible and began. Louella shook her head and returned with the food to the kitchen. I read page after page until I had read fifteen pages, but Emily wasn't satisfied it was enough. When I started to put the Bible down, she ordered me to continue.

"But, Emily, I'm hungry, and it's getting late. I've read over fifteen pages!"

"And you'll read fifteen more," she demanded.

"No, I won't," I said defiantly. I slammed the Bible down. Her lips paled and then her long, glaring look of contempt and pure hatred was like a slap to my face.

"Then go to your room without supper. Go on," she ordered. "And when Papa comes home, he will hear about this defiance."

"I don't care. He *should* hear about this, about how cruel you are to everyone when he's not here and how they're all so upset they're grumbling about leaving."

I slammed my chair against the table and ran out of the dining room. First, I went to Mamma's room to see if I could get her to intercede, but she was already asleep, having eaten a little of what Louella had brought her. Frustrated, I marched up to my room. I was angry and tired and hungry. Moments later, I heard a gentle knock on my door. It was Louella. She had brought me a tray.

"If Emily sees you, she'll tell Papa you disobeyed her," I said, reluctant to take the tray and get Louella in trouble.

"It don't matter no more, Miss Lillian. I'm too old to worry about it and the truth is, my days here is numbered. I was going to tell the Captain this week."

"Numbered? What do you mean, Louella?"

"I'm going to leave The Meadows and go live with my sister in South Carolina. She's retired from her position and it's time I was retired from mine."

"Oh no, Louella," I cried. She was more like family to me than a household servant. I couldn't begin to count the dozens and dozens of times I had run to her when I had cut a finger or bruised a knee. It was Louella who nursed me through all my childhood illnesses and Louella who mended my clothes and sewed my hems. When Eugenia died, it was Louella who gave me the most comfort and whom I comforted.

"I'm sorry, honey," she said, but then smiled. "But you don't worry none about yourself. You're a big girl now and a smart girl. It won't be long before you'll have your own household and you'll leave here, too." She hugged me and left.

Just the thought of Louella's leaving The Meadows sickened me. I lost my appetite and stared blankly at the food she had brought, dabbing my fork into the potatoes and meat with little interest. A few moments later, the door swung open again and Emily glared in, nodding.

"I thought so," she said. "I saw the way Louella was sneaking around. You'll be sorry, the both of you will," she threatened.

"Emily, the only thing I'm sorry about is that it was poor Eugenia who was taken from us and not you," I spit. She reddened like I had never seen her redden before. For a moment she was speechless. Then she hoisted her shoulders and turned away. I heard her thick heels click down the hallway and then I heard her door slam shut. In moments it was deathly quiet. I took a deep breath and started to eat again. I knew I would need my strength for what was surely to follow.

I didn't have to wait long. When Papa returned that night, Emily was there at the door to greet him and tell him about my defiance at the dinner table and what she would characterize as Louella's and my conspiracy to disobey her commands. I had gone to sleep early and woke to the sound of Papa's heavy footsteps in the corridor. His boots pounded the floor, and suddenly he burst open the door to my room. In the light behind him, I saw his silhouette. He was carrying a thick cowhide belt in his hand. My heart began to pound.

"Put on the lamp," he commanded. I hurried to do so. Then he entered my room and closed the door behind him. His face was red with rage, but after only a moment in his presence I got a whiff of the bourbon. It seemed he had taken a bath in it. "You defied the Bible?" he said. "You blasphemed at my dinner table?" He raged not only with his voice, but with his jet eyes that were fixed on me so firmly, I could barely breathe.

"No, Papa. Emily asked me to read and I did. I read over fifteen pages, but she wouldn't let me stop and I was hungry."

"You let your body overcome the needs of your soul?"

"No, Papa. I read enough of the Bible."

"You don't know what's enough and what isn't. I told you to obey Emily as you would obey me," he said, drawing closer.

"I did, Papa. But she was being unreasonable and unfair and cruel, not only to me but to Louella and to Henry and—"

"Pull that quilt back," he commanded. "*Pull it!*"

I did so quickly.

"Turn on your stomach," he ordered.

"Papa, please," I begged. I started to cry. He seized my shoulder and turned me abruptly. Then he lifted my nightgown so that my behind was bare. For a moment I felt only the palm of his hand over it. It seemed he was stroking it softly. I started to turn when he roared at me.

"Turn thy face away, Satan," he cried. The moment I did so, I felt the first blow. The strap burned into my flesh. I screamed, but he struck me again and again.

Papa had slapped me before, but he had never beaten me like this. After a moment, I was too shocked to cry. I gagged on my sobs instead. Finally, he decided I had been punished enough.

"Never, never disobey a commandment in this house and never slam a Bible onto the table as if it were a common book," he instructed.

I wanted to speak, but all I could do was choke on my words. The burning went so deeply, I felt the pain reach into my chest and make my heart feel so hot it was as if the strap had cut through my body. I didn't move and for a long moment, I heard him standing over me, breathing hard. Then he turned and left my room. Still I didn't move; I pressed my face to the pillow until I was able to release my frozen tears.

But a short time afterward, I heard footsteps again. I was terrified he had returned. A rippling sensation on the back of my neck gave me the awareness that someone was near. I turned slightly and saw

Emily kneeling beside me. I watched her bow her head, but I could only glare at her hatefully. She lifted her head and then put her sharp elbows over my abrasions so that the bone irritated them. Her hands clutched her thick, black Bible. I groaned and protested, but she ignored me and pressed down harder, holding me down and preventing me from moving away.

"'He that diggeth a pit shall fall into it; And whoso breaketh through a fence, a serpent shall bite him,'" she began.

"Get off me," I pleaded hoarsely. "Emily, get off me. You're hurting me."

"'The words of a wise man's mouth are gracious,'" she continued.

"Get off me. Get away," I said. "Get away!" I cried, and finally found the strength to turn. She rose but stood over me until she completed her reading and then she closed the Bible.

"His will be done," she said, and left me.

Papa's beating hurt so much, I couldn't sit. All I could do was lie there and wait for the pain to subside.

Soon afterward, Louella came to my room. She brought a salve with her and put it on my wounds, sobbing at the sight of them herself.

"Poor child," she said. "My poor baby."

"Oh, Louella, don't leave me. Please, don't leave me," I begged.

She nodded.

"I won't leave right away, child, but my sister needs me, too, and I got to go."

She hugged me and we rocked on the bed together for a few moments. Then she fixed my blanket and tucked me in. She kissed my cheek and left me. I was still in great pain, but her comforting hands had eased it considerably. Mercifully, I was able to sleep.

I knew there was no sense complaining to Mamma about what had happened. She was there at breakfast the next morning, but she barely spoke. Whenever she looked at me, she seemed on the verge of tears. She didn't even notice how uncomfortable I was, sitting on my still very sore behind. I knew if I as much as squeaked a complaint, Papa would be enraged.

Emily read her biblical passages and Papa hovered over the table in his usual Lord of the Manor way, barely casting a glance at me as I shifted every few minutes to ease the ache. We all ate in silence. Finally, toward the end of our breakfast, Papa cleared his throat to make an announcement.

"Louella has informed me that she intends to terminate her services in two weeks' time. I have had some inkling of this and have already sent for a couple to replace her. Their name is Slope, Charles and Vera. Vera has a year-old son named Luther, but she has assured me that rearing him won't interfere with her responsibilities. Charles will assist Henry with his chores, and Vera will work in the kitchen, of course, and do what she can for . . . for Georgia," he said, shifting his eyes at Mamma. She sat there with more of a silly grin on her face now and listened as if she were just another child in the house. When Papa was finished, he put down his napkin and stood up.

"I have some pressing business problems to attend to over the next few weeks and will, from time to time, be gone for a day or two. I expect we will have no reoccurrence of the problems we had before," he asserted, scowling down at me. I dropped my gaze quickly to my plate. Then he pivoted and left us.

Mamma suddenly started to giggle like a schoolgirl. She smothered her mouth with her hand and giggled again.

"Mamma? What is it?"

"She's gone daft from grief," Emily said. "I told Papa, but he ignored me."

"Mamma, what is it?" I asked, far more frightened.

She pulled her hand away and bit down on her lips so hard, I saw the skin turn white.

"I know a secret," she said, and glanced furtively at Emily and then at me.

"A secret? What secret, Mamma?"

She leaned over the table, glancing first at the doorway through which Papa had gone and then turning back to me.

"I saw Papa come out of the toolshed yesterday. He was in there with Belinda and she had her skirt up and her pants down," she said.

For a moment I couldn't speak. Who was Belinda?

"What?"

"She's just talking gibberish," Emily said. "Come on. It's time for us to go."

"But, Emily . . ."

"Just leave her," Emily ordered. "She'll be all right. Louella will see to her. Get your things or we'll be late for school. Lillian!" she snapped when I didn't move.

I rose from my chair, my eyes glued to Mamma, who had sat back to giggle again with her hand over her mouth. To see her this way put a shiver through me, but Emily was hovering over the table like a prison guard with a whip, waiting for me to obey her command. Reluctantly, my heart so heavy it felt like a chunk of stone in my chest, I hurried away from the table, got my books, and followed Emily out of the house.

"Who could Belinda be?" I wondered aloud. Emily turned, smirking.

"A slave girl on her father's plantation," she replied. "I'm sure she's remembering something that really happened, something disgusting and evil, something I'm sure you enjoyed hearing."

"I did not! Mamma is very sick. Why doesn't Papa send for a doctor?"

"There's no doctor who can cure what she has," Emily said.

"What does she have?"

"Guilt," Emily replied with a look of satisfaction. "Guilt for not being as devout as she should have been. She knows that her sinful ways and her wickedness gave the devil the strength to live in our home. Probably in your room," she added. "And eventually to take Eugenia. Now she's sorry, but it's too late and she's gone mad with guilt.

"It's all in the Bible," she added, with a wry smile twisting her lips. "You just have to read it."

"You're a liar!" I shouted. She simply smiled at me in her cold way and then quickened her steps. "You're a terrible liar! Mamma has no guilt. There was no devil in my room and he hasn't taken Eugenia. Liar!" I cried, the tears streaming down my cheeks. She disappeared around a turn. Good riddance, I thought and followed slowly, my head down, the tears still dripping from my cheeks when I reached Niles, who had waited for me at his driveway.

"Lillian, what's wrong?" he cried, running to me.

"Oh, Niles." My shoulders shook with my sobs so, he put his books down quickly and embraced me. Quickly, between wails, I described what had happened, how Papa had beaten me, how Mamma had become increasingly strange.

"There, there," he said, kissing me softly on the forehead and cheeks, "I'm sorry your father struck you. If I were older, I'd go over there and give him what for," he declared. "I would."

He said it so firmly, I stopped my crying and lifted my head from his shoulder. Wiping my eyes, I looked into his and saw the anger he felt and I realized the love he had for me.

"I'd gladly endure the pain of a beating from Papa if something could be done for poor Mamma," I said.

"Maybe I can get my mother to go over to visit your mother and see what's become of her. Then she can ask your father to do something."

"Oh, will you, Niles? That might help. Yes, it might. No one comes to see Mamma anymore, so no one knows how poorly she's doing."

"I'll mention it tonight at dinner," he promised. He wiped away my remaining tears with the back of his hand. "We'd better catch up," he said, "before Emily makes something sinful out of this, too."

I nodded. Of course, he was right, so we hurried on to get to school on time.

Niles's mother did pay a visit to The Meadows a few days later. Unfortunately, Mamma was asleep and Papa was away on one of his trips. She told Louella she would stop by another time, but when I asked Niles about it, he said his father had forbidden his mother to make another visit.

"My father says it's not our business and we shouldn't poke our noses into your family's affairs. I think," he said, lowering his head with some shame, "he's simply afraid of your father and his temper. I'm sorry."

"Maybe I'll just go see Doctor Cory myself one day," I said. Niles nodded, even though we both knew I probably wouldn't. What he had said about Papa was true: he had a fiery temper and I was afraid to risk his anger. He might only stop the doctor from coming and then beat me for asking him.

"Maybe she'll just get better herself," Niles wished. "My mother says time heals all wounds eventually. Papa says it's just taking your mother a little longer, but we should all be patient."

"Maybe," I said, but not with much hope. "The only one who shows any real concern is Louella, but as you know, she's leaving very soon now."

The remaining days that I had with Louella passed much too quickly until the morning of her departure came. When I awoke and realized it, I was reluctant to get up and go down to face the good-byes, but then I thought how terrible it would be for Louella to leave without my saying goodbye. I got dressed as quickly as I could.

Henry was taking Louella and her things to Upland Station, where she would begin to make the connections that would take her to her sister in South Carolina. He loaded her trunks on the wagon while all the workers and servants gathered around to say farewell. Everyone had grown to love Louella and there were tears in most everyone's eyes, some of the chambermaids, especially Tottie, crying openly.

"Now y'all see here," Louella declared when she stepped out on the porch, her hands on her hips. She wore her Sunday church clothes and her bonnet. "I ain't going to my grave. I'm just going to lend a hand to my older sister who's retired and retire myself. Some of you are crying because you're just jealous," she flared, and there was a ripple of laughter. Then she stepped off the porch and hugged and kissed them all and sent them off to begin their daily chores.

Papa had said his goodbye the night before when he had called her into his office to give her money toward her retirement. I stood near the door and heard him formally thank her for being a good household servant, loyal and honest. His tone of voice was cold and official, even though she had been at The Meadows so long she could recall him as a young boy.

"Of course," he said at the end, "I wish you good luck and a healthy, long life."

"Thank you, Mr. Booth," Louella said. There was a short pause and then I heard her say, "If I could just say one thing, sir, before I leave."

"Yes?"

"It's Mrs. Booth, sir. She don't look and act good to me. She's pining away over her dead little girl and—"

"I'm very well aware of Mrs. Booth's ridiculous behavior, Louella, thank you. She will come to her senses soon, I'm sure, and go on with her life and be a mother to our other children, as she should, as well as a wife to me. Don't let it concern you a moment more."

"Yes, sir," Louella said, her voice dripping with disappointment.

"Well then, goodbye," Papa concluded. I hurried away from the door so Louella wouldn't know I had been eavesdropping.

Now, when I stepped down to say my goodbye, I couldn't help the flow of tears. It was as if a dam had burst.

"Don't you go making Louella feel terrible, now, honey. I got me a long trip ahead and a new, tough row to hoe. You think it's going to be easy, two old women, set in their ways, living together in a tiny house? No sir, no sir," she said.

I smiled through my tears.

"I'll miss you, Louella . . . terribly."

"Oh, I expect I'll miss you, too, Miss Lillian." She turned around and looked up at the plantation house. Then she sighed. "I expect I'll miss The Meadows a great deal, miss every corner of every cabinet and closet. A lot of laughter and a lot of tears been heard and been wrung between those there walls."

She turned back to me.

"You be nice to the new help and watch over your Mamma best you can and just tend to your own business. You growing into a beautiful young lady. It's just a matter of time now before some handsome gentleman comes calling and sweeping you off, and when that happens, you remember old Louella, hear? Send me a note and tell me. Promise?"

"Of course, Louella. I'll write you often. I'll write you so much, you'll get tired of it."

She laughed. She hugged and kissed me and then she took one more look at The Meadows before letting Henry help her into the carriage. It was only then that I realized Emily hadn't even bothered to come down to say goodbye to her, though she, just like me, had known her all her life.

"Ready?" Henry asked her. She nodded, and he tapped the horses. The carriage started forward down the long avenue of cedars. Louella looked back and waved with her handkerchief. I waved back, but my heart felt so hollow and my feet so numb, I thought I might faint with sorrow. I stood there and watched until the wagon was out of sight and then I turned and slowly walked back up the stairs to enter the house that had become a lot more empty, a lot more lonely, a lot less home.

PART TWO

NINE

GOOD NIGHT, SWEET PRINCE

Charles Slope and his wife, Vera, the woman whom Papa had hired to replace Louella, were pleasant enough people, and their infant son, Luther, was sweet, but I couldn't help the emptiness I felt in my heart. No one could ever replace Louella. Vera was an excellent cook, however, and although she made things differently, they always tasted good. And Charles was certainly a hard worker who gave Henry the relief and assistance he needed at his age.

Vera was a tall woman in her late twenties with dark brown hair in a chignon so tight it looked painted on. I never saw a strand out of place. Her eyes were soft light brown and she had a somewhat dark complexion. She had a small bosom with a narrow waist and hips. Although she was long-legged, she walked and moved about gracefully, never lumbering or slouching like Emily and other tall young women I had seen.

Vera ran the kitchen efficiently, which, in what were becoming increasingly hard economic times, Papa appreciated. Nothing was wasted. Leftovers were turned into stews and salads to the point that the hound dogs felt deprived and gazed up with disappointment when the scraps were thrown to them. Vera had worked in a rooming house before and was accustomed to making do with much less. She was a quiet woman, much quieter than Louella. Whenever I walked past the kitchen, I never heard Vera singing or humming, and she was rather closemouthed about her past, rarely volunteering any new information about her youth. Papa's formal ways didn't seem to scare her and I could see the pleasure in his eyes when she referred to him as Sir or Captain Booth.

Naturally, I was interested in how she would react to Emily and how Emily would treat her. Although Vera never contradicted Emily or disobeyed one of her orders, she did have a way of gazing at her sharply that told me she didn't like her but knew enough to keep her feelings well hidden beneath her "Yes, ma'ams" and "No, ma'ams." She never questioned or complained and quickly learned the pecking order.

All of Vera's gentleness was reserved for her infant son, Luther. She was a good mother who always managed to tend to his needs and keep him clean, well fed, and occupied despite her chores in the kitchen and her added burden of seeing after Mamma from time to time. Papa must have prepared her for Mamma's erratic, strange behavior, for she didn't appear surprised the first time Mamma was too tired or too confused to come to the dinner table. She prepared Mamma's tray and brought it to her without comment or question. Actually, I was very pleased with the manner in which Vera looked after Mamma's needs, always checking to be sure Mamma was up and around in the morning, helping her to dress herself or even to wash herself. It wasn't long before she got Mamma to permit her to brush Mamma's hair the way Louella often did.

Mamma was very pleased with having an infant in the house. Although Vera was careful not to permit Luther to bother Papa, she managed to have Mamma see him and talk to him and even play with him almost every day. That, more than anything, seemed to draw Mamma out of her doldrums and despondency, although she would invariably retreat to her strange and melancholy ways.

Luther was a curious child who would easily get himself tangled in clothes piled in the wash basket or who would crawl without fear under furniture and behind cabinets to explore if he was not watched. He was large and strong for his age and had dark brown hair and pecan-colored eyes. He was already a tough little boy who rarely cried, even when he fell and bumped himself or put his fingers too close to something hot or something sharp. Instead, he looked angry or disappointed and went off to find something else of interest. He resembled his father more than his mother and had the same short hands with stubby fingers that Charles did.

Charles Slope was a soft-spoken man in his early thirties who had experience with automobiles and engines, which was something that pleased Papa, since he had recently bought a Ford—one of the few automobiles in this part of the country. Charles's mechanical knowledge seemed limitless. Henry told me there wasn't a thing on the plantation Charles couldn't repair. He was particularly brilliant when it came to improvising parts, which meant older machines and tools could be kept useful and Papa could postpone any new investments.

Economic troubles were growing, not only for us but for our neighboring farms as well. Every time Papa returned from one of his trips, he declared the need to find new economies in the house and on the farm. He started to let some of our farm laborers go and then began cutting back on our house servants, which at first meant that Tottie and Vera had to do extra work around our house. Papa then decided to shut down large sections of the plantation, which I didn't mind, but the day he decided to let Henry go, my heart sank.

I had returned from school and was just starting upstairs when I heard some whimpering from the rear of the house and found Tottie sitting in a corner by the window in the library. She had a feather duster in her hand, but she wasn't doing any work. She was all crunched up in the chair and just staring out the window.

"What is it, Tottie?" I asked. Hard times were raining down around us so fast, I didn't know what to expect.

"Henry's been sent off," she said. "He's packing his things and going."

"Sent off? Sent off to where?"

"Off the plantation, Miss Lillian. Your papa, he says Henry's too old to be of any value now. He should go live with relatives, but Henry, he ain't got no relatives alive—none to speak of, that is."

"Henry can't go!" I cried. "He's been here almost all his life. He's supposed to stay here until he dies. He always expected he would."

Tottie shook her head.

"He'll be gone before night falls, Miss Lillian," she declared as solemnly as the Voice of Doom. She sniffed and then stood up and began to dust again. "Ain't nothing like it was," she muttered. "Those dark clouds just keep rolling on in."

I turned, threw my books on the table in the hallway, and ran out of the house. I got to Henry's quarters as quickly as I could and knocked on his door.

"Why, hello there, Miss Lillian," Henry said, beaming a wide smile as if nothing at all was wrong. I looked past him and saw he had tied up his clothes in a bundle and had filled an old and tattered brown leather suitcase with everything else he owned. He had rope where the suitcase's straps used to be.

"Tottie just told me what Papa has done, Henry. You can't go. I'm going to beg him to let you stay," I moaned. My eyes were filling with tears so quickly, I thought my face would be drenched.

"Oh no, Miss Lillian. You can't do that. Times are hard here and the Captain, he ain't got much choice," Henry said, but I could see the pain in his face. He loved The Meadows as much as Papa did. Even more, I thought, for Henry's sweat and blood was in this plantation.

"Who'll take care of us and provide our food and—"

"Oh, Mr. Slope will do just fine when it comes to those chores, Miss Lillian. Don't fret none."

"I'm not worried about ourselves, Henry. I don't want anyone else doing those things. You can't go. First, Louella retires, and now you are sent away. How can Papa fire you? You're as much a part of The Meadows as . . . as he is. I won't let him send you away. I won't. Don't pack another thing!" I cried, and ran toward the house before Henry could change my mind.

Papa was in his office, behind his desk, bent over his papers. Beside him was a glass of bourbon. When I entered, he didn't look up until I was practically at his desk.

"What is it now, Lillian?" he demanded as if I were pulling on his coattails with requests and questions all day. He sat up and tugged on the ends of his mustache, his dark eyes scanning me critically. "I don't want to hear another tale about your mother, if that's it."

"No, Papa. I . . ."

"Well then, what is it? You can see I'm tormented by these damn bills."

"It's about Henry, Papa. We can't let him go, we just can't. Henry loves The Meadows. He belongs here forever," I pleaded.

"Forever," Papa spat as if I had spoken a curse word. He gazed out the window for a moment and then he sat forward. "This here plantation is still a working farm, a moneymaking enterprise, a business. Do you know what that means, Lillian? That means you put costs and expenses on one side and profits on the other, see," he said, tapping on his papers with his long right forefinger. "And then you subtract the profits by the costs and expenses periodically and see what you have and what you don't, and we don't have a quarter of what we had a year ago this time. Not a quarter!" he cried, his eyes wide and raging at me as if it was my fault.

"But, Papa, Henry . . ."

"Henry's an employee, just like anyone else, and just like anyone else, he's got to pull his load or go. The fact is," Papa said in a calmer tone, "Henry is way past his prime, way past the age when he should be retired and sitting on a back porch someplace, smoking a corncob pipe and remembering his youth," Papa said, a hint of wistfulness in his voice. "I kept him on as long as I could, but even his small wages contribute to the bottom line and I can't afford to waste a penny these days."

"But Henry does his work, Papa. He always did."

"I got a new, young man to do all that work and he costs me plenty, but he's worth it. Now it would be business-stupid to keep Henry on just to tag along and stand behind Charles whenever he's doing something, wouldn't it? You're a smart enough girl to see that, Lillian. And besides, nothing makes a man want to just lay down and die as much as knowing he's worthless, and that's what Henry's got to face every day as long as he's here.

"So," he said, sitting back, contented with his logic, "in a way I'm doing him a big favor by letting him go."

"But where will he go, Papa?"

"Oh, he's got a nephew lives in Richmond," Papa said.

"Henry won't like living in a city," I muttered.

"Lillian, I can't worry about that now, can I? The Meadows, that's what I got to worry about and that's what you should be worrying about, too. Now, go on, get out of here and do whatever it is you do this time of day," he said, dismissing me with a wave of his hand and then bending over his papers again. I stood there for a moment and then left slowly.

Although it was bright and sunny outside, it looked gray and dismal when I stepped out of the house and walked toward Henry's quarters. He was finished packing and was saying goodbye to the laborers who were still with us. I watched and waited. Then Henry threw his sack over his shoulder and grasped the improvised handle of his old suitcase and started down the drive toward me. He stopped and put his suitcase down.

"Well now, Miss Lillian," he said, looking around. "It's a fine afternoon for a long walk, ain't it?"

"Henry," I sobbed. "I'm sorry. I couldn't change Papa's mind."

"I don't want you to fret none, Miss Lillian. Old Henry will be fine."

"I don't want you to leave, Henry," I moaned.

"Well now, Miss Lillian, I don't think I'm leaving. I don't think I could leave The Meadows behind. I carry it here," he said, pressing his hand over his heart, "and here," he said, pointing to his temple. "All my memories is of The Meadows, my times here. Most of the folks I knew are gone. Hopefully to a better world," he added. "Sometimes," he said, nodding, "it's harder to be the one who lingers.

"But," he said, smiling, "I'm glad I lingered long enough to see you grown. You're a fine young woman, Miss Lillian. You're gonna make some gentleman a fine wife and have your own plantation someday, or something just as big and proper."

"If I do, Henry, will you come live on my place?" I asked, wiping away my tears.

"Absolutely, Miss Lillian. You won't have to ask old Henry twice. Well now," he said, holding out his hand. "You take good care of yourself and from time to time, think of old Henry."

I looked at his hand and then I stepped forward and hugged him. It took him by surprise and he just stood there for a moment while I clung to him, clung to what was good and loving at The Meadows, clung to the memories of my youth, clung to warm summer days and nights, to the sound of a harmonica in the night, to the words of wisdom Henry had spun around me, to the vision of him rushing over to help me with Eugenia, or the vision of him sitting beside me in the carriage when he would take me to school. I clung to the songs and the words and the smiles and the hope.

"I've got to go, Miss Lillian," he whispered through a voice that cracked with emotion. His eyes shone brilliantly with unspent tears. He picked up his tattered suitcase and continued down the drive. I ran along.

"Will you write to me, Henry? And let me know where you are?"

"Oh sure, Miss Lillian. I'll scribble a note or two."

"Papa should have had Charles drive you someplace," I cried, still keeping up with him.

"No, Charles got his chores. I ain't no stranger to long walks, Miss Lillian. When I was a boy, I thought nothing of walking from one horizon to the other."

"You're not a boy anymore, Henry."

"No, ma'am." He pulled his shoulders up the best he could and increased his stride, each long step taking him farther and farther away from me.

"Goodbye, Henry," I cried when I stopped running alongside him. For a few moments, he just walked and then, at the end of the driveway, he turned. For one last time, I saw Henry's bright smile. Maybe it was magic, maybe it was my desperate imagination at work, but he looked younger to me; he looked like he hadn't aged a day since the time he carried me on his shoulders, singing and laughing. In my mind his voice was as much a part of The Meadows as the songs of the birds.

A moment later he made the turn at the end of the drive and was gone. I lowered my head and with a heart so heavy it made my steps ponderous, I headed toward the house. When I looked up, I saw that a long, heavy cloud had slipped over the sun and dropped a veil of gray over the great building, making all the windows look dark and empty, all except one window, the window of Emily's room. In it she stood gazing down at me, her long white face casting a look of displeasure. Perhaps she had seen me hugging Henry, I thought. She was sure to distort my expression of love and make it seem dirty and sinful. I glared up at her defiantly. She smiled her cold, wry smile, lifted her hands, which held her Bible, and turned away to be swallowed up in the darkness of her room.

Life went on at The Meadows, at times smooth and at times bumpy. Mamma had her good days and her bad, and I would have to remember that what I told her one day she could easily forget the next. In her Swiss-cheese memory, events of her youth were often confused with events of the present. She appeared more comfortable with the older memories and clung to them tenaciously, choosing to selectively remember her good times as a little girl growing up on her own family plantation more than anything else.

She began to read again, but often reread the same pages and the same book. The most painful thing for me was to hear her talk about Eugenia or refer to my little sister as if she were still alive in her room. She was always going to "bring Eugenia this" or "tell Eugenia that." I didn't have the heart to remind her that Eugenia had passed away, but Emily never hesitated. She, like Papa, had little tolerance for Mamma's lapses of memory and daydreaming. I tried to get her to have more compassion, but she disagreed.

"If we feed the stupidity," she said, choosing Papa's word, "it will only continue."

"It's not stupidity. The memory is just too painful for Mamma to bear," I explained. "In time—"

"In time she will get worse," Emily declared with her superior, prophetic tone. "Unless we bring her to her senses. Pampering her won't help."

I choked back my words and left her. As Henry might say, I thought, it would be easier to convince a fly he was a bee and have him make honey than change Emily's way of thinking. The only one who understood my sorrow and expressed any sympathy was Niles. He would listen to my tales of woe with sympathetic eyes and nod, his heart breaking for me and for Mamma.

Niles had grown tall and lean. When he was only thirteen, he began shaving. His beard was coming in thick and dark. Now that he was older, he had his regular chores on his family's farm. Just like us, the Thompsons were having a hard time meeting their financial obligations, and just like us, they, too, had to let go of some of their servants. Niles filled in and was soon doing a grown man's work. He was proud of it and it did change him, harden him, make him more mature.

But we didn't stop going to our magic pond or believing in the fantasy. From time to time, we would sneak off together and take a walk that brought us to the pond. At first it was painful to return to the place where we had brought Eugenia and where wishes had been made, but it felt good to have something that was secretly ours. We kissed and petted and revealed more and more of our treasured thoughts—thoughts ordinarily kept under lock and key in the safe of our hearts.

Niles was the first to say he dreamt of our marriage, and once he admitted to such a wish, I confessed to having the same dream. Eventually, he would inherit his father's farm and we would live on it and raise our family. I would always be close to Mamma and after we had gotten started, I would immediately contact Henry and bring him back. At least he would be near The Meadows.

Niles and I would sit in the soft afternoon sunlight near the edge of the pond and weave our plans with such confidence no one eavesdropping could do anything but believe it was all inevitable. We had great faith in the power of love. Because of it we would always be happy. It would be like a fortress built around us, protecting us from the rain and the cold and the tragedies that befell others. We would be the dream couple my real mother and father were supposed to have been.

After Louella and Henry left The Meadows, and during the hard economic times we were all facing, there was little to look forward to, little to get excited over, except my rendezvous with Niles and my schooling. But toward the end of May, there was a great deal of excitement building around the upcoming Sweet Sixteen party for Niles's sisters, the Thompson twins.

A Sweet Sixteen party was exciting enough, but one to be held in the honor of a pair of twins was exceptionally so. Everyone was talking about it. Invitations were as precious as gold. At school, all the boys and all the girls who wanted to be invited began buttering up the twins.

Plans were being made to turn the Thompsons' great entryway into a grand ballroom. A professional decorator was hired to drape crepe paper streamers and balls, as well as lights and tinsel. Every day Mrs. Thompson added something new to the fabulous menu, but besides being the best feast of the year, there would be a real orchestra: professional musicians to play dance music. There were sure to be games and contests, with the evening capped by the cutting of what promised to be the biggest birthday cake ever made in Virginia. After all, it was a cake for two Sweet Sixteen girls, not one.

For a while I thought Mamma would actually attend. Every day after school, I rushed to tell her new details I'd heard about the party, elaborating on the things Niles told me, and most days she grew excited. One day she even looked through her wardrobe and then decided she needed something new, something more fashionable to wear, and began planning a shopping trip.

That afternoon I had gotten her so enthusiastic, she went to her vanity table and actually began working on her hair and her makeup. She was very concerned about the new styles, so I walked to Upland Station and got a copy of one of the latest fashion magazines, but when I brought it back and showed it to her, she seemed distracted. I had to remind her why we were concerned about our clothes and hair.

"Oh yes," she said, the memory revived. "We'll go shopping for new dresses and new shoes," she promised, but whenever I reminded her in the days that followed, she would simply smile and say, "Tomorrow. We'll do it tomorrow."

Tomorrow never came. She would either forget or fall into one of her melancholy states. And then she became horribly confused and whenever I mentioned the Thompsons' Sweet Sixteen party, she began to talk about a similar party for Violet.

Two days before the party, I went to see Papa in his office and told him how Mamma was behaving. I practically begged him to do something.

"If she goes out and meets people again, Papa, it will help her."

"Party?" he said.

"The Thompson twins' Sweet Sixteen party, Papa. Everyone's going. Don't you remember?" I asked, my voice filled with desperation.

He shook his head.

"You think all I got to do these days is worry about some silly birthday celebration? When did you say this was?" he asked.

"This Saturday night, Papa. We got the invitation a while ago," I said. An empty feeling began to swirl around at the bottom of my stomach.

"This Saturday night? I can't attend," he declared. "I won't be back from my business trip until Sunday morning."

"But, Papa . . . who'll take Mamma and Emily and me?"

"I doubt your mother will go," he said. "If Emily goes, you can attend. That way you'll be properly chaperoned, but if she doesn't go, you don't go," he declared firmly.

"Papa. This is the most important party of the . . . of the year. Every one of my friends at school is going and all the families around here are attending."

"It's a party," he said, "isn't it? You're not old enough to go on your own. I'll speak to Emily about it and leave instructions," he said.

"But, Papa, Emily doesn't like parties . . . she doesn't even have a proper dress or shoes and—"

"That's not my fault," he said. "You got only one older sister and, unfortunately, your mother is not well these days."

"Then why are you going away again?" I snapped back, far more quickly and more sharply than I had intended, but I was desperate, frustrated, and angry, and the words just popped out on their own.

Papa's eyes nearly bulged out of his head. His face turned as crimson as a cherry and he rose out of his seat with a fury that sent me stumbling backward until I bumped into a high-backed chair. He looked like he would explode, parts of him going every which way.

"How dare you speak to me that way! How dare you be insolent!" he roared and came around his desk.

I cowered quickly, sitting in the chair. "I'm sorry, Papa. I didn't mean to be insolent," I cried, the tears flowing before he had a chance to raise his arm. My crying calmed the storm raging in him and he simply stood fuming over me for a moment.

Then, in a controlled but still very wrathful tone of voice, he pointed to the door and said, "March yourself right up to your room and shut yourself in there until I give you permission to come out, hear? I don't want you even to go to school until I say so."

"But, Papa—"

"You're not to leave that room!" he ordered. I looked down quickly. "Upstairs!"

Slowly, I rose and inched by him, my head still lowered. He followed me to the doorway.

"Go on, get up there and close that door. I don't want to set eyes on your face or hear your voice," he boomed.

My heart was thumping and my feet felt leaden. Papa yelled so loud, all the servants peeked out of doors. I saw Vera and Tottie in the doorway of the dining room and at the top of the stairs, I saw Emily glaring down.

"That girl is being punished," Papa announced. "She's not to set foot out of her room until I say so. Mrs. Slope, see that her meals are brought to her room."

"Yes, sir," Vera said.

Emily's head bobbed up and down on her long, thin neck as I walked past her. Her lips were pursed and her eyes small and piercing. I knew that once again she felt justified and supported in her convictions that I was a bad seed. There was no point in appealing to her, even on behalf of Mamma. I went into my room and closed my door and prayed that Papa would calm down soon enough for me to go to the party.

But he didn't and he left The Meadows for his business trip without giving me permission to leave my room. I had spent all my time reading and sitting by the window, looking out over the grounds, hoping and praying that Papa would find a softness in his heart and forgive me for my insolence, but with no one to take my part, Mamma confused and shut up in her own world, and Emily gleeful about my state of affairs, I had no advocate. I begged Vera to ask Papa to come see me. When she returned to bring me my next meal, she reported that he had shaken his head and said, "I haven't got time for nonsense now. Let her mull over her behavior awhile longer."

I nodded, despondent.

"I mentioned the party," Vera revealed, and I looked up hopefully.

"And?"

"He said Emily wasn't going, so there wasn't any need to beg him to let you go. I'm sorry," Vera said.

"Thank you for trying, Vera," I told her, and she left.

I was positive Niles asked after me at school but got no satisfactory explanation out of Emily. On the day of the party, however, he came to The Meadows and asked if he could see me. Vera had to tell him I was being punished and wasn't permitted any visitors. She sent him off.

"At least he knows what's wrong," I muttered when Vera reported his appearance. "Did he say anything else?"

"No, but his chin dropped to his feet and he looked like someone had told him he couldn't go to the party either," Vera said.

That afternoon passed so slowly. I sat by the windows, watching the sunlight diminish. On my bed I had my best dress spread out with my prettiest shoes on the floor—shoes I had dreamt of dancing in until my legs collapsed beneath me. During one of her clear moments, Mamma had given me an emerald necklace to wear with a matching emerald bracelet. I had set those pieces beside the dress. From time to time, I would look at them all longingly and dream of myself all dressed up.

After dark, that was exactly what I did. I prepared myself just as I would have if Papa had left permission for me to attend the party. I took my bath and then sat before my vanity table and brushed and pinned my hair. Then I got into my party dress and my shoes and put on the jewelry Mamma had given me. Vera brought me my dinner and was shocked but also delighted.

"You look so nice, honey," she said. "I'm sorry you can't go."

"But I *am* going, Vera," I told her. "I'm going to imagine everything and pretend."

She laughed and revealed a little about her youth.

"When I was your age, I used to walk up to the Pendletons' plantation whenever they had one of their big, gala affairs, and I would sneak up as close as I could and gape at all the finely dressed women in their white satin and white muslin ball gowns and the men, gallant in their waistcoats and cravats. I'd listen to the laughter and the music flowing through the open windows over the verandas and I would dance with my eyes closed, imagining I was a fancy young lady. Of course I wasn't, but it was fun nevertheless.

"Oh well," she added, shrugging, "I'm sure there will be other parties for you, other times for you to dress up and look as pretty as you look now. Good night, honey," she added, and left.

I didn't eat much; my eyes were on the clock most of the time. I tried to envision what was happening at every hour. Now the guests were arriving. The music was playing. The twins were greeting everyone at the door. I felt sorry for Niles, who I knew had to take his position with the family and look happy and excited. Surely, he was thinking of me. A while later, I imagined people were dancing. If I had been there, Niles would have asked me. I let my imagination carry me off. I began to hum and move around my small room, envisioning Niles's hand on my waist and my hand in his. Everyone at the party was watching us. We were the most handsome young couple there.

When the music stopped, Niles suggested we get something to eat. I went over to the tray Vera had brought up and nibbled on something, pretending Niles and I were feasting on roast beef and turkey and salads. After we ate, the music started again, and again we were on the dance floor. I was floating in his arms.

"De da, de da, de, da, da, da," I sang, and swirled around my bedroom until I heard a rapping on my window and caught myself. I gasped and looked out at a dark figure staring in. He tapped on the window again. My heart was pounding. Then I heard my name and rushed to the window. It was Niles.

"What are you doing? How did you get up here?" I cried after throwing the window up.

"I climbed, shimmied up the rough gutter pipe. Can I come in?"

"Oh, Niles," I said, looking at my door. "If Emily should find out . . ."

"She won't. We'll keep our voices down."

I stepped back and he entered. He looked so handsome in his

suit and tie, even though his hair was wild from the climbing and his hands were black with dirt from the gutter pipe and the roof.

"You'll ruin your clothes. Look at you," I declared, standing back. There was a streak of dirt across his left cheek. "Go into my bathroom and wash up," I ordered. I tried to sound upset and critical, but my heart was bursting with joy. He laughed and hurried into the bathroom. A few moments later, he came out, wiping his hands on the towel.

"Why did you do this?" I asked. I was sitting on my bed, my hands in my lap.

"I decided without you the party was no fun anyway. I stayed for everything I had to stay for and then I snuck away. No one's even going to notice. There are so many people there and my sisters are very occupied. Their dance cards are filled for the night."

"Tell me about the party. Is it everything it was supposed to be? Are the decorations wonderful? And the music—is the music wonderful?"

He just stood there smiling at me.

"Slow down," he said. "Yes, the decorations came out great and the music is very good, but don't ask me what other girls are wearing. I wasn't looking at other girls; I was thinking only of you."

"Go on, Niles Thompson. With all those pretty young women there . . ."

"I'm here, aren't I?" he pointed out. "Anyway," he said, stepping back to drink me in, "you look rather beautiful for a shut-in."

"What? Oh," I said, blushing. I realized I had been caught in the midst of my make-believe. "I . . ."

"I'm glad you dressed up like this. It makes me feel you are at the party. Well now, Miss Lillian," he said with a sweeping bow, "might I have the pleasure of dancing with you, or is your card filled?"

I laughed.

"Miss Lillian?" he asked again.

I stood up.

"I do have a spare dance or two," I said.

"How delightful," he said, and took my hand. Then he put his hand on my waist just the way I imagined he would, and we began to move to our own music. For a moment, when I closed my eyes and then opened them and caught sight of ourselves in my vanity mirror, I believed we were at the party. I could hear the music and the voices and laughter of other people. He had closed his eyes, too, and we moved around and around until we bumped into my night table and sent the lamp flying to the floor, the glass shattering.

For a moment neither of us moved or said a thing. We listened for footsteps in the hallway. I indicated we should be silent and knelt down to pick up the bigger pieces of glass. One piece cut my finger and I cried out. Niles seized my hand instantly and pressed my wounded finger to his lips.

"Go wash it," he said. "I'll finish cleaning this up. Go on."

I did so, but I wasn't in the bathroom a moment when I heard footsteps outside my room. I poked my head out to warn Niles, who quickly went down on his stomach behind the bed just as Emily flung open my door.

"What's going on in here? What happened?" she demanded.

"My lamp fell off the table and broke," I said, stepping out of the bathroom.

"What . . . why are you dressed up?"

"I wanted to see how I would look if I had been permitted to go to the party like every other young girl my age," I retorted.

"Ridiculous." She screwed her face into a tight, suspicious look and narrowed her eyes as she gazed over the room and then stopped when she saw the window open. "Why is that window open so far?"

"I felt warm," I said.

"You'll have all sorts of flying insects in here." She started toward it, but I shot out before her and reached the window first. When I looked down, I saw that Niles had slipped under my bed. Emily stood in the center of my room, still gazing at me with interest.

"Papa didn't want you to go to the party; he certainly didn't want you dressing for it. Take off those silly clothes," she ordered.

"These are not silly clothes."

"It's silly to wear them in your room, isn't it? Well?" she said when I didn't respond.

"Yes, I suppose it is," I said.

"Then take them off and put them away." She folded her arms under her small bosom and pulled her shoulders back. I could see she wasn't going to be satisfied and leave until I had done what she asked, so I went to the mirror and unfastened my dress. I slipped it off and stepped out of it. Then I took off Mamma's necklace and bracelet and put them in the box on my vanity table. After I had hung up my dress, Emily relaxed.

"That's better," she said. "Instead of doing all these silly things, you should be praying and seeking forgiveness for your actions."

I was standing there in my brassiere and panties, expecting her to leave, but she continued to stare at me.

"I've been thinking about you," she said. "Thinking about what I should do, what God wants me to do, and I have decided He wants me to help you. I will give you the prayers and the sections of the Bible to read over and over and if you do what I ask, you may be saved. Will you do it?"

I thought agreeing was the only way to get her out of my room.

"Yes, Emily."

"Good. Get on your knees," she ordered.

"Now?"

"There is no time like the present," she recited. "On your knees," she repeated, pointing to the floor. I did so beside the bed. She pulled a slip of paper out of her pocket and thrust it down to me. "Read and pray," she ordered. I took it slowly. It was Psalm Fifty-one, a long one. I groaned silently but began.

" 'Have mercy upon me, O God . . .' "

When I was finished, Emily nodded, satisfied.

"Say this before you go to sleep every night," she prescribed. "Understand?"

"Yes, Emily."

"Good. All right, then. Good night."

I breathed with relief when she left. The moment the door closed, Niles slid out from under the bed.

"Good grief," he said, standing, "I never realized she was so crazy."

"It's a lot worse than this, Niles," I said. And then we both realized I was standing there in my bra and panties. Niles's eyes softened. Fraction by fraction, he moved closer. I didn't turn away or run for my robe. When there were only inches of space between us, he took my hand.

"You're so beautiful," he whispered.

I let him kiss me and I pressed my lips harder to his. The fingertips of his right hand brushed the left side of my breast. Don't, don't, I wanted to yell. Let's not do anything more, anything that would give credence to Emily's view of me as evil, but my excitement smothered the cries of my conscience and replaced them with a moan of pleasure instead. My arms spoke for me, drawing him closer so I could kiss him again and again. I felt his hands move faster, stroking, rubbing, tracing the lines of my shoulders until his fingertips found the clasp. I clung to him, my cheek pressed against his thudding heart. He hesitated, but I looked up into his eyes and said yes with mine. I felt the clasp undo and the bra seemed to lift itself from my bosom under its own power. As my breasts were uncovered, we sat on my bed and Niles brought his lips to my nipples.

All resistance in me evaporated. I let him lower me to the pillow. I closed my eyes and felt his lips trace the lines of my bosom and then move down to my belly button. I felt his hot breath on my stomach.

"Lillian," he whispered. "I love you. I do love you."

I pressed my hands to his face and brought him up until his lips were on mine again while his hands continued to fondle my breasts.

"Niles, we better stop before it's too late."

"I will," he promised, but he didn't stop and I didn't push him away, even after I felt his hardness building against me.

"Niles, have you ever done anything like this before?" I asked.

"No."

"Then how do we know when to stop?" I asked. He was so occupied with caressing me, he didn't respond, but I knew if I didn't remind him, we would certainly go too far. "Niles, please, how do we know when to stop?"

"We'll know," he promised and kissed me harder. I felt his hand move in between his stomach and mine until it settled over my pelvic bone and his fingers twitched, causing a shock of such great excitement to pass through my body that I jumped.

"No, Niles," I said, pushing him away with all the resistance I had left in me. "If we do that, we won't stop."

He lowered his head and took deep breaths and then nodded.

"You're right," he said, and turned over on the bed. I could see the bulge in his pants.

"Does it ache, Niles?" I asked.

"What?" He looked in the direction I was gazing and sat up quickly.

"Oh. No," he said, turning crimson. "I'm all right. But I'd better go. I don't know how good I can be if I stay here much longer," he confessed. He got up quickly and brushed back his hair. He avoided looking at me and went to the window. "I'd better get back anyway."

I wrapped my blanket around me and went to him. I pressed my cheek against his shoulder and he kissed my hair.

"I'm glad you came, Niles."

"Me too."

"Be careful getting down from the roof. It's very high."

"Hey, I'm an expert tree climber, aren't I?"

"Yes, I remember," I said, laughing. "That was practically the first thing you told me that first day we walked home from school together: you bragged about tree climbing."

"I'd climb the highest mountain, the tallest tree, to get to you, Lillian," he swore. We kissed and then he crawled out. He hesitated by my window for a moment and disappeared in the darkness. I listened to him scurry over the roof.

"Good night," I whispered.

"Good night," I heard him whisper back, and then I closed the window.

Charles Slope was the first to find him the next morning, crumpled beside the house, his neck broken from the fall.

TEN

ALL MY LUCK IS BAD

I awoke to the sound of screams. I recognized Tottie's voice and then I heard Charles Slope shouting orders to some of the other help. I slipped into my robe quickly and stepped into my slippers. The commotion continued outside, so I defied Papa's order and left my room. I hurried down the hallway to the top of the stairway. Like frightened chickens, everyone was running every which way. I saw Vera charge through the foyer carrying a blanket. I shouted for her, but she didn't hear me, so I started down the stairs.

"Where are you going?" Emily screamed from behind me. She had just stepped out of her room.

"Something terrible has happened. I've got to see what it is," I explained.

"Papa said you can't leave your room. Get back!" she ordered, her long arm and bony forefinger jabbing toward my door. I ignored her and continued down the stairs. "Papa forbade you to leave your room. Get back!" she screamed, but I was already crossing the foyer to the front door.

I wish I had gone back. I wish I had never left that room, never gone out of this house, never met a living soul. A small, empty feeling had started at the bottom of my stomach even before I reached the front door. It felt as if I had swallowed a chicken feather and it floated within me, occasionally tickling my insides. Somehow I managed to continue, to walk out of the house, down the porch steps, and around to the side, where I saw Charles, Vera, Tottie, and two of the laborers gazing down at the body now beneath the blanket. When I saw and recognized the shoes poking out, I felt my legs soften and turn into rubber. I looked up and saw the broken gutter pipe dangling and I screamed and fell to the lawn.

Vera was the first to reach me. She embraced me and I rocked in her arms.

"What happened?" I cried.

"Charles says that gutter pipe gave way and he fell. He must've landed on his head is all we can figure."

"Is he all right?" I cried. "He must be all right."

"No, honey, he ain't. It's the Thompson boy, ain't it? Was he in your room last night?" she asked.

I nodded. "But he left early and he's a good climber," I said. "He can climb the toughest tree."

"It wasn't him; it was the gutter pipe," Vera repeated. "His folks must be out of their minds wondering what happened to him. Charles sent Clark Jones over to the Thompsons'."

"I want to see him," I said. Vera helped me stand and guided me over to Niles. Charles looked up from the body and shook his head.

"That piece of pipe was rusted in the joints and just couldn't hold his weight. He shouldn't have depended on it," Charles said.

"Is he going to be all right? Is he?" I asked desperately.

Charles looked at Vera and then at me.

"He ain't with us no more, Miss Lillian. The fall . . . killed him. Snapped his neck, I reckon."

"Oh, please, no. Please, God, no," I moaned, and went to my knees beside Niles's body. Slowly, I pulled the blanket back and looked at him. His eyes were already sewn tight by Death—Death who had visited this house before and gleefully stolen away Eugenia. I shook my head in disbelief. This couldn't be Niles. The face was too pale, the lips too blue and too thick. None of the facial features were Niles's. Niles was a handsome boy with dark, sensitive eyes and a soft smile in his lips. No, I told myself, it wasn't Niles. I smiled at the stupidity of my mistake.

"It's not Niles," I said, and breathed relief. "I don't know who it is, but it's not Niles. Niles is far more handsome." I looked at Vera, who stared at me with pity. "It's not, Vera. It's someone else. Maybe it's a prowler. Maybe . . ."

"Come on inside, honey," she said, lifting me and embracing me. "It's a horrible sight."

"But it's not Niles. Niles is home, safe. You'll see when they send Clark Jones back," I said, but my body was still trembling. My teeth were even chattering.

"Okay, honey, okay."

"But Niles did climb up to see me last night because I wasn't permitted to go to the party. We spent a little time together and then he climbed out of my window and down. He ran off in the darkness and rejoined his family at the party. Now he's home in bed or maybe he's just getting up for breakfast," I explained as we walked back toward the front of the house.

Emily stood waiting on the porch steps with her arms folded under her chest.

"What is it?" she demanded. "What's all the shouting about?"

"It's the Thompson boy, Niles," Vera replied. "He must have fallen climbing down from the roof. A gutter pipe snapped and—"

"The roof?" Emily scrutinized me quickly. "He was in your room last night? SINNER!" she screamed before I could respond. "You had him in your room!"

"No." I shook my head. I felt light, aloof, drifting like the long, puffy clouds floating across the silvery blue sky. "No, I went to the party. That's right. I was at the party. Niles and I danced all night. We had a wonderful time. Everyone was looking at us with envy. We danced like two angels."

"You took him to your bed, didn't you?" Emily accused. "You seduced him. Jezebel!"

I simply smiled at her.

"You took him to bed and the Lord punished him for it. He's dead because of you, because of you," she declared.

My lips began to tremble again. I shook my head. I'm not out here; it's not really morning, I thought. None of this is really happening. I'm dreaming; it's a terrible nightmare. Any moment I'm going to waken in my room, in my bed, snug and secure.

"Wait until Papa finds out about this. He'll skin you alive. You should be stoned, just like the whores of old, taken out and stoned," she said in her most arrogant, haughty voice.

"Miss Emily, that's a horrible thing to say. She's so upset she doesn't know where she is or what's happening," Vera said. Emily lifted her eyes of fire and directed them at our new servant.

"Don't you go pitying her now. That's how she gets you not to see her evil ways. She's a shrewd conniver. She's a curse and always has been, right from the day she was born and her mother died giving birth to her."

Vera didn't know I wasn't Mamma and Papa's child. The news shocked her, but she didn't release her hold on me nor back away.

"No one's a curse, Miss Emily. You must not say such a thing. Come on, honey," she told me. "You'd better go back up and rest. Come along."

"It's not Niles, is it?" I asked her.

"No, it's not," she said. I turned and smiled back at Emily.

"It's not Niles," I said.

"Jezebel," she muttered, and went off to look at the body.

Vera took me up to my room and put me to bed. She drew the blanket up to my chin.

"I'll bring you something hot to drink and something to eat. You'd better just stay put, Miss Lillian," she said, leaving me.

I lay there listening. I heard the noises, the sound of the horses, the carriage, the cries. I recognized Mr. Thompson's voice and I heard the twins crying and then it grew deathly silent. Vera brought me a tray.

"It's all over now," she told me. "He's been taken away."

"Who has?"

"The young man who fell from the roof," Vera said.

"Oh. Did we know him, Vera?" She shook her head. "Still, it's horrible. What about Mamma? Did she see and hear all the commotion?"

"No. Sometimes, her condition is a blessing," Vera said. "She didn't come out of her bedroom this morning. She's in bed, reading."

"Good," I said. "I don't want another thing to disturb her. Is Papa home yet?"

"No, not yet," Vera said. She shook her head. "Poor thing. I'm sure you'll be the first to know when he is." She watched me sip my tea and spoon up some of the hot oatmeal. Then she left.

I finished eating as quickly as I could and then decided I would get up and get dressed. I was sure Papa would permit me to leave my room today when he returned. My punishment would be over and I wanted to plan some things for Niles and myself to do. If Papa would permit me to leave the house, to take a walk, I would go over to the Thompsons' and visit. I wanted to see all the wonderful gifts the twins must have surely gotten. And while I was there, of course, I would see Niles and perhaps he would walk me home. We might even make a detour to the magic pond.

I went to my vanity table, brushed out my hair, and tied a pink ribbon in it. I put on a bright blue dress and waited patiently, sitting by the windows and looking out at the soft blue sky, imagining what the various puffs of clouds resembled. One looked like a camel because of the rise in the middle and one looked like a turtle. It was a game Niles and I played at the pond. He would say, "I see a boat," and I would have to point to the cloud. I bet he's sitting at his window and doing the same thing right now, I thought. I just bet he is. That was the way we were—always thinking and feeling the same things at the same time. We were meant to be lovers.

When Papa came home, his steps on the stairway were so heavy and hard, his pounding boots reverberated down the corridor. They seemed to shake the very foundation of the plantation house and echo through all the walls. It was as though a giant was coming home, the giant from Jack and the Beanstalk. Papa opened my door slowly. Filling the doorway with his wide shoulders, he stood there silently gazing in at me. His face was crimson, his eyes wide.

"Hello, Papa," I said, and smiled. "It's pretty outside today, isn't it? Did you have a successful business trip?"

"What have you done?" he asked, his voice throaty. "What new, terrible shame and humiliation have you brought to the house of Booth?"

"I didn't disobey you, Papa. I stayed in my room last night just as you ordered and I'm very sorry for the pain I brought to you. Can't you forgive me now? Please?"

He grimaced as if he had just put a rotten pecan in his mouth.

"Forgive you? I don't have the power to forgive you. The minister doesn't even have that power. Only God can forgive you, and I'm sure He has His reasons to hesitate. I feel sorry for your soul. It's bound for hell for sure," he said, and shook his head.

"Oh no, Papa. I'm saying the prayers Emily gave me to say. Look, Papa," I said, and rose to get the sheet of paper on which was written the psalm. I held it out for him to see, but Papa didn't look at it or take it. Instead, he continued to glare, shaking his head more emphatically.

"You're not going to do anything else to bring shame on this family. You were a burden for me from the very beginning, but I took you in because you were an orphan. Now look at the thanks I get. Instead of blessings raining down on us, we have curses and more curses. Emily's right about you. You're a Jonah and a Jezebel." He pulled himself up into a firm position and lay his sentence on me like a judge from the Bible.

"From this day forward until I say otherwise, you are not to leave The Meadows. Your schooling's over. You will spend your time in prayer and meditation, and I will personally see to your acts of contrition. Now answer me straightforward," he boomed. "Did you let that boy get to know you in a biblical sense?"

"What boy, Papa?"

"That Thompson boy. Did you copulate with him? Did he take your innocence in that bed last night?" he asked, pointing toward my pillow and blanket.

"Oh no, Papa. Niles respects me. We just danced, really."

"Danced?" Confusion washed across his eyes. "What in tarnation are you talking about, girl?" He stepped closer, his eyes scanning me critically. I held my soft smile. "What's wrong with you, Lillian? Don't you know what terrible thing you did and what terrible thing happened? How can you stand there with that silly grin on your face?"

"I'm sorry, Papa," I said. "I can't help but be happy. It's a beautiful day, isn't it?"

"Not for the Thompsons it isn't. This is the darkest day of William Thompson's life, the day he lost his only son, and I know what it feels like not having a son to inherit your family name and your land. Now, wipe that smile off your face," Papa ordered, but I couldn't do it. He stepped forward and slapped me so hard my head went to my shoulder, but my smile didn't fade. "Stop it!" he said. He slapped me again, this time sending me to the floor. It hurt, stung, and ached. My eyes spun and I was dizzy, but I looked up at him, still smiling.

"It's too nice a day to be unhappy, Papa. Can't I go out, please? I want to take a nice walk and listen to the birds and see the sky and the trees. I'll be good. I promise."

"Don't you hear what I'm saying?" he roared, standing over me. "Don't you know what you did when you let that boy climb up here?" He straightened out his arm and pointed to the window. "He climbed out that window and fell all the way to his death. His neck's broke. That boy's dead. He's dead, Lillian! God's teeth," Papa declared. "Don't tell me you're going to become as loony as Georgia now. I won't have it!"

He reached down and seized me by my hair, lifting me to my feet. The pain made me scream. Then he marched me to the window.

"Look out there," he said, pressing my face to the pane. "Go on, look out. Who was there last night? Who? Talk. Tell me right now or so help me, Lillian, I'll strip you naked and whip you until you either die or tell me. Who?"

He held my head so I couldn't look away and for a moment I saw Niles's face gazing in at me, his smile wide, his eyes impish.

"Niles," I said. "Niles was there."

"That's right, and then he left and tried climbing down, only the pipe give way on him and he fell. You know what happened to him then, don't you? You saw the body, Lillian. Vera told me you did."

I shook my head. "No," I said.

"Yes, yes, yes," Papa pounded. "It's the Thompson boy who lay dead there all night until Charles found him in the morning. The Thompson boy. Say it, damn you to hell. Say it. Niles Thompson is dead. Say it."

My heart was a wild, frantic animal in my chest, thudding hard against my ribs, screaming and wanting to get out. I started to cry, silently at first, the tears just streaming down my cheeks. Then my shoulders shook and I felt my stomach folding in, my legs softening, but Papa held me firmly in his grip.

"Say it!" he screamed in my ear. "Who's dead? Who?"

The word came up slowly out of my throat like a cherry pit I had nearly swallowed and had to spit out.

"Niles," I muttered.

"Who?"

"Niles. Oh God, no. Niles."

Papa released me and I crumpled at his feet. He stood there looking down at me.

"I'm sure you're lying about what went on here between you and him, too," he said, nodding. "I'll drive the devil out of your soul," Papa muttered. "I promise, I'll drive him out. We will start your penance today." He pivoted and marched to the door. When he opened it, he turned back.

"Emily and I," he declared, "will drive the devil out. So help me God."

He left me sobbing on the floor.

I lay there for hours, my ear to the floor, listening to the sounds below, hearing the muffled voices and the movements, feeling the vibrations. I imagined I was a fetus, still in her mother's womb, her ear against the membrane wall, picking up the sounds of the world that awaited, every syllable, every tap, every note, something to wonder about; only, unlike a fetus, I had memories. I knew that the tinkle of a dish or a glass meant the dinner table was being set, a gruff voice meant Papa was giving an order. I recognized most everyone's footsteps outside my door and knew when Emily was parading by, her Bible in hand, her lips following some prayer. I listened hard for some sound that suggested Mamma, but there was none.

When Vera came up to my room, she found me still on the floor. She released a small cry and put the tray down.

"What are you doing, Miss Lillian? Come on, now, get up from there." She helped me to my feet.

"Your father has commanded that you be given only bread and water tonight, but I slipped a piece of cheese under the plate," she said, winking.

I shook my head.

"If Papa says only bread and water, that's all I'm to have. I'm doing penance," I told Vera. My voice was unfamiliar, even to me. It seemed to come from another me, a smaller Lillian living within a bigger one. "I am a sinner; I am a curse."

"Oh, no you're not, dear."

"I am a Jonah, a Jezebel." I took out the piece of cheese and handed it back to her.

"Poor thing," she muttered, shaking her head. She took the cheese and left me.

I drank my water and nibbled on my bread, and then went to my knees and recited the Fifty-first Psalm. I repeated it until my throat ached. It grew darker, so I lay down and tried to sleep, but shortly afterward the door opened, and Papa entered. He turned on my lamps, and I looked to the doorway to see he had been followed by an elderly woman from Upland Station I recognized as Mrs. Coons. She was a midwife who had delivered dozens and dozens of babies in her time and still did so even though some said she was close to ninety.

She had very thin gray hair, so thin a good part of her scalp was visible. Over her lips, a dark line of gray hair had emerged and looked as distinct as a man's mustache. Her face was thin, with a long, narrow nose and sunken cheeks, but her dark eyes remained big, even looking bigger because of the way her cheeks had sunken and the bone of her forehead protruded against her paper-thin, wrinkled, and spotted pale skin. Her lips were as slim as pencils, but dull pink. She was a small woman, not much taller than a young girl, with very bony arms and bony hands. It was hard to believe she ever had the strength to urge a baby into this world and certainly much harder to believe she could do it now.

"There she is," Papa said, nodding at me. "Go to it."

I cowered back in my bed as Mrs. Coons approached, her small, bony shoulders turned down, her head tilted toward me. Her eyes narrowed, but her gaze was piercing. She scrutinized my face and then nodded.

"Maybe so," she said. "Maybe so."

"You let Mrs. Coons look you over," Papa ordered.

"What do you mean, Papa?"

"She's gonna tell me what went on here last night," he said. My eyes widened. I shook my head.

"No, Papa. I didn't do anything bad. Really, I didn't."

"You don't expect any of us to believe you now, do you, Lillian?" he asked. "Don't make this harder for everyone," he advised. "If I have to, I'll hold you down," he threatened.

"What are you going to do, Papa?" I looked at Mrs. Coons and my heart began to pound because I knew the answer. "Please, Papa," I moaned. My tears came quickly, hot, burning tears. "Please," I begged.

"Do as she says," Papa ordered.

"Pull up your skirt," Mrs. Coons demanded. She was missing most of her teeth and those that remained were dark gray. Her tongue flickered in between them. It looked moist brown, like a piece of rotting wood.

"Do it!" Papa snapped.

My shoulders shaking with my sobs, I raised my skirt to my waist.

"You can look away," Mrs. Coons said to Papa. I felt her fingers, fingers as cold and as hard as spikes, take hold of my panties and her nails scratch my skin as she drew them down over my knees and down my ankles. "Raise your knees up," she said.

I thought the breath had gone out of me. I gasped and gasped. It made me dizzy. Her hands were on my knees, pulling them up and pulling my legs apart. I looked away, but nothing helped. The indignity was carried out. It was painful and I screamed. I must have fainted for a moment, too, because when I opened my eyes, Mrs. Coons was at the door with Papa, assuring him I had not given away my innocence. After he and she left, I lay there sobbing until my eyes were dry and my throat ached. Then I pulled up my panties and swung my feet over the bed.

Just as I started to stand, Papa returned, followed by Emily. He was carrying a big chest and she had one of her plain sackcloth dresses folded in her arms. He put down the chest and gazed at me, his eyes still full of anger.

"People are coming from every corner of the county to that boy's funeral," he said. "Our name is on everyone's lips, thanks to you. Maybe I got Satan's child in my house, but I don't have to make her a home." He nodded at Emily, who went to my closet and began pulling my nice clothes off the hangers. She piled them without regard at her feet, throwing down my silk blouses, my pretty skirts and dresses, all the things Mamma had taken great care to have made and bought for me.

"From this day forward, you are to wear only simple things, eat only simple things, and spend your time in prayer," Papa dictated. And then he listed the rules.

"Keep your body clean but put no sweet-smelling thing on, no creams, no makeup, no perfumed soap.

"You don't have to cut your hair, but keep it pinned up tightly and let no one, especially no man, set eyes on you with your hair down.

"Never set foot out of this house or off these grounds without my explicit permission.

"You must humble yourself in every way that you can. See yourself now as a servant, not a member of the family. Wash your sister's feet, empty her chamber pot, and never, never lift your eyes in defiance to her or to me or even to a household servant.

"When you are truly repentant and free of the evil, then you may return to our family and be like the prodigal son who was lost and then was found.

"Do you understand me, Lillian?"

"Yes, Papa," I said.

His face softened a bit.

"I feel sorry for you, sorry for what you have to live with in your heart now, but it's because I feel sorry for you that I have agreed with Emily and the minister on your steps to redemption."

While he spoke, Emily energetically pulled all my pretty shoes out of the closet and threw them in the pile. She stuffed everything into the chest and then she went to my dresser drawers and took out my nice underwear and socks and added them. She practically lunged at my jewelry, my trinkets and bracelets. When she had emptied the drawers, she paused and gazed around.

"The room must be as simple as a room in a monastery," Emily declared. Papa nodded and Emily went to my walls and took down all my pretty pictures and my framed commendations from school. She gathered up my stuffed animals, my mementos, my music box. She even ripped the pretty curtains from the windows. Everything was shoved into that chest. Then she stood before me. "Take off what you have on and put on this dress," she said, indicating the sackcloth she had brought in with her. I looked at Papa. He tugged on the ends of his mustache and nodded.

I stood up and unbuttoned my light blue dress. I slipped it off my shoulders and dropped it to my feet. Then I stepped out of it and put it on top of the pile Emily had made of all my things in the chest. I stood there trembling, embracing myself.

"Put on this," Emily said, handing me the sackcloth. I slipped it over my head. It was too big and too long, but neither Emily nor Papa cared.

"You can come down for your meals after tonight," Papa said, "but from this day forward, don't talk unless you're asked a question and you're forbidden from talking to the servants. It pains me to do all this, Lillian, but the shadow of the hand of evil is on this house and it must be taken away."

"Let us pray together," Emily suggested. Papa nodded. "On your knees, sinner," she snapped at me. I went down and she went down and Papa joined us. "Oh Lord," Emily said. "Give us the strength to help this cursed soul and deny the devil his victory," she said, and then she recited the Lord's Prayer. When it was over, she and Papa carried out the chest that contained all my pretty and treasured worldly possessions and left me with the bare walls and empty drawers.

But I didn't feel sorry for myself. My thoughts were only on Niles. If I had not been insolent to Papa, I might have gone to the party, and if I had gone to the party, Niles wouldn't have felt it necessary to climb up to my room to see me and he would be alive.

This belief took even a stronger grip on me two days later when Niles's funeral was held. There was no more denial of what had happened, no more wishing it had been a bad dream. Papa forbade me to attend the service and burial. He said it would be a disgrace to have me there.

"Everyone's eyes would be on us Booths," he declared, then added, "Hatefully. It's enough I have to go and stand beside the Thompsons and beg them to forgive me for having you as a daughter. I'll be relying on Emily." He looked at her with more respect and admiration than I had ever seen in his eyes before. She straightened her shoulders.

"The Lord will provide us with the strength to bear our adversities boldly, Papa," she said.

"Thanks only to your religious devotion, Emily," he said. "Thanks only to that."

That morning I sat in my room and looked off in the direction of the Thompson plantation, where I knew Niles was being lowered into his final resting place. I could hear the sobs and the cries as loudly as I would have had I been there. My tears flowed as I recited the Lord's Prayer. Then I rose to embrace the burdens of my new life willingly, ironically finding some relief in self-degradation and pain. The harsher Emily spoke to me and treated me, the better I felt. I no longer resented her. I realized there was a place in this world for the Emilys, and I didn't run to Mamma for help or sympathy.

Anyway, Mamma had only a vague understanding of what had occurred because she had never realized how close Niles and I had become. She heard the details of the terrible accident and heard Emily's version of what led up to it and what followed, but like anything else that she saw as unpleasant, she was quick to ignore or forget it. Mamma was like a vessel that had already been filled with sadness and tragedy to the brim and could take in not a drop more.

Occasionally she commented about my clothing or my hair, and on her more lucid days wondered why I wasn't going to school, but as soon as I began to explain, she turned herself off or changed the subject.

Vera and Tottie were always trying to get me to eat more or do some of the nice things I used to do. It saddened them, as well as the other house servants and laborers, that I had accepted my fate so willingly. But when I thought about all the people who loved me and whom I loved and what had happened to them all—from my real mother and father to Eugenia to Niles—I could do nothing but accept my punishments and seek my salvation, just as Emily and Papa had prescribed.

Every morning, I rose early enough to go to Emily's room and take out her chamber pot. I washed and returned it before she had even stirred. Then she would sit up and I would bring the basin of warm water and a cloth and wash her feet. After I had dried them and after she had put on her dress, I would kneel beside her in the corner of her room and repeat the prayers she dictated. Then we would go down to breakfast and either Emily or I would read the biblical passages she had chosen. I obeyed Papa and never spoke unless spoken to. Usually that meant a simple yes-or-no reply.

On the mornings when Mamma joined us, it was harder to keep to the commandments. Mamma often lost herself in some past experience and described it to me just the way she had years and years ago, expecting me to comment and laugh the same way. I would shift my eyes to Papa to see if he would permit my responses. Sometimes he nodded and I did, and sometimes he scowled and I kept still.

I was permitted to take my Bible and go out for an hour to walk over the fields and recite prayers. Emily timed me to the minute and called me back when my hour was up. I wasn't given many menial chores. My penance had to be related to burdens that would cleanse my soul. I think Papa and Emily realized that the household servants and the laborers would have done the work for me anyway. I had to tend to my own room, of course, and do things for Emily occasionally, but most of my time was to be spent in religious study.

One afternoon, weeks after Niles's death, Miss Walker came to The Meadows to see about me. Tottie, who was cleaning just outside the office door, overheard the conversation and came up to my room to tell me.

"Your schoolteacher lady was here seeing about you," she announced with excitement. She made sure it was safe to come into my room and then entered, closing the door softly behind her. "She wanted to know where you been, Miss Lillian. She told your papa that you were her best student and that you not being in school was a sin.

"The Captain, he was mad about what she said. I could hear it in his voice. You know how he gets to sounding like a shovel full of gravel, and he told her that you are being schooled at home from now on and your religious education is first and foremost.

"But Miss Walker, she told him it's not right and that she's gonna complain to the authorities about him. He got real mad then and said he'd have her job if she so much as made a peep. He told her she can't threaten him. 'Don't you know who I am?' he shouted. 'I'm Jed Booth. This plantation is one of the most important ones in the county.'

"Well, she didn't back down one bit. She repeated that she was gonna complain and he asked her to leave.

"What do you think of that?" Tottie asked me. I shook my head sadly, sighing. "What's wrong, Miss Lillian? Ain't you happy about it?"

"Papa will get her fired for sure," I said. "She's just another person who liked me who will be hurt because of it. I wish I could get her to stop trying."

"But, Miss Lillian . . . everybody says you belongs in school and . . ."

"You'd better go, Tottie, before Emily hears you in here and you get fired, too," I said.

"I don't have to be fired, Miss Lillian," she replied. "I'm gonna leave this dark place and soon, too." Her eyes were full of tears. "I just hate seeing you suffer so and I know Louella and old Henry would just bust their hearts if they heard about it."

"Well, don't tell them, Tottie. I don't want to bring any more pain to anyone else," I said. "And don't do anything else to make things easier for me, Tottie. Things must be hard for me. I must be punished." She shook her head and left me.

Poor Miss Walker, I thought. I missed her, missed the schoolroom, missed the excitement of learning, but I also knew how horrible it would be for me to take my seat in that classroom and then look behind myself and see Niles's empty desk. No, Papa was doing me a favor keeping me away from school, I thought, and prayed he wouldn't cause Miss Walker to lose her job.

But a storm of economic troubles caused Papa to forget everything else, including the threats he made to Miss Walker. A few days later, Papa had to appear in court because he was being sued by one of our creditors for his failure to pay his debt. For the first time ever, there was a real possibility The Meadows might be lost. The crisis was the sole topic of conversation on the grounds and in the house. Everyone was on pins and needles awaiting the outcome. The end result was Papa had to do something he had feared most: he had to sell off a piece of The Meadows and he even had to auction off some of our farm equipment.

The loss of a part of the plantation, even a small part, was something Papa could hardly face. It changed him dramatically. He no longer walked as tall or as confidently and arrogantly. Instead, he lowered his head when he entered his office as if he was ashamed to face the portraits of his father and grandfather. The Meadows had survived the worst thing any Southern plantation had to confront—the Civil War—but it couldn't survive its economic problems.

Papa's drinking increased. I almost never saw him without a glass of whiskey in his hand or beside him on his desk. He always reeked of the odor. I would hear his ponderous footsteps at night when he finally came up from his office work. He would plod along the corridor, pause at my door, sometimes for nearly a minute, and then plod on. One night, he walked into a table and knocked over a lamp. I heard it crash to the floor, but I was too afraid to open my door and look out. I heard him curse and then stumble on.

No one mentioned Papa's whiskey drinking, although everyone knew about it. Even Emily ignored or excused it. One time he returned from a business trip so drunk he had to be escorted up to his room by Charles, and one morning Vera and Tottie found him sprawled on the floor by his desk, sleeping off a drunken stupor, but no one dared criticize him.

Of course, Mamma never noticed, or if she did, she pretended it wasn't happening. Drinking usually made Papa even meaner. It was as though the bourbon nudged all the monsters sleeping in his mind and caused them to rage. There was the night he went wild and broke things in his office and there was the night we all heard him shouting and thought he was fighting with someone. The someone turned out to be the portrait of his father, who, we heard him say, had accused him of being a bad businessman.

One dreadful night after Papa had been drinking in his office and going over his papers, he started up the stairway, pulling himself along the balustrade until he reached the upstairs landing, but once there, he released his grip on the banister and teetered until he lost his balance and went rolling head over heels down the stairway, crashing to the floor with such a bang, the house shook. Everyone came rushing out of their rooms—everyone except Mamma, that is.

There was Papa sprawled out below, moaning and groaning. His right leg was twisted so far under him, it looked as if it had snapped off. Charles had to get help to lift Papa from the floor, but the moment they touched his leg, he howled with pain and they left him there until the doctor was sent for.

Papa had broken his leg just above the knee. It was a bad break and required weeks and weeks of bed rest. The doctor set the cast and Papa was carried up, but because he would require special attention and needed the added room, he was placed in the bedroom beside his and Mamma's rooms.

I stood by Mamma, who stood there twisting her silk handkerchief and saying over and over, "Oh my, what will we do, what will we do?"

"He'll be in some pain for a while," the doctor told all of us, "and he needs to be kept quiet. I'll stop by from time to time to look in on him."

Mamma quickly retreated to her suite and Emily went in to see to Papa.

I couldn't imagine Papa confined to a bed. Sure enough, when he awoke and realized all that had occurred, he roared with anger. Tottie and Vera were loath to go in with his trays of food. The first time Tottie brought a tray, he threw it at the door, and she had to clean up the mess. I was sure he and Emily would find a way to blame the accident on me, so I remained in my room, just trembling in anticipation.

One afternoon, two days after the accident, Emily came to me. I had eaten my lunch and returned to my room to read my assigned sections of the Bible. Emily hoisted her shoulders sharply, looking like a metal rod had been slipped down her spine. She smirked and pursed her lips, tightening her thin face.

"Papa wants to see you," she said. "Right now."

"Papa?" My heart began to thump. What new penance would he impose on me as a result of what had happened to him?

"March yourself right in there," she ordered.

I rose slowly and, head down, I walked past her and down the corridor. When I got to the doors of Papa's room, I looked back and saw Emily glaring at me. I knocked on his door and waited.

"Come on in here," he shouted.

I opened the door and stepped into the bedroom, which had

been turned into a hospital room for him. On the table beside the bed were his bedpan and his urine bottle. His breakfast tray was on the bed table. He was sitting up, his back against two large fluffy pillows. The quilt was over his legs and torso, but his cast poked out on the end and side. There were papers and books beside him on the bed.

Papa's hair fell wildly over his forehead. He wore a nightshirt, open at the collar. He looked unshaven, his eyes bleary, but when I entered, he sat up straighter.

"Well, come on in here. Don't stand there like some little idiot," he snapped.

I walked to the bed.

"How do you feel, Papa?" I asked.

"Terrible—how'd you expect I'd feel?"

"I'm sorry, Papa."

"Everyone's sorry, but I'm the one laid up in this bed with all that's got to be done." He studied me harder, his eyes moving from my legs up slowly. "You've been doin' real well with your penance, Lillian. Even Emily's got to admit that," he said.

"I'm trying, Papa."

"Good," he said. "Anyway, this accident has put me in a pickle and I'm surrounded by incompetents, plus your Mamma is of absolutely no value in times like these. She doesn't even poke her head in to see if I'm alive or dead."

"Oh, I'm sure she's—"

"I don't care about that now, Lillian. I'm probably better off she doesn't come around. She'd only upset me more. What I've decided is you're going to be the one to take care of me and help me with my work," he declared quickly. I looked up, surprised.

"Me, Papa?"

"Yeah, you. Think of it as just another part of your penance. For all I know . . . the way Emily goes on, it might just be. But that's not important now. What's important," he said, looking at me sharply again, "is I get good care and I have someone I can trust to do what has to be done. Emily's busy with her religious studies, and besides," he said, lowering his voice, "you were always better at ciphering. I've got these figures to do," he said, seizing a handful of papers. "And my mind's like a sieve. Nothing stays in it long. I want you to add up the totals and do my books, understand? You'll figure it out quickly, I'm sure."

"Me, Papa?" I repeated.

His eyes widened. "Yes, you. Who in tarnation do you think I've been talking about all this time here? Now then," he continued, "I want you to bring up my food. I'll tell you what I want and you'll tell Vera, understand? You come in here every morning and empty my waste and you keep this room clean.

"At night," he said in a softer voice, "you come in and read me the papers and some Bible. You listening to me, Lillian?"

"Yes, Papa," I said quickly.

"Good. All right. First take this breakfast tray down. After that, come up here and change my linen. I feel like I've been sleeping in my own sweat for days. I need a clean nightshirt, too. When that's done, I want you to sit yourself over there by that table and do the ciphering of these bills. I need to know what I got to pay out this month. Well," he said when I didn't move, "get to it, girl."

"Yes, Papa," I said, and took his breakfast tray.

"Oh, and on the way up, go into my office and get me a dozen of my cigars."

"Yes, Papa."

"And, Lillian . . ."

"Yes, Papa?"

"Bring up that bottle of bourbon I have in the left-hand drawer and a glass. From time to time, I need something medicinal."

"Yes, Papa," I said. I paused for a moment to see if there would be anything else. He closed his eyes, so I hurried out of the room, my mind spinning. I thought Papa hated me and here he was asking me to do all these important and personal things for him. He must have concluded I was well on my way toward redemption, I thought. He certainly showed me he respected my abilities. With a little pride in my gait for the first time in months, I hurried down the corridor to the stairway. Emily was waiting for me at the bottom.

"He's not choosing you over me because he likes you any better," she assured me. "He has decided and I have agreed that added burdens are what you need at this time. Do what he asks promptly and efficiently, but when you're finished, don't neglect your other penance," she said.

"Yes, Emily."

She looked at the empty tray.

"Go on," she said. "Do what you were told to do."

I nodded and hurried to the kitchen. On my return, I gathered all the things Papa wanted and brought them to his room. Then I went down to the linen closet and got fresh sheets. Changing Papa's bed was hard because I had to help him turn while I tugged at the linen beneath him. He groaned and shouted with pain and twice I stopped, expecting him to strike me for causing him discomfort. But he caught his breath and urged me on. I got the dirty sheet off and the clean sheet on. Then I changed his quilt and pillowcases. When that was over, I fetched him a clean nightshirt.

"I need you to help me with this, Lillian," he said. He pulled the covers back and started to lift his nightshirt. "Come on, now," he said. "I don't think you'll be surprised by what you see."

I couldn't help but be embarrassed about it. Papa was naked underneath his shirt. I helped him lift the dirty one off, trying not to look, but except for the pictures I had seen in his books downstairs, I had never seen a man's naked form before and I couldn't help but be a bit curious. He caught my glance and stared at me a moment.

"That's the way the good Lord made us, Lillian," he said in a strange, soft voice. I felt the heat rise into my neck and face and started to turn away to reach for his clean nightshirt, but he seized my arm so hard, I nearly screamed. "Take a good look, Lillian. You gonna see it again and again, for I want you to give me my sponge baths, understand."

"Yes, Papa," I said, my voice barely above a whisper. Papa reached over to pour himself some bourbon. He swallowed about two fingers of it quickly and then nodded toward the clean nightshirt.

"Okay, help me put that on," he said. I did so. After that, Papa sat back in his clean bed and looked a lot more comfortable.

"You can work on those papers now, Lillian," he said. He nodded toward them and the desk. I scooped them up quickly and went to the desk. I didn't realize how much my body was trembling until I started to jot down some numbers. My fingers shook so hard, I had to wait. When I turned, I caught Papa looking at me. He had lit one of his cigars and poured himself some more bourbon.

A half hour later, he fell asleep and snored. I put all the totals down neatly in his books next to the proper categories and then rose slowly and tiptoed toward the door. I heard him moan and waited, but he didn't open his eyes.

He was still sleeping when I brought up his lunch. I waited at his bedside until his eyes snapped open. He looked confused for a moment and then pulled himself up, groaning.

"If you want, Papa," I said. "I'll feed this to you."

He stared at me a moment and then nodded. I spooned the hot soup to him and he took it like a baby. I even wiped his lips with the napkin. Then I buttered his bread and poured him his coffee. He ate and drank silently, staring strangely at me all the while.

"I've been thinking," he said. "It's too much trouble for me to go shouting every time I need something, especially if I need it in the middle of the night."

I waited, not understanding.

"I want you to sleep in here with me," he said. "Until I'm able to get around myself," he added quickly.

"Sleep here, Papa?"

"Yeah," he said. "You can make a bed out of that settee there. Go on, see to it," he ordered. I rose slowly, amazed. "I looked over the paperwork you did, Lillian. It's real good, real good."

"Thank you, Papa." I started away, my mind full of muddled thoughts.

"And, Lillian," Papa said when I reached the door.

"Yes, Papa?"

"Tonight, after dinner, you'll give me my first sponge bath," he said. Then he poured himself another bourbon and lit a cigar.

I left, not sure whether I should be sad or happy about the turn of events. I no longer trusted fate and thought destiny was an imp that toyed with my heart and soul.

ELEVEN

PAPA'S NURSE

After dinner that night, I read Papa his newspaper. He sat up smoking his cigar and sipping his bourbon as I read, and every once in a while he would make a comment about this or that, cursing a senator or a governor, complaining about another country or another state. He hated Wall Street and at one point ranted and raved about the power of a small group of Northern businessmen who were strangling the country and especially strangling the farmers. The angrier he got, the more bourbon he drank.

When he had had enough news, he declared it was time I gave him his sponge bath. I filled a large basin with warm water, got a cake of soap and a sponge, and returned. He had already managed to pull off his nightshirt.

"All right, Lillian," he warned. "Try not to splash the water all over the bedsheets."

"Yes, Papa." I wasn't sure where or how to begin. He lowered himself to his pillow, put his arms down his sides, and closed his eyes. He had the blanket up to his waist. I started on his arms and shoulders.

"You can rub a little harder, Lillian. I'm not made of delicate china," he said.

"Yes, Papa." I did his shoulders and his chest, washing and rinsing in small circles. When I reached his stomach, Papa lowered his blanket a little.

"You'll have to lower it the rest of the way, Lillian. It's too difficult for me to do."

"Yes, Papa," I said. My hands were trembling so much that the blanket actually shook. How I wished Papa would have simply hired a professional nurse to take care of him. I washed around his cast, trying to keep my eyes focused on his leg. I felt the heat in my face and knew I was crimson with embarrassment. When I glanced at his face, I saw Papa had his eyes wide open and he was scrutinizing me closely.

"You know," he said, "you do look a lot like your real mother now. She was a very pretty young lady. When I was courting Georgia, I used to tease Violet and say, 'I'll forget Georgia and wait for you, Violet.' She was a very shy young lady and she would get all red and hide her face behind a book or go running off."

He emptied the whiskey in his glass in a gulp and nodded to his own memory.

"A pretty girl, a very pretty girl," he muttered, and then he fixed his gaze on me. It made my heart skip a beat and I quickly lowered my own eyes to the water in the basin and rinsed the sponge.

"I'll get a towel and dry you, Papa," I said.

"You're not finished yet, Lillian," he said. "You've got to do all of me. A man's got to be clean all over," he said. My heart was pounding. There was only one area I hadn't washed.

"Go on, Lillian," he said. "Go on," he coaxed in a more demanding tone when I hesitated. I brought the sponge to his most private parts and moved it about quickly. He closed his eyes and a soft moan escaped his lips. When I felt him twitch, I jumped back, but he seized my wrist and held me firmly, squeezing so tightly, I grimaced in pain.

"How far did you go with that boy, Lillian? Did you come close to losing your innocence? Is that what this reminds you of? Tell me," he said, shaking my arm.

Tears burned beneath my eyelids. "No, Papa. Please, let me go. You're hurting me."

He relaxed his grip but nodded with a disapproving look.

"Your mother ain't done her duty with you. You don't know what to expect, what you've got to know before you go out in the world. It's not a man's responsibility to teach you, but with Georgia like she is, I'll have to take up the slack. Only I don't want anyone knowing what goes on between us, Lillian. That's private, hear?"

What did he mean, teach me? Teach me what and how? I was trembling so hard, my knees knocked, but I saw he was waiting for an answer, so I nodded quickly.

"All right," Papa said, releasing me. "Go get the towel."

I hurried to the bathroom and returned with the towel. Papa had poured himself another glass of whiskey and was sipping it as I brought the towel to his shoulders. I felt his eyes move with me every time I turned or reached. I dried him as quickly as I could, but when I started on his legs, I tried not to look as I worked.

Suddenly, he laughed in a strange way.

"Scares you, don't it?" he said, and laughed again. I was afraid the whiskey had stirred up the monsters once more.

"No, Papa."

"Sure it does," he said. "A grown man is scary to a young girl." Then he grew serious, seized my wrist, and pulled me so close to him, I felt his hot breath on my face. "When a man is aroused, Lillian, he gets bigger, but a grown woman is pleased about that, not scared. You'll see; you'll understand," he predicted. "All right, enough about it," he added quickly. "Just get on with what you're doing."

I finished wiping his feet and then I folded the towel and helped him put on his nightshirt. After I pulled up his blanket, I brought the basin, sponge, and towel into the bathroom. My heart was still pounding. I couldn't wait to leave the room. Papa was behaving in such a bizarre way. His eyes washed over my body as if I were the one naked and not he. But when I returned from the bathroom, he looked his old self again and he asked me to read him a Bible selection.

"Read until I fall asleep and then make yourself your bed there," he said, nodding at the settee. "Put on your nightgown and get some sleep, too."

"Yes, Papa."

I sat beside the bed and began to read the book of Job. As I read, I saw that Papa's eyelids grew heavier and heavier until he could keep them open no longer and he drifted to sleep. When he began to snore, I closed the Bible softly and went back to my room to get my nightgown.

The whole house was quiet by now, quiet and dark. I wondered what Mamma was doing. How I wished she was well enough to take care of Papa. I listened by her door, but I heard nothing. On my way back to Papa's room, I saw Emily standing just inside her doorway gazing out at me.

"Where are you going with your nightgown?" she demanded.

"Papa wants me to sleep on the settee in his room in case he needs something during the night," I explained.

She didn't respond. Instead, she closed her door.

I reentered Papa's room. He was still asleep so I moved about as quietly as I could. I got into my nightgown, made my bed, whispered my prayers, and went to sleep myself. Hours later, Papa woke me.

"Lillian," he called. "Get over here. I'm cold."

"Cold, Papa?" I didn't think it was very cold. "Do you want another blanket?"

"No," he said. "Get in here beside me," he said. "All I need is the warmth from your young body."

"What? What do you mean, Papa?"

"It ain't so unusual, Lillian. Why, my grandfather used to have young slave girls keeping him warm. He called them bed warmers. Come on," he urged, lifting his blanket. "Just lay up against me," he said.

Hesitantly, my heart pounding, I sat on the bed beside him.

"Hurry up," he cried. "I'm letting out what warmth there is under this blanket."

I stretched out my legs and, with my back to him, slipped under the blanket. Instantly, Papa pulled me closer. For a few moments, we lay there that way, me with my eyes open wide, him breathing heavy and hot over my neck. I smelled the odor of stale whiskey on his breath and my stomach churned.

"I should have waited for Violet," he whispered. "She was far more beautiful than Georgia and with a man like me, she wouldn't have gotten into trouble. Your real father was too soft, too young, and too weak," he muttered.

I didn't move; I didn't say a word. Suddenly, I felt Papa's hand slip under my nightgown and rest on my thigh. His thick fingers squeezed my leg gently and his arm began to move up higher, taking my nightgown up with it.

"Got to keep warm," Papa muttered in my ear. "Just lay still. That's a girl, that's a good girl."

Terrified, my heart skipping beats, I brought my hand to my mouth and smothered a cry when Papa's hand reached my breast. He cupped it greedily and with his other hand, he lifted my nightgown over my waist. I felt his knees press under mine and then his hardness reached me and pushed forward. I started to pull away, but his arm tightened around my body, pulling me closer and closer to him.

"Warm," he repeated. "Got to keep warm, that's all."

But that wasn't all. I squeezed my eyelids shut as tightly as I could and began to tell myself this wasn't happening. I didn't feel what I felt moving up between my legs; I didn't feel my legs being forced apart and I didn't feel Papa force himself into me. He groaned and bit down on my neck just soft enough not to draw blood. I gasped and started to pull myself away, but Papa swung his heavy body, cast and all, over me, driving me down against the mattress. He grunted and pressed on.

My cries were tiny, my tears quickly soaked up by the pillow and sheets. To me it seemed to go on and on for hours, when in reality it was only minutes. When it was over, Papa did not release me and he did not pull back. He held me just as tightly, his head against mine.

"Warm now," he muttered. I waited and waited, afraid to move, afraid to complain. A short while later, I heard him snore and I began a slow journey to extract myself from his grip and slide myself out from under his deadweight. It must have taken me hours, for I was terrified of waking him, but finally, I was free enough to put my leg down and then slip out and away. He groaned and then started to snore again.

I stood in the darkness, trembling, swallowing my sobs one after the other as each rose to the base of my throat. Afraid one would burst free and then another would follow, which would waken Papa, I tiptoed out of the room and into the dimly lit corridor. I took a deep breath and closed the door softly behind me. Then I turned to the right, thinking I would go to Mamma. But I hesitated. What could I tell her and what would she do? Would she understand? It could easily put Papa into a mad rage. No, I couldn't go to Mamma. I could go down to Vera and Charles, but I was too ashamed. I couldn't even tell Tottie.

I spun around and around, confused, my heart pounding, and then I rushed into the room where all the old pictures and artifacts were kept. I quickly found my real mother's picture and, embracing it, squatted on the floor. There I rocked and cried until I heard footsteps and saw the thin light of Emily's candle part the darkness. In moments she stood in the doorway.

She lifted her candle to let the light wash over me.

"What are you doing in here? What's in your hands?"

I bit down on my lips and sobbed. I wanted to tell her what had happened; I wanted to shout it out.

"What is it?" she demanded. "What are you clutching? Let me see right now."

Slowly, I revealed my real mother's portrait. Emily looked surprised for a moment and then studied me closer.

"Stand up," she ordered. "Go on. Stand up."

I did so.

Emily came closer, lifting the candle and walking around me.

"Look at you," she said suddenly. "You're having your time and you didn't prepare. What shame. Don't you have an ounce of self-respect?"

"I'm not having my time."

"Your nightgown is stained," she reported.

I sucked in my breath. This was the time to tell her, but the words were stuck in my throat.

"Put on a clean one and put on a sanitary napkin immediately," she ordered. "I swear," she said, shaking her head, "sometimes I think you're not only morally retarded, but mentally retarded as well."

"Emily," I began. I was so desperate, I had to tell someone, even her. "Emily, I . . ."

"I won't stand here in the dark another minute with you. Put that picture away," she said, "and go to sleep. You have much to do for Papa," she added. She turned quickly and left me in the darkness.

I shuddered with the thought of returning to Papa's bedroom, but I was afraid to do anything else. After I changed my nightgown, I returned, hesitating in the doorway to be sure he was still asleep. Then I quickly crawled into my makeshift bed and pulled the cover over me, folding myself into a fetal position. There I cried myself to sleep.

What Papa had done made me feel unclean, made me feel as if the stain was spreading through my body until it reached my heart. Not twenty, not a hundred, not a thousand baths would cleanse me of this darkness. My soul was tainted and blotched. In the morning when Emily saw me in the light of day, she would know I had been defiled. I would wear this stigma on my face forever.

Surely, I told myself, this was just another part of my punishment. I had no right to complain. Every bad thing that happened to me now happened for a reason. Anyway, to whom would I complain? The people I loved and who loved me were either dead or gone or sick themselves. All I could do was pray for forgiveness.

Somehow, I thought, I had tempted Papa into doing a bad thing.

Now something terrible would happen to him and once again, it would be my fault.

Papa woke first in the morning. He groaned and then shouted for me to wake.

"Give me that urine bottle," he ordered. I hopped out of bed and handed it to him. While he relieved himself, I quickly got into my bathrobe and slippers. When he was finished, I took the bottle into the bathroom and emptied it. But no sooner had I done that when he began to yell for his breakfast.

"Hot coffee and eggs this morning. I'm ravishingly hungry." He slapped his hands together and smiled. Could he have forgotten what he had done the night before? I wondered. There was no remorse, no guilt in his face.

"Yes, Papa," I said, avoiding his eyes and starting for the door.

"Lillian," he called. I turned but kept my eyes lowered. Even though he had forced himself on me, it was I who felt ashamed. "Look at me whenever I speak to you," he demanded. I raised my head slowly. "That's better. Now then," he said, "you're doing a good job of taking care of me. I'm sure I'll get better faster because of it. And when someone does a good deed like you're doing, she makes up for some of the bad things she's done. The Lord is merciful. Just remember that," he said.

I swallowed back my urge to cry and smothered the moan that was trying to make its way up my throat. What about last night? I wanted to scream. Will the Lord forgive that, too?

"Will you remember that?" he asked. It had the resonance of a threat instead of a question.

"I will, Papa."

"Good," he said. "Good." He nodded, and I hurried out and down to the kitchen to get him his breakfast. Emily was already up and waiting at the table. I was sure she would know what had happened the moment she set eyes on me and recalled how she had found me the night before, but she looked at me no differently than she did every other morning. Her face was filled with the same contempt, the same disgust.

"Good morning, Emily," I said as I headed toward the kitchen. "I have to get Papa his breakfast."

"Just a minute," she snapped. I hesitated but tried not to look directly at her.

"Did you do what you had to do last night to keep yourself clean?"

"Yes, Emily."

"You should keep track of your monthly time, keep track of it so it doesn't come as a surprise. Just remember why it comes—to remind us always of Eve's sin in Paradise."

"I will, Emily."

"Why did you sleep so late? Why weren't you in my room this morning to empty my chamber pot?" she asked quickly.

"I'm sorry, Emily, but . . ." I raised my eyes to her. Maybe, if I explained how it had happened . . . "But Papa was cold last night and—"

"Never mind all that," she said quickly. "I told you . . . you have to maintain your regular penance as well as look after all of Papa's needs. Do you understand?"

"Yes, Emily."

"Hmm," she said. She pursed her lips and squeezed her eyes into slits of suspicion. I decided if she asked me why I had gone to my real mother's picture, I would tell her. I would spit it at her. But she didn't ask because she didn't really care why I was in that room, sobbing.

"All right," she said after a moment. "When you're finished with Papa, go to my room and empty the pot."

"Yes, Emily." I released a trapped breath and continued into the kitchen, where I found Vera was making Mamma some tea.

"I looked in on her this morning," Vera explained. "She said she had a bellyache and wanted nothing else."

"Mamma is sick?"

"She was probably eating those sweet chocolates all night and overdid it," Vera said. "I swear, she forgets from one moment to the other how many she's already eaten. How's the Captain this morning?"

"He's hungry," I said, and told her what Papa wanted. Vera stared at me a moment.

"Are you all right, Lillian?" she asked softly. "You look on the pale side and tired." I shifted my eyes quickly.

"I'm fine, Vera," I replied, and bit down on my lower lip to lock up the screams and the cries that wanted to rush out. Vera remained skeptical but prepared Papa's breakfast quickly. I took the tray and left. I wanted to stop in and see Mamma on my way back up with Papa's breakfast, but Emily followed behind and rushed me along, forbidding it.

"His food will only get cold and he'll be upset," she warned. "You can look in on Mamma later. I'm sure it's nothing anyway. You know how she is."

Papa looked disappointed when he saw Emily follow me into his room. I set his tray on his bed table and then, before he could begin, Emily began the morning prayer.

"Keep it short this morning, Emily," he said. She shifted an annoyed look at me as if she blamed me for Papa's temperament and then abbreviated her reading.

"Amen," Papa said the moment she finished. He dug into his eggs. Emily watched him eat for a few moments before turning to me.

"Get dressed," she ordered, "and come down for your own breakfast promptly. You still have your morning chores to do in my room and prayers to say."

"And then get right back up here," Papa added. "I have some letters for you to write and some orders for you to make out."

"Mamma's not feeling well today, Papa," I said. "Vera told me."

"Vera will look after her," he said. "Don't waste any time on her nonsense."

"I'll go in and see that she says a prayer," Emily assured us.

"Good," Papa said. He gulped his coffee and fixed his eyes on me. I looked away quickly and then hurried out to empty Emily's chamber pot and got dressed to go down to breakfast with her. Before I did, however, I snuck into Mamma's room.

Beneath her quilt, alone in her big bed with its thick, dark oak posts and its wide headboard and footboard, and with her head settled softly in the middle of her large, fluffy pillow, Mamma looked like a little girl. Her face was as pale as a dull pearl and her unbrushed hair lay softly around her head. Her eyes were closed, but they snapped open when I approached. A gentle smile formed around her lips and brightened her eyes as soon as she saw me.

"Good morning, sweetheart," she said.

"Good morning, Mamma. I heard you weren't feeling well this morning."

"Oh, it's just a nasty tummyache. It's almost all gone already," she said, and reached for my hand.

I seized hers eagerly. Oh, how I wanted to tell her what had happened. How I wanted to bury my head in her lap, to have her embrace and comfort me and tell me not to hate myself. How I needed to hear her reassure me and pet me and promise me I would be all right. I needed mother love, that link with something warm and tender. I longed to inhale her lavender scent and feel the softness of her hair. I hungered for her tender kisses and the peace that came over me when I felt secure in her arms.

I wanted to be a little girl again; I wanted to be that age before all the terrible truths rained down upon me, when I was still young enough to believe in magic, when I sat on Mamma's lap or beside her with my head on her lap and listened to her soft voice as she wove the wonder of those fairy tales she used to read to Eugenia and me. Why did we have to grow up and enter a world full of deceit and ugliness? Why couldn't we be frozen in good times and kept prisoners of happiness?

"How is Eugenia this morning?" she asked before I could even think of telling her anything unpleasant.

"She's fine, Mamma," I said, choking back a sob.

"Good, good. I'll try to see her later. Is it warm and bright outside?" she asked. "It looks like it is," she said, turning toward the windows.

I realized I hadn't even looked out myself this morning. Vera had opened Mamma's curtains, but I saw a sky covered with dark gray clouds and not the blue sky Mamma thought she saw.

"Yes, Mamma," I said. "It's lovely."

"Good. Perhaps I'll take a walk today. Would you like to do that?"

"Yes, Mamma."

"Come by after lunch and we will then. We'll walk through the fields and pick some wildflowers. I need fresh flowers in my room. Okay?"

"All right, Mamma."

She patted my hand and then closed her eyes. A moment later, she smiled, but kept her eyes closed.

"I'm still a bit groggy, Violet," she said. "Tell Mamma I want to sleep a little longer."

Oh God, I thought, what's happening to her? Why does she still drift from one world to another and why doesn't anyone do more about it?

"Mamma, it's Lillian. I'm Lillian, not Violet," I insisted, but she didn't seem to hear or care.

"I'm so tired," she muttered. "I stayed up too late last night counting stars."

I stood there a few moments longer, holding her hand and staring down at her until her breathing became soft and regular and I realized she was asleep again. Then I let go of her hand and turned very slowly, feeling as if I were drifting away like a balloon in the wind, expecting to be tossed and tugged in the rough winds that awaited, the string that had slipped from a child's hand trailing beneath it.

Over the next few days, I really began to wonder myself whether or not the devil had possessed Papa to do what he had done to me. Papa made no reference to the incident, nor did he do or say anything to make me feel uncomfortable or ashamed. Instead, he rained compliments on me day after day, especially in Emily's presence.

"Lillian's better than a business manager," he declared. "She whips up those figures in no time and she spots mistakes with an eagle's eye. Why, she found where I've been paying too much for hog feed, didn't you, Lillian? People are always trying to squeeze an extra dollar out of you and they will if you don't watch out. You done good work, Lillian. Mighty good work," he said.

Emily's eyes narrowed and she pursed her lips but she was forced to nod and tell me I was on the path of righteousness now.

"Just don't stray off it," she warned.

At the end of the week, the doctor came to see Papa and told him he should get a wheelchair and crutches and get up and out of the room.

"You need fresh air, Jed," he declared. "Your leg's broken, but the rest of you needs at least a little exercise. Seems to me," the doctor added, gazing my way, "you're being spoiled by all these pretty women waiting on you hand and foot, eh?"

"So what?" Papa snapped back. "You spend all your life working yourself to the bone for your family. It ain't no big deal for them to look after you once in a while."

"Of course," the doctor said.

It was Emily who suggested that Eugenia's old wheelchair be taken out of storage and given to Papa. Charles brought it up after he had oiled and polished it until it looked brand-new. That afternoon, Papa's crutches were delivered and he was up and out of his bed for the first time since the accident. But when Emily suggested he move himself down and into Eugenia's old bedroom, Papa balked.

"I'll be fine wheeling and moving around up here," he said. "When I'm ready to go downstairs, we'll work that out."

The thought of being in Eugenia's bedroom and sleeping in her bed seemed to terrify him. Instead, he ordered me to wheel him about the upstairs. I took him in to see Mamma and then he decided to take me for a tour through parts of the upstairs, describing the rooms, who had lived in them, and where he played as a little boy.

Getting out of his room raised his spirits and stimulated his appetite. Later that afternoon, I helped him shave and put on one of his nicer shirts. I had to cut the leg off one of his pairs of trousers so he could get them over his cast. He practiced with the crutches and worked at the desk. I was hoping that all this meant my days and nights of nursing him were coming to an end, but Papa didn't send me to my own room to sleep.

"I can get around, Lillian," he said, "but I still need you to help awhile longer. You're willing, aren't you?" he asked. I nodded quickly and busied myself so he wouldn't see the disappointment in my face.

Papa began to receive some of his friends and one night, a few days later, he had a card game in his room. I brought them some refreshment and left to wait downstairs. Before all the men left, I fell asleep on the leather sofa in Papa's office. I heard them laughing as they came down the stairs and I hurried up to see what Papa wanted before he went to sleep. I found him in a very angry mood. He had drunk a lot and apparently had lost a lot of money, too.

"I'm just in a bad streak of luck," he muttered. "Help me get these things off," he cried a moment later, and began tearing off his shirt. I rushed to him and helped him undress, pulling off his boot and socks and then tugging off his customized trousers. He wasn't very cooperative, tossing about and cursing his hard luck. He kept reaching for his glass of bourbon and, when that was empty, demanded I fill it up again.

"But it's late, Papa," I said. "Don't you want to go to sleep now?"

"Just pour my whiskey and don't nag," he snapped. I did it quickly and then folded his clothes.

I cleaned up after Papa's friends and tried airing out the room. There had been so much cigar smoke that the very walls stunk, but Papa didn't seem to care. He drank himself to sleep, muttering about his mistakes at cards.

Exhausted, I finally turned in myself. Hours later, I awoke to the sound of his crashing on the floor. From what I could gather, he had forgotten his broken leg and, in a drunken stupor, tried to get up to go to the bathroom. I got up quickly and rushed to help him, but lifting him was beyond me. He was a deadweight, doing nothing to assist my efforts.

"Papa," I pleaded. "You're on the floor. Try to get back to bed."

"What . . . what," he said, pulling me down to him in an effort to pull himself up.

"Papa," I pleaded, but he held me down against him, my body twisted so awkwardly, I could barely turn or twist myself free. I thought of yelling for Emily but feared what she would say if she saw me entwined in Papa's arms like this. Instead, I pleaded with him to let me go. He mumbled and groaned and finally turned enough for me to break free. Once again, I tried to get him to help himself. This time, he took hold of the bedpost and pulled enough to get his upper body back on the bed. I lifted and pushed until I had him on the bed again. Exhausted, I stood by, panting.

But suddenly Papa laughed and thrust out his hand to seize my wrist. He pulled me down to him.

"Papa, no," I cried. "Let me go. Please."

"Bed warmer," he muttered. He took hold of my nightgown and yanked it up as he rolled me over and under him. Pinned down by his weight, I could only try to slither out, but my movements only pleased him and encouraged him even more. He laughed and muttered names I had never heard, apparently confusing me with women he had known on his business trips. I started to scream, but he clamped his big hand over my mouth.

"Shh," he said. "Or you'll wake the house."

"Papa, please, don't do this again. Please," I pleaded.

"You gotta learn," he said. "You gotta know what to expect. I'll teach you . . . I'll teach you. Better me than some stranger, some dirty stranger. Yes, yes . . . just let me show you . . ."

In moments he was in me again. I turned my head away as he grunted and heaved his body over me. I tried closing my eyes and pretending I was somewhere else, but his smelly hot breath invaded my thoughts and his lips moved quickly over my hair and forehead, sucking, licking, kissing. I felt his hot explosion inside me and then felt his body grow limp. He groaned and slowly turned over.

"Bad luck," he said. "Just a streak of bad luck. Gotta break out of it."

I didn't move. I could hear my heart pounding so hard, I thought it would shatter in my chest. Slowly, I sat up and got off the bed. Papa didn't move, didn't speak. From the sound of his breathing, I was sure he had fallen asleep again. My body shuddered with sobs that began in my heart and remained in my chest. I went to my things, gathered them together, and retreated from the room. I wanted to sleep in my own bed. I wanted to die in my own bed.

Emily shook me awake the next morning. I had fallen asleep clutching my pillow to me. When I opened my eyes, I saw her glaring down at me.

"Papa's calling for you," she said. "Can't you hear him screaming in the corridor? I have to wake you up? Get out of that bed this instant," she ordered.

I looked at the pillow and for a moment, I felt Papa's hot, sweaty body over me again. I heard him muttering his promises and calling me by other names. I felt his fingers squeezing my breasts and his mouth pressing down over mine and I screamed.

I screamed so loud and so unexpectedly that Emily fell back, her mouth agape. Then I began to pound the pillow. I struck it with my fists over and over, sometimes missing it altogether and striking myself, but I didn't stop. I pulled at my hair and then pressed my palms against my temples and screamed again and again, bouncing on the bed and striking myself in the thighs, in the stomach, and in the head.

Emily pulled her Bible from her housecoat pocket and began reading, raising her voice to cover my screams. The louder she read, the louder I screamed. Finally, my throat was too hoarse and dry and I collapsed on the bed, where I shuddered and shivered, my lips trembling, my teeth clicking. Emily continued to read her biblical passages over me and then she crossed herself again and began to retreat, singing a hymn as she did so.

She brought Papa to my bedroom door. He stood on his crutches and looked in at me.

"The devil entered her body last night," she told him. "I've started the process of driving him out."

"Hmm," Papa said. "Good," he said, and quickly returned to his own bedroom. He didn't demand I come back. Vera and Tottie came to see me and brought me something hot to eat and drink, but I wouldn't take anything, not a crumb. All I did was sip some water in the evening and in the morning. I remained in bed all that day and the next. Periodically, Emily stopped by to recite some prayers and sing a hymn.

Finally, on the morning of the third day, I rose, took a hot bath, and went downstairs. Vera and Tottie were happy to see me up and about. They fawned all over me, treating me like the lady of the house. I said very little. I went in to see Mamma and sat with her most of the day, listening to her fantasies and her stories, watching her sleep, reading one of her romance novels to her. She lived in strange spurts of energy, sometimes rising to fix her hair and then retreating to bed. Sometimes she got up and dressed herself, and then she would quickly undress and get into a nightgown and robe. Her erratic behavior, her insanity, seemed soothing to me. I felt so lost and confused myself.

The days passed. Papa began to do more and more for himself. Soon he was navigating the stairway on his crutches and going to his office. Whenever he saw me, he would shift his eyes away quickly and busy himself with something. I tried not to see him; I tried to look through him. Finally, he muttered a "Hello" or a "Good morning," and I muttered one back.

For whatever reasons she had, Emily began to leave me alone, too. She recited her prayers and asked me to read something from the Bible from time to time, but she didn't hover over me and haunt me with her religious demands the way she had since Niles's death.

I spent a good deal of my time reading. Vera taught me how to do needlepoint and I began to do some of that. I took my walks and ate my meals in relative silence. I felt strangely outside myself; I felt like a spirit hovering above, watching my body go through its daily activities with dreary monotony.

One day I managed to get Mamma outside, but she had more headaches and stomachaches than usual and spent most of her time in bed. The only long conversation I had with Papa was about her. I asked him to send for the doctor.

"She's not imagining or pretending, Papa," I told him. "She's really in pain."

He grunted, avoided my eyes as usual, and promised to do something after he finished with his paperwork. But weeks passed without him doing anything until finally, one night, Mamma was in such pain, she was literally howling. Papa was frightened himself and sent Charles for the doctor. After he examined her, he wanted to take her to the hospital, but Papa wouldn't permit it.

"None of us Booths have gone to any hospital, not even Eugenia. Give her some tonic and she'll be just fine," he insisted.

"I think it's more serious, Jed. I need some other doctors looking at her and some tests done on her."

"Just give her some tonic," Papa repeated. Reluctantly, the doctor gave Mamma something for the pain and left. Papa told her to take the tonic every time she was in pain. He promised to get her a case of it if she liked. I told Emily he was wrong and she should convince him to listen to the doctor.

"God will look after Mamma," Emily retorted, "not a bunch of atheistic doctors."

More time passed. Mamma didn't get any better, but she didn't seem to get any worse. The tonic had a sedative effect and she slept most of the time. I was sorry for her because autumn had slipped in upon us with brighter yellows and crisper browns than I could recall. I wanted to take her for walks.

One morning, as soon as I awoke, I made up my mind I would get Mamma dressed and out of bed, but when I started to rise myself, a wave of nausea came over me and sent me scurrying to the bathroom, where I vomited until my stomach ached. I couldn't imagine what had done it and done it so suddenly. I sat on the floor, my head spinning, and closed my eyes.

Then it came to me. It washed over me like a pail of ice water, but it left my face hot and my heart pounding. It had been nearly two months and I hadn't had my period. I got up quickly, dressed, and hurried downstairs to go directly to Papa's office and his medical books. I opened the one that I knew discussed pregnancy and read the shocking news I knew in my heart.

I was still sitting on the floor, the book opened in my lap, when Papa entered his office. He stopped with surprise.

"What are you doing here this hour?" he demanded. "What's that you're reading?"

"It's one of your medical books, Papa. I wanted to be sure first," I said. My voice was so full of defiance, Papa was taken aback.

"What do you mean? Sure of what?"

"Sure I was pregnant," I declared. The words fell like thunder. His eyes opened wide and his mouth dropped. He shook his head. "Yes, Papa, it's true. I'm pregnant," I said. "And you know why and how it happened."

Suddenly, he brought his shoulders up and pointed his finger at me.

"Don't you go making wild accusations, Lillian. Don't you go saying anything outrageous, hear, or . . ."

"Or what, Papa?"

"Or I'll have you horsewhipped. I know how you got yourself in a woman's way. It was that boy that night. That's what it was; that's when it happened," he decided, nodding after he spoke.

"That's a lie, Papa, and you know it. You had Mrs. Coons here. You heard what she said."

"She said she wasn't sure," Papa lied. "That's right, that's right, that's what she said. And now we know why she wasn't sure. You're a disgrace, a shame on the Booth household and name, and I won't permit anyone to shame this family! No one's going to know. That's right," he said, nodding again.

"What is it? What's wrong, Papa?" Emily said, coming up behind him. "Why are you shouting at Lillian now?"

"Why am I shouting? She's pregnant with that dead boy's baby. That's why," he said quickly.

"It's not true, Emily. It wasn't Niles," I said.

"Shut up," Emily said. "Of course it was Niles. You had him in your room and you did a sinful thing. Now you're going to suffer for it."

"There's no reason to let anyone else know," Papa said. "We'll keep her hidden until afterward."

"And then what will you do, Papa? What about the baby?"

"The baby . . . the baby . . ."

"It'll be Mamma's baby," Emily said quickly.

"Yes," Papa said, quickly agreeing. "Of course. No one sees Georgia these days. Everyone will believe it. That's good, Emily. At least we'll save the Booths' good name."

"That's a horrid lie to tell," I said.

"Quiet," Papa said. "March yourself upstairs. You'll not come down again until . . . until it's born. Go on."

"Do what Papa says," Emily ordered.

"Move!" Papa shouted. He stepped toward me. "Or I'll beat you like I promised."

I closed the book and hurried out of the office. Papa didn't have to whip me. I wanted to hide the shame and the sin; I wanted to crawl into a dark corner and die. Now that didn't seem so terrible. I would rather be with my lost little sister, Eugenia, and the love of my life, Niles, than live in this horrid world anyway, I thought, and prayed my heart would simply stop.

TWELVE

MY CONFINEMENT

While I lay on my bed staring up at the ceiling, Papa and Emily were downstairs in his office planning out the great deception. At the moment I didn't care what they did or what they said. I no longer believed that I had any control over my destiny anyway. I probably never had. When I was younger and I sat around planning all the wonderful things I would do with my life, I was simply dreaming, fooling myself, I thought. I now realized that poor souls like me were put on this earth to serve as illustrations of what terrible things could happen if God's commandments were disobeyed. It mattered not who in the line of your ancestry disobeyed the commandments. The sins of the fathers were, as Emily often quoted, visited on the heads of the children. Surely I was living proof of that.

Yet why God had listened to someone as cruel and horrid as

Emily and turned a deaf ear to someone as soft and gentle as Eugenia or Mamma or as sincere as me was confusing and frightening. I had prayed for Eugenia, I had prayed for Mamma, and I had prayed for myself, but none of those prayers were answered.

Somehow, for some mysterious reason, Emily was put on this earth to judge us and lord it over all of us. So far, it seemed to me, all her prophecies, all her threats, all her predictions, came true. The devil had seized hold of my soul even before I was born and he had tainted me with evil so effectively that I had brought about my mother's death. Just as Emily had said many times, I was a Jonah. As I lay on my bed with my hand on my stomach and realized that inside me an unwanted child was forming, I did feel as if I had been swallowed by a whale and hovered now within the dark walls of another prison.

That's what my room was to become as far as Papa and Emily were concerned: a prison. They marched into it together, armed with their biblical words of justification, and pronounced sentence on me like the judges of Salem, Massachussetts, glaring down hatefully at a woman suspected of being a witch. Before they spoke, Emily offered a prayer and read a psalm. Papa stood beside her, his head bowed. When she was finished, he raised his head and his dark eyes hardened to rivet on me.

"Lillian," he declared in a booming voice, "you will remain in this room under lock and key until the baby is born. Until then, Emily and only Emily will be your contact with the outside world. She will bring you your food and see to your needs, bodily and spiritually."

He stepped closer, expecting me to object, but my tongue stayed glued to the roof of my mouth.

"I don't want to hear any complaints, no whining and crying, no pounding on the door, no screaming from the windows, hear? If you do, I'll have you taken up to the attic and chained to the wall until it's time for the baby to be born. I mean it," he said with firmness behind his threat. "Understand?"

"But what about Mamma?" I asked. "I want to see her every day and she will want to see me."

Papa knitted his thick, dark brows together and thought a moment. He looked at Emily before he decided and turned back to me.

"Once a day, when Emily says it's all right, she will come to fetch you and take you to Georgia's room. You will stay a half hour and then return to your room. When Emily tells you time's up, you listen; otherwise . . . she won't come to take you anymore," he declared, a hard edge to his voice.

"Am I not to go out and get some sunlight on my face and breathe fresh air?" I asked. Even a weed needs some sunlight and fresh air, I thought, but dared not say it, or Emily was sure to reply that a weed does not sin.

"No, damn it," he retorted, his face red. "Don't you understand what we're trying to do here? We're trying to save the family's good name. If someone sees you with your stomach swollen, there'll be talk and chatter and before you know it, everyone in the county will know our disgrace. Just sit over by your window there and that will be enough sunlight and air, hear?"

"What about Vera and Tottie?" I asked softly. "Can't I see them?"

"No," he said firmly.

"They'll wonder why not," I muttered, daring his scorn.

"I'll take care of them. Don't you concern yourself about it." He pointed his thick right forefinger at me. "You obey your sister; you listen to her commands and you do what I've just told you to do and when this is over, you can be one of us again." He hesitated, softening a bit. "You can even return to school. But," he added quickly, "only if you prove yourself worthy.

"Just so you won't go daft," he said, "I'll bring you some of my book work to do from time to time, and you can have books to read and do that needlework you do. I'll look in on you whenever I get a chance," he concluded, and turned to leave. Emily lingered in the doorway.

"I'll bring you some breakfast now," she said in her most arrogant, haughty voice and followed Papa out. I heard Emily insert a key in the door and turn it until the lock snapped shut.

But as soon as their footsteps trailed off and they were gone, I started to laugh. I couldn't help it. I realized that suddenly Emily was going to be my servant. She would be bringing me my meals, marching up and down the stairs with my tray as if I were someone to be pampered. Of course, she didn't see it that way; she saw herself as my jailer, my master.

Perhaps I wasn't really laughing; perhaps it was my way of crying, for I was out of tears, drained of sobs. I could fill a river with my sorrow and I was barely fourteen years old. Even laughter was painful. It wrenched at my heart and made my ribs ache. I sucked in my breath to get control of myself and went to the window.

How pretty the world outside looked now that it was forbidden. The forest was a landscape of autumn colors with ribbons of orange and shades of brown and yellow painted through it. The uncultivated fields were studded with tiny pines and brown and gray underbrush. Small puffs of clouds never looked as white nor the sky as blue, and the birds . . . the birds were everywhere demonstrating their freedom, their love of flight. It was tormenting to see them in the distance and not hear their songs.

I sighed and retreated from the window. Because my room was being turned into a prison cell, it seemed smaller. The walls looked thicker, the corners darker. Even the ceiling appeared to lower itself toward me. I feared it would close in on me a little every day until I was crushed in my solitude. I closed my eyes and tried not to think about it. Soon after, Emily brought up my breakfast. She placed the tray on my night table and stood back with her shoulders hoisted, her eyes narrow, her lips pursed. Her pasty pallor sickened me. Being confined within these four walls, I feared I would soon have the same ashen complexion.

"I'm not hungry," I declared after looking at the food, especially the bland hot cereal and dry toast.

"I had Vera make this special for you," she declared, pointing at the hot cereal. "You'll eat and you'll eat all of it. Despite the sin of your being with child, there is the child to think of and protect. What you do with your body afterward is not of any importance but what you do with it now is, and as long as I'm in charge, you will eat well. Eat," she commanded, as if I were her puppet.

But what Emily said made sense to me. Why punish the child inside me? I would be doing the same sort of thing that had been done to me: weighing the child down with the sins of its parents. I ate mechanically while Emily watched, waiting to be sure I swallowed every mouthful.

"I know you know," I said, pausing, "that Niles is not the father of my baby. I'm sure you know how much more terrible this really is."

She stared at me for the longest time without speaking and then finally nodded.

"The more reason for you to listen to me and obey. I know not why it is so, but you are a vessel through which the devil makes his way into our lives. We must shut him up within you forever and give him no more victories in this house. Say your prayers and meditate upon your deplorable state," she said. Then she picked up my tray and carried my empty dishes from the room, locking the door behind her again.

Day one of my new prison sentence had begun. I shrank back into my small room, which was to become my world for months and months. In time I would know each and every crack in the wall, each and every spot on the floor. Under Emily's supervision, I would clean and polish and then clean and repolish every piece of furniture, every inch of space. Papa dropped off his bookkeeping work for me every few days, as he had promised, and Emily, with reluctance in her face, brought me books to read as Papa had commanded. I did my needlework and made some fine pieces to hang on my otherwise naked walls.

But I took the greatest interest in my own body, standing in front of the mirror in my bathroom and studying the changes. I saw how my breasts and nipples grew larger and how my nipples grew darker. Tiny new bluish blood vessels formed in my bosom and when I ran the tips of my fingers over them, I felt new tingling and felt the fullness that was developing. My morning sickness continued well into my third month and then suddenly stopped.

One morning I woke up feeling ravishingly hungry. I couldn't wait for Emily to bring me my tray and when she came, I gobbled everything up in minutes and asked her to bring me more.

"More?" she snapped. "Do you think I'm going to run up and down the stairs all day to satisfy your every whim? You'll eat what I bring and when I bring it and no more."

"But, Emily, it says in Papa's medical book that a pregnant woman is often hungrier. She has to eat enough for two. You said you didn't want the baby to suffer for my sins," I reminded her. "I'm not asking for myself; I'm asking for the unborn child, who surely craves and needs more. How else can it tell us what it needs except through me?"

Emily smirked, but I saw that she was reconsidering.

"Very well," she acceded. "I'll bring you something more now and see that you get extra portions of everything from now on, but if I see that you are getting fatter and fatter . . ."

"I'm bound to gain some weight, Emily. It's only a natural part of things," I said. "Just look in the book or have Papa ask Mrs. Coons." Once again, she reconsidered.

"We'll see," she said, and left to get me more food. I congratulated myself on my success in getting Emily to do something for me. Perhaps I had been somewhat conniving, but it felt good. It gave me the most pleasure I had had for months and I found myself smiling. Of course, I hid my smiles from Emily, who still hovered about, watching me suspiciously at her every opportunity.

Late one afternoon long after she had brought me my lunch, I heard a gentle knocking on my door and went to it. Of course, it was still locked, so I couldn't open it.

"Who is it?" I asked.

"It's Tottie," Tottie replied in a loud whisper. "Vera and I been worrying about you all this time, Miss Lillian. We don't want you to think we didn't care none. Your papa told us never to come up here to see you and not to worry about you none, but we do. Are you all right?"

"Yes," I said. "Does Emily know you're here?"

"No. She and the Captain is out of the house right now so I chanced it."

"You'd better not stay long, Tottie," I warned.

"Why you locked yourself up in there, Miss Lillian? It ain't what your papa and Emily says, is it? You don't want it this way, do you?"

"It can't be helped, Tottie. Please don't ask any more questions. I'm all right."

Tottie was silent a moment. I thought she might have tiptoed away, but then she spoke again.

"Your papa's telling folks your mother's pregnant. Vera says she don't look or act pregnant. Is she, Miss Lillian?"

I bit down on my lip. I wanted to tell Tottie the truth, but I was afraid, not for myself as much as I was for her. There was no telling what Papa would do if she told anyone about me. Anyway, I was ashamed of what had happened and didn't want it known.

"Yes, Tottie," I said quickly. "It's true."

"Then why you want to stay in your room under lock and key, Miss Lillian?"

"I don't want to talk about it, Tottie. Please, go back downstairs. I don't want you getting into trouble," I said, choking back my tears.

"It doesn't matter, Miss Lillian. I really come to say goodbye. I'm leaving just as I said I would. I'm going north to Boston to live with my grandmother."

"Oh, Tottie, I'll miss you," I cried. "I'll miss you very much."

"I'd like to give you a hug goodbye, Miss Lillian. Won't you open this door and say goodbye to me?"

"I . . . can't, Tottie," I said. I was crying now.

"Can't or won't, Miss Lillian?"

"Goodbye, Tottie," I said. "Good luck."

"Goodbye, Miss Lillian. You and Vera and Charles and their little boy, Luther, are the only people I cared to say goodbye to. And your mother, of course. Truth is, I'm saying good riddance to this unhappy place. I know you ain't happy in there, Miss Lillian. If there's anything I can do for you before I leave . . . anything . . ."

"No, Tottie," I said, my voice cracking. "Thank you."

"Goodbye," she repeated, and walked away.

I cried so much I thought I would have no appetite for dinner, but my body surprised me. When Emily appeared with my tray, I took one look at the food and realized I was very hungry. This increased appetite continued well into my fourth and fifth months.

With my increased hunger came a revitalized energy. My short walks to see Mamma were far from enough exercise, and when I did see Mamma, I couldn't go anywhere with her, especially by the time I was in my sixth month. By then, Mamma was in bed most of the time anyway, her face sallow, her eyes dull. Emily and Papa had told Mamma that she was pregnant, that the doctor had examined her and said so. She was just confused and bewildered enough to accept the diagnosis, and, from what I understood her to say, she even told Vera she was pregnant. Of course, I didn't expect Vera to believe it, but I did expect she would be discreet about it and mind her own business.

By this time, Mamma was having more and more stomach pain and taking more and more of the painkiller. Papa had been true to his word about that. There were dozens of bottles in Mamma's room, some empty, some half empty, all lined up on the dresser and night table.

Whenever I visited her now, Mamma lay there in bed, moaning softly, her eyes barely open, barely realizing I was even there. Sometimes, she made an attempt to look good and put on some makeup, but by the time I got to her, her makeup was usually smeared and even so, she was pale beneath the rouge and lipstick. Her large eyes would stare up at me bleakly and she would only vaguely listen to whatever I was saying.

Emily wouldn't admit it, but Mamma had lost a great deal of weight. Her arms were so thin, I could see the elbow bones clearly and her cheeks had sunken something terrible. When I touched her shoulder, she felt like she was made of bird bones. I could see from the food left on her plate that she was hardly eating. I tried feeding her, but she just shook her head.

"I'm not hungry," she whined. "My stomach's acting up again. I've got to give it a rest, Violet."

Most of the time now, she called me Violet. I stopped trying to correct her even though I knew that behind me Emily smirked and shook her head.

"Mamma's very, very sick," I told Emily one afternoon at the beginning of my seventh month of pregnancy. "You've got to get Papa to send for the doctor. She must go to a hospital. She's wasting away, too."

Emily ignored me and continued to walk down the corridor, jangling her damnable ring of jailer keys.

"Don't you care about her?" I cried. I stopped in the hallway and Emily was forced to turn around. "She's your mother. Your real mother!" I shouted.

"Lower your voice," Emily said, stepping back. "Of course I care about her," she replied coolly. "I pray for her every night and every morning. Sometimes I go into her room and hold an hour-long prayer vigil at her bedside. Didn't you notice the candles?"

"But, Emily, she needs real medical attention and soon," I pleaded. "We've got to send for the doctor right away."

"We can't send for the doctor, you fool," she snapped. "Papa and I have been telling everyone that Mamma is pregnant with your child. We can't do anything like that until after the baby is born. Now let's go back to your room before all this chatter attracts attention. Go on, now."

"We can't go on with this," I said. "Mamma's health is too important. I won't take another step."

"What?"

"I want to see Papa," I said defiantly. "Go down and tell him to come up."

"If you don't go right back into your room, I won't come for you tomorrow," Emily threatened.

"Get Papa," I insisted, and folded my arms under my breasts. "I'm not moving an inch until you do."

Emily glared angrily at me and then turned and went downstairs. A short while later, Papa came up the stairway, his hair wild, his eyes bloodshot.

"What is it?" he demanded. "What's going on?"

"Papa, Mamma is very, very sick. We can't pretend it is she who is pregnant any longer. You must send for the doctor right now," I insisted.

"God's teeth!" he said, his rage setting his face on fire. His eyes blazed down at me. "How dare you tell me what I should do. Get back into your room. Go on," he said. When I didn't move, he pushed me. I didn't doubt that he would have struck me if I had hesitated one more instant.

"But Mamma's very sick," I moaned. "Please, Papa. Please," I pleaded.

"I'll look after Georgia. You look after yourself," he said. "Now, go on." He extended his arm and pointed his finger at my door. I went back slowly, but as soon as I stepped in, Emily slammed my door shut and locked it.

She didn't return that evening with my dinner, and when I became concerned and knocked on the locked door, she responded so quickly, I could only assume she had been standing on the other side of the door all that time, waiting for me to grow impatient and hungry.

"Papa says you are to go to bed without any supper tonight," she declared through the closed door. "That's your punishment for your misbehavior earlier."

"What misbehavior? Emily, I'm only concerned about Mamma. That's not misbehavior."

"Defiance is misbehavior. We have to watch over you very carefully and not permit the smallest indiscretion," Emily explained. "Once the devil has an opening, no matter how small, he worms his way into our souls. Now you have another soul forming within you and how he would like to get his claws into that one, too. Go to sleep," she snapped.

"But, Emily . . . wait," I cried, hearing her footsteps move off. I pounded the door and shook the handle, but she didn't return. Now I truly felt like a prisoner in my own room, but what made it hurt the most was the realization that poor Mamma wasn't going to get the medical attention she so desperately needed. Once again, because of me, someone I loved would be hurt.

When Emily returned the next morning with my breakfast, she declared that she and Papa had made a new decision.

"Until this ordeal is ended, we both agree it would be best if you didn't visit Mamma," she said, placing my tray on the table.

"What? Why not? I must see Mamma. She wants to see me; it cheers her up," I cried.

"Cheers her up," Emily mimicked with disdain. "She doesn't even know who you are anymore. She thinks you're her long-dead younger sister and she doesn't remember from one visit to another anyway."

"But . . . it still makes her feel better. I don't care if she mixes me up with her sister. I . . ."

"Papa said it would be best if you didn't go until after you've given birth, and I agree," she declared.

"No!" I cried. "That's not fair. I've done everything else you and Papa demanded of me and I have behaved."

Emily narrowed her eyes and pressed her lips together so hard, it made the corners of her mouth white. She put her hands on her bony hips and leaned toward me, the dull strands of her hair falling down the sides of her gaunt, hard face.

"Don't force us to drag you up into the attic and chain you to the wall. Papa threatened to do that and he will!"

"No," I said, shaking my head. "I must see Mamma. I must." The tears streaked down my face, but Emily didn't change her hateful expression.

"It's been decided," she said. "That's final. Now eat your breakfast before it gets cold. Here," she said, throwing a packet of papers onto my bed. "Papa wants you to check all these figures carefully." She pivoted and marched out of my room, locking the door behind her.

I would have thought I had no tears left, that I had cried so much in my short life I had sobbed enough for a lifetime, but being locked away from the only soft and loving person I had any contact with anymore was too much. I didn't care that Mamma confused me with my real mother. She still smiled and spoke to me softly. She still wanted to hold my hand and talk about nice things, pretty things, pleasant things. She was the only bright color left in a world of dark, drab, and dull shades. Sitting beside her, even while she slept, soothed and comforted me and helped me get through the rest of my horrid day.

I ate my breakfast and cried. Now time would go much slower. Every minute would be more like an hour, every hour more like a day. I didn't care to read another word, weave another stitch, or even glance at Papa's bookkeeping. All I did was sit by my window and watch the world outside.

How strong my little sister, Eugenia, had been, I thought. This was the way she lived most of her short life and yet she had been able to maintain some happiness and hope. It was only my memories of her and her excitement over everything I did and described to her that sustained me through the next few days and weeks.

During the last week of my seventh month of my pregnancy, I grew bigger and gained the most weight. At times I found it difficult to breathe. I could feel the baby pushing up. It took more effort to rise every morning and move about my small room. Cleaning and polishing, even sitting for long periods, tired me quickly. One afternoon when Emily had come to take away the lunch dishes, she criticized me for being too lazy and getting too fat.

"It's not the baby who's demanding these extra portions anymore; it's you. Look at your face. Look at your arms!"

"Well, what do you expect?" I snapped back at her. "You and Papa won't let me go out. You won't let me do any real exercise."

"It's the way it has to be," Emily declared, but after she left, I finally decided it wasn't the way it had to be. I was determined to get out, even if only for a little while.

I went to the door and studied the lock. Then I fetched a nail file and returned. Slowly, I tried to get the tooth of the lock back just enough so that when I tugged on the door, it would clear its slot and the door would open. It took me nearly an hour, almost getting it and then failing a dozen times, but I didn't give up until I finally tugged and felt the door come toward me.

For a moment I didn't know what to do with my newfound emancipation. I just stood there in the open doorway, gaping out at the corridor. Before I stepped out, I gazed first to the right and then to the left to be sure the way was clear. Once out of my room, without Emily escorting me and confining me to a certain direction and path, I felt giddy. Every step, every corner of the house I confronted, every old picture, every window, seemed new and exciting. I went directly to the top of the stairway and gazed down at the lobby and entryway, which had only been a memory these past months.

The house was exceedingly quiet, I thought. All I could hear was the ticktock of the grandfather clock. Then I recalled that so many of our servants were gone, including Tottie. Was Papa down in his office working at his desk? Where was Emily? I feared she would pop out at me from any of a dozen dark corners. For a moment I considered retreating to my bedroom, but my defiance and anger grew and gave me the courage to continue. I stepped down the stairs gingerly, pausing after the slightest creak to be sure no one had heard.

At the bottom of the stairway, I paused again and waited. I thought I heard some sounds coming from the kitchen, but other than that and the grandfather clock, all was quiet. I noticed that there was no light streaming out of Papa's office. Most of the downstairs rooms were very dark. Still tiptoeing, I made my way to the front door.

When my hand felt the doorknob, I experienced a surge of electric excitement. In moments I would be out of the house and in the daylight. I would feel the warm spring sun all over me. I knew I would risk being spotted in my pregnant condition but, no longer concerned about my own shame, I opened the door slowly. It creaked so loud I was sure it would draw Emily and Papa out to look, but no one appeared, and I stepped outside.

How wonderful the sunlight felt. How sweet the flowers smelled. Grass was never this green, magnolias never this white. I vowed never to take a thing for granted, no matter how small and insignificant it seemed to be. I loved everything: the sound of the gravel crunching beneath my feet, the swoop of the chimney swallows, the barks of the hound dogs, the shadows cast by the sunlight, the scent of the farm animals, and the open fields with the tall grasses swaying in the breeze. Nothing was as precious as freedom.

I walked, taking pleasure in each and every thing I saw. Fortunately, there was no one around. All the farm hands were still in the fields and Charles was probably in the barn. I didn't realize how far I had gone until I turned around and looked back at the house. But I didn't return; I continued on, following an old path I had run over many times as a young girl. It took me to the woods, where I enjoyed the cool shade and the pungent scent of pine trees. Mockingbirds and jays flitted about everywhere. They seemed as excited as I was with my entrance into their sanctuary.

As I continued down the cool, dark path, my youthful memories flowed unabated. I recalled coming into the woods with Henry to find some good wood to carve. I remembered following a squirrel to watch him store his acorns. I recalled the first time I had taken Eugenia out for a walk and, of course, I remembered our wonderful journey to the magic pond. With that recollection came the realization that I had walked nearly three-quarters of the way to the Thompsons' plantation. This wooded pathway was a shortcut that the Thompson twins, Niles, Emily, and I often had taken.

My heart began to pound. Over this pathway, poor Niles had surely run to see me that dreadful night. As I continued on, I saw his face and his smile, I heard his voice and his sweet laughter. I saw his eyes pledging love and felt his lips brush over mine. It took my breath away, but I walked on, despite the fatigue that had come into my legs. Not only was I lugging more weight and finding walking more difficult because of my swollen stomach, but my body had not had this much exercise for months. My ankles ached and I had to stop to catch my breath. Anyway, I had come to the end of the wooded pathway and now gazed out at the Thompsons' fields.

I looked at their plantation house, their barns, and their smokehouse. I saw their wagons and their tractors, but when I turned to my right, my heart did flip-flops and I nearly fainted. Here, at the rear of one of their south fields, was the Thompson family graveyard. Niles's headstone was only a dozen or so yards away. Had fate brought me here? Had I somehow been drawn by Niles's spirit? I hesitated. I wasn't afraid of something supernatural; I was afraid of my own emotions, afraid of the torrent of tears that surged and tossed against the walls of my heart, threatening to drown me in this renewed ocean of sorrow.

But having come this far, I couldn't turn back without resting my eyes on Niles's grave. Slowly, nearly tripping twice over the undergrowth, I made my way to the family plots and approached Niles's tombstone. It still looked fresh. Someone had recently placed flowers in front of it. I drew my breath in and held it as I raised my eyes to read the inscription:

NILES RICHARD THOMPSON
GONE BUT NOT FORGOTTEN

I stared at the dates and read and reread his name. Then I stepped close enough to put my hand on the top of his stone. Having been basking in the afternoon sun, the granite was warm. I closed my eyes and thought about his warm cheek against mine, his warm hand holding mine.

"Oh, Niles," I moaned. "Forgive me. Forgive me for being a curse to you, too. If only you hadn't come to my room . . . if only we had never looked at each other with any affection . . . if only I had left your heart untouched . . . Forgive me for loving you, dear Niles. I miss you more than you could ever imagine."

Tears dropped off my cheeks and fell on his grave. My body shuddered and my legs of clay collapsed beneath me, bringing me to my knees. There I knelt, my sobs growing stronger, harder, until my shortness of breath terrified me. I was starving for oxygen; I could die here, I thought, and my baby would die here, too. Panic seized me. I reached up and took hold of Niles's stone and pulled myself to my feet so awkwardly, I tottered uncertainly for a moment before gaining a secure stance. Then, my tears still flowing, I turned away from the grave and hurried toward the wooded path.

I had made a terrible mistake. I had gone too far. Fear and anxiety seized hold of my legs and made each step an ordeal. My stomach grew twice as heavy and my breathing grew shorter, faster. How my back ached with every turn. My head began to spin. Suddenly, my foot got caught under a tree root and I fell forward, screaming as I caught myself on a bush and felt it scratch my arms and neck. I hit the earth with a thud, the collision sending a resounding clap of thunder down from my shoulders, through my chest, and into my stomach. I groaned and turned over on my back. There I remained for minutes, holding my stomach, waiting for the storm of pain to end.

The forest had grown quiet. The birds were in shock, too, I thought. What had started out as pleasurable and wonderful had become dark and frightening. The very shadows that had earlier looked cool and inviting now looked dark and ominous, and the wooded pathway that attracted me and promised enjoyment had turned into a formidable journey fraught with danger and peril.

I sat up, moaning softly. Just the idea of standing again seemed an enormous task. I took two deep breaths and struggled to my feet, rising like a woman of ninety. The moment I did so, I had to close my eyes because the woods had begun to spin. I waited, sucking in short breaths and holding my right palm against my heart as if I wanted to be sure it didn't pound its way out of my chest. Finally, my breathing and my heartbeat slowed and I opened my eyes.

The afternoon sun had dropped more quickly than I had realized. The shadows were deeper; the forest was colder. I started down the path again, trying to move quickly but trying at the same time to avoid another unpleasant fall. The effects of this one had still not left me. My stomach continued to ache ominously, the dull but continuous pain traveling farther and farther down until I felt needles in my groin and every step became harder and harder.

I thought I had been walking for so long, but I recognized the surroundings and markings and knew that I was merely halfway back. Once again, fear had a strong hold over me and with it came a rush of heartbeats that took my breath away. I had to stop and take hold of a sapling and wait for the attack of anxiety to lessen. It did but it didn't disappear. I knew I had to continue and go as quickly as I could, for something strange and new was happening inside me. There was turmoil where there had never been turmoil before. The problem was that each and every new step forward only increased the pain, only encouraged the commotion.

Oh no, I thought. I'm not going to get back; I'm not going to make it. I started to shout, small, low cries at first, but then stronger and more desperate cries as I experienced more pain, more aches. My legs were rebelling, too. They didn't want to move forward and my back . . . it was as if someone were driving nails into it every time I moved forward. After a while I realized I had gone only a dozen or so yards. I screamed again and this time the effort made my brain reel and my eyes roll back. I gasped and sank to the forest floor once again; then all went black.

At first, when I regained consciousness, I thought I was up in my room in my bed dreaming, but the sensation of small ants and other insects crawling over my legs inside my skirt quickly reaffirmed my location. I brushed myself down and when I did so, I felt the warm wetness trickling down my calves. There was just enough daylight streaming in between the trees and leaves for me to see it was blood.

This new panic left me cold. My teeth actually began to click. I turned over and pushed myself up into a sitting position first. Then I used the nearby sapling to lift myself to my feet. No longer aware of the pain, too numb with fear to realize if I was being scratched by bushes or nicked by branches, I plodded onward, moving forward ponderously but continuously. The moment I set eyes on the plantation house, I released another scream, this time calling on all my strength. Fortunately, Charles was just returning some equipment to the barn and heard me.

I suppose the sight of me was shocking: a pregnant young girl coming out of the forest, her hair disheveled, her face streaked with tears and mud. He simply stared. I didn't have the strength to scream again. I lifted my hand and waved and then my knees gave out and I fell very hard and very fast to the ground. I lay there, too exhausted to try to move. Instead, I closed my eyes.

I don't care anymore, I thought. I don't care. Let it end this way. We're both better off, my baby and me. Let it end. My prayer reverberated down the long, hollow corridor of my darkened mind. I didn't even hear anyone come; I didn't hear Papa shouting; I didn't feel myself being lifted. I kept my eyes closed and settled softly in my own comfortable world, a world away from pain and hate and trouble.

Days later, Vera told me Charles said I had a smile on my face all the way back to the house.

THIRTEEN

LITTLE CHARLOTTE, SWEET CHARLOTTE

"How dare you do this after Papa and I have worked so hard to keep the shame a secret!" Emily screeched down at me. With great effort, I opened my eyes and looked up at her twisted, angry face. Never were her stone-gray eyes as wide or as hot with rage. The corners of her contorted thin lips cut into her cheeks, and the center of her lower lip dipped so far, her dull teeth were exposed to her pale gums. Her lackluster hair dangled down the sides of her face, the dry strands split. Her fiery wrath made her snort through her small nostrils like a mad bulldog.

Shafts of sharp pain shot through my stomach, down to my groin, and back up the sides of my body. I felt as if I had been lowered into a bathtub of kitchen knives. I groaned and tried to sit up, but my head was a lump of iron and I hadn't the strength in my neck to lift it an inch off the pillow. As best I could, I gazed around my room. For the moment I was so confused, I couldn't recall anything. Had I left the room, really snuck out and gone for a walk through the forest, or was that all a dream? No, it couldn't have been a dream, I thought. Emily wouldn't be screaming and wringing her hands about a dream.

Where was Papa? Where were Charles and Vera and anyone else who had assisted in my return? Did Mamma hear all the commotion and ask to know what had happened to me?

"Where were you? What were you trying to do?" Emily demanded. When I didn't respond, she took hold of my arm and shook me until I opened my eyes again. "Well?"

The pain took my breath away, but I gasped out my answer.

"I just . . . wanted to go outside, Emily. I . . . just wanted to take a walk and see . . . flowers and trees and . . . feel the sun on my face," I said.

"You fool, you little fool," she said, shaking her head. "I'm sure it was the devil himself who opened your locked door and urged you to go out."

Pain made me want to cry out, but I ignored it and looked back at Emily instead.

"No it wasn't, Emily. I did it myself because you and Papa made me desperate!"

"Don't you blame it on us. Don't you dare blame anything on me or Papa. We did what we had to do to restore righteousness in this house," she replied quickly.

"Where is Papa?" I asked, looking around again. I expected him to be in a worse rage, a veritable storm of anger raining curses and threats over me.

"He's gone for Mrs. Coons," she said, practically spitting the words down at me. "Thanks to you."

"Mrs. Coons?"

"Don't you know what you've done? You're bleeding. Something's happened to the baby inside you and it's all your fault. You've probably killed it," she accused, and stood back, her head bobbing on her long neck, her bony arms folded under her chest. Her skin was milk white at her pointed elbows.

"Oh no," I said. That was probably why I had so much pain. "Oh no."

"Yes. Now you can add murderess to your list of sins. Is there anything or anyone you haven't touched or confronted and destroyed or harmed, anyone beside me?" she asked, and then quickly answered her own question. "Of course not. Why Papa expected it would be any different, I don't know. I told him; I warned him, but he thought he could make it all right again."

"Does Mamma know what happened to me?" I asked. Nothing Emily said mattered anymore to me. I decided to simply ignore her.

"Mamma? Of course not. She doesn't know what happened to herself," Emily retorted, "much less anyone else." She turned and started away.

"Where are you going?" I struggled to raise my head a few inches. "What are you going to do?" I cried.

"Just lie there and shut up," she muttered back, and left me, shutting the door behind her.

My head fell back to the pillow. I was afraid to move anyway. The smallest jolt sent the stings burning through my body, sent dozens and dozens of hot pins floating through my veins, sticking and cutting along the way. I was so hot all over, it felt as if my heart was soaking in a chest full of boiling water. I groaned louder. It was getting worse.

"Emily!" I cried. "Get some help. I'm in great pain now. Emily!"

Something was happening in my stomach. I felt rumbling, and then my stomach tightened and tightened, causing excruciating pain. I screamed so hard my vocal cords ached. The tightening continued and then suddenly, thankfully, it began to ease. It took the breath out of me and I gasped and coughed. My heart was pounding. My body shook with such tremors that the whole bed rattled.

"Oh God," I prayed. "I'm sorry. I'm sorry I'm such a Jonah, a curse even to an unborn child. Please, have mercy. Take me now and end my misery."

I lay back gasping, praying, waiting.

Finally, the door was opened, and Papa came in slowly, followed by Mrs. Coons and Emily, who closed the door behind her. Mrs. Coons approached and looked down at me. Beads of sweat had broken out over my forehead and cheeks. I felt as if my eyes, my nose, my mouth, had all been stretched to the point of tearing apart. Mrs. Coons put her scrawny fingers and scratchy palm over my forehead and then pressed her hand over my heart. When I looked up at her and into her dull, gray eyes, looked at her gaunt face and brown-stained skin, I felt as though I had really died and was in the land of the dead. Her hot breath smelled of onions. It made my stomach churn that much more and a wave of nausea climbed into my throat.

"Well?" Papa demanded impatiently.

"Hold your bowels, Jed Booth," Mrs. Coons chortled. Then she lowered her hands to my stomach and kept them there, waiting. The tightness began to build again, this time harder and faster than before. I took short, quick breaths and then began to groan, my cries growing longer and louder as my stomach became firmer and firmer until it felt like solid stone. Mrs. Coons nodded and straightened up, her birdlike gaze fixed on me for a moment.

"She's rushed it along," she declared. "Well, Emily," she said, "you wanted to learn how to do this. Now you will get your first lesson. Bring in some towels and a basin of hot water, the hotter the better," she said.

Emily nodded, her face full of excitement. It was the first time I saw Emily interested in anything besides her biblical studies and religious teachings.

Mrs. Coons turned to Papa, who looked pale and confused. He moved to the right and then to the left. His eyes were jerking from side to side and his tongue was washing his lips as if he had just eaten something delicious. Finally, he tugged on the ends of his mustache and fixed his gaze on Mrs. Coons.

"You want to help, Jed Booth?" Mrs. Coons asked him. His eyes bulged.

"God's teeth! No!" he cried, and ran from the room. Mrs. Coons cackled like a witch and watched him go.

"Never seen a man who had the stomach to watch," she quipped, rubbing her skeleton-like hands together. The veins rose against the flaky skin on the backs of them and were all purple and blue.

"What's happening to me, Mrs. Coons?" I asked.

"Happening to you? Nothing's happening to you. It's happening to that baby inside you. You've gone and shook it out," she said. "Now it's floundering about, confused. Nature tells it to wait, it's not time, but your body is tellin' it it's on its way.

"If it's still alive, that is," she added. "Let's get your clothes off. Come on. You're not as helpless as you think."

I did what she asked, but when the pain returned, I could only lie back and wait for it to subside.

"Take deep breaths, many deep breaths," Mrs. Coons advised. "It's gonna get far worse 'fore it gets better." She cackled again. "Don't seem worth the pleasure it took to get you in this condition, do it?"

"I had no pleasure, Mrs. Coons."

She smiled, her nearly toothless mouth a gaping dark hole in her face, her tongue clicking within.

"Times like this makes it hard to remember," she said. I had no strength to argue. The pain was coming faster and faster each time now. I saw that Mrs. Coons was impressed with that. "Won't be too much longer," she predicted with the certainty of experience.

Emily arrived with the water and towels and stood beside the old hag, who had positioned herself at the bottom of the bed after telling me to raise my knees.

"First one's always the hardest," she told Emily. "Especially when the mother's this young. She ain't grow'd and stretched enough. We're surely going to hafta help it along."

Mrs. Coons was right. The pain I had felt was not the worst of it. When the worst of it came, I screamed so loud I was sure everyone in the house and even people outside a mile away could hear. I was gasping and clinging to the sheets. Once, I reached for Emily's hand, just for the comfort of holding another human being, but Emily refused to give her hand to me. She pulled it away as soon as our fingers touched. Maybe she was afraid I would contaminate her or even burn her with my pain.

"Push," Mrs. Coons commanded. "Push harder. Push," she shouted.

"I *am* pushing!"

"It ain't comin' easy," she muttered, and placed her cold hands on my stomach. I felt her fingers digging into my skin, pressuring my stomach. I heard her mumbling orders to Emily, but I was so full of agony at this moment, I couldn't listen to her; I couldn't see her. The room was clouded in a gauzelike red mist. All sounds drifted farther and farther away. Even my own screams seemed to be coming from someone else in another room.

It took hours and hours. The pain was relentless, my efforts exhausting. Every time I tried to relax, Mrs. Coons was at my ear, screaming for me to push harder. In the midst of one particular seizure of agonizing pain, Emily knelt down beside the bed and whispered in my ear.

"See . . . see how the sins of pleasure are paid for; see how we suffer for the evil we do. Curse the devil; curse him. Drive him away. Say it. Get thee to hell, Satan. Say it!"

I would do anything to stop the pain, anything to stop Emily's continuous banter in my ear.

"Get thee to hell, Satan!" I cried.

"Good. Say it again."

"Get thee to hell, Satan. Get thee to hell, Satan."

She joined me, and then, to my surprise, Mrs. Coons even became part of the chorus. It was maddening—the three of us chanting: "Get thee to hell, Satan. Get thee to hell, Satan."

Somehow, perhaps because I was so distracted, the pain did seem to deaden with my cries. Was Emily right? Was I driving the devil out of me and out of the room?

"Push," Mrs. Coons screamed. "It's happening finally. Push hard now. Push."

I groaned. I was sure the effort would kill me and I understood now how my real mother could have died in childbirth. But I didn't care. I never felt more like dying than I did at this moment. Death loomed as a true source of relief. The temptation to close my eyes and sink into my own grave was great. I even prayed for it.

I felt a gush, a surge of movement. Mrs. Coons was mumbling orders and lessons so quickly to Emily, it sounded like the gibberish of witchcraft. And then, suddenly, in an overwhelming tremor, my lower body shuddered, and it happened . . . The baby emerged. Mrs.

Coons cried out. I saw the look of amazement on Emily's face and then I saw Mrs. Coons lift the newly born infant in her bloodied hands. The umbilical cord was still attached, of course, and dangling, but the child looked perfect.

"It's a girl!" Mrs. Coons declared. She placed her mouth over the infant's bloodstained face and lips and sucked and then the baby cried out; its first complaint, I was sure. "It's alive!" Mrs. Coons cried.

Emily crossed herself quickly.

"Now watch closely and learn how to cut and tie the umbilical cord," Mrs. Coons told her.

I closed my eyes, an overwhelming sense of relief washing over my body. A girl, I thought. It's a girl. And she's not been born dead. I'm not a murderess. Perhaps I was no longer a curse to those whom I touched and who touched me. Perhaps with the birth of my child, I, too, was reborn.

Papa was waiting at the doorway.

"It's a girl," Emily announced when he stepped in. "And it's alive."

"A girl?"

I saw the disappointment on his face. He had been hoping for the son he didn't have.

"Another girl." He shook his head and looked at Mrs. Coons as if it were her fault.

"I don't make 'em. I only help bring them into the world," she told him. He lowered his head.

"Get on with it," he ordered, and gave Emily a conspiratorial look. She understood.

After the baby had been cleaned and wrapped in a blanket, they began the second phase of the great deception. They brought my child to Mamma's room.

It was over, I thought. But before I fell asleep, I also realized that now it was also about to begin.

I didn't move from my bed for two days and two nights. Emily let me know immediately that she would no longer be catering to my needs.

"Vera will bring up your food and help you with your necessities," she declared. "But Papa wants you up and about in short order. Vera's got enough to do without looking after the likes of you, too.

"You'll not discuss or mention the birth of the baby with Vera. No one's to bring it up or even hint about it in this house. Papa's made that perfectly clear so everyone knows better."

"How is my baby?" I asked her, and she flared up instantly.

"Never, never, never refer to her as *your* baby. She's *Mamma's* baby, *Mamma's*," she pounded.

I closed my eyes, swallowed, and then asked her again.

"How is Mamma's baby?"

"Charlotte's doing fine," she told me.

"Charlotte? That's her name?"

"Yes. Papa thought naming her Charlotte was something Mamma would want. Charlotte was Mamma's grandmother's name," she told me. "Everyone will understand and it will help them believe the baby is Mamma's."

"And how is Mamma?"

Her eyes darkened.

"Mamma is not doing well," she said. "We have to pray, Lillian. We have to pray as much and as long as we can."

Her serious tone frightened me.

"Why doesn't Papa send for the doctor now? He has no reason not to anymore. The baby's been born," I cried.

"I expect he will . . . shortly," she said. "So you see . . . there are plenty of serious and hard things ahead of us without your lying around like some spoiled invalid."

"I'm not a spoiled invalid. I'm not doing this deliberately, Emily. I've gone through a horrible time. Even Mrs. Coons said so. You were here; you saw it. How can you be so unfeeling, so uncompassionate, and still pretend to be so religious?" I snapped.

"Pretend?" she gasped. "You, of all people, accuse me of pretending?"

"Somewhere in that Bible you carry there are words about loving and caring and ministering to the needy," I replied firmly. All these years of forced biblical training weren't for naught. I knew of what I spoke. But Emily knew, too.

"And somewhere there are words about evil in our hearts and the sins of man and what we must do to overcome our weaknesses. Only when the devil is driven off can we enjoy the pleasure of loving each other," she said. That was her philosophy, that was her credo, and I pitied her for it. I shook my head.

"You'll always be alone, Emily. You'll never have anyone but yourself."

She whipped her head back and pulled herself up to her full height.

"I am not alone. I walk with the angel Michael, who has the sword of retribution in his hand," she bragged. I simply shook my head at her. Now that my ordeal had ended, I had only pity for her. She sensed it and couldn't tolerate my gazing at her that way. She spun on her heavy heels quickly and rushed from my room.

The first time Vera brought me something to eat, I asked her how Mamma was doing.

"I can't tell you for sure, Lillian. The Captain and Emily have been looking after her for the past few days."

"Papa and Emily? But why?"

"It's the way the Captain wants it," Vera replied, but I could see she was very disturbed about it.

Worry over Mamma got me up and out of my bed faster than I had expected. At the beginning of the third day after Charlotte's birth, I rose. At first, I moved about like an old lady, as bent over and as achy as Mrs. Coons, but as I walked the kinks out of my body, I took deep breaths and straightened up. Then I left my room and went to see Mamma.

"Mamma?" I said, after I had knocked gently on the doorway. There was no response, but she didn't look like she was sleeping. After I closed the door behind me, I turned and saw she had her eyes open.

"Mamma," I said, starting toward her. "It's me, Lillian. How are you today?"

I paused before I reached her bedside. To me, Mamma looked like she had lost another twenty pounds since I had last visited. Her once magnolia-white complexion was now sickly yellow. Her beautiful flaxen hair, unwashed, unbrushed, unpampered for days, maybe even weeks, looked dry and dull. Age, riding the back of her illness, had crept into her body, even making the skin on her fingers wrinkle. There were lines in her face where I had never seen lines. Her cheek- and jawbones were prominently outlined under her dry and scaly skin. Even though her lavender scent had been sprayed over her abundantly, making the whole room reek of the scent, Mamma looked unwashed, uncared for, as deserted and neglected as some impoverished woman left to rot in a public hospital ward for poor people.

But what frightened me the most was the way Mamma had her glassy eyes fixed on the ceiling. Her eyes didn't move; her eyelids didn't even tremble.

"Mamma?"

I stood beside her bed biting down on my lower lip to keep myself from sobbing aloud. She lay there so still. I couldn't see her breathing. Her bosom wasn't lifting and falling beneath her blanket.

"Mamma," I whispered. "Mamma, it's me . . . Lillian. Mamma?" I touched her shoulder. She felt so cold, I pulled my hand back in shock and swallowed a gasp. Then, slowly, inches at a time, I brought my hand to her face and touched her cheek. It felt just as cold.

"Mamma!" I cried sharply, loudly. There wasn't even a flutter in her eyelids. Gently, but firmly, I shook her at the shoulder. Her head moved slightly from side to side, but she didn't turn her eyes. This time, my cry was as loud as I could manage.

"MAMMA!"

I shook her again and again, but still she didn't turn toward me or move in any way. Panic nailed me to the floor. I just stood there, sobbing openly now, my shoulders rising and falling. How long had it been since anyone else had come in here? I wondered. I looked for signs of a breakfast tray but saw none. There wasn't even a glass of water on her night table.

Clutching my stomach, choking on my sobs, I turned and went to the doorway of Mamma's suite. I paused to look back at her, at her shriveled form sunk under the heavy quilt and into the silk pillow she loved so much. I pulled open the door to step out and scream, but ran right into Papa. He reached out and seized my shoulders.

"Papa," I cried. "Mamma's not breathing. Mamma's . . ."

"Georgia has passed away. She died in her sleep," Papa said dryly. There were no tears in his eyes, no sobs in his voice. He stood as straight and as firm as ever, his shoulders back, his head up with that Booth pride I had learned to hate.

"What happened to her, Papa?"

He released my shoulders and stepped back.

"Months ago, the doctor told me that he believed Georgia was suffering from stomach cancer. He didn't hold out much hope and told me the only thing to do was keep her comfortable and keep her out of pain as much as possible."

"But why didn't anyone tell me?" I asked, shaking my head in disbelief. "Why did you ignore me whenever I told you she looked very sick to me?"

"We had this situation to deal with first," he replied. "Whenever Georgia had a clear moment, I told her what we were doing and she pledged she would keep herself alive until we had accomplished our purpose. If you hadn't made your baby come early, she wouldn't have been able to live up to her promise."

"Papa, how could you care more about this deception than you could about Mamma? How could you?" I demanded.

"I told you," he replied with steely eyes, "there was nothing more we could do for her. There was no point in abandoning our plan just to send her to a hospital to die, now, was there? And anyway, all Booths die at home," he chanted. "All Booths die at home."

I swallowed back my screams and seized control of myself.

"How long has she . . . been dead, Papa? When did it happen?"

"Just after you ran off. So you see," he said, smiling madly, "Emily's prayers worked. The Lord waited to take Georgia and when He could wait no longer, He caused you to do what you did and make it all possible. You see the power of prayers, especially when someone as devout as Emily says them?"

"You've kept her death a secret for days?" I asked incredulously.

"I thought about putting out the story that she died in childbirth, but Emily and I agreed that we should wait a day or two, claiming her weakened condition, combined with the great effort to give birth, ended her life, but that she fought nobly for days. Just like a wife of mine would," he added with that arrogant Booth pride again.

"Poor Mamma," I whispered. "Poor, poor Mamma."

"She did us a great service, even at the end of her life," Papa declared.

"But what about us? What great service did we do her by letting her linger in agony and illness?" I shot back. Papa winced but quickly regained his composure.

"I told you. There was nothing else to do and there was no point in wasting an opportunity to protect the Booth name."

"The Booth name! The Booth name. Damn the Booth name."

Papa reached out and slapped me.

"Where's the family honor now, Papa? Was all this in the grand tradition of the noble South you claim to love and cherish? Are you proud of yourself, Papa? Do you think your father and your grandfather would be proud of what you did to me and what you've done to your wife? Do you think you are a true Southern gentleman?"

"Get back to your room," he roared, his face crimson. "Go on."

"I won't be locked away anymore, Papa," I said defiantly.

"You will do what I tell you to do and you will do it now, hear?"

"Where's my baby? I want to see my baby," I demanded. He stepped toward me and started to raise his hand again. "You can beat me and beat me, Papa, but I won't budge until I see the baby, and when people come to Mamma's funeral and see my bruises, there'll be plenty of chatter about the Booths," I added.

His hand froze in the air. He fumed but he didn't strike me.

"I thought," he said, lowering it slowly, "that you might have learned some humility from all this, but I see you still have a rebellious streak in you."

"I'm tired, Papa, tired of lies and deceptions, tired of hate and anger, tired of hearing about the devil and sin when the only sin I have been apparently guilty of is being born and brought to this horrid family. Where's baby Charlotte?" I repeated.

He stared at me a moment.

"You're not to refer to her as your baby," he ordered.

"I know."

"I had a nursery made for her in Eugenia's old room and I hired a nanny to care for her. The nanny's name is Mrs. Clark. Don't you say anything to her to lead her to believe anything but what we've told her," he warned quickly. "Hear?" I nodded. "All right," he said, stepping back. "You can go see her, but keep everything I said in mind, Lillian."

"When will we have Mamma's funeral?" I asked.

"Two days," he said. "I'm sending for the doctor now and then for the morticians to prepare her."

I closed my eyes and swallowed hard. Then, without looking at him again, I walked past him and to the stairway. I seemed to float down and drift through the corridor to what was once Eugenia's world.

Mrs. Clark looked to be a woman in her late fifties or early sixties, with light brown hair and soft chestnut eyes. She was a small woman, with a grandmotherly smile and a pleasant voice. I wondered how Papa had managed to find someone so appropriate, someone so gentle and perfect, for the job. Apparently very professional, she was dressed in a white uniform.

I was surprised at how completely changed Eugenia's room was. A crib with matching dresser and changing table had been exchanged for all of Eugenia's old furniture, and the wallpaper had been lightened to coordinate with the new, brighter curtains. Anyone who came to see the child, and especially the new nanny, Mrs. Clark, would believe Papa loved his new baby.

But it didn't surprise me that he wanted the baby downstairs and away from his bedroom and Emily's and mine. Charlotte had come by accident and in Emily's mind for sure, she was a child of sin. Papa didn't want to confront the reality of what he had done and every time baby Charlotte cried, he would be reminded. This way he could see her minimally.

Mrs. Clark rose from the chair beside the crib as I entered the room.

"Hello," I said. "I'm Lillian."

"Yes, dear. Your sister Emily has told me all about you. I'm sorry you haven't been feeling well. You haven't even seen your new sister yet, have you?" she asked, and then beamed a smile down at my baby in her crib.

"No," I lied.

"The little dear is sleeping, but you can come over and gaze at her," Mrs. Clark said.

I approached the crib and looked down at Charlotte. She looked so tiny, her head no bigger than an apple. Her tiny fists were clenched as she slept, the fingers pink and lily-white. I longed to reach in and take her into my arms, press her to my bosom, and cover her little face with kisses. It was so hard to believe that someone so precious and beautiful had come from all that pain and agony. I even thought I might resent her when I first laid eyes on her, but the moment I gazed at that tiny nose and mouth, that small chin and doll-like body, I felt only great love and warmth.

"She has blue eyes now, but babies' eyes often change color as they grow," Mrs. Clark said. "And, as you can see, her hair is coming in light brown with an awful lot of gold in it—just like yours. But that's not unusual. Sisters often have the same color hair, even when they're this many years apart. What color is your mother's hair?" she asked innocently, and I began to shudder, slightly at first and then harder and harder. The tears rolled down my cheeks. "What's wrong, dear?" Mrs. Clark said, stepping back. "Are you in pain?"

"Yes, Mrs. Clark . . . great, great pain. My mother . . . my mother has passed away. The birth of the baby and her weakened condition were too much," I mouthed, feeling like Papa was a ventriloquist and I was his dummy. Mrs. Clark's mouth dropped open and then she embraced me quickly.

"You poor dear." She looked at baby Charlotte. "You poor, poor darlings," she said. "On the heels of such happiness to be struck with so much sorrow."

I had just met this nice lady and I hardly knew a thing about her, but her arms were comforting me and her shoulder was soft. I buried my face in it and I cried my heart out. My sobbing woke baby Charlotte. Quickly, I wiped my face and watched as Mrs. Clark lifted her out of the crib.

"Do you want to hold her?" she asked.

"Oh yes," I said. "Very much."

I took her in my arms and rocked her gently, kissing her tiny cheek and forehead. In moments her wails ended, and she was asleep again.

"You did that so well," Mrs. Clark said. "Someday you'll make a wonderful mother, I'm sure."

Unable to say another word, I handed baby Charlotte back to Mrs. Clark and then fled from the nursery, my heart so shattered, it skipped as many beats as it made.

That afternoon, the morticians arrived and prepared Mamma. Papa at least permitted me to select the dress she was to be buried in, saying I would know better than Emily what dress Mamma would want for herself. I chose something happy, something very pretty, one that truly would have made her feel like the mistress of a grand Southern plantation, a gown of white satin that had embroidered trim along the hem of the skirt. Emily complained of course, claiming the dress was too festive for a burial dress.

But I knew we would have mourners visiting the open casket to pay their last respects and I knew that Mamma wouldn't want to look morbid and dreary.

"The grave," Emily declared in her characteristic prophetic manner, "is one place you can't take your vanity." But I wouldn't yield.

"Mamma suffered enough when she was alive in this house," I said firmly. "It's the least we can do for her now."

"Ridiculous," Emily muttered, but Papa must have told her to avoid conflict and acrimony during the mourning period. There were too many visitors and too much gossip about us being whispered in the corners and behind doors as it was. She simply turned on her heels and left me with the morticians. I laid out Mamma's wardrobe for them, even including her shoes and her favorite bracelets and necklace. I asked them to brush her hair and I gave them her scented powder.

The casket was placed in Mamma's reading room, where she had spent so much of her time. Emily and the minister set up the candles and draped the floor beneath the casket in a black cloth. She and the minister stood just inside the door and greeted people who came to pay their final respects.

But Emily really surprised me during those days of mourning. For one thing, she never left the room except to go to the bathroom, and, for another, she began a strict fast, taking only water to her lips. She spent endless hours on her knees praying beside Mamma's casket and was even there praying late into the night. I knew because I came down when I couldn't sleep and I found her there, her head bowed, the candles flickering in the otherwise darkened room.

She didn't even look up when I entered and approached the casket. I stood by it, looking down at Mamma's wan face, imagining a slight, soft smile on her lips. I liked to believe her soul was pleased and liked what I had done for her. How she looked in the presence of others, especially other women, was so important to her.

The funeral was one of the biggest in our community. Even the Thompsons came, finding it in their hearts to forgive the Booths enough for the death of Niles to mourn alongside us at the service and grave site. Papa dressed himself in his finest dark suit and Emily wore her nicest dark dress. I wore a dark dress, too, but I also wore the charm bracelet Mamma had given me on my birthday two years ago. Charles and Vera put on their best Sunday clothes and dressed little Luther in his one pair of slacks and his one nice shirt. He looked so confused and serious holding on to his mother's hand. Death is the most confusing thing to a child, who wakes each day to think that everything he does and sees has immortality, especially his parents and the parents of other young people.

But I didn't really look at the mourners very much that day. When the minister began his service, my eyes were fixed on Mamma's coffin, now closed. I didn't cry until we were at the grave site and Mamma was lowered to lie forever beside Eugenia in the family plot. I hoped and prayed they were together again. Surely they would be a comfort to each other.

Papa wiped his eyes once with his handkerchief before we turned away from the grave, but Emily didn't shed a tear. If she cried at all, she cried inside. I saw the way some people looked at her and whispered, shaking their heads. Emily couldn't care less about what people thought of her. She believed that nothing in this world, nothing people did or said, nothing that happened, was as important as what followed this life. Her attention was firmly fixed on the hereafter and preparations for the trip over glory's road.

But I didn't hate her for her behavior anymore. Something had happened inside me because of the birth of Charlotte and the death of Mamma. Anger and intolerance were replaced by pity and patience. I had finally come to realize that Emily was the most pitiful of the three of us. Even poor and sickly Eugenia had been better off, for she had been able to enjoy some of this world, some of its beauty and warmth, whereas Emily was incapable of anything but unhappiness and sorrow. She belonged in graveyards. She had been moving about like a mortician since the day she could walk. She draped herself in shadows and found security and comfort alone, wrapped tightly in her biblical stories and words, best repeated under gray skies.

The funeral and its aftermath provided another excuse for Papa to drink his whiskey. He sat with his card-playing friends and swallowed glass after glass of bourbon until he fell asleep in his chair. Over the next few days, Papa underwent a dramatic change in his habits and behavior. For one thing, he no longer rose early in the morning and was at the breakfast table when I arrived. He started arriving late. One morning, he didn't arrive at all, and I asked Emily where he was. She simply glared at me and shook her head. Then she muttered one of her prayers under her breath.

"What is it, Emily?" I demanded.

"Papa is succumbing to the devil, a little more every day," she declared.

I nearly laughed. How could Emily not see that Papa had been trafficking with Satan for some time now? How could she excuse his drinking and his gambling and his deplorable activities when he was away from home on his so-called business trips? Was she really blinded and fooled by his hypocritical religious surface while he was home? She knew what he had done to me and yet she tried to excuse it by placing all the blame on me and the devil. What about his responsibility?

What finally bothered Emily was that Papa had given up even his hypocrisy. He wasn't at the breakfast table to say the morning prayers and he wasn't reading his Bible. He was drinking himself to sleep every night and when he rose, he didn't dress himself neatly. He didn't shave; he didn't even look clean anymore. As soon as he was able to, he would leave the house to go to his haunts where he gambled the night away, playing cards in smoke-filled rooms. We knew that there were women of ill repute in these places, too, women whose sole purpose was to entertain and give pleasure to the men.

The drinking, carousing, and gambling stole away Papa's attention from the business of running The Meadows. Weeks passed with the workers complaining about not receiving their wages. Charles tried to repair and maintain the old and tired equipment, but he was like the boy trying to keep the dike intact by holding his finger in the leaking hole. Every time he brought another complaint or another bit of depressing news to Papa, Papa would rant and rage and blame it on the Northerners or the foreigners. It usually ended with him drinking himself into a stupor and nothing being done, no new problem solved.

Gradually, The Meadows began to look like the neglected old plantations that were either deserted or destroyed by the Civil War. With no money to whitewash the fences and barns, with fewer and fewer employees willing to wait out Papa's fits of tantrum and periods of procrastination when it came to paying them their rightful wages, The Meadows choked and stumbled until there was barely an income to keep what little we had left going.

Emily, rather than criticize Papa openly, decided instead to find ways to economize and save in the house. She ordered Vera to serve cheaper and cheaper meals. Most sections of the house were kept dark and cold and weren't even dusted anymore. A pall fell over what had once been a proud and beautiful Southern home.

Memories of Mamma's grand barbecues, the elaborate dinner parties, the sound of laughter and music, all dwindled, retreated into the shadows, and locked themselves between the covers of photograph albums. The piano fell out of tune, the drapes began to sag with dust and grime, the once beautiful landscape of flowers and bushes succumbed to the invasion of weeds.

All that remained interesting and beautiful for me was gone, but I had baby Charlotte and I helped Mrs. Clark care for her. Together we watched her develop until she took her first step and uttered her first discernible word. It wasn't Mamma or Papa. It was Lil . . . Lil.

"How wonderful and proper that your name be the first sensible sound on her lips," Mrs. Clark declared. Of course, she didn't know how wonderful and proper it really was, although I thought at times that she knew more than she pretended to know. How could she look at my face when I held Charlotte or played with her or fed her and not realize that Charlotte was my child and not my sister? And how could she see the way Papa avoided the baby and not think it strange?

Oh, he did some of the very basic things. He stopped by occasionally to see Charlotte dressed in something pretty or to see her take her first steps—he even had a photographer take pictures of his "three" children—but for the most part, he treated Charlotte like some ward he had been assigned.

A month or so after Mamma's passing, I returned to school. Miss Walker was still the teacher, and she was quite surprised at how well I had kept up with my learning. In fact, it wasn't more than a few months before she had me working beside her, teaching the younger children and functioning as her teacher's aide. Emily no longer attended school and was not interested in the things I did there, nor was Papa.

But all that came to an abrupt end when Charlotte was a little more than two. Papa announced at dinner that he was going to have to let Mrs. Clark go.

"We can't afford her anymore," he declared. "Lillian, you and Emily and Vera will look after the baby from now on."

"But what about my schoolwork, Papa? I was thinking of becoming a teacher myself."

"That will have to stop," he said. "Until things improve."

But I knew things would never improve. Papa had lost interest in his own business affairs and spent most of his time gambling and drinking. He had aged years in months. Gray strands invaded his hair, his cheeks and chin drooped, and there were dark circles and sacks under his eyes.

Gradually, he began to sell away most of the rich south field. The land he didn't sell he rented out, and remained satisfied with the piddling income that resulted. But he no sooner had some money in his hands than he rushed out to gamble it away at some card game.

Neither Emily nor I knew just how desperate things were until he returned home late one night after an evening of drinking and card playing and went into the den. Emily and I were both awakened by the sound of a pistol shot reverberating through the house. I felt my blood drain down into my feet. My heart began to pound. I sat up quickly and listened but heard only deathly silence. I put on my robe and slippers and ran out of my room, meeting Emily in the hallway.

"What was that?" I asked.

"It came from downstairs," she said. Then she gave me one dark, foreboding look and we both descended the stairway, Emily carrying a candle because we had taken to keeping the downstairs dark after we had all retired for the evening.

Flickering light came from the open door. My heart thumping, I walked a few steps behind Emily and entered with her. There we found Papa slumped on the couch, his smoking pistol in hand. He wasn't dead nor was he wounded. He had tried to take his own life, but had lifted the barrel of the pistol from his temple at the last moment and shot the bullet into the far wall.

"What is it? What happened, Papa?" Emily demanded. "Why are you sitting there with that pistol?"

"I might as well be dead," he said. "As soon as I get the strength, I'm going to try again," he whined in a voice that sounded so unlike him, I had to look twice.

"No you won't," Emily snapped. She snatched the pistol from his hand. "Suicide is a sin. Thou shalt not kill."

He lifted his pathetic eyes at her. I never saw him so weak and defeated.

"You don't know what I've gone and done, Emily. You don't know."

"Then tell me," she said sharply.

"I gambled away The Meadows in a card game. I've lost my family heritage," he moaned. "To a man named Cutler. And he's not even a farmer. He runs a hotel at the beach," he said disdainfully.

He looked up at me, and despite all he had done to me and to Mamma, I could only pity him.

"I've gone and done it now, Lillian," he said. "The man can turn us all out in the cold anytime he wants."

All Emily could do was begin to mutter one of her prayers.

"That's ridiculous," I said. "Something as big and as important as The Meadows can't be lost in a card game. It just can't." Papa's eyes widened with surprise. "I'm sure we'll find a way to stop it from happening," I declared with so much certainty and authority that I even surprised myself. "Now go to sleep, Papa, and in the morning, with a clear head, you'll find a way to solve the problem."

Then I pivoted and left him sitting there, his mouth agape, not sure myself why it was suddenly so important to protect this degenerating, old Southern plantation that had been a prison as well as a home to me. One thing was for sure: it wasn't important because it was the home of the Booths.

Maybe it was important because it had been Henry's home, and Louella's and Eugenia's and Mamma's. Maybe it was important for itself, for the spring mornings full of chattering mockingbirds and blue jays, for the magnolia blossoms in the yard and the wisteria tumbling over the old verandas. Maybe it didn't deserve what was happening to it.

But I had no idea how to save it. I had no idea how to save myself.

FOURTEEN

THE PAST IS LOST AND THE FUTURE IS FOUND

During the next few days, Papa made no more mention of his loss of The Meadows in a single hand of poker. I thought perhaps he had pulled himself together and found a way to solve his problem. But one morning at breakfast, he cleared his throat, tugged on his mustache, and announced, "Bill Cutler will be stopping by this afternoon to look over the house and property."

"Bill Cutler?" Emily asked, her eyebrows rising. She wasn't fond of us having visitors, especially if they were strangers.

"The man who won the plantation from me," Papa replied, nearly choking on his words. He shook his clenched fist in front of his face. "If I could only get a stake together, I could go back into a poker game and win the debt back as quickly as I lost it."

"Gambling is sinful," Emily pronounced with a dour expression.

"I know what's sinful and what ain't. It's sinful to lose my family plantation. That's what's sinful," Papa roared, but Emily didn't even wince. She didn't retreat an inch, nor did she change her condescending posture. In a battle of stares, Emily was unbeatable. Papa shifted his eyes away and chewed his food angrily.

"If this man lives in Virginia Beach, Papa, why would he want a plantation out here anyway?" I asked.

"To sell it off, you fool," he snapped.

Maybe it was the example of Emily sitting so firmly and assuredly across the table, or maybe it was my own growing sense of confidence. Whatever it was, I didn't retreat.

"The market for tobacco is depressed, especially for the smaller farmers; our buildings are in need of repair. Most of the equipment is old and tired. Charles is always complaining about things breaking down now. We don't have half as many cows and chickens to provide for us as we used to have. The gardens and fountains as well as all the hedges have been neglected for months and months. Even the house cries out for attention. Finding people to buy another old, poor plantation isn't going to be easy for him," I pointed out.

"Yeah, well, that's all true," Papa admitted. "It ain't gonna bring no fortune, that's for sure, but whatever it brings him is found money, ain't it? Besides, when you meet him, you'll see he's just the type who likes to toy with other people's lives and possessions. He don't need the money," Papa muttered.

"He sounds dreadful," I said. Papa's eyes widened.

"Yeah, well, don't go gettin' him upset when he stops by. I want to be able to deal with the man, hear?"

"As far as I'm concerned, I don't have to see him at all," I said, and I really intended to avoid meeting him. I would have eluded him, too, if Papa hadn't brought him around to Charlotte's nursery while I was playing with the baby. We were both on the floor, Charlotte fascinated with one of Mamma's pearl-handled hairbrushes I had been using to brush her hair. Every time I was with her, I forgot everyone and everything else. I was overwhelmed by the force that swept over me, reminding me I was touching and kissing a child born of my flesh. So I didn't hear footsteps in the hallway or realize anyone was watching me.

"Well, who's this?" I heard someone say, and I looked at the doorway where Papa stood with the tall, tanned stranger. He gazed down at me with dark, impish eyes, a wry smile on his lips. He was slim and wide-shouldered, with long arms and graceful hands—hands that showed no signs of hard work but instead looked as manicured and cared for as a woman's hands. Later, I would discover that any calluses he had were calluses that came from his sailing, which also explained his dark skin.

"These are my other two daughters," Papa said. "The baby's name is Charlotte and that's Lillian." Papa jerked his eyes toward the ceiling to command me to stand and greet the stranger properly. Reluctantly, I got to my feet, smoothed out my skirt, and stepped forward.

"Hello, there, Lillian. I'm Bill Cutler," he said, extending his smooth fingers. I took his hand and shook it, but he didn't let go of mine immediately. Instead, he widened his smile and drank me in, gazing up from my feet slowly and lingering over my breasts and face.

"Hello," I said. Gently, but firmly, I pulled my hand from his.

"You've got the babysitting duty, do you?" he asked. I looked at Papa, who remained stiff, his eyes fixed on me as he tugged nervously on his mustache.

"I share the responsibility with our housekeeper Vera and my sister Emily," I replied quickly, but before I could turn away, he spoke again.

"I bet the baby likes being with you the most," he said.

"I like being with her."

"That's it, that's it. And an infant senses that. I've seen it with some of the families who come to my hotel. I've got a very fine place on the ocean," he bragged.

"That's nice," I said with as much disinterest as I could muster. But he wasn't deterred. He remained as steadfast as a tree. I lifted Charlotte into my arms. She stared with interest at Bill Cutler, but his attention was fixed firmly on me.

"I bet your father never takes you girls on a motor trip to the beach, does he?"

"We don't have time for pleasure trips," Papa said quickly.

"No, I guess you don't, losing the way you do at cards," Bill Cutler said. Papa's face reddened. His nostrils twitched and his lips tightened, but he kept the explosion of indignation buried inside him. "Of course, that's a shame for you and your sisters, Lillian," Bill Cutler said, turning back to me. "Young women should be able to go to the beach, especially pretty young women," he added, his eyes twinkling with mischief.

"Papa's right," I said. "We have a lot to do around here since the farm has gone into a deep depression," I said. "We haven't been able to afford the upkeep and we have to make do with what we have."

Papa's eyes widened, but I thought I would do my share to make The Meadows seem more like a burden than a blessing.

"It seems that every day something else breaks down or something else goes wrong. Right, Papa?"

"What?" He cleared his throat. "Yes."

"Well, it appears you have a very bright young lady in your family, Jed," he said with a grin. "You've kept her quite a secret . . . quite a secret. What do you say you lend her to me for a little while?"

"What?" I asked quickly. He laughed.

"To show me around," he explained. "I bet you will give me a better and more informative tour than Jed here will. Jed?"

"She's got to watch the baby," Papa said.

"Oh, come on, now, Jed. You can spell her for an hour or so. It would make me a lot happier," he added, fixing his dark eyes on Papa this time. Papa looked uncomfortable. He hated being in this fix, being squeezed and pressured and controlled, but he could only nod.

"All right. Lillian, you take Mr. Cutler around. Show him what he wants to see. I'll send Vera in here to watch Charlotte," Papa said. Fuming, he left to fetch Vera.

"My father knows more about the plantation than I do," I complained, and set the baby in her playpen.

"Maybe. Maybe not. I ain't a fool. Anyone can see he's not been as attentive to his place as he should have been." He stepped closer to me, so close I felt his breath on the back of my neck. "You do a lot around here, I bet, don't you?"

"I do my chores," I said, reaching down to give the baby one of her toys. I didn't want to look at Bill Cutler. I was uncomfortable under such male scrutiny. When Bill Cutler gazed at me, he gazed at all of me, his eyes traveling up and down my body every time he spoke. I felt just like one of the slave girls must have felt on the auction block.

"And what are those chores? Besides looking after your baby sister, that is."

"I help Papa with his bookkeeping," I said. Bill Cutler's smile widened.

"I thought you might be doing something like that. You look like a very smart young woman, Lillian. I bet you know his assets and liabilities to the penny."

"I know only what Papa wants me to know," I said quickly. He shrugged.

"Ain't found a woman yet who let a man control what she wants to know or do, if she's got a mind to do it or know it," he teased. He had a way of rolling his eyes and pressing his lips together that made everything he said seem to have a second and more licentious meaning. I was happy to see Vera come to the doorway.

"The Captain sent me," she said.

"The Captain?" Bill Cutler repeated, and he laughed. "Who's the Captain?"

"Mr. Booth," she replied.

"Captain of what? A sinking ship?" He laughed again. Then he held out his arm for me to take. "Miss Booth?"

I shot a glance at Vera, who looked confused and annoyed, and then, reluctantly, I took Bill Cutler's arm and let him lead me away.

"Shall we examine the grounds first?" he asked when we reached the entryway.

"Whatever pleases you, Mr. Cutler," I said.

"Oh please, call me Bill. I'm William Cutler the Second, but I prefer being called Bill. It's more . . . informal, and I like being informal with pretty women."

"I imagine you do," I said, and he roared.

When we stepped out on the porch, he stopped and gazed over the grounds. Showing them made me feel ashamed. My heart ached to see how the flower beds had been neglected, how the iron benches had been left to rust and how the fountains dripped with dirty water.

"This must have been one helluva beautiful plantation at one time," Bill Cutler said. "Coming up that drive, I couldn't help but think about it when it was in its heyday."

"It was," I said sadly.

"That's the trouble with the Old South. It don't want to become the New South. These old dinosaurs refuse to admit they lost the Civil War. A businessman's got to look for new, more modern ways of doing things, and if good ideas come out of the North, why then, use them, too. Now, you take me," he said. "I've taken over my father's boardinghouse and built it up into a fine place. I get some very high-class clientele coming to stay there. It's a prime piece of property on the ocean. In time . . . why, in time, Lillian, I'm going to be a very wealthy man." He paused. "Not that I'm not well-off now."

"You must be well-off, spending all your time at cards and winning the homes and property of other, more unfortunate people," I snapped.

He roared again. "I like your spirit, Lillian. How old are you?"

"I'm just about seventeen," I said.

"A right prime age . . . unspoiled, and yet you've got a certain look of sophistication about you, Lillian. Had many boyfriends?"

"That's none of your business. You want to tour the plantation, not my past," I retorted. He roared again. It seemed like nothing I could say or do would upset him. The more obstinate and unfriendly I was, the more he liked me. Frustrated, I took him down the steps and around to see the barns, the smokehouse, the gazebo, and the sheds full of old and rusted equipment. I introduced him to Charles, who explained how bad things were and how much machinery had to be replaced. He listened, but I found that no matter what I showed him or no matter whom I introduced him to, he kept his gaze on me.

It made my heart flutter, but not in a way I enjoyed. He didn't gaze at me with soft, gentle eyes as sweet Niles had done; he looked at me with unbridled, wanton lust. When I spoke to him and described the plantation, he listened, but he didn't hear a word. Instead, he stood there with that wry smile, his eyes full of desire.

Finally, I announced our tour had ended.

"So soon?" he complained. "I was just beginning to really enjoy myself."

"That's all there is," I said. I wasn't going to go too far from the house with him; I didn't feel safe alone with Mr. Bill Cutler. "So you see, you've won yourself a headache," I added. "All The Meadows will do is drain your pocketbook."

He laughed.

"Your father rehearse you to say all that?" he asked.

"Mr. Cutler . . ."

"Bill."

"Bill. Haven't you heard or seen anything this past hour? You claim to be one of the South's new, wiser, modern businessmen. Are you saying you think I'm exaggerating?"

He grew thoughtful for a moment and then turned and looked around as if his eyes had just opened to the condition of The Meadows. Then he nodded.

"You got a point . . ." he said, smiling, "but I didn't spend a penny to get this, and I could simply put it all up for auction, a piece at a time, if I liked."

"Will you?" I asked, my heart thumping.

He leered at me. "Maybe. Maybe not. It depends."

"Depends on what?" I asked.

"It just depends," he said, and I understood why Papa had said this man liked to play with people's lives and possessions. I started back toward the house ahead of him and he quickly caught up.

"Might I interest you in joining me for dinner at my hotel tonight?" he asked. "It's not a very fancy place, but—"

"No, thank you," I said quickly. "I can't."

"Why can't you? Too busy doing your father's empty books?" he retorted, obviously not used to being refused.

I turned on him.

"Why don't we just say I'm busy," I said, "and leave it at that."

"Aren't you the proud one?" he muttered. "That's all right. I like a woman with spunk. She's a lot more interesting in bed," he added.

My face reddened and I spun around on him.

"That's rude and inappropriate, Mr. Cutler," I shot back. "Southern gentlemen might be dinosaurs to you, but at least they know how to speak properly to a young lady." Once again, he roared, and I hurried away and left him laughing behind me.

But to my regret, less than half an hour later, he appeared again in the doorway of Charlotte's nursery to announce he had been invited to dinner.

"I just stopped by to tell you that since you won't accept my invitation to dinner, I accepted your father's," he said, his eyes full of glee.

"Papa invited you?" I asked incredulously.

"Well," he replied, winking, "let's just say I wrangled one out of him. I'm looking forward to seeing you later," he teased, then tipped his hat and left.

I felt dreadful that such a coarse, arrogant man could worm his way into our home and have his way with us. And it was all because of Papa's foolish gambling. I couldn't help but agree with Emily this time: gambling was evil; it was like a disease, almost as bad as Papa's drinking. No matter how much it hurt him or how painful it was, he couldn't keep himself from wanting to do it again and again. Only now we were to suffer as well.

I hugged baby Charlotte close to me and flooded her cheeks with kisses. She giggled and twirled the strands of my hair in her tiny fingers.

"What sort of a world will you grow up in, Charlotte? I hope and pray it will be better than it was for me," I said.

She stared up at me, her eyes big with interest because of my tone of voice and because of the tiny, infant-like tears that were falling from my all-too-sad eyes.

Despite our poor economic state, Papa ordered Vera to prepare a far more elaborate dinner than we were accustomed to having during these times. His Southern pride would permit nothing less, and even though he disliked Bill Cutler and despised him for winning The Meadows at cards, he couldn't face him over a table of simple foods served on ordinary dishes. Instead, Vera had to bring out our most formal china and crystal. Tall white candles were put in our silver candelabra and a large tablecloth of snowy white linen that I hadn't seen used for several years was placed on the dining room table.

Papa had only a few bottles of his expensive wine left, but two were placed on the table to go along with the duck. Bill Cutler insisted on sitting beside me. He was dressed very elegantly and formally and did, I had to confess to myself, look handsome. But his irreverent air, his sardonic grin, and his flirtatious manner continued to annoy me and put me off. I saw how much Emily despised him, but the more furiously she glared at him across the table, the more he seemed to enjoy himself at our dinner.

He nearly broke out in laughter when Emily began with her Bible reading and prayer.

"You people do this every night?" he asked skeptically.

"Of course," Papa replied. "We're God-fearing folk."

"You, Jed? God-fearing?" He roared, his face red with three glasses of wine already consumed. Papa glanced quickly at both

Emily and me and turned crimson, too, but with swallowed rage. Bill Cutler had the sense to change the topic quickly. He raved about the meal and praised Vera, bestowing so many compliments on her that she blushed. Throughout the entire dinner, Emily glared at him with such an expression of disgust and loathing on her face, I had to bury a smile in my napkin. It got so Bill Cutler avoided gazing back at her across the table and concentrated on Papa and me.

He described his hotel, what life was like at the beach, his travels, and some of his plans for the future. Then he and Papa got into a heavy discussion about the economy and what the government ought and ought not to do. After dinner, the two of them adjourned to Papa's office to smoke cigars and sip brandy. I helped Vera clean up and Emily went to see about Charlotte.

Despite what had happened and what she knew, Emily took more of a sisterly role toward Charlotte than she had toward me. I sensed that she had assumed a guardianship over my baby and when I said something about it to her one day, she retorted with her usually fiery religious beliefs and predictions.

"This child is the most vulnerable to Satan since she was created out of pure lust. I will envelop her in a ring of holy fire so hot that Satan himself will be turned away. The first sentences she utters will be prayerful ones," she promised.

"Don't make her miserable about herself," I pleaded. "Let her grow up to be a normal child."

"Normal?" she spit back at me. "Like you?"

"No. Better than me."

"That's what I intend," she told me.

Since where Charlotte was concerned Emily was mysteriously gentle and even loving, I didn't try to come between them, and Charlotte did look at her the way a child might look at a parent. One word from Emily would stop Charlotte from playing with the wrong things. Under Emily's watch, she remained quiet and obedient when she had to be dressed, and when Emily put her to sleep, she didn't resist.

Emily usually had her mesmerized with her biblical readings. When I finished helping Vera and went to Charlotte's room, I found Charlotte on Emily's lap, listening to Emily's rendition of the first pages of Genesis. Charlotte looked up at her and listened with fascination as Emily lowered her voice to imitate the voice of God.

Charlotte looked at me curiously after Emily completed her reading. She smiled, playfully slapping her hands together, anticipating some lighter, happier moments. But Emily thought that would be inappropriate after her religious time.

"It's time she went to sleep," she declared. She let me help put the baby to bed and kiss her good night. But before I left, Emily wanted me to see something, to witness the success she had been having with Charlotte.

"Let us pray," Emily said, and pressed her palms together. The baby looked at me and then at Emily, who repeated her words and actions. Then Charlotte pressed her little hands together and actually held them there until Emily completed the Lord's Prayer.

"She mimics like a monkey," Emily declared, "but in time she will understand and it will save her soul."

Who will save mine? I wondered, and went up to my room to retire for the night. As I ascended the stairs, I heard Bill Cutler's ripple of laughter coming from Papa's office. I quickened my steps and I was glad to put distance and doors between myself and this arrogant man.

But that was easier said than done. Every day for the rest of the week, Bill Cutler came to visit The Meadows. It seemed that whenever I turned around, he was there standing behind me or watching me from a window when I was outside with Charlotte. Sometimes he played cards with Papa, sometimes he ate dinner with us, and sometimes he appeared with the excuse that he was looking over his new property to decide what to do with it. He hovered about us like some horrible torment, a reminder of what lay ahead whenever he had the whim to take action. Consequently, he had his run of our home and our lives, or at least mine.

Late one afternoon, after I had left Charlotte's nursery and gone upstairs to prepare myself for dinner, I thought I heard footsteps outside my door, and I peered out of my bathroom to see Bill Cutler let himself into my room. I had taken off my dress to wash and brush my hair and had only my slip on over my brassiere and panties.

"Oh," he said when he saw me look out, "is this your room?"

Like he didn't know, I thought. "It is and I don't think it's very nice for you to just come walking in without knocking."

"I did knock," he lied. "I guess you didn't hear me because you were running the water in there." He looked around. "You keep this pretty . . . plain and simple," he said, obviously a little surprised by the bare walls and windows.

"I'm getting myself ready for dinner now," I said. "Do you mind?"

"Oh no, I don't mind. I don't mind at all. Go right ahead," he quipped. I had never met a more infuriating person. He stood there with that debauched grin on his face, leering at me. I had my arms over my bosom.

"I could brush your hair for you if you like."

"I don't like. Please leave," I insisted, but he only laughed and took a few steps closer to me. "If you don't leave my room, Mr. Cutler, I'll—"

"Scream? That wouldn't be very nice. And," he said, gazing around again, "as for this being your room . . . well"—he smiled—"you know it's really mine."

"Not until you take possession," I replied.

"That's true," he said, coming closer. "Possession is nine-tenths of the law, especially in the South. You know, you are a very pretty and very interesting young lady. I like the fire in your eyes. Most women I meet have only one thing in their eyes," he said, widening his smile.

"I'm sure that's probably true of most women *you* would meet," I snapped.

He laughed. "Come on, now, Lillian. You don't dislike me all that much, do you? You must find me a little attractive. I've never met a woman who didn't," he added boldly.

"Well, you've found your first one," I said. He was so close now that I had to take a step back.

"That's because you don't really know me well enough. In time . . ." He put his hands on my shoulders and I started to pull away, but his fingers tightened so that he held me firmly in place.

"Let me go," I demanded.

"Such fire in those eyes," he said. "I've got to put it out or you'll burn up," he added, and brought his lips to mine so quickly, I barely had time to bring my head back. I struggled against him, but he wrapped his arms around me and kissed me harder. The moment he pulled back, I wiped his kiss off my lips with the back of my hand.

"I knew you would be exciting. You're like an unbridled wild horse, but after you're broken, I bet you'll gallop like few others," he declared, his eyes traveling quickly from my flushed face down to my breasts.

"Get out of my room! Get out!" I cried, pointing to the door.

He held his hands up. "All right, all right. Don't get yourself upset. It was just a friendly kiss. You didn't dislike it, did you?"

"I hated every second of it," I spit out.

He laughed. "I'm sure you'll dream about it tonight."

"In nightmares," I retorted. That brought a bigger roar from him.

"Lillian, I really do like you. The truth is, it's the only reason I'm still amusing myself with this run-down, pathetic excuse for Southern glory. That and beating your father at cards again and again," he added. Then he turned and left me gasping with indignation and fury, my heart pounding.

I refused to look at him that night at dinner and answered every question he asked with a simple yes or no. Papa didn't appear to notice or care about my feelings toward Bill Cutler, and Emily assumed I was seeing him the way she saw him. Once in a while, under the table, he touched me with the toe of his boot or his fingers and I had to ignore it or pretend it wasn't happening. I saw how he was amused by my discomfort. I was happy when the meal ended and I was able to go back up to my room and escape from his teasing and tormenting.

A little more than an hour later, I heard Papa's footsteps in the hallway. I was sitting up in my bed, reading, and looked up when he opened my bedroom door. He stood there for a moment just looking in at me. Ever since the birth of Charlotte, he had avoided coming into my room. I knew that he was embarrassed to do so. In fact, he was rarely, if ever, alone in a room with me anymore.

"Reading again, eh?" he said. "I swear, you read even more than Georgia did. Of course, you read better things," he added. His tone of voice, the way he looked away when he spoke, and his tentativeness made me curious. I put my book aside and waited. He looked distracted for a moment.

"We should fix this room up again," he said. "Maybe have it

painted or something. Bring the curtains back . . . but . . . maybe it would be foolish to waste the time and money." He stopped and gazed at me. "You're no longer a little girl, Lillian. You're a young lady, and anyway," he said, clearing his throat, "you need to move on with your life."

"Move on, Papa?"

"When a girl reaches your age, it's expected. Except a girl like Emily, of course. Emily's different. Emily has another sort of destiny, another purpose. She's not like other girls her age; she never was. I always knew that and accepted it, but you, you're . . ."

I saw how he struggled for the words to describe the difference between Emily and me.

"Normal?" I offered.

"Yeah, that's it. You're a regular young Southern lady. Now then," he said, straightening up with his hands behind his back and pacing in front of my bed, "when I accepted you into our house and family some seventeen years ago, I accepted the responsibilities of a father and as your father, I have to see to your future," he proclaimed. "When a young lady reaches your age in our society, it's time for her to think about marriage."

"Marriage?"

"That's right, marriage," he said firmly. "You can't expect to lollygag around here until you're an old maid, can you? Reading, doing needlework, spending all your time at that one-room school."

"But I haven't met anyone I want to marry yet, Papa," I cried. I wanted to add, "Ever since Niles died, I have given up on the thought of love and romance," but I kept quiet.

"That's just it, Lillian. You haven't and you won't. Not the way things are now. At least, you won't meet anyone proper, anyone who can provide well for you. Your mother . . . that is, Georgia . . . would have wanted me to find you an acceptable young man—a man of some stature and accomplishment. She'd be right proud of that."

"Find me a man?"

"That's how things are done," he declared, his face reddening with his struggle to get what he wanted to say said. "This nonsense about romance and love is what's ruining the South, ruining Southern family life. A young girl doesn't know what's good for her and what's not. She needs to depend on much older, wiser minds. It worked well in the past and it will work well now."

"What are you saying, Papa? You want to find my husband for me?" I asked, astounded. He had shown no interest in it before, nor had he mentioned it. A kind of paralyzing numbness gripped me as I began to anticipate the thing he was about to say.

"Of course," he replied. "And I have. You'll marry Bill Cutler in two weeks. We don't need to have any sort of elaborate wedding ceremony. It's a waste of money and energy anyhow," he added.

"Bill Cutler! That horrid man!" I cried.

"He's a fine gentleman with a good family background and wealth. His beach property will be worth quite a bit of money in time and—"

"I would rather die," I declared.

"Then you will!" Papa retorted, shaking his clenched fist over me. "I'll do the honors myself, damn it."

"Papa, that man is abominable. You see how arrogant and disrespectful he is, how he comes here day after day just to torture you, torture all of us. He's not decent; he's not a gentleman."

"That's enough, Lillian," Papa said.

"No, it's not enough. It's not. Anyway, why would you want me to marry the man who took away your family's plantation in a card game and teases you about it?" I asked through my emerging tears. Papa's expression gave me the answer. "You're making a deal with him," I said with dismay. "You're exchanging me for The Meadows."

Papa shrunk back a moment and then stepped forward, indignant.

"What if I am? Don't I have a right? When you were destitute, without a mother or a father, didn't I take you in willingly? Haven't I provided for you, put the clothes on your back and the food in your belly for years and years? Just like any daughter, you owe me. You've got a debt to pay," he concluded, nodding.

"What about what you owe me, Papa?" I retorted. "What about what you've done to me? Can you ever make up for that?"

"Don't you ever say such a thing," he commanded. He stood before me, his chest swelling, his shoulders rising. "Don't you go spreading any stories, Lillian. I won't have it."

"You don't have to worry about that," I said softly. "I'm more ashamed of it than you are. But, Papa," I cried, appealing to whatever softness there was left in him, "please, please don't make me marry that man. I could never love him."

"You don't have to love him. You think all married people love each other?" he said, smiling sardonically. "That's the stuff of your mother's foolish books. Marriage is a business arrangement from start to finish. The wife provides something for the husband and the husband provides for the wife, and most of all, the two families benefit. If it's a well-arranged marriage, that is.

"What can be so bad for you?" he continued. "You'll be the mistress of a fine house and it's my guess that in no time, you'll have more money than I ever had. I'm doing you a favor, Lillian, so I expect more appreciation."

"You're saving your plantation, Papa. You're not doing me any favors," I accused, my eyes narrow slits of rage. It took him back for a moment.

"Nevertheless," he said, straightening up, "you will marry Bill Cutler two weeks from tomorrow. Get yourself set on it. And don't let me hear one word to the contrary, hear?" he said, his tone sterile, as if his heart had been removed. He glared at me a moment. I said nothing; I simply looked away, and then he turned and left me.

I fell back on my bed. It had begun to rain, suddenly making my room damp and chilly. The drops tapped on my window and pelted the roof. I felt the world couldn't look any darker and any more unfriendly to me. A shivering thought came rushing over me with the gust of wind that slapped the rain against the house: suicide.

For the first time in my life, I considered the possibility. Maybe I would crawl out on the roof and let myself fall to my death as Niles had fallen to his. Maybe I would die in the exact same spot. Even death seemed better than marrying a man like Bill Cutler. The very thought of it made my stomach churn. The truth was that if Papa hadn't lost a game of cards, I wouldn't be tossed over the table like just another gambling chip. It wasn't fair. Once again, impish fate was toying with my destiny, playing with my life. Was this part of my curse, too? Maybe it was better to end it.

My thoughts went to Charlotte. What made this proposed marriage even more horrible was the realization that I wouldn't see her very much anymore, for I wouldn't be able to take Charlotte with me. I couldn't very well claim her as my own. I would have to leave my baby behind. My heart felt like stone with the hard conclusion that in time I would become more like a stranger to my own child. Just like me, Charlotte would lose her real mother and Emily would take on more and more of the responsibilities. Emily would have the most influence over her life. How sad. That sweet, cherubic face would lose its brightness under a sky of constant gray in a world of gloom and doom.

Of course, I would escape this horrid world by marrying Bill Cutler, I thought. If only I could manage to find a way to bring Charlotte with me, too, I might be able to endure living with that man. Maybe I could convince Papa. Maybe somehow . . . then both Charlotte and I would be free of Emily and Papa and the misery that lived alongside us in this dying plantation, a house filled with tragic memories and dark shadows. Marrying Bill Cutler would somehow be worth it then, I rationalized. What else could I do?

I got up and went downstairs. Bill Cutler had left and Papa was just straightening out some things on his desk. He looked up sharply when I entered, anticipating more argument.

"Lillian, I'm through discussing the issue. As I told you upstairs—"

"I'm not arguing with you about it, Papa. I just wanted to ask you for one thing and then I'll willingly marry Bill Cutler and save The Meadows for you," I said. He was impressed and sat back.

"Go on. What do you want?"

"I want Charlotte. I want to be able to take her with me when I go," I said.

"Charlotte? Take the baby?" He thought a moment, his eyes fixing on the rain-washed windows. For a moment he was really considering it. My hopes began to soar. Papa had no real love for Charlotte. If he could get rid of her, too . . . but then he shook his head and turned back to me. "I can't do that, Lillian. She's my child. I can't go giving up my child. What would people think?" His eyes widened. "I'll tell you what they'd think. They'd think you was her mother. No sir, I can't give up Charlotte.

"But," he said before I could respond, "maybe in time, Charlotte would spend more of her life with you. Maybe," he said, but I didn't believe it. I saw, however, that it was the best I could expect.

"Where will the wedding be held?" I asked, defeated.

"Right here at The Meadows. It will be just a small affair . . . a few of my close friends, some cousins . . ."

"Can I invite Miss Walker?"

"If you must," he begrudgingly said.

"And can I have Mamma's wedding dress fixed for me? Vera could do it," I said.

"Yes," Papa said. "That's a good idea, a good economy. Now you're thinking wisely, Lillian."

"It's not an economy. I thought of it out of love," I said firmly.

Papa fixed his gaze on me a moment and sat back.

"It's a good thing, Lillian. It's a good thing for both of us that you're moving on now," he declared, his voice bitter.

"For once, Papa, I am in agreement with you," I said, and pivoted to leave him in his dark office.

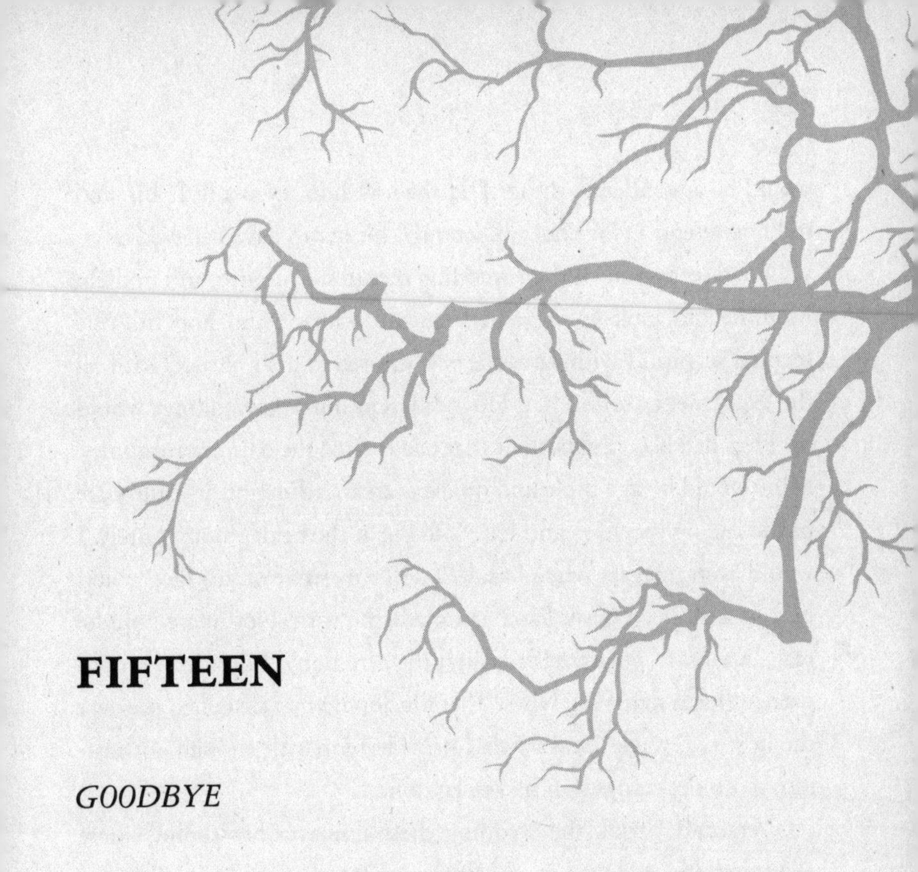

FIFTEEN

GOODBYE

Carrying oil lamps, Vera and I went up to the attic to look for Mamma's wedding dress in one of the old black trunks stored in the far right corner. We dusted and cleared off the cobwebs. Then we searched until we found it. Buried in mothballs with the dress, veil, and shoes were some of Mamma's wedding mementos: her dried and faded corsage pressed between the pages of the palomino leather-bound Bible their minister used, a copy of the wedding invitation with a list an arm long of the invited guests, the now tarnished silver knife used to cut the wedding cake, and Papa's and her engraved silver wine cups.

As I took everything out, I couldn't help but wonder how Mamma had felt just before her wedding. Had she been excited and happy? Did she believe marrying Papa and living at The Meadows would be a wonderful thing? Did she love him, even a little bit, and did he pretend to love her well enough for her to have believed it?

I had seen some of their wedding pictures, of course, and in them Mamma did look young and beautiful, radiant and hopeful. She seemed so proud with how she was dressed and so pleased with all the excitement around her. How different our two weddings would be. Hers had been a gala affair that had excited the entire community. Mine would be as simple and quick as an afterthought. I would hate pronouncing the vows and hate looking at the bridegroom. Surely, I would avert my gaze when I said, "I do." Any smile on my face would be a false smile, a mask Papa had made me wear. Nothing would be real. In fact, to get myself through the ceremony, I decided I would pretend I was marrying Niles. That illusion is what sustained me over the next two weeks. It was what provided me with enough enthusiasm to do the things that had to be done.

Vera and I took the wedding dress down to her room, where she fitted and adjusted it, shortening and tightening it until it did look very pretty on me. As Vera worked, little Charlotte crawled in between my legs and around us, sitting and watching with interest. Unbeknownst to her, these festivities and this ceremony would take me away, and just like me she would be losing her real mother. I tried not to dwell on it.

"What was your wedding like, Vera?" I asked. She looked up from the hem she was sewing.

"My wedding?" She smiled and tilted her head. "Quick and simple. We got married at the minister's house, in his front parlor, with his wife, my daddy and mamma, and Charles's daddy and mamma present. None of Charles's brothers came. They had work to do, and my sister was employed as a housekeeper at the time and couldn't get away."

"At least you were in love with the man you married," I said sadly.

Vera sat back, a half smile on her face.

"Love?" she said. "I suppose. At the time, that didn't seem to be as important as getting on and making a life for ourselves. Marriage was a promise, a way to team us up and get us moving toward better things. At least," she said with a sigh, "that was the way we saw it then. Being young, we thought everything would be easy."

"Was Charles your only boyfriend?"

"One and only, although I dreamt of being discovered and swept away by my own handsome prince," she confessed with a smile. Then she lifted and dropped her shoulders with a sigh. "But the time came to get down-to-earth and I accepted Charles's proposal. Charles may not be the handsomest man ever to come around, but he's a good man, a hardworking man, and a kind man. Sometimes," Vera said, looking up at me quickly, "that's the best a young girl can hope for, the best she can get. Love, the way you're thinking of it right now . . . that's a luxury enjoyed only by the rich."

"I hate the man I'm going to marry even though he's wealthy," I declared. Vera didn't need to hear the admission. She nodded with understanding.

"Maybe," she said, picking up the needle and thread again, "you can change him, make him into someone you can tolerate at least." She paused. "You've grown a lot these last few years, Lillian. No doubt in my mind but that you're the strongest of the Booths and the brightest. Something in you will give you the steel backbone you need. I'm sure of it. Just stand your ground. Mr. Cutler, he strikes me as being too interested in his own pleasure to be willing to put up much of a fuss when it comes to conflict."

I nodded and then I ran forward to embrace Vera and thank her.

It brought tears to her eyes. Little Charlotte was jealous of the expression of affection and cried to be picked up. I lifted her in my arms and kissed her cheek.

"Please watch over Charlotte as best you can, Vera. It breaks my heart to leave her behind."

"You don't have to ask, Miss Lillian. I think of her as I do my own Luther. The two of them will grow up side by side and will watch over each other, too, I'm sure," Vera said. "Now, let's get this dress in shape. It might not be the most expensive wedding, but you're going to shine as though it was the fanciest wedding this part of Virginia ever did see. Miss Georgia would want it no other way."

I laughed and had to agree. If Mamma were alive and well, she would be running all over the house, seeing that everything was clean and shiny. She'd have flowers everywhere. It would be just as it was when she hosted one of her famous barbecues. I could see her now, blossoming more and more with every minute that drew us closer and closer to the gala event. When Mamma was young and beautiful, she basked in the activity and excitement, soaking it up the way a flower soaks up sunlight.

That joie de vivre was something Emily hadn't inherited. She had little interest in the preparations except to discuss the religious aspects of the ceremony with the minister, deciding on the prayers and the hymns. And Papa was only concerned about keeping the expense down as much as he could. When Bill Cutler heard how Papa was cutting corners, he told him not to worry about the expenses; he would pick up the cost of the reception to follow the ceremony. He wanted it to be a good party, even though it was going to be small.

"I've got a few close friends coming. Make sure there's music," he ordered. "And plenty of good whiskey. No Southern rotgut." Papa was embarrassed about taking his future son-in-law's handout, but he acceded to Bill Cutler's demands, contracted a band, and had some servants hired to help Vera serve and prepare fancier foods.

Each day that drew me closer to my wedding date made me more and more anxious. Sometimes I would stop in the middle of what I was doing and find my fingers trembling, my legs shaking, a sick, empty feeling swirling in the bottom of my stomach. As if he knew the sight of him might change my mind, Bill Cutler stayed away from The Meadows until our wedding day. He told Papa he had to return to Cutler's Cove to see about his hotel. His own daddy was dead and his mother too old and senile to travel. He was an only child and would return with some close friends and no relatives.

Some of Papa's and Mamma's cousins were coming. Miss Walker replied to my invitation and promised to attend. Papa restricted his invitations to a half dozen neighboring families, the Thompsons not being one of them. All in all, there were barely three dozen guests, a far cry from the hordes of people who used to show up for one of the great affairs at The Meadows in its heyday.

The night before my wedding, I hardly ate a morsel at dinner. My stomach was all in knots. I felt like someone being sentenced to a chain gang. Papa took one look at me and went into one of his rages.

"Don't you come down those stairs tomorrow wearing that long face, Lillian. I don't want people thinking I'm sending you to your death. I'm spending all I can afford and then some to make this a nice affair," he said, pretending not to have taken anything from Bill Cutler.

"I'm sorry, Papa," I cried. "I'm trying, but I can't help how I feel."

"You should feel blessed," Emily inserted. "You're going to participate in one of the most sacred of sacraments—marriage—and you should think of it only as that," she lectured, looking down her long, thin nose at me pompously.

"I can't think of my marriage as a sacrament; it's more like a curse," I retorted. "I'm being treated no better than the slaves were treated before the Civil War, traded off like a horse or a cow."

"Damn!" Papa cried, smashing the table with his fist. The dishes jumped. "If you embarrass me tomorrow . . ."

"Don't worry, Papa," I said with a sigh. "I will walk down the aisle and take Bill Cutler's hand in marriage. I'll recite the words, but that's all it will be, a recital. I won't mean any vow I take."

"If you put your hand on the Bible and lie . . ." Emily began to threaten.

"Stop it, Emily. Do you think God is deaf and dumb? Do you think He can't read our hearts and minds? What good is my saying I'll believe the words of the marriage vows I take if in my heart I won't?" I sat back. "Someday, Emily, you might see that God has something to do with love and truth as well as with punishment and retribution and you will realize just how much you have missed sitting in the dark," I told her. I got up before she could respond and left her and Papa in the dining room to chew on their ugly thoughts.

I didn't sleep much at all. Instead, I sat by my window and watched the night sky become more and more star-studded. Toward morning, a wave of clouds slipped over the horizon and began to cover the tiny, twinkling diamonds. I closed my eyes and fell asleep for a while and when I awoke again, I saw that it would be a dull, gray day with rain threatening to fall. It added to my gloom and doom. I didn't go down for breakfast. Vera anticipated my action and came up with a tray of hot tea and oatmeal.

"You better get something in you," she advised, "or you'll pass out at the altar."

"Maybe I'd be better off, Vera," I said, but I listened to her and ate as much as I could. I heard some of the people hired to help at the reception arriving downstairs and the preparations to decorate and set up the ballroom begin. Shortly afterward, some of Mamma's and Papa's cousins began to arrive. A few had come from more than a hundred miles away. The musicians appeared and as soon as they tuned up their instruments, there was music. Before long, the plantation had a festive air about it. The aromas of luscious foods traveled through the corridors and the dark, old place was filled with light and noise and the chatter of excitement. Despite the way I felt, I couldn't help but be pleased by the changes.

Charlotte and Luther were very excited with the arrival of all the guests and servants. Some of Mamma's and Papa's relatives had never seen Charlotte and doted on her. Afterward, Vera brought her up to my room to see me. She had made her a fancy little dress, too, and she did look adorable. She was eager to go back downstairs and join Luther and not miss a thing.

"At least the children are happy," I muttered. My eyes fell on the clock. With each tick, the hands were being drawn closer and closer to the hour when I would have to emerge from my room and descend the stairs to the notes of "Here Comes the Bride." Only to me it felt more like I was descending the stairs to my execution.

Vera pressed my hand and smiled.

"You look very beautiful, honey," she said. "Your mother would be bursting with pride."

"Thank you, Vera. How I wish Tottie was still here, and Henry."

She nodded, took Charlotte's little hand, and left me to wait for the clock to strike the hour. Not that many years ago, when Mamma was alive and well, I dreamt of how she and I would spend my wedding day. We would spend hours and hours at her vanity table planning out every strand of my hair. Then we'd experiment with rouge and lipstick. I would have my own wedding dress created with matching shoes and veil. Mamma would dwell over her jewelry box to decide what precious bracelet or necklace I would wear.

After all that I was going to wear had been chosen and the preparations completed, we would sit for hours and hours and talk. I would listen to her memories of her own wedding and Mamma would give me advice about how to act on my first night with my new husband. Then, when I came down the stairs, I would see her gazing up at me with proud, loving eyes. We would exchange smiles and glances like two conspirators who had plotted out every delicious moment. She would reach out and squeeze my hand before I stepped up to the altar and after it was over, she would be the first to hug and kiss me and wish me all the luck and happiness life had to offer. I would cry and feel frightened when I finally left to go on my honeymoon, but Mamma's smile would soothe me, and I would be strong enough to start my own wonderful married life.

Instead of all that, I sat alone in my dreary room and listened to the dreadful ticktock of my clock with nothing but my own dark thoughts to accompany me. I wiped away the inevitable tears and sucked in my breath when I heard the music grow louder and when I heard Papa's footsteps in the hallway. He had come to escort me to the top of the stairway. He had come to give me away, to trade me off and repair the blunders of his own ways. I stood up and greeted him with a face of stone when he opened my door.

"Ready?" he asked.

"As much as I'll ever be," I said. He smirked, tugged on his mustache, and held out his arm.

I took it and started out, pausing at the doorway to look back at my room, a room that had been a prison to me at one point. But I thought I saw Niles's face in the window looking in and smiling. I smiled back, closed my eyes, pretended it was he waiting for me below, and walked on with Papa.

I stepped down slowly, afraid that my legs would shatter like glass and send me tumbling head over heels down the spiraling stairway to the feet of the smiling guests, now all seated and waiting. I focused on Miss Walker, who smiled up at me, and I gathered my strength. Papa nodded at some of his friends. I saw the faces of my future husband's friends, strangers who were gazing up at me with close scrutiny to see who had captured Bill Cutler's heart. A few smiled with the same sort of licentious grins; the others remained interested, curious.

We paused at the base of the stairs. The gathering applauded. Ahead of us, the minister waited with Bill Cutler. He turned and flashed his arrogant smile at me as I was led down the aisle like a lamb to the slaughter. He did look handsome in his tuxedo with his wavy dark hair brushed neatly on the sides. I saw Emily sitting up front, with Charlotte beside her sitting up properly, her big eyes following everyone's movement and widening when she saw me approaching. Papa brought me up front and stood back. The music stopped. Someone coughed. I heard light laughter from Bill's friends, and then the minister raised his eyes toward the ceiling and began.

He offered two prayers, one longer than the other. Then he nodded to Emily, and she began the hymn. The guests were fidgety, but neither he nor Emily cared. When the service finally ended, the minister focused his sad eyes on me, eyes I always felt belonged in an undertaker's head, and began to recite the wedding vows. As soon as he asked, "Who gives this woman to be this bride?" Papa lunged forward and boasted, "I do." Bill Cutler smiled, but I looked down as the minister continued, describing how sacred and serious marriage was before he got to the part where he asked me if I took this man to be my lawfully wedded husband.

Slowly, I let my gaze wash over my future husband's face and the miracle I prayed for occurred. I didn't see Bill Cutler; I saw Niles, sweet and handsome, smiling at me with love just the way he had time after time at the magic pond.

"I do," I said. I never heard Bill Cutler's vows, but when the minister pronounced us man and wife, I felt him lift my veil and press his lips to mine eagerly, kissing me so hard and long it brought a few gasps out of the audience. My eyes snapped open, and I gazed at Bill Cutler's face, swollen with pleasure. There was a cheer and the guests rose to offer their congratulations. Every one of my new husband's friends gave me a kiss and wished me luck, winking when they did so. One young man said, "You'll need lots of it, being married to this scoundrel." Finally, I was able to step aside to speak with Miss Walker.

"I wish you all the happiness and health life can offer, Lillian," she said, hugging me.

"And I wish I was still in your class, Miss Walker. I wish it was years ago and I was just a little girl again, eager to be taught and excited by every little thing I learned."

She beamed. "I will miss you," she said. "You were the brightest and best student I ever had. I had hoped you would become a teacher, but now I understand you will have a lot more responsibility as the mistress of an important beach resort."

"I'd rather I became a teacher," I said. She smiled as if I had wished for something impossible.

"Write to me from time to time," she said, and I promised I would.

As soon as the ceremony ended, the party began. I had no appetite despite the wonderful foods that were brought out. I spent some time with some of Mamma's and Papa's relatives, saw that Charlotte had something to eat and drink, and then, when I was able to, I snuck away from the reception. A light rain had begun, but I ignored it. I lifted my skirt and hurried out the rear entrance of the house, crossing the yard quickly. I found the path to the north field and practically ran all the way to the family graveyard so I could say goodbye to Mamma and Eugenia, who lay side by side.

Raindrops commingled with my tears. For a long moment, I could say nothing. All I could do was stand there and sob, my shoulders shuddering, my heart so heavy I thought it had turned to stone in my chest. My memory focused on a sunny day years and years ago when Eugenia wasn't yet as sick as she would become. She, Mamma, and I were in the gazebo. We were drinking fresh lemonade and Mamma was telling us stories about her youth. I held my little sister's hand and the two of us let our minds roam with Mamma, who wove us through some of the most wonderful days of her youth. She spoke with such feeling and excitement, it made us both feel we were there.

"Oh, the South was a wonderful place then, children. There were parties and dances. The air was festive, the men always so polite and attentive, and the young women always on the verge of one heart song or another. We fell in love every day with someone else, our emotions riding the wind. It was a storybook world in which every morning began with the words 'Once upon a time . . .'

"I pray, my little dears, that it will be that way for you two as well. Come, let me hug you," she said, holding her arms out to us.

We buried ourselves against her breasts and felt her heart beating with joy. In those days it seemed that nothing ugly or cruel could touch us.

"Goodbye, Mamma," I finally said. "Goodbye, Eugenia. I'll never stop missing you and loving you."

The wind lifted my hair and the rain became heavier. I had to turn away and hurry back to the house. The party had really gotten into full swing. All my husband's friends were loud and rowdy, swinging their women around wildly as they danced.

"Where were you?" Bill asked when he spotted me in the doorway.

"I went out to say goodbye to Mamma and Eugenia."

"Who's Eugenia?"

"My little sister who died."

"Another little sister? Well, if she's dead, how'd you say goodbye to her?" he asked. He had already consumed a great deal of alcohol and swayed when he spoke.

"I went to the graveyard," I said dryly.

"Graveyards ain't no place for a new bride," he muttered. "Come on. Let's show these people how to do a jig." Before I could refuse, he seized my arm and pulled me onto the dance floor. Those who were dancing stopped to make a larger space for us. Bill swung me around awkwardly. I tried to look as graceful as I could, but he tripped over his own feet and fell, bringing me down on him. All his friends thought it was hilarious, but I couldn't have been more embarrassed. As soon as I was able to stand, I ran out and up to my room. I changed out of my wedding dress and put on traveling clothes. All my things had been packed and the trunks were set near the door.

A little more than an hour later, Charles came up and knocked.

"Mr. Cutler told me to get your things into his automobile, Miss

Lillian," he said with a tone of apology. "He told me to tell you to come down." I nodded, sucked in my breath, and started out. Most of the guests were still there, waiting to say goodbye and wish us luck. Bill was flopped on a sofa, his tie off, his shirt collar open. He looked all flushed, but got to his feet as soon as I appeared.

"Here she is!" he announced. "My new bride. Well, we're off to the honeymoon. I know some of you would like to come along," he added, and his friends laughed. "But there ain't room but for two in our bed."

"Wait and see," someone yelled. There was more laughter. All his friends gathered around him to pat him on the back and shake his hand one last time.

Papa, who had consumed far too much alcohol, was collapsed in a chair, his head to one side.

"Ready?" Bill asked.

"No, but I'll go," I said. He laughed at that and started to scoop his arm under mine when he remembered something.

"Hold on," he said, and produced Papa's land title to The Meadows, the document he had won at cards. He sauntered over to him and shook his shoulders.

"Wha . . . what?" Papa said, his eyes flickering open.

"Here you go, Pappy," Bill said, and shoved the document into Papa's hands. Papa gazed at it dumbly for a moment and then looked up at me. I shifted my eyes and gazed at Emily, who stood off with some of our relatives, sipping from a cup of tea. Her eyes met mine and for a moment, I thought there was an expression of pity and compassion on her face.

"Let's go, Mrs. Cutler," Bill said. The crowd followed us to the door, where Vera waited with Charlotte in her arms and Luther at her side. I paused to hold Charlotte one last time and kiss her cheek. She looked at me strangely, beginning to sense the finality of this parting. Her eyes grew small and troubled and her tiny lips quivered.

"Lil," she said when I returned her to Vera's arms. "Lil . . ."

"Goodbye, Vera."

"God bless," Vera said, swallowing her tears quickly. I brushed Luther's hair and kissed him on the forehead, and then I followed my new husband out the door of The Meadows. Charles had everything packed in the car and Bill's rowdy friends were cheering behind us in the doorway.

"Goodbye, Miss Lillian. Good luck," Charles said.

"She don't need luck no more," Bill said. "She got me."

"We all need some luck," Charles insisted. He helped me into the car and closed the door as Bill got in behind the steering wheel. As soon as the car was started, Bill shifted and began to drive over the bumpy driveway.

I looked back. Vera was in the doorway now, still holding Charlotte, with Luther at her side, clinging to her skirt. She waved.

Goodbye, I mouthed. I said my goodbyes to a different home, a different Meadows, the one I remembered and cherished dearly. The Meadows I said farewell to was a plantation full of light and life.

My farewell was to the sound of songbirds, the flutter of chimney swallows, the chatter of blue jays and mockingbirds, the joy of seeing them flit from one branch to another. My farewell was to a clean, bright plantation house with windows that glittered and columns that stood tall and proud in the Southern sunlight, a house with a heritage and a history, whose walls still reverberated with the voices of dozens of servants. My farewell was to white-starred young magnolia trees, to wisteria tumbling over the verandas, to whitewashed brick and pink crepe myrtle bushes, to rolling green lawns with sparkling fountains in which birds bathed and dipped their feathers.

My farewell trailed down a drive lined with full, thick oak trees. My farewell was to Henry singing as he worked, to Louella hanging out the sweet-smelling wash, to Eugenia waving from her window, to Mamma looking up from one of her romance novels, her face still flushed because of something she had read.

And my farewell was to a little girl running excitedly up the drive, her hand clutching a school paper covered with gold stars, her voice crying out with such joy and excitement she thought she would burst.

"What are you crying about?" Bill demanded.

"Nothing," I said quickly.

"This should be the happiest day of your life, Lillian. You're married to a handsome, young Southern gentleman on the rise. I'm rescuing you. That's what I'm doing," he bragged.

I wiped my cheeks and turned as we continued to bounce down the driveway.

"Why did you want to marry me anyway?" I asked.

"Why? Lillian," he said, "you're the first woman I met I wanted but couldn't get to want me. I knew right off you was something special and Bill Cutler ain't one to pass over something special. And besides, everyone's been telling me it's time I took a wife. Cutler's Cove caters to a family clientele. You will soon be part of it."

"You know I don't love you," I said. "You know why I married you."

He shrugged.

"That's fine. You'll start loving me once I start making love to you," he promised. "Then you'll realize just how lucky you are.

"In fact," he said as we started the turn away from The Meadows, "I've decided we should stop along the way and not put off your good fortune any longer than we have to. Instead of spending our honeymoon night at Cutler's Cove, we'll spend it at a hotel I know just an hour and a half from here. How's that sound?"

"Horrible," I muttered.

He roared. "Just like breaking a wild stallion," he declared. "I'm going to enjoy this."

We rolled on and I looked back only once more when we came to the path that used to take me and Niles to the magic pond. How I wished I could have paused and dipped my hands into the wonderful water and wished myself someplace else.

But magic only happens when you're with people you love, I thought. It would be a long time before I would ever see or feel it again, and that, more than anything else, made me feel lost and alone.

Had I married a man I loved and who I was sure loved me, the Dew Drop Inn—the quaint hotel Bill had found for our wedding night—would have been delightful and romantic to me. It was a two-story building with periwinkle blue shutters and milk-white clapboard siding, nestled just off the highway in a pocket of oak and hickory trees. The building had bay windows and spindle porch supports. Our upstairs room opened to a second-story landing that provided a wide view of the countryside across the way. Downstairs there was a large parlor with well-preserved colonial furnishings and scenic oil paintings above the fieldstone fireplace, and on the walls in the hallway and large dining room as well.

The Dobbses, the owners, were an elderly couple whom Bill had obviously gotten to know on his way to The Meadows when he planned out our itinerary. They knew he would be returning with his new bride. Mr. Dobbs was a tall, lean man with two patches of gray, steel wool–like hair on the sides of his shiny bald head, which was peppered with dark age spots. He had small light brown eyes and a long, narrow nose that dipped over his thin mouth. Because of his height and thinness, as well as his facial features, he reminded me of a scarecrow. He had large hands with long fingers and continually washed his palms against each other nervously as he spoke. His wife, also tall but much stouter, with shoulders like a lumberjack and a heavy, hard-looking bosom, stood aside, nodding after everything her husband said.

"We hope you'll be cozy and warm and have a most delightful stay with us," Mr. Dobbs said. "And Marion here is going to make you two the best breakfast, ain't you, Marion?"

"I make a good breakfast every day," she said firmly, and then smiled. "But tomorrow's will be extra special, seeing the occasion and all."

"And I expect you two will be hungry," Mr. Dobbs added, winking and smiling at Bill, who pulled his shoulders up and smiled back.

"I expect we will," he replied.

"Everything's ready just as you wanted it to be," Mr. Dobbs said. "You want me to show you around again?"

"No need," Bill said. "First, I'll show my new bride the room and then I'll come back and get some of our things."

"Oh, want me to help you with that?" Mr. Dobbs asked.

"No need," Bill said again. "I got plenty of energy tonight," he added. He took my hand and headed toward the stairway.

"Well now, sleep tight and don't let the bedbugs bite," Mr. Dobbs called after us.

"We ain't got no bedbugs, Horace Dobbs," his wife snapped. "And never have."

"Just kidding, Mother. Just kidding," he mumbled, and hurried away.

"Congratulations," Mrs. Dobbs called to us before following her husband. Bill nodded and continued to lead me up the stairs.

The room was pleasant. It had a brass bed with ornate designs on the poles and headboard, a wide mattress covered with a flowery pattern quilt, and two enormous matching pillows. The windows were done in bright blue-and-white cotton curtains. The hardwood floor looked as though it had been polished and polished to bring out its natural sheen. There was a soft-looking cream wool rug under the bed. Both night tables had brass oil lamps.

"The scene of the seduction," Bill announced gleefully. "How do you like it?"

"It's very nice," I had to admit. Why take my unhappiness out on the Dobbses, I thought, or this cozy little house.

"I got an eye for these things," he bragged. "It's the hotel owner's blood at work. I was driving along, thinking about our first night, and as soon as I set eyes on this place, I stepped down on the brakes and made the arrangements. I don't usually put myself out to please a woman, you know."

"According to the minister, I'm not just any woman to you anymore. He did mention the words 'husband and wife,'" I said dryly.

Bill laughed and showed me where the bathroom was located in the hallway. "I'll go down and bring up your bag and my own while you make yourself comfortable," he said, nodding toward the bed, "and ready." He ran the tip of his tongue from one side of his mouth to the other and then turned and rushed downstairs.

I sat down on the bed and folded my hands on my lap. My heart was beginning to thump in anticipation. In moments I would have to surrender myself to a man I hardly knew. He would learn the most intimate details of my body. I had been telling myself all along that I could get through this by closing my eyes and pretending Bill Cutler was Niles, but now that I was here and it was only moments before it would begin, I realized it would be impossible to shut out the reality and replace it with a dream. Bill Cutler was not the sort of man who would be denied.

I looked down and saw my fingers were trembling. My knees wanted to knock together; my eyes wanted to pour out their tears. The little girl in me wanted to plead for mercy, to cry for Mommy. What was I going to do? Should I beg my new husband to be gentle and kind and give me more time? Should I confess all the horrors of my life and seek his compassion?

Another part of me shouted *No*, loud and clear. Bill Cutler was not the sort of man who would understand and care; he was not a Southern gentleman in any sense of the words. Old Henry's words of wisdom came back to me: "A branch that doesn't bend with the wind breaks." I sucked in my breath and swallowed back my cries. Bill Cutler would see no fear in my face, no tears in my eyes. Yes, the wind blew me from one place to another, and there was seemingly nothing to do about it, but that didn't mean I had to wail and moan. I would move faster than the wind. I would bend harder. I would make the devilish wind look inadequate. And I would take charge of my own destiny.

By the time Bill returned to our honeymoon bedroom with our bags, I was undressed and under the blanket. He paused in the doorway, his eyes full of surprise. I knew he had been anticipating resistance, even hoping for it just so he could lord it over me.

"Well now," he said, putting the bags aside. "Well now." He prowled around me, a cat on the stalk, ready to spring. "Don't you look inviting!"

I wanted to say, "Let's get it over with," but I kept my lips sealed and followed him with my eyes. He pulled off his tie and literally attacked his clothes, impatient with buttons and zippers. I had to admit he was a fine-looking man, slim and muscular. The way I studied him took him aback and he paused before he lowered his shorts.

"You don't have the face of a virgin," he said. "You look a little too wise, too calm."

"I never said I was a virgin," I replied.

His mouth fell open and his eyes widened. "What?"

"You never said you were a virgin either, did you?" I asked pointedly.

"Now look here. Your daddy told me—"

"Told you what?" I asked, very interested.

"Told me . . . told me . . ." He stuttered. "That you never had any beaux, that you were . . . untouched. We made a deal. We . . ."

"Papa didn't know much about what went on at The Meadows. He was usually off gambling and carousing," I said. "Why? Do you want to bring me back now?"

"Huh?" He was dumbfounded for a moment.

"All of this excitement has made me a bit drowsy," I said. "I think I'll take a little nap." I turned over, my back to him.

"What?" he said. I smiled to myself and waited. "Just a cotton-picking minute here," he finally declared. "This here is our wedding night. I don't intend to pass it away sleeping."

I didn't reply. I waited. He muttered under his breath and after a moment, he got into the bed beside me. For a while we just lay there side by side, Bill staring up at the ceiling, me curled up inches away from him. Finally, I felt his hand on my thigh.

"Now see here," he said. "Whatever's the truth about you, we're husband and wife. You're Mrs. William Cutler the Second and I claim my conjugal rights." He pressed down harder so I would turn toward him. The moment I did so, his hands groped me and his lips pressed down on mine. My lips parted beneath his prolonged kiss. I gasped because his tongue touched mine and then he laughed and pulled his head back to look down at me with condescension. "You ain't so experienced after all, are you?"

"Not like any of the women you've known, I'm sure," I said.

He laughed. "You are one proud young woman, Lillian. I can see how you're going to make one helluva mistress for Cutler's Cove. I ain't done so bad after all," he said, and repeated it more for himself than for me.

He lowered his face to mine and moved his lips over my eyes, my cheeks, my chin, and my neck, and then he continued down, kissing my breasts, lingering over my nipples, and moaning. He nudged my bosom with his nose, inhaling the scent of me. Despite my reluctance and unhappiness, my curiosity accompanied the titillating sensations that washed over my body in wave after wave, taking me to places I didn't expect I would go. I cried out when he continued on his journey down my body, tracing his lips over the small of my stomach.

"No matter what you say," he muttered, "you're like a virgin to me."

How different sex was when it was expected. What Papa had done to me was still lodged in the darkest places of my mind, locked away with my worst nightmares and childhood fears. But this was different. My body was interested and receptive and no matter what my mind said, the tingling grew stronger until Bill finally entered me and consummated our arranged marriage with an animal passion. I rose and fell with his thrusts, moving from moments of terror to moments of pleasure, and when it ended, when he exploded within me with his hot spasms, I thought my heart would burst open and I would die in bed on my wedding night.

A hot flush moved up my neck and made my cheeks feel as if they were on fire.

"Well, all right," he said. "All right." He rolled over on his back. He had to catch his breath, too. "I don't know who your lover was," he said, "but he must have been a virgin, too." Then he laughed.

I wanted to tell him the truth. I wanted to wipe that self-satisfied, conceited smile off his face, but my shame was too great.

"Anyway," he continued, "now you know why you're a lucky woman." He laughed. "And now you're the new Mrs. Cutler." He closed his eyes. "I think you're right. A little nap is in order. It has been one helluva day."

In moments he was snoring. I lay there awake for hours, it seemed. The overcast and rainy night sky began to clear. Through the window I saw a star peek out between the thin wisps of clouds trailing behind the thick, dark ones.

I had survived this ordeal, I thought. I even felt stronger because of it. Perhaps Vera was right: perhaps I could take control of my life and change Bill Cutler enough to tolerate and endure my new existence. I was Mrs. Cutler now and I was on my way to my new home, and from all accounts of it, it was an impressive and interesting new home at that.

What logic, what reason, did fate have for denying me the gentle and true love Niles and I would have had together and instead placing me beside this stranger who now lay beside me as my husband after a marriage sanctified by the church? The minister never asked if we were in love; he only demanded we swear to uphold our vows. What is marriage without love, I wondered, even if a minister performs the ceremony?

Why, two mockingbirds finding each other through their songs had more reason to be, I thought.

Back in The Meadows, Vera was probably putting Charlotte to sleep. Charles was finishing whatever chores were left to finish. Little Luther was most likely with him. Emily was locked away in her chambers on her knees, muttering some prayer, and Papa was sleeping off his drunken stupor, the land title document still clutched in his big hand.

And I, I waited for the morning and the journey that lay ahead, full of mystery, full of surprise, for the only promise left to me was the promise of tomorrow.

SIXTEEN

CUTLER'S COVE

The remainder of our journey passed very quickly. After a wonderful breakfast at the Dew Drop Inn, Bill and I quickly gathered our things and started off, Horace and Marion Dobbs wishing us good luck so many times I was sure they had seen something in my face to urge them to do so. The rain had passed, and we did have a beautifully clear day in which to travel. Whether he was just tired from the wedding and our lovemaking or whether he was just settling down into his real self, I wasn't sure, but Bill was much quieter during the rest of our motor trip and much nicer to me. When he did speak, he described Cutler's Cove and told me a little about his family.

"My father had some fool notion he could farm by the ocean. He acquired a large tract of land, not realizing or caring at the time that we had oceanfront, too. He built a fine farmhouse and a barn and brought in some livestock, but it wasn't long before the weather and the land told him in no uncertain terms that he was hell-bent on the wrong vocation.

"But my mother was resourceful, and she began taking in boarders, at first for some extra money.

"One day, she and my father sat down and talked about it all and decided that they should turn the place into a real hotel. Once they made that decision, it was all downhill. Pop had a dock built so those who wanted to fish could row out a bit. He worked on the grounds, creating gardens and pretty lawns, pathways for nature walks, a pond with benches, gazebos, fountains. He couldn't be a farmer, but he was a helluva gardener.

"And my mother was a great cook. The combination proved successful and before long, we had an addition built onto the old house. The hotel, Cutler's Cove, has been at near or full capacity ever since. People up north have been spreading the word about us and we have guests from New York, Massachusetts, even as far north as Maine and Canada. They all rave about the food."

"Who does the cooking now?" I asked.

"I've had a few cooks since Ma's gotten too old to do any work. Just before the wedding, I hired a Hungarian man who was referred to me by a friend. His name's Nussbaum and he is a great chef, although the kitchen staff complains about his hot temper.

"You'll see what it's like," Bill said, smiling. "Most of the time I'm running around trying to keep peace among the workers."

I nodded and sat back to watch the scenery rush by. I didn't want to reveal that I had never seen the ocean before, but when it suddenly appeared on the horizon, I gasped with awe. I had read about it and seen pictures of it, of course, but confronting the vastness this close up was overwhelming. I could only gape like a young schoolgirl and take delight in the sailboats and the fishing vessels. When a large ship appeared, I couldn't hold back a cry.

"Hey," Bill said, laughing. "I know you told me your father didn't take you kids to the ocean much, but you've been here before, haven't you?"

"No," I revealed.

"No? Well, I'll be . . ." He shook his head. "I do have myself a virgin bride of sorts, don't I?" He laughed. I glared at him. He could infuriate me so at times with his arrogance. I decided not to be as honest the next time.

A short while later, we made a wide turn and I saw the sign announcing our entrance to Cutler's Cove.

"The authorities renamed this section of the beach and the small street of shops after our family because of the success of my resort," he declared with characteristic pride.

He continued, bragging about all the wonderful things he was going to do, but I wasn't listening. Instead, I gazed at the scenery. The coastline curved inward at this point, and I saw that there was a beautiful length of sandy white beach that gleamed as if it had been combed clean by an army of workers armed with rakes that had teeth as small as combs. Even the waves that came up the sand, came up softly, tenderly, soaking the sand and retreating.

"See that," Bill pointed out. There was a sign that read RESERVED FOR CUTLER'S COVE HOTEL GUESTS ONLY. "We've got our own private beach here. It makes the guests feel exclusive," he added, winking, and then he nodded to his left, and I looked up the rise to see the Cutler's Cove Hotel, my new home.

It was a big three-story robin's-egg-blue mansion with milk-white shutters and a large wraparound porch. Leading up to the porch was a stairway created from bleached wood. The foundation was made from polished stone. We started up the driveway, passing between two pillars of stone with round lanterns atop each. Here and there were a few guests meandering about the grounds, upon which there were two small gazebos, wooden and stone benches and tables; fountains, some shaped like large fish, some simple saucers with spouts in the middle; and a beautiful rock garden that snaked around the front of the house.

"A little better than The Meadows, wouldn't you say?" Bill asked arrogantly.

"Not in its heyday," I said. "Then it was the jewel of the South."

"Some jewel," Bill quipped. "At least we didn't use slave labor to build this place. I just love it when the Southern aristocrats like your father brag about what their families built up. Hypocrites and phonies, the whole lot of them. And easy marks for cards," he added with a wink.

I ignored his sarcasm as we made our way around the building to a side entrance.

"We can get to our quarters faster this way," he explained when he parked the car. "Well, welcome home," he added. "Do I have to carry you across the threshold?"

"No," I said quickly.

He laughed. "I wasn't serious," he said. "Just leave everything in the car. I'll send someone out for our things in a moment. First things first."

We got out of the car and entered the house. A short corridor led us into what Bill called the family section. The first room we came upon was a sitting room that had a fieldstone fireplace and warm-looking antique furniture—soft-cushioned chairs in hand-carved wood frames, a dark pine rocking chair, the seat of which was now covered with a white cotton blanket, and a thick-cushioned couch with pinewood end tables. The hardwood floor had an oval eggshell-white rug.

"That's my father's portrait and that's my mother's," Bill pointed out. The two pictures were side by side on the far left wall. "Everyone says I look more like Pop."

I nodded; he did.

"All the family bedrooms are on the second floor. I got a small bedroom off the kitchen down here for Mrs. Oaks. She takes care of my mother, who spends most of her time in her room now. Occasionally, Mrs. Oaks airs her out," he quipped. I couldn't imagine being so flippant about your sick old mother. "I'd introduce you to her, but she doesn't remember who the hell I am anymore, much less know what I was talking about if I brought you in to see her. She'll probably think you're just another hotel employee. Come on," he urged, and showed me to the stairway.

Our bedroom was a very large one, just as large as any at The Meadows, and it had two wide windows that looked out over the ocean. The bed was large, with thick, dark oak posts and a hand-carved headboard with two dolphins engraved in it. There was a matching dresser, night tables, and an armoire. Against the far right wall was a vanity table with an ornate oval mirror.

"I suppose you're going to want to make some changes around here now that you're moving in," Bill said. "I know the place could use some lightening up and some color. Well, you can do what you want. Those things never interested me. Make yourself at home while I go get someone to fetch our things."

I nodded and went to the windows. The view was breathtaking. I had seen only a small part of the hotel, but I immediately had this warm feeling, this instant sense of belonging, the moment Bill left me alone and I could gaze out over the grounds. Perhaps fate had not tossed me so carelessly and randomly about after all, I thought, and I left to explore the rest of the second story.

As soon as I stepped out of the master bedroom, the door of another room across the hall opened and a short, stout woman with dark hair and dark eyes appeared. She wore a white uniform that looked more like a waitress's uniform than a nurse's. She paused the moment she saw me and smiled, a warm, soft smile that made her cheeks balloon.

"Oh, hello. I'm Mrs. Oaks."

"I'm Lillian," I said, extending my hand.

"Mr. Cutler's bride. Oh, I'm so happy to meet you. You're just as pretty as they said you were."

"Thank you."

"I take care of Mrs. Cutler," she said.

"I know. Can I see her?"

"Of course, although I must warn you, she's quite senile." She stepped back and I peered into the bedroom. Bill's mother was sitting in a chair, her lap covered with a small quilt. She was a tiny woman, diminished even more by age, but she had large brown eyes that scanned me quickly.

"Mrs. Cutler," Mrs. Oaks said. "This is your daughter-in-law, Bill's wife. Her name is Lillian. She's come to say hello."

The old lady gazed at me for a long moment. I had the idea that my appearance might just have shaken her into some sensibility again, but she suddenly scowled.

"Where's my tea? When are you bringing me my tea?" she demanded.

"She thinks you're one of the kitchen staff," Mrs. Oaks whispered.

"Oh. It's coming, Mrs. Cutler. It's just getting hot."

"I don't want it too hot."

"No," I said. "It'll cool down by the time it gets to you."

"She hardly has a clear moment anymore," Mrs. Oaks said, wagging her head sadly. "Old age. It's the one disease you don't want to end, but then again . . ."

"I understand."

"Anyway, welcome to your new home, Mrs. Cutler," Mrs. Oaks said.

"Thank you. I'll see you again, Mother Cutler," I said to the shriveled old woman who was nearly a ghost of herself. She shook her head.

"Send someone up here to dust," she ordered.

"Right away," I said, and stepped out. I looked over the rest of the corridor and returned to our room just as Bill had gotten two grounds workers to carry up all our things.

"Before you unpack everything, I'll show you around the hotel and introduce you to everyone," Bill said. He took my hand and led me downstairs. We passed through the long corridor and came out by the kitchen. The aromas of Nussbaum's good cooking preceded our arrival. The chef looked up from his preparations as we entered.

"This is the new Mrs. Cutler, Nussbaum," Bill said. "She's a gourmet chef from a rich Southern plantation, so watch yourself."

Nussbaum, a dark-skinned man with blue eyes and dark brown hair, gazed at me suspiciously. He was only an inch or so taller than I was, but he looked formidable and self-assured.

"I'm no cook, Mr. Nussbaum, and everything you're making smells delicious," I said quickly. His smile began in his eyes and then trembled down to his lips.

"Here, try my potato soup," he said, and offered me a spoonful.

"Wonderful," I said, and Nussbaum beamed. Bill laughed, but when he and I left the kitchen, I pulled him aside immediately.

"If you want me to get along with everyone, don't make me sound as stuck-up and as arrogant as you are," I snapped.

"All right, all right," he said, holding up his hands. He tried to joke about it, but after that, he did behave and treat me with respect in front of the other employees. I met some of the guests, too, and then spoke with the headwaiter in the dining room.

In the weeks and months that followed, I found my own niche, creating my own responsibilities, still clinging to the belief that I should go with the wind and bend instead of break. I told myself that if I had to live here and be a hotel man's wife, I would be the best hotel man's wife on the Virginia coast. I devoted myself to it.

I discovered that the guests appeared to like it more when Bill and I ate with them and greeted them personally. Sometimes, Bill wasn't there in time; he was still off doing some chore or another in Virginia Beach or Richmond. But the guests appreciated being greeted at dinner. I began to do it at breakfast as well, and most were both surprised and pleased to see me there in the doorway waiting for them, remembering their names. I made it a point to recall their special occasions, too: their birthdays, christenings, and anniversaries. I marked them down in my calendar and made sure to send them cards. I also sent our guests little notes of thanks for their visits.

In time, I noticed many little things that needed improvement: things that could be done to make service faster and more efficient. I was also unhappy with the way the hotel was cleaned and quickly made some changes, the most important one being appointing someone to oversee the maintenance of the building.

My life at Cutler's Cove proved more enjoyable, more exciting, and more interesting than I had ever imagined it could be.

It seemed I had truly found a place to be, a reason to be. Vera's words of advice just before my wedding to Bill Cutler also proved prophetic. I was able to make enough changes in Bill to make our marriage tolerable. He didn't abuse me or ridicule me. He was satisfied with what I was doing to make the hotel more successful. I knew he was off seeing other women from time to time, but I didn't care. Keeping myself from becoming unhappy meant compromises on my part, but they were compromises I was willing to make, for in time, I did fall in love—not with Bill, but with Cutler's Cove.

Bill didn't oppose anything I suggested, even when some of the suggestions meant spending more money. As the months went by and I assumed more and more of what had been his duties and responsibilities, he seemed more and more pleased. It didn't take a genius to realize his interest in the hotel wasn't as intense as he pretended. Whenever he could find an excuse for one of his so-called business trips, he was off, sometimes not returning for days and days. Gradually, the staff of the hotel began to depend on me more and more to make decisions and solve problems. Before the end of my first year as the new mistress of Cutler's Cove, the first words out of a member of the staff who had a question that needed an answer were "Ask Mrs. Cutler."

A little more than a year after my arrival, I had an office made for myself. Bill was both amused and impressed by all this, but six months later, when I suggested we think about expanding the hotel and building an additional wing, he put up an argument.

"Making sure the linen is kept clean and the dishes are washed properly is one thing, Lillian. I can even understand making someone responsible for all that and giving him a little more money a week, but adding on another twenty-five rooms, expanding the dining room, and building a swimming pool? No way. I don't know what sort of impression I gave you when we first got married, but I don't have that kind of money, even with my success gambling."

"We don't need to have that kind of money immediately, Bill. I've been talking to the banks here. There's one that's eager to give us a mortgage."

"A mortgage?" He started to laugh. "What do you know about mortgages?"

"I was always a good math student. You've seen the way I've handled our accounts. It was something I did for Papa. Business work just comes naturally to me, I guess," I said. "Although, pretty soon, we're going to need a business manager on staff, too."

"A business manager?" He shook his head.

"But first things first. We need that mortgage," I said.

"I don't know. Mortgaging the hotel to expand it . . . I don't know."

"Look at these letters from former guests and prospective new guests, all asking for reservations," I said, lifting a dozen or so off my desk. "We can't accommodate half of them. Don't you see how much business we're turning away now?" I asked. He widened his eyes and looked through some of the letters.

"Hmm," he said. "I don't know."

"I thought you prided yourself on being a good gambler. This isn't so risky a gamble, is it?"

He laughed.

"You amaze me, Lillian. I brought a little girl here, or at least someone I thought was a little girl, but you very quickly took hold. I know the staff already respects you more than they do me," he complained.

"It's your own fault. You're not here when they need you. I am," I said sharply.

He nodded. He didn't have as much interest in the hotel as I had developed, but he knew enough not to pass up a potentially good opportunity.

"Okay. Set up a meeting with the bankers and let's see what this is all about," he concluded. "I swear," he said, standing up and gazing down at me behind my desk. "I don't know whether to be proud of you these days or afraid of you. Some of my friends are teasing me already and telling me you're the one who wears the pants in our family. I'm not sure I like it," he added, perturbed.

"You know you wear the pants, Bill," I said a little coquettishly. He smiled. I had learned quickly how easy it was to flatter him and get my way.

"Yeah, just as long as you know it, too," he said.

I looked sufficiently submissive for him to feel less threatened, and he left. As soon as he did, I contacted a young lawyer named Updike, who had been recommended to me by one of the businessmen in Cutler's Cove. I was very impressed with him and I hired him to represent us in all our business dealings. He helped get us our mortgage quickly and we began an expansion that would continue on and off for the next ten years.

My work and responsibilities at the hotel made it hard for me to travel back to The Meadows more than twice a year. Bill accompanied me only on the first visit. Each time I arrived, I found the old plantation sinking deeper and deeper into disuse and neglect. Charles had long since given up on most of it and simply tried to keep enough going to provide the basic necessities. Papa complained about his taxes and his overhead, just as always, but Vera told me he was leaving the plantation less and less and hardly gambling anymore.

"Probably because he has little left to lose," I said, and Vera agreed.

Most of the time, Papa hardly paid any attention to me nor I to him. I knew that he was curious about my new life and impressed with my clothing and my new car. On more than one occasion, I even thought he might ask me for money. But his Southern pride and arrogance prevented him from making such a request—not that I would have given him any. It would have only gone into other hands over a card table or been spent on bourbon. But I always tried to bring nice things for Luther and Charlotte.

With every passing year, Charlotte began to take on more and more of Papa's physical characteristics. She grew tall and wide and had long fingers and large hands for a girl. My long periods of separation from her had taken their toll over the years. By the time she was five, she seemed only to vaguely remember me each time I reappeared. When I spoke with her and played with her, I noticed that she took longer to understand things than she should and had a short attention span. She could become fascinated with something shiny or something simple and spend hours turning it over and over in her hands, but she had no patience when it came to reciting her numbers and learning her letters. As soon as Charlotte was old enough, Luther took her to school with him as often as he could, but she quickly fell years behind where she should be.

"You should see how Luther looks after her," Vera told me during one of my infrequent trips back. "He won't let her go out without a wrap on if it's too cold and he chases her right back into the house as soon as the first raindrop falls."

"He's a very serious and mature little boy for his age," I said. He was. I had never seen a young boy focus so intently on things and smile or laugh so infrequently. He carried himself like a little gentleman and according to Charles, he was already a significant helper on the plantation.

"I swear that boy knows almost as much as I do about engines and things already," Charles told me.

Whenever I visited the plantation, I spent time at the family graveyard. Just like everything else on the old farm, it needed some tender loving care. I weeded and planted flowers and cleaned it up as best I could, but nature seemed to want to overtake The Meadows and swallow it up with overgrowth and new saplings. Sometimes when I left I'd look back and wish that the house itself would crumble and the wind scatter the pieces far and wide. Better it should disappear, I thought, than linger like Bill's mother had lingered before she died, a neglected, decrepit shell of itself.

As far as Emily was concerned, none of this made much difference. She had never taken much joy and pleasure in the plantation when it was bright and beautiful. There could be flowers and trimmed hedges, bright magnolias and fresh wisteria, or there could not be. It was all the same to her, for she looked out at the world through those gray eyes and saw no color anyway. She lived in a black-and-white universe in which her religion provided the only light and the devil continually tried to impose the dark.

If anything, Emily grew taller and thinner, yet never looked stronger and harder to me. And she held on firmly to all her childhood beliefs and fears. Once, after one of my visits, she followed me to the car, that old Bible still clutched in her clawlike fingers.

"All our prayers and good work have been rewarded," she told me when I turned to say goodbye. "The devil no longer dwells here."

"It's probably too cold and dark for him," I quipped. She pulled herself up tight and stretched her lips into that disapproving expression.

"When the devil sees he has no chance of victory, he moves on quickly to riper pastures. Beware that he doesn't follow you to Cutler's Cove and take up residence in your godforsaken den of debauchery and pleasure. You should institute regular prayer services, build a chapel, put Bibles in every room . . ."

"Emily," I said, "if I ever need to exorcise evil from my life, I'll call on you."

"You will," she said, stepping back confidently. "You joke about it now, but someday, you will."

Her self-assurance gave me the willies. I couldn't wait to get back to Cutler's Cove and, indeed, I didn't return to The Meadows until nearly a year later when a message arrived telling us Papa had died.

There were very few people at his funeral. Even Bill did not accompany me, claiming he had an important business trip to make, one that couldn't be postponed. Papa had few if any friends left. All his gambling pals had either died or gone off someplace and most of the other plantation owners had long since succumbed to hard times and sold off their land a parcel at a time. None of Papa's relatives were interested in making the trip.

Papa had died a lonely man, still drinking himself to sleep every night. One morning, he simply didn't awaken. Emily didn't shed a tear, at least in my presence. She was satisfied that God had taken him because it was his time. It was a very simple funeral after which Emily provided only tea and some cakes. Even the minister didn't stay.

I thought about taking Charlotte back with me, but Vera and Charles talked me out of it.

"She's comfortable here with Luther," Vera said. "It would break both their hearts to separate them."

I could see that Vera really meant it would break her heart, for she had become a mother to Charlotte and from what I observed, Charlotte felt that way about her, too. Of course, Emily was opposed to my taking Charlotte to that "sinful Sodom and Gomorrah on the beach." In the end, I decided it was best to leave her, even with Emily, for Charlotte seemed unimpressed and certainly undisturbed by Emily's religious fanaticism. Of course, I had never told Bill about the truth of Charlotte's birth and I had no intention of ever telling anyone. She would remain my sister and not my daughter.

"Perhaps you and Charles will bring Luther and Charlotte to Cutler's Cove one day," I told Vera, "and visit for a while."

She nodded, but the idea of such a trip seemed to her as difficult as a trip to the moon.

"Do you think you'll all be all right here now, Vera?" I asked one final time before leaving.

"Oh yes," she said. "Mr. Booth had long since stopped making any difference as far as running this place goes. His passing will have no effect on what we have or do. Charles will see to the chores—Charles and Luther, I should say, for he's become a right strong and efficient assistant. Charles will be the first to say so."

"And my sister . . . Emily?"

"We've grown accustomed to her. Matter of fact, we wouldn't know what we'd do without her hymns and prayers. Charles says it's better than those picture shows we've heard about. You never know when you'll look out and find her floating through the mansion, candle in hand, waving some cross at a shadow. And who knows, maybe she does keep the devil out."

I laughed.

"Things have gone all right for you, Miss Lillian, haven't they?" Vera asked, her eyes smaller. She had gotten gray and her crow's-feet had gone deeper and longer.

"I've made my nest and found my reasons to keep going, Vera, if that's what you mean," I told her.

She nodded.

"I thought you would. Well, I'd better see to supper. I'll say my goodbye now."

We hugged and then I went to say goodbye to Charlotte. She was sprawled on the floor in what had once been Mamma's reading room, looking through an old album of family photographs. Luther sat on the chaise looking down at the pictures with her. They both looked up when I appeared in the doorway.

"I'm leaving now, children," I said. "Looking at the family pictures?"

"Yes, ma'am," Luther said, nodding.

"Here's one of you and me and Emily," Charlotte said, pointing down. I looked at it and recalled when Papa had had that picture taken.

"Yes," I said.

"We know most people in the book," Luther said, "but not this one." He turned the pages back and stopped to point at a small photograph. I took the book into my hands and gazed at it. It was my real mother. For a moment I couldn't speak.

"It's . . . Mamma's younger sister, Violet," I said.

"She was very pretty," Charlotte said. "Right, Luther?"

"Yes," he agreed.

"Wasn't she, Lil?" Charlotte asked. I smiled at her.

"Very pretty."

"Did you know her?" Luther asked.

"No. She died before . . . just after I was born."

"You look a lot like her," he said, and then turned crimson at his own outburst.

"Thank you, Luther." I knelt down and kissed him and hugged and kissed Charlotte. "Goodbye, children. Be good," I said.

"Or Emily will get mad," Charlotte recited. It made me smile through my tears.

I hurried out and never looked back.

Something happened to Bill during the business trip he had made instead of accompanying me to Papa's funeral, for when he returned days later, he was remarkably changed. He was quieter, more restrained, and spent long periods of time just sitting on the porch sipping tea or coffee and staring out at the ocean. He didn't wander through the hotel, teasing the young chambermaids, nor did he hold any of his card games in the game room for the waiters, bellhops, and busboys, sometimes shamefully taking their hard-earned tips away.

I thought he might have gotten sick, even though he didn't look pale or weak. I asked him a few times if he was feeling all right. He said he was, each time staring at me for a moment before heading off.

Finally, one night nearly a week later, he came into our bedroom after I had already gotten under the covers. After our initial months together, we made love less and less frequently until long periods of time passed without us as much as exchanging a kiss. He knew that whenever I did kiss him or make love with him, I did so more out of a sense of marital duty than affection, even though he was still quite handsome.

Never did our lovemaking result in my becoming pregnant. In my own mind I thought it was simply because of my terrible experience giving birth to Charlotte. Yet, as far as I knew, there was nothing physically wrong with me, no reason for me not to become pregnant. It just never happened.

Bill came over to my side of the bed and sat down, his hands folded in his lap, his head lowered.

"What is it?" I asked. His curious behavior made my heart beat faster. Slowly, he raised his head and fixed his eyes on me—eyes full of sadness and pain.

"I got to tell you something. I've not been solely conducting business on my trips, especially the trips to Richmond. I've been gambling and . . . carousing." I released a trapped breath.

"It doesn't come as any surprise to me, Bill," I said, sitting back. "I never demanded to know about your trips and I'm not demanding it now."

"I know and I appreciate that. In fact, I wanted to tell you how much I appreciate you," he said softly.

"Why this sudden reform?" I asked.

"I had a bad experience on this last trip. I was gambling on the train and it became one of these games that lasts for days. We took it off the train and into a hotel room in Richmond. I was winning. In fact, I was winning so much, one of the players who was losing accused me of cheating."

"What happened?" Once again, my heart began to beat in anticipation.

"He put a gun to my head. He told me there was only one bullet in the gun and if I was cheating, that was the chamber the hammer would hit. Then he pulled the trigger. I nearly emptied myself in my pants, but nothing happened. His friends thought it was funny and he decided that was just a test and he had to try one more time. He pulled the trigger again, and again it was an empty chamber.

"Finally, he sat back and said I could go with my winnings. Just to prove he wasn't kidding, he pointed the gun at the wall and pulled the trigger once more, and this time the gun went off. I hurried out of there and got back home as fast as I could, thinking all the time that my life had nearly ended and what did I have to show for it? I could have died without any dignity in a hotel room somewhere in Richmond," he moaned. A little too dramatically, he raised his eyes toward the ceiling and sighed.

"My sister Emily would like to hear this confession," I said dryly. "Maybe you should make a trip to The Meadows." He gazed at me again and in a breathless gush, his words spilled forth.

"I know you're not in love with me and you still resent the way I got you to be my wife, but you're a woman with some inner strength. You come from good stock, and I've decided . . . if it's all right with you, that is . . . that we should have children. I'm hoping for a son to carry on the Cutler heritage. I think if you want it, too, it will happen."

"What?" I sat back, amazed.

"I'm willing to reform my ways, to be a good husband and a good father, and I won't interfere with the things you want to do at the hotel. What do you say?" he pleaded.

"I don't know what to say. I guess I should be happy you're not asking me to cut a deck of cards to decide," I added.

He looked down. "I know I deserve that," he added, looking up, "but I'm being sincere now. I really am."

I sat back and studied him. Perhaps I was a fool, but he did look sincere.

"I don't know if I can get pregnant," I said.

"Can we try at least?"

"I can't stop you from trying," I said.

"Don't you want a child?" he asked, shocked by my cold response.

It was on the tip of my tongue to tell him I had one, but I swallowed the words and simply nodded.

"Yes, I suppose I do," I admitted.

He smiled and clapped his hands together.

"It's settled, then." He stood up and started to undress so we could begin that night. I didn't get pregnant that month. The next month we made love as much as we could around the time when I was supposed to be most fertile, but it took three more months. One morning I awoke with that familiar nausea after having missed my period and I knew what Bill wanted was going to happen.

This time my pregnancy went much easier and I delivered in a hospital. The delivery itself went quickly. I thought the doctor suspected I had given birth before, but he didn't say anything or ask anything. I gave birth to a baby boy and we named him Randolph Boise Cutler, after Bill's grandfather.

The moment I set eyes on my child, I knew my indifference had disappeared. I decided to breastfeed and found that I couldn't stand being apart from him, nor did it seem he could stand being apart from me. No one could put him to sleep as easily or make him as content as I could. We hired one nanny after another until I finally decided that I would be the one who looked after him. Randolph would be one child in my life who never lost his real mother. We would never even be separated for a day.

Bill complained I was spoiling him, making him a mamma's boy, but I didn't change my ways. When he was old enough to crawl, he crawled around in my office, and when he was old enough to walk, he walked with me through the hotel and greeted guests, too. In time, it was as if he was just another part of me.

Once Bill had his son, he quickly forgot his promises and his reform. It wasn't long before he was back to his old ways, but I didn't care. I had my son and I had the hotel, which was still growing in many ways. I had tennis courts built and a ball field constructed. I began motorboating for the guests and started more elaborate dinners. Building the resort became my sole purpose in life and I got so I would permit nothing to hinder or interrupt that progress. At the age of twenty-eight, I overheard one of the staff refer to me as the "old lady." At first it bothered me, and then I realized it was merely the staff's way of calling me the boss.

One summer day, a particularly beautiful day with an almost cloudless sky and a cool, refreshing breeze coming in from the ocean, I returned to my office after inspecting the activities out by the pool and speaking to the groundskeeper about creating some new gardens in the rear of the hotel. The mail was piled on my desk, waiting for me as usual, and as usual it was stacks high. I waded through most of it, putting the bills aside and sorting out the reservation requests along with the personal letters some of our former guests wrote in response to my cards of thanks and special occasions.

One letter caught my attention. It was written in a nearly illegible scribble and had obviously been sent from one place to another before arriving at The Meadows and then being forwarded to Cutler's Cove. I didn't recognize the name. I sat back and tore open the envelope to remove a thin sheet of stationery, the ink nearly faded too much to read. "Dear Miss Lillian," it began.

> *You don't know me, but I feel as if I know you. My grandâuncle Henry, he's been talking about you from the moment he arrived until the day he died, which was just yesterday.*
>
> *Most of his days with us were spent telling and retelling about his life at The Meadows. The way he told it, it sure sounded good. We especially liked to hear about them big parties on the lawns, the music and the foods and the games you people played.*

When Uncle Henry talked about you, he talked about you as a little girl. I'm sure he never thought of you as being a grown woman. But he thought so much about you and talked so much about how sweet and pretty you was and how nice to him you was that I thought I'd write to you to tell you that the last words he spoke was words about you.

I don't know how he looked at me and thought it, but he thought I was you sitting by him. He took my hand in his and told me not to fret. He said he was going back to The Meadows and if you looked hard enough for him, you'd see him coming up the driveway real soon now. He said he'd be whistling and you'd recognize the tune. There was such life in his eyes when he said it, I just thought it might happen. So I wanted you to know.

I hope you are feeling good and don't laugh at my letter.

Sincerely yours,
Emma Lou, Henry's grandniece

I put the letter aside and sat back, the tears streaming down my cheeks. I don't know how long I was there, just sitting and remembering, but it must have been a while, for the sun fell low enough to cast long shadows through the windows. It did seem like I was sitting back in The Meadows and I was just a little girl again, and when I turned and looked out my office window, I didn't see the hotel.

I saw the long driveway leading up to the plantation house and for a moment I was thrown back in time. There was a lot of commotion in the house. Servants were rushing all about and Mamma was singing out her orders. Preparations were underway for one of our grand parties. Louella rushed by on her way to brush Eugenia's hair and help her dress. I could see everyone just as clearly as I could the day I was there, but no one seemed to be able to see me. Everyone walked right by and when I called to Mamma, she kept doing what she was doing as if she didn't hear me. It made me frantic.

"Why doesn't anyone hear me?" I cried. Frightened, I rushed out of the house and onto the porch. It seemed to age right under my feet and turn rickety and old, the wood fading, the steps leading up looking chipped and broken. "What's happening?" I cried. A flock of chimney swallows burst into the air and swooped over the front lawn before sailing off over the trees. I spun around and looked at the plantation. It looked as neglected and deteriorated as it did now. My heart thumped. What was happening? What would I do?

And then I heard it—Henry's whistling. I skipped down the porch steps and ran down the driveway just as he started to come around the turn. He had his old suitcase in hand and his sack of clothes over his shoulder.

"Miss Lillian," he cried. "Why you rushing about so?"

"Everything's different, Henry, and no one's paying any attention to me," I moaned. "It's as if I don't exist anymore."

"Oh, now, you don't pay that any mind. Everyone's busy right now, but no one's gonna forget you," Henry assured me. "And nothing's changed."

"But can that happen to you, Henry? Can you just suddenly become invisible . . . disappear? And if you do, where do you go?"

Henry put down his suitcase and sack and lifted me into his strong arms.

"You go to the place you love most, Miss Lillian, the place you feel's your home. That's something you never lose."

"Are you there, too, Henry?"

"I expect I am, Miss Lillian. I expect I am."

I hugged him and then he put me down, picked up his suitcase and sack, and continued up the driveway toward The Meadows.

And somehow, some magical way, the old, worn, and neglected mansion began to shine again, became what it was, full of excitement and laughter and love.

Henry was right.

I was home.